Students and Ex

ABHANDLUNGEN ZUR KUNST-, MUSIK- UND
LITERATURWISSENSCHAFT, BAND 197

Gerhart Hauptmann

ZEITGESCHEHEN UND BEWUSSTSEIN
IN UNBEKANNTEN SELBSTZEUGNISSEN
EINE POLITISCH-BIOGRAPHISCHE STUDIE

VON HANS VON BRESCIUS

1976

BOUVIER VERLAG HERBERT GRUNDMANN · BONN

CIP-Kurztitelaufnahme der Deutschen Bibliothek

BRESCIUS, HANS VON
Gerhart Hauptmann: Zeitgeschehen u. Bewußtsein in unbekannten Selbstzeugnissen; e. polit.-biograph. Studie. – 1. Aufl. – Bonn: Bouvier, 1976.
(Abhandlungen zur Kunst-, Musik- und Literaturwissenschaft; Bd. 197)

ISBN 3-416-01221-6

Herstellung: Franz Wolf, Heppenheim.

INHALTSVERZEICHNIS

EINLEITUNG

> Wie stand ich nun zur sogenannten Gesellschaft, wie zum Staat, wie zur Kultur: oppositionell, kritisch, meine Zustände damit vergleichend, mein eignes, inneres Glück, mein*(e)* Lust suchend. — War ich ein Teil der Gesellschaftsseele? dann ein rabiater. — Alles war nur halbbewußt. Weil ich glaubte, man sei entmündigt. Der einzelne sei es. Aber ist der einzelne nur Produkt der Gesellschaft selbst, was bemüht er sich immer, als einzelner hervorzutreten, neue e i g n e Gedanken zu fassen? *Nachlaß-Nr. 122, S. 56*

In dieser Reflexion Gerhart Hauptmanns über seine Stellung zum Kaiserreich — aus der Retrospektive von 1929 * — kommt zum Ausdruck, in welchem Spannungsverhältnis er mit seinem Postulat eines individualistischen Künstlertums zu Gesellschaft, Staat und Nation stand oder zu stehen glaubte.

Das Verhältnis von Zeitgeschehen und Bewußtsein bei Hauptmann soll im folgenden dokumentiert werden: wie es als Selbstverständnis und historische Erfahrung in Selbstzeugnissen des Dichters auftritt. — Die Untersuchung dieses Aspekts ist Teil der biographischen Hauptmann-Forschung, die noch lange Zeit nach dem Tod des Dichters (1946) dadurch behindert war, daß der größte Teil des Dichternachlasses öffentlich nicht zugänglich war. Gustav Erdmann, ein führender Hauptmann-Forscher der DDR, charakterisierte 1962 diese Schwierigkeit folgendermaßen (1):

> Es wird ja noch geraume Zeit dauern, ehe biographische Dokumente von primärem Quellenwert, also Hauptmanns Tagebücher, Aufzeichnungen und der in seinem Umfang noch nicht zu übersehende Briefwechsel, der Allgemeinheit erschlossen werden können. Daher sind Mitteilungen aus dem Freundeskreis des Dichters besonders wertvoll.

Diese Mitteilungen aus dem Freundeskreis (etwa in Memoiren) sind naturgemäß meist affirmativ oder apologetisch und vermitteln selten ein objektives Bild in umstrittenen Fragen, z. B. der Haltung Hauptmanns im Dritten Reich.

Seit dem Erwerb des Hauptmann-Nachlasses durch die Stiftung Preußischer Kulturbesitz für die Staatsbibliothek Berlin (1968/69) sind die

---

* 1929 begann Hauptmann mit der Ausarbeitung seiner Autobiographie. „Das Abenteuer meiner Jugend" (CA VII, 451—1082).

biographischen Primärquellen der Forschung zugänglich.

Die beiden ersten umfassenden Biographien, die nach dem Tode des Dichters erschienen sind (Eberhard Hilscher 1969; Hans Daiber 1971 *), konnten noch nicht von der archivalischen Erschließung des Nachlasses profitieren. (2) Bisher unbekanntes oder schwer zugängliches Material trägt Peter de Mendelssohn in der Dokumentation „S. Fischer und sein Verlag" (1970) vor, darunter Hauptmanns Korrespondenz mit seinem Verleger.

In absehbarer Zeit ist nicht mit einer umfassenden Veröffentlichung der biographischen Dokumente des Nachlasses zu rechnen. Die zwischen 1962 und 1974 erschienene elfbändige Centenar-Ausgabe ist nicht auf die Vollständigkeit einer historisch-kritischen Edition angelegt worden: es fehlen unter anderem die Tagebücher, Arbeitshefte und der Briefnachlaß. Auch bei einer künftigen Tagebuch-Edition wird man sich auf eine Auswahl beschränken müssen, da bei Hauptmanns Aufzeichnungen die Grenze zwischen Tagebuch, Arbeitsheft oder Notizkladde außerordentlich fließend ist. In der vorliegenden Untersuchung hat sich der Verfasser darum bemüht, besonderes Gewicht auf die Erschließung und Auswertung jener vielen kleinen verstreuten Notizen zu legen, die Sinn und Aussagekraft erst in einem interpretierenden Zusammenhang gewinnen.

In verhältnismäßig geschlossener Form hat Hauptmann bis zum Ende des 1. Weltkriegs Tagebuch geführt, in größeren Folianten zumeist. Für die Zeit danach finden sich sehr diffus überlieferte Aufzeichnungen. Hauptmann wollte nicht vorsätzlich ein Chronist seiner Zeit sein. Daher mangelt den Aufzeichnungen der durchgeformte Stil, den die Rücksicht auf eine mögliche spätere Veröffentlichung erwarten ließe. Eine Ausnahme bildet das Tagebuch Nachlaß-Nr. 230, das Hauptmann „offiziell" – mittels Diktats – von 1918 bis in die dreißiger Jahre führte.

Die Aufzeichnungen dienten einerseits dazu, Material für die Dichterwerkstatt festzuhalten. Zum anderen förderten sie die Selbstverständigung Hauptmanns, dessen geringe Neigung oder Fähigkeit zu diskursivem Denken in vielen literarischen Porträts bezeugt wird. Über die Funktion des Tagebuch-Schreibens als Denkhilfe sagte Hauptmann selbst:

---

* Das in der Hauptmann-Monographie Hans Daibers sporadisch verwendete Nachlaß-Material – unbekannte Tagebuchäußerungen G. Hauptmanns zu Vorgängen und Personen der Zeitgeschichte – ist nachweislich einer Rundfunksendung des Verfassers von 1970 entnommen worden, ohne daß der Verfasser davon Kenntnis besaß bzw. die Genehmigung dazu erteilte (3).

(13.9.1911)
Ich schreibe, und das erleichtert mich. Warum? weil ich einigen Verstand dazu
brauche, um das Irrationale einzufangen. Der Verstand wird stärker in der Aktion.
Nachlaß-Nr. 11b, S. 425

Dieses Bedürfnis nahm bei Hauptmann regelrecht den Charakter eines
Schreibzwangs an. In ihm regte sich ein permanenter Äußerungstrieb, der
ihn in unterschiedlichsten Situationen und Stimmungen schreiben oder
diktieren ließ.

Daher sind bei der Qualifizierung der Aufzeichnungen die Bedingungen
ihrer Entstehung zu berücksichtigen: etwa die Flüchtigkeit des Reisenotiz-
buches oder die durch Affekteinwirkung, Müdigkeit oder Alkoholgenuß
herabgesetzte Bewußtseinsfähigkeit des Autors. Dies erklärt wohl manche
Unzulänglichkeit der Formulierung und gedanklichen Durchdringung in
den Aufzeichnungen. Insbesondere der Alkoholintoxikation sind in den
späteren Selbstzeugnissen unqualifizierbare, an Unsinn grenzende Notizen
zuzuschreiben. Solche Fälle sind meist schon an der Veränderung des
Schriftbildes zu erkennen: statt der normalerweise zierlich-regelmäßigen
Züge ist der Duktus dann übergroß, krakelig und teils unleserlich. Auch
stilistisch weisen sich diese Partien durch besondere Merkmale aus:
anstelle einer syntaktisch durchgeformten Satzbildung ist die Tendenz
zum Nominalstil und Anakoluth zu beobachten — sowie ein exzessiver
Gebrauch von „etc.", Gedankenstrichen, Frage- und Ausrufezeichen.

Die vorliegende Dokumentation steht daher vor dem Problem, Texte
von höchst unterschiedlicher Repräsentanz zu erschließen, ohne diesen
Unterschied, der aus der Autopsie des Archivmaterials sogleich erhellt,
reproduktiv vermitteln zu können. Eine Auswertung dieser Aufzeichnungen kann jedoch davon profitieren, daß das Nachlaß-Material mitunter
aussagekräftiger ist als die autorisierten und veröffentlichten publizistischen Texte, in denen Hauptmann manche unbefangenere Deutlichkeit
abzuschwächen oder zu opfern geneigt war. So zeigt die unterschiedliche
Repräsentanz der im folgenden vorgeführten Texte auch eine aufschlußreiche Spannung zwischen den ‚offiziellen' Äußerungen Hauptmanns als
Kulturrepräsentant und den in den privaten Aufzeichnungen sich
verbergenden Ressentiments und Klischeevorstellungen, aber auch Stimmungen des inneren Vorbehalts und der Desillusion.

Die Darstellung geht grundsätzlich von einer chronologischen Anord-
nung aus, deren Gliederung sich durch zeitgeschichtliche und biographische Zäsuren ergibt. Trotz der Fülle von Selbstzeugnissen des dichterischen Nachlasses läßt sich nicht jede historisch-biographische Epoche

gleichmäßig substanziell belegen. Aber auch die unterschiedliche Beleg-
dichte hat einen Aussagewert: so kann die Spärlichkeit zeitgeschichtlicher
Reflexionen jeweils eine politikferne Innerlichkeit, einen Rückzug aus der
Gegenwart oder eine Verdrängung und Verleugnung der Zeitsituation
dokumentieren.

Aus der Fülle der Aufzeichnungen Hauptmanns zu Fragen der Kunst,
Kultur und zum eigenen Werk werden im allgemeinen nur solche
Äußerungen herangezogen, die Hauptmanns Reaktion auf das Zeitgeschehen beleuchten (eigene literarisch-ideologische Standortbestimmun-
gen, kulturpolitische Reflexionen etc.) . Einzig Hauptmanns konservative
Wende vor dem Jahrhundertwechsel wird wegen ihrer zentralen Bedeutung
für sein dichterisches Selbstverständnis ausführlicher belegt. Die Ökonomie
dieser Untersuchung erlaubt nur ein gelegentliches Eingehen auf das
literarische Oeuvre, obgleich viele Werke Hauptmanns dichterisch gestaltete Zeit- und Kulturkritik aufweisen. Mit der Rekonstruktion des
zeithistorischen Bewußtseins Hauptmanns soll vor allem seine Rolle als
Kulturrepräsentant innerhalb der von ihm erlebten wechselvollen
deutschen Geschichte nachgezeichnet werden.

Der Dank des Verfassers für die Unterstützung seiner Arbeit gilt seinem
Doktorvater Prof. Wilhelm Emrich; den bibliothekarischen Betreuern des
Hauptmann-Nachlaßarchivs in der Staatsbibliothek Preußischer Kultur-
besitz, Rudolf Ziesche und Dr. Klaus Appel; ferner für Korrekturen und
Hinweise Walter Dimter (Würzburg), Dr. Martin Machatzke, Dagobert
Dielitz, Dr. Christian Büttrich und Hans Hellige.

TEXTKRITISCHE ZEICHEN

⟨　⟩　Von Gerhart Hauptmann verworfener (gestrichener) Text
(　)　Editorischer Zusatz (Anmerkungen etc.) des Verfassers
(?)　Unsichere Lesung
(...?)　Nicht entzifferter Text
(...)　Auslassung innerhalb von Zitaten

Aus satztechnischen Gründen sind die Auslassungen innerhalb von Zitaten nicht durch eckige, sondern runde Klammern gekennzeichnet; desgleichen die vereinheitlichten, z. T. erschlossenen Datierungsangaben, bei denen die Ortsangabe nur ausnahmsweise belassen worden ist.
Ebenfalls aus satztechnischen Gründen wurde auf sämtliche Akzente verzichtet.

QUELLENANGABEN

Nachlaß-Nr.:　　　　Im Gerhart Hauptmann-Nachlaß der Stiftung Preußischer Kulturbesitz

Briefnachlaß I:　　　ibd.; s.v. = sub voce

Nachlaß E. Jungmann:　ibd.

Erwerbung J. Chapiro:　ibd.

Briefnachlaß II:　　　Im Gerhart Hauptmann-Nachlaß der Literaturarchive der Akademie der Künste der DDR, Berlin-Ost; B = Sigel des Findbuches zum Briefnachlaß

I DER WERDEGANG DES FRÜHEN GERHART HAUPTMANN

Gerhart Hauptmanns Leben begann mit der Heraufkunft des Deutschen Reiches und endete kurz nach dessen Niedergang. Vier Umwälzungen der deutschen Geschichte hat Hauptmann also bewußt miterlebt: 1914, 1918, 1933 und 1945.

Jeder historische Umschwung entlockte ihm mehr oder weniger spontan ein zustimmendes Bekenntnis, jedesmal stellte er sich zur ‚Verfügung'. Das hat ihm den Vorwurf des „ewigen Anpassers" (W. Herzog) eingetragen. (1) Beruhte dieser wandlungsfähige Konformismus auf einem Mangel an Gesinnung, oder berührte der historische Wandel Hauptmann nur oberflächlich? Wie man auch Hauptmanns Leben und Werk ideologisch einschätzen mag: bewußter politischer Opportunismus als Erfolgsvehikel läßt sich in seinem Fall ausschließen. Der Grund für jene Wandlungsfähigkeit ist eher schon in einer gewissen politischen Instinktlosigkeit zu suchen, die Otto Flake bereits früh im Verkehr mit Hauptmann festgestellt hat: (2)

> Große Geduld war nötig, um Hauptmann zuzuhören, wenn er über Politik sprach. Er hatte kein Organ für die konkreten Mächte im Staat, redete von ihnen wie von platonischen Ideen und war als Mann mit tiefem Nationalgefühl bereit, das, was ist, mit dem, was sein soll, gleichzusetzen. Wer so denkt, muß den jeweiligen Machthaber verteidigen, den verhängnisvollen Wilhelm II. oder den noch verhängnisvolleren Hitler.

Otto Flakes Erinnerung zielt auf die Zeit des 1. Weltkriegs. Zu diesem Zeitpunkt hatte Hauptmann seine ehemals oppositionell-kritische Rolle im Kaiserreich vollends aufgegeben. Die politische Abstinenz des Dichters vor 1914 hatte zum guten Teil verdeckt, daß der einstige Protagonist des Naturalismus längst Züge eines konservativen Klassikers angenommen hatte. Folgt man Hans Schwertes Einteilung der Literatur des wilhelminischen Zeitalters in ein offiziell sanktioniertes, ideologisch reaktionäres Epigonentum und eine oppositionelle literarische Moderne, (3) so muß man Hauptmann zwar — vor allem mit seinem naturalistischen Frühwerk — der zweiten Richtung zurechnen. Dennoch finden sich bei ihm schon vor der Jahrhundertwende Symptome eines Kulturkonservatismus, der ihn zwar nicht gerade zum kulturellen Verstärker des wilhelminischen Deutschland machte, aber den anfänglichen Oppositionsgeist zunehmend neutralisierte und Hauptmann in einer eigentümlichen Mittelposition zwischen ‚Fortschritt' und ‚Reaktion' verharren ließ. Diese Entwicklung Hauptmanns ist zwar durchaus vergleichbar mit dem generationstypischen Verhalten der anderen Naturalisten, unter denen sich ebenfalls die meisten von ihrem sozialen Engagement im Laufe der 90er Jahre distanzierten und einem aristokratisch getönten Individualismus verfielen. Aber sie wird auch biographisch plausibel durch einen Rekurs auf Hauptmanns frühen Werdegang, in dem sich bereits Tendenzen seiner späteren Entwicklung zwischen Opposition und Anpassung erkennen lassen.

1. Familiäres Milieu

Seine Kindheit schildert Hauptmann außerordentlich detailliert in seiner Autobiographie „Das Abenteuer meiner Jugend" (CA VII, 451—1082), allein die Jugendzeit bis zum Alter von 18 Jahren wird auf über 330 Seiten dargestellt. Bei aller Schärfe und Eindringlichkeit dieser Schilderung einer schwierigen Jugend stellt sich angesichts der Entstehungszeit (1929—1935) die Frage der Authentizität. Hauptmann selbst hob hervor, daß das „Abenteuer meiner Jugend" nicht die Unmittelbarkeit früherer autobiographischer Bemühungen besitze. So meinte er im Hinblick auf einen 1887 begonnenen, Fragment gebliebenen und verschollenen Bekenntnisroman: „Ich bin früher in der Selbstdarstellung viel rücksichtsloser gewesen, ohne jede Furcht vor Kraßheiten." (4) Trotz der altersbedingten literarischen Stilisierung des „Abenteuers meiner Jugend" ergibt sich jedoch der Vergleich mit den zahlreichen vorhergehenden Ansätzen zu einer Bewältigung des Autobiographischen gewisse inhaltliche Konstanten, zu denen auch die Charakteristik des Verhältnisses zu den Eltern gehört. (5) Gerhart Hauptmann wurde in ein gutbürgerliches Milieu hineingeboren. Der Vater Robert Hauptmann besaß ein zunächst florierendes Kurhotel im schlesischen Obersalzbrunn. Robert Hauptmann hatte in Breslau das Küfnerhandwerk erlernt, auf der Wanderschaft in Paris die Revolution von 1848 miterlebt und von dort den „Ruf eines ‚Roten' und die Vorliebe für das provozierende Spielen der Marseillaise mit nach Haus gebracht" (E. Hilscher). (6) Doch das verlor sich bei Robert Hauptmann. Wie viele der enttäuschten 48er wurde er aufgrund kleindeutscher Anschauung ‚Bismarckianer'. Mit der Etablierung als Hotelbesitzer hatte er gesellschaftliches Prestigebedürfnis entwickelt und seine vormals vom vermögenden Großvater Hauptmann finanzierten

Liebhabereien wiederaufgenommen. Dieser Lebensstil verbot sich eigentlich, als aus einer zweiten Ehe des Großvaters Hauptmann drei weitere Erben hervorgingen. Als diese um ihr Erbteil einkamen, mußte Robert Hauptmann das Hotel mit einer Hypothek belasten. Die damit einsetzende, ständig drohende Gefahr der wirtschaftlichen Unsicherheit und des sozialen Abstiegs warf ihre schweren Schatten auf die Familienbeziehungen und auf die Entwicklung der Kinder. Trotz wachsender wirtschaftlicher Schwierigkeiten konnte sich der Vater nicht sogleich von seinen kostspieligen Passionen wie eigener Jagdpacht und Kutsche trennen. Bei einer für die Hauptmanns ungünstigen Testamentseröffnung brach eine seit längerem schwelende Ehekrise zwischen Robert und Marie Hauptmann aus. Marie Hauptmann machte ihrem Mann, der „im Büro und Salon den vornehmen Mann" spiele, Vorhaltungen wegen ihrer aufreibenden und deklassierten Tätigkeit in der Bewirtschaftung. Der kleine Gerhart belauschte diese Szene, die den „familiären Boden" so sehr erschüttert habe, daß er niemals mehr seine „alte Festigkeit" erlangte (CA VII, 547).

Dennoch bekundet Hauptmann in seiner Autobiographie, eine äußerst glückliche Kindheit im Elternhaus verlebt zu haben. Er führt dies auf das Nebeneinander von absolutem Freiheits- und Geborgenheitsgefühl zurück. Durch den Hotelbetrieb waren die Hauptmann-Kinder sich häufig selbst überlassen und konnten sich einer Ungebundenheit erfreuen, die mitunter an Verwahrlosung grenzte (472, 481, 583). Der „offene und anschmiegsame" (588), häufig auch „verträumte" (488) Knabe Gerhart war emotional stark an seine Eltern gebunden, vor allem an die Mutter. Ihre Zuwendung war ihm das schützende „Matriarchat" (682) seiner Kindheit. Schmerzlich waren dem Knaben Erfahrungen, die eine Lockerung der Bindung an die Mutter bewirken mußten. So mißfielen dem scharf beobachtenden Gerhart Heimlichkeiten seiner Mutter mit dem Großvater, dem Brunneninspektor Straehler, der seinen Schwiegersohn Robert Hauptmann sozial nicht akzeptierte:

> Ich erkannte, wie meine Mutter vor ihm sich demütigte und diese für mich autoritativste unter den Frauen vor ihm zum großen Kinde wurde. Gegen diese Erniedrigung meiner großen Allmutter empörte ich mich, zugleich bewegte mich Eifersucht, und endlich sah ich die Einheit von Vater und Mutter gefährdet.(487)

Die später bei Hauptmann zu beobachtende Charakterambivalenz hat sich schon früh in den familiären Beziehungen als Mischung von Anhänglichkeit und Kritik ausgeprägt. So erlebte der Knabe Familienzwiste als ein „scharfer, fast respektloser, psychologisierender Zuschauer.

Er läßt sich nichts vormachen. Er weiß, daß auch die Eltern, die Onkels und Tanten nicht unfehlbar sind. Er wagt die Rebellion – zumindest im Denken" (J. Amery). (7) Doch in der Beziehung zum Vater dominierten Furcht und Gehorsam. Wie die Mutter- wird auch die Vaterfigur mit auffälligen Attributen der Autorität ausgestattet:

Der Befehl eines menschlichen Gottes war meines Vaters Gebot. (...) Ich, ein besserer kleiner Adam, hielt mich mit bebendem Gehorsam an sein Bettelverbot. (461)

Die Autorität des Vaters innerhalb der Familie wurde sichtbar dokumentiert durch seine soziale Herrschaftsstellung. Sie wurde von ihm offenbar um so rigider herausgekehrt, desto unsicherer die ökonomische Basis war:

Groß war der Respekt, den mein Vater als Leiter des Gasthofs bei den Angestellten genoß, man darf sogar von der Furcht des Herrn reden, die überall von Kutscherstube zu Küche, von dort zu den Sälen und Zimmern vorhanden war. (527)

Dem Vater werden in der Autobiographie die typischen Eigenschaften der Respektsperson zugeschrieben: „steifer Ernst", „Selbstdisziplin", „Reserviertheit" und nüchterne Gleichmäßigkeit (517, 521, 527). Dahinter verbarg sich emotionale Hilflosigkeit. Ausnahmefälle einer persönlich-kameradschaftlichen Beziehung zum Sohn, etwa auf gemeinsamen Reisen, wurden von diesem als beglückende Erlebnisse empfunden (521, 535). Das Verlangen des Knaben nach Beweisen väterlicher Zuneigung wies sogar leicht masochistische Züge auf (526). Er hatte den „Wunsch, besonders dem Vater nicht weh zu tun. Dies war so sehr seine Richtschnur, auch noch in späterer Zeit, daß er einstmals einer schriftliche Rüge wegen, die ihm sein Lehrer erteilt hatte, fast in Krämpfe verfiel und dabei in sehr unsinniger Verzweiflung nur immer stammelte: ‚Mein armer, armer Vater'." (8) Der Strenge des Vaters, die „höchst sparsam mit Befehlen und Verboten,, war, gehorchte der Knabe „immer sofort". (9) Daß der Vater seine Autorität nur sparsam einzusetzen brauchte, bezeugt, wie sehr sich der Sohn im Übergehorsam mit ihr identifizierte. Nur durch diese Identifikation konnte er die strenge Vaterfigur ertragen: „Er liebte seinen Vater und vergötterte ihn." (10) Noch in der verhältnismäßig unkritischen Schilderung des Vaters in der Autobiographie schimmert die Vater-Fixierung hindurch. Von seiner Mutter dagegen hat Hauptmann gelegentlich ein vergleichsweise kritischeres, fast abfälliges Bild gezeichnet. (11) Die subalterne Position der Mutter in der Hotelwirtschaft entsprach der

üblichen Rolle der Frau im Familientypus des bismarckisch-wilhel-
minischen Zeitalters. Sie hatte sich unterzuordnen, war das „Zwischen-
wesen" (E. Erikson) — aufgerieben in den wechselnden Koalitionen, die
sie im Gegenspiel von Vater und Kindern einnehmen mußte, und unterdrückt von einem Familienoberhaupt, das seine sozial gefährdete Position
mit dem Herr-im-Haus-Standpunkt kompensierte. (12) Auffällig ist, wie
wenig Gerhart Hauptmann auch im Nachhinein des autobiographischen
Berichts Partei für sie nehmen kann, ja sie noch immer mit den Augen des
Vaters zu sehen scheint.

Die widerspruchslose Folgsamkeit des kleinen Gerhart gegenüber dem
Vater war die Orientierung an der — familiären — Macht. Es kündigte sich
darin der Charakterzug einer Anpassungsbereitschaft an, die bei Hauptmann später häufig zu einer autoritär-passiven Haltung im gesellschaftlichen Bereich führen sollte. Doch nicht nur politisch-staatlichen Autori-
tätsinstanzen gegenüber war er oft genug kritiklos eingestellt. Auch in
seinem Privatleben entwickelte er eine außerordentliche Beeinflußbarkeit,
die ihn in zahlreichen Fällen den Einwirkungen aus dem Familien- und
Bekanntenkreis gefügig machte. Er brauchte stets die Beistimmung seiner
Umgebung. (13) Doch dies war nur die eine Richtung seiner charakter-
bildenden Sozialisation. Die andere ging auf eine Befreiung von den
Zwängen des bürgerlichen Milieus und auf Expansion in andere soziale
Bereiche. Daß der allgemein strenge Vater dem Knaben „außerordentliche
Bewegungsfreiheit" (466, 471) zubilligte, ist von sehr positivem Einfluß
auf die Erweiterung seines Erfahrungshorizontes gewesen. Über die Schau-
plätze seiner Kindheit schreibt Hauptmann:

> Sie lagen auf zwei verschiedenen Hauptebenen, von denen die eine die bürger-
> liche, die andere zwar nicht die durchum proletarische, aber jedenfalls die der
> breiten Masse des Volkes war. Ich kann nicht bestreiten, daß ich mich im Bürgerbe-
> reich und in der Hut meiner Eltern geborgen fühlte. Aber nichtsdestoweniger
> tauchte ich Tag für Tag, meiner Neigung überlassen, in den Bereich des Hofes, der
> Straße, des Volkslebens. (474)

Das Sich-Bewegen auf zwei verschiedenen sozialen Ebenen hat viel zur
Schärfung der Beobachtungsgabe des Knaben und der Ausbildung eines
„sozialen Tiefengefühls", von dem Hauptmann im Alter einmal sprach,
beigetragen. (14) Diese Beweglichkeit zwischen verschiedenen sozialen
Schichten beließ den jungen Hauptmann „schon früh in einem Zustand
eigentümlicher Unklarheit über seine Zugehörigkeit zu einer bestimmten
Klasse" und prägte die für den späteren Dramatiker Hauptmann „höchst

kennzeichnende Entscheidungslosigkeit gegenüber den gesellschaftlichen Gruppen" (Hans Mayer). (15) Seine kindliche Anpassungsfähigkeit ließ ihn eine Doppelrolle spielen: zum einen als „verhätscheltes, zutunlich weiches Nesthäkchen" und „wohlerzogenes Bürgerkind", zum anderen als „furchtlosen Burschen" und „Proletarierjungen" (523 f., 597).

Mit dieser Doppelrolle ging die „bekannte Spaltung meines Wesens" einher, auf die Hauptmann den gelegentlich „erbärmlichen Zustand" seines Gemüts zurückführte:

> Ich steckte wohl tiefer als je im Proletariertum, an das ich mich nochmals krampfhaft geklammert hatte. (...) Und betonte ich etwa aus bitterem Trotz meinen Gassen- und Gossenjargon? Ganz gewiß ist etwas daran. Aber ob ich nun auch alles etwa Kommende von mir wies, alles Geleckte, Gedrillte, Gutbürgerliche zu verachten mir den Anschein gab, ward ich doch allbereits auch von ihm angezogen. (...)
> Mich durchwühlte damals, möchte ich glauben, zum ersten Male das echtblütig proletarische Ressentiment, das mich erniedrigte und in quälende Wut gegen das Bürgertum versetzte, von dem es mir schien, es stoße mich aus, indem ich vergaß, daß ich ihm angehörte. (616)

Die Verwendung des Begriffs „proletarisch" erfolgt hier freilich nicht in einem sozialgeschichtlich stringenten Sinn. Das „proletarische Ressentiment" bezeichnet nicht ein objektives politisches Klassenbewußtsein beim jungen Hauptmann, sondern eine sozialpsychologisch aufschlußreiche Gefühlslage — ein Begriff, der nachträglich zur Stilisierung jugendlicher Opposition dient. Der junge Hauptmann empfand den Gegensatz der „volkstümlichen" Sphäre zur bürgerlichen vor allem als einen Unterschied seines individuellen Freiheitsraums. Dies wird noch deutlicher in der folgenden Sentenz über seine Kindheitserfahrung, die ein subjektives Befindlichkeitsgefühl in sozialromantischer Verallgemeinerung festhält:

> Nach unten zu wächst nun einmal die Gemeinsamkeit, von unten nach oben die Einsamkeit. Die Freiheit nimmt zu von oben nach unten, von unten nach oben die Gebundenheit. Ein gesundes Kind, das von unten nach oben wächst, ist zunächst wesenhaft volkstümlich, vorausgesetzt, daß es nicht durch Generationen verkünstelten Bürgertums verdorben ist. (474)

Der Gegensatz von Freiheit und Gebundenheit, den Hauptmann mit dem Erlebnis der sozialen Doppelebene verband, kann als Hinweis auf ebenjenes Autoritätsverhältnis gelten, in dem Hauptmann zu seinem Vater stand. Diese Vaterbeziehung beruhte — wie jede Identifikation — auf einer „äußerst ambivalenten Gefühlsbasis, des Nebeneinanders von Liebe, Neid und Haß" (E. Fromm). (16) Was Hauptmann als „echtblütig proletarisches Ressentiment" gegenüber dem Bürgertum verstand, war wohl auch die Projektion einer verdrängten Aggressivität gegenüber dem das Bürgertum repräsentierenden Vater. Jene von Hauptmann deutlich empfundene soziale Zwitterstellung spiegelt individualpsychologisch gleichsam den Austrags des Konflikts mit der mächtigen Vaterfigur, „dem symbolischen Mittelpunkt des Druckes der Umwelt" (T. Parsons). (17) Dem vom Vater erhobenen Disziplinierungsanspruch suchte sich der Knabe unbewußt – durch das Untertauchen in die „volktümliche" Sphäre – zu entziehen.

2. Ausbildungszeit

Die in der Autobiographie beschriebene Dynamik der Knabenzeit war beschützt durch die „innigste Verbindung mit Eltern und Elternhaus" (498). Je geborgener, desto verletzbarer: die seelische Labilität des Knaben kam zum Vorschein, als er zusammen mit seinem Bruder Carl die Oberschule im entfernten Breslau besuchen mußte. Die Unterbringung in einer Pension von deprimierender Unzulänglichkeit, das ungewohnte Schulmilieu und die Trennung von der Wärme des Elternhauses führten bei dem jungen Gerhart gleich am Anfang der Schulzeit zu einem völligen Zusammenbruch seines Selbstbewußtseins. Was Hauptmann über seine ‚Schülertragödie' berichtet, erinnert stark an Karl Philipp Moritz' „Anton Reiser". So heißt es in einem autobiographischen Fragment über seinen Zustand während der Breslauer Schulzeit: „Er stellte die Demut selber dar, die ängstliche, zitternde, schweigende Demut: sie streifte an Feigheit und Kriecherei". (18) Der Vater Robert Hauptmann war der Überzeugung, Kinder müßten früh aus dem Haus, da sie sonst verweichlichten. (19) Der junge Gerhart wagte seine gegenteilige Auffassung, daß er bei einem Verbleib im Elternhaus und dem Besuch der benachbarten Kreisstadtschule bessere Fortschritte gemacht hätte, bei dem Vater nicht geltend zu machen. „Leider war der Respekt, den er seinen Söhnen einflößte, übergroß (. . .). Wodurch er diesen Respekt einflößte, der seine Kinder mit Verehrung und Liebe zu ihm aufblicken machte, sie aber innerlich zugleich fern von ihm hielt, wußte er nicht." (20) Der junge Hauptmann vermißte in Breslau jegliche „Seelsorge", zumal nach dem deutschen Sieg von 1871 das „preußisch-potsdamische Prinzip" mit den Reserveoffizier-Lehrern seinen Einzug in das Schulwesen gehalten habe (623). – Die Depressionen des von Heimweh gequälten Knaben grenzten an Hysterie (680). Sein Versagen auf der Schule war katastrophal: als er sie im Alter von 16 Jahren verließ, hatte er es nur bis zur Unterquarta gebracht. Das Scheitern auf dem regulären Bildungsweg der Schule hat zweifellos Entscheidendes zu der „Reserve, die er lebenslang der Bildung gebenüber bewahrte" (K. S. Guthke), beigetragen. (21)

Nach dem Schulabgang im Frühjahr 1878 trat er eine Landwirtschaftslehre bei Verwandten an. Die Elevenzeit gewährte ihm tiefere Einblicke in die sozialen Verhältnisse auf dem Lande und den „dumpfen Klassenhaß" der Landarbeiter gegen die besitzende Schicht (765). – Die einsetzende Pubertät und eine ständige Überforderung durch körperliche Überanstrengung führten zu einer neuen schweren Seelenkrise. Beeinflußt von dem im Gutsherrenhaus herrschenden Pietismus, bedrängt durch pubertäre Gewissensnöte, steigerte sich der Jüngling in eine Art „religiösen Wahnsinns", als Wanderprediger Zinzendorfscher Observanz auftauchten und die nahe Apokalypse verkündeten (757).

Schon während der Landwirtschaftslehre unternahm er erste tastende künstlerische Versuche (Zeichnungen und Gedichte). Der heimliche Traum vom Künstlertum, die ersten Erfolge mit der Rezitation eigener Lyrik bewirkten in dieser depressiven Entwicklungsphase eine Stärkung seines Selbstbewußtseins. In einem Stadium äußerer und innerer Lösung von den Eltern bedeutete diese Bildung eines Ich-Ideals einen Schutz vor den Gefahren der pubertären Persönlichkeitskrise, deren Symptome in der von Hauptmann beschriebenen inneren Chaotik seiner Gutselevenzeit deutlich werden. (22)

Hauptmanns schwache körperliche Konstitution ließ ihn bald seine Untauglichkeit für den Beruf des Landwirts empfinden. Es folgte nach anderthalbjähriger Elevenzeit ein einjähriger, wenig zielstrebiger Aufenthalt in Breslau zur Vorbereitung auf das Examen für den einjährig-freiwilligen Militärdienst. Hauptmann brach auch dieses Vorhaben ab und entschloß sich schließlich zum Bildhauerstudium an der Breslauer Kunstakademie.

Verwunderlich erscheint die Gelassenheit, mit welcher der sonst strenge Vater die Berufsexperimente seines Sohnes hinnahm (771, 781, 782). Der soziale Abstieg nach dem Verkauf des verschuldeten Hotels und die Pacht einer Bahnhofswirtschaft hatte offensichtlich die familiäre Stellung des Vaters erschüttert: der resignierte Rückzug aus einer unhaltbar gewordenen Autoritätsposition war die Folge. Die Entwertung der Vater-Figur und die drohende Gefahr des sozialen Absinkens der Familie waren zweifellos traumatische Erfahrungen für den jungen Gerhart Hauptmann (23).

Anscheinend hatte der Vater wohl die Hoffnung aufgegeben, daß aus dem „aussichtslosen Sorgenkind der Familie" noch etwas Rechtes werden würde. (24) Die Erwartungen der Eltern konzentrierten sich auf den älteren, intellektuell veranlagten Bruder Carl, dem eine glänzende Laufbahn als Wissenschaftler bevorzustehen schien und in dessen Schatten der jüngere Bruder lange Zeit stehen mußte. Zweifellos brachte diese Beurteilung durch die Eltern eine bedeutende Irritation seiner Selbstachtung mit sich. Der junge Gerhart erlebte die Geschwisterrivalität, in diesem Fall die zum scheinbar begabteren Bruder, sehr intensiv und registrierte mimosenhaft jede Form von Zurücksetzung. Sicher hat er unter mangelnder Anerkennung durch den Vater gelitten. Denn daß seine späteren Erfolge den Vater mit einer „Art mystischen Respekts" erfüllte, den dieser jedoch „peinlich in sich verborgen hielt und der eigentlich nur in wenigen Fällen schüchtern zutage trat", empfand der Sohn heimlich mit „stolzer Genugtuung". (25)

Doch zunächst schienen weiterhin Zweifel an Hauptmanns Weg begründet. Es kam der schlimme Winter 1880/81, als Hauptmann während seines Breslauer Kunststudiums, von den Eltern nur schwach unterstützt, eine geradezu lumpenproletarische Existenz führte. In der Erinnerung nennt Hauptmann sich selbst einen „Desperado" und „Krakeeler" (800). Er ließ sich im Kreis seiner Studienkameraden treiben, gefiel sich in einem ausgefallenen Aufzug und einem mitunter provokanten Gebaren (800) — Ausdruck seines Geltungsstrebens und erwachenden Selbstbewußtseins. Diese rebellische Attitüde, mehr von einem antibürgerlichen Affekt als einem pro-proletarischen Sentiment gespeist, nimmt sich aus wie ein nachgeholter Protest gegen die Vaterfigur und den in ihr verkörperten Patriarchalismus der bürgerlichen Gesellschaft.

Hauptmann wurde wegen „schlechten Betragens, unzureichenden Fleißes und Schulbesuchs" (807) aus der Akademie ausgeschlossen, erlangte jedoch durch Protektion eines Akademielehrers die Wiederaufnahme. Es hat wohl nicht viel gefehlt, daß Hauptmann in den äußeren und inneren Wirren dieser Breslauer Zeit unter die Räder gekommen wäre. Vielleicht hätte ein Andauern dieser kritischen Phase ihn sogar in ähnlicher Weise wie die Schulzeit gebrochen, vielleicht aber auch noch stärker in die Rebellion getrieben. Jedenfalls wurde Hauptmann aus seiner Notlage durch eine glückhafte Fügung befreit: durch die Verlobung mit der begüterten Kaufmannstochter Marie Thienemann. Die Bedeutung dieser Verbindung für den Werdegang Hauptmanns ist immens.

Fast ein Jahrzehnt lang ermöglichte das in die Ehe eingebrachte

Thienemannsche Erbteil Hauptmann eine sorgenfreie Existenz, so daß er die ihm fehlende Bildung nachholen und seine künstlerische Entwicklung reifen lassen konnte. Diese Verbindung bedeutete nach seinen eigenen Worten zugleich den „märchenhaften Aufstieg in die festlichen Bereiche des Lebens" (859) und trug das Ihre zur Domestizierung des „proletarischen Ressentiments" bei.

Ehe Hauptmann sich 1884 endgültig der Dichtkunst zuwandte, folgte eine Zeit sporadischer Universitätsstudien und autodidaktischer Bemühungen in der bildenden Kunst. So wichtig auch die geistigen Impulse waren, die Hauptmann etwa in der Jenaer Zeit durch die Berührung mit dem neuen, von der Naturwissenschaft geprägten Geist des Materialismus und Positivismus empfing — insgesamt wird man sich dem Urteil J. Seyppels über den unorthodoxen Bildungsweg Hauptmanns anschließen müssen: (26)

> Wir meinen die Autodidaktik, die Hauptmann für Bildung und Wissen hielt, die durch den wenig erfolgreichen Schulbesuch, duch unregelmäßige und ungeleitete Lektüre, durch das sporadische Universitätsstudium, kurz, durch Mangel an geistiger Führung zu einer gefährlichen Macht wurde, die ihn immer wieder in Pseudotiefen und Pseudoprobleme stürzte, in philosophischen Schlagwörtern und Banalitäten sprechen ließ.

Hauptmann war freilich im Gegensatz zu seiner Generation, die an den höheren Schulen vorwiegend Kenntnisse des klassischen Altertums, des Christentums, der Aufklärung und des Idealismus sammelte, (27) unbelastet vom Bildungskanon des 19. Jahrhunderts. Das dürfte ihn besonders empfänglich für den heraufziehenden neuen Geist der Naturwissenschaft, Philosophie und der vom Ausland beeinflußten Literatur gemacht haben. Umgekehrt gilt, daß Hauptmann sich desto stärker diesem neuen Zeitgeist entfremdete, je mehr er den bürgerlichen Bildungskanon im Laufe der neunziger Jahre nachholte.

Für Hauptmanns spätere Hinwendung zur klassizistischen Bildungspoesie blieb es nicht ohne Einfluß, daß er den Weg zum Künstlertum anfangs über die bildende Kunst eingeschlagen hatte. Nicht zufällig entstand seine theoretische Absage an den Naturalismus während der Beschäftigung mit den Großen der Renaissancekunst auf der Italienreise 1897.

Die Reproduktionen Raffaels und Rembrandts im bürgerlichen Elternhaus vermittelten erste entscheidende Kunsteindrücke. Durch sie verband sich für den Knaben der Begriff der Kunst mit einer idealistisch überhöhten Aura:

> Die Säle im gleichen Stockwerk wiesen gewissermaßen in eine fremde Welt höherer
> Lebensform. (...) Eine Kopie der Sixtinischen Madonna in Originalgröße beherrsch-
> te den anderen, den Großen Saal (...). (473)
> Noch war ich damals so rein, so unverdorben oder so unwissend, daß mir die Kunst
> als etwas Unerreichbares, schlechthin Göttliches vorschwebte. (778)

Auf diese Weise trat ihm im Elternhaus die Kunst in ihrer Verklärungs-
und Repräsentationsfunktion für das wilhelminische Bürgertum entgegen.
Der Doppelsinn, welcher in dem Ausdruck „fremde Welt höherer
Lebensform" liegt, trifft durchaus auf die Motivierung des Kunsteleven
Hauptmann zu. Neben einem elementaren Bildnertrieb regte sich in ihm
der Aufstiegswille: der ‚Proletarier', der mittellose junge Gastwirtssohn
ohne konkrete Berufsaussichten, träumte von den höheren Weihen des
Lebens, die ihm als Künstler zuteil würden. Noch in der römischen
Bildhauerzeit 1883—84 symbolisierte sein Hang zur Monumentalität dieses
ehrgeizige Streben nach dem Künstlertum als Prestige-Status.

Bezeichnenderweise blieb Hauptmann, abgesehen von der Breslauer
Zeit, der antibürgerlichen Boheme gegenüber auf Distanz. Dem Friedrichshagener Kreis etwa war er, der seit 1885 in Erkner ein gutsituiert-
bürgerliches Leben führte, nur lose verbunden. Als er im Erfolgsjahr 1889
in den vornehmen Berliner Westen zog, war er nach eigenem Eingeständnis
froh, nichts mehr mit den „Rattenlöchern der Boheme" zu tun zu
haben. (28)

Trotz seiner Ruhmeslaufbahn scheint Hauptmann jedoch die traumatischen Erfahrungen seines problematischen Werdegangs nie verwunden zu
haben. Er sprach noch im hohen Alter von „Alpdruckleiden, die mich seit
meinem zwanzigsten Jahr ständig begleiten" (Nachlaß-Nr. 149, S. 11).
Gegenüber C.F.W. Behl äußerte er 1932, die Schrecken der Schulzeit seien
ihm immer noch „albhafte Gegenwart". (29) Mehrfach kam er in
autobiographischen Schriften auf dieses Thema zu sprechen und klagte die
Brechung seiner Kindheitspersönlichkeit durch die barbarische Verständnislosigkeit der damaligen Schulpädagogik an. Sein häufiges Zurückkom-
men auf solche traumatischen Jugenderfahrungen — darunter auch
minuziös geschilderte Erlebnisse von Zurücksetzungen aller Art — läßt sich
dem Phänomen der neurotischen Wiederholung zuordnen. Die vielfachen
Ansätze einer künstlerischen Aufarbeitung der Autobiographie sind bei
Hauptmann daher wesentlich als ein Versuch der individuellen Befreiung
von zwanghafter Erinnerung zu verstehen. (30)

Das Scheitern in verschiedenen Berufen und seine Rolle in der Familie als „aussichtsloses Sorgenkind" muß in ihm eine Art Bewährungskomplex gegenüber den Leistungsansprüchen der bürgerlichen Gesellschaft erzeugt haben. Die Labilität seines Selbstgefühls, seiner auf der Rolle des ‚Dichters' basierenden Identität, äußerte sich in der bis ins hohe Alter bewahrten „naiven Lobbegierde" (E. Hilscher). (31) Dieser ständigen Bestätigungssucht entsprach seine Überempfindlichkeit gegen Kritik. Wie sehr das „Gift" verleumderischer oder polemischer Kritik sein Selbstbewußtsein angriff, offenbarte Hauptmann in dem folgenden Bekenntnis:

(29.6.1909)
Wenn ein Gift in meine Seele geflossen ist und ich kann nicht unmittelbar meiner Arbeit nachgehen, so bleibt das Gift wirksam. Deshalb dürste ich dann nach Arbeit wie nach der sofort wirksamen Arzenei.*Nachlaß-Nr. 11b, S. 347*

Diese Reaktion geht wohl über den normalen Zusammenhang von Arbeit und Selbstgefühl hinaus. Über die hohe Arbeitsenergie Hauptmanns bemerkt J. Amery richtig: „Hauptmann ist hartnäckig und von eiserner Willenskraft, wo es um seine dichterische Schöpfung geht: er ist labil, wehleidig, unsicher und unverläßlich in fast allen anderen Lebensbereichen." (32) Diese „eiserne Willenskraft" weist freilich über das Klischee vom unermüdlichen schaffenden Genie hinaus, sie hat ein geradezu zwanghaftes Moment. Das gesteigerte Arbeitsbedürfnis Hauptmanns bei Erschütterung seines Selbstbewußtseins durch Kritik legt den Schluß nahe, daß diese Angriffe latente Schuldgefühle in ihm berührten und eine ‚Selbstbestrafung' durch Arbeit bewirkten. In welche Richtung solche Schuldgefühle gingen, macht etwa die folgende merkwürdige Selbstbeobachtung des schon Hochbetagten deutlich: „Sonderbarer Umstand: jeder Genuß peitscht mich zur Arbeit" (Nachlaß-Nr. 3, S. 22). Sein „Genußleben", wie er es selbst bezeichnete (Nachlaß-Nr. 7, S. 232·v), mußte stets ‚verdient' und ‚gerechtfertigt' werden – durch einen asketischen Leistungszwang. Daher finden sich in den Aufzeichnungen auch psychologische Rationalisierungen, d. h. sozial akzeptable Begründungen für seinen aufwendigen Lebensstil. (33) Entsprechend empfindlich reagierte er beispielsweise, wenn man ihm etwa aufgrund seines exklusiven Lebensstils mangelnde „Volksverbundenheit" vorwarf. (34) Das zur Kompensation eines labilen Selbstwertgefühls entwickelte ständig Arbeitsbedürfnis führte bei ihm zur Ausbildung einer Pflichtideologie, die Künstlertum als Dienst-Ethos, Werkfrömmigkeit, nationale Mission postulierte.

Sosehr dem einerseits tradierte Vorstellungen von Kunstschöpfung zugrunde lagen, diente diese Pflichtideologie andrerseits einem spezifischen Legitimationsbedürfnis. Dies hing zusammen mit einer ausgeprägten Sicherungstendenz Hauptmanns. Die traumatischen Erlebnissse seiner Jugendzeit, die narzißtischen Kränkungen des Selbstgefühls, die lange drohende Gefahr des sozialen Absinkens — all das hat Anlehnungsinstinkte und Zugehörigkeitsbedürfnisse in ihm erzeugt. Trotz aller zuweilen rebellischen Gestik gegenüber der bürgerlichen Gesellschaft suchte er mehr Teilhabe als Auflehnung. Ein frühfundiertes Minderwertigkeitsgefühl löste bei ihm einen bürgerlichen ‚Bewährungskomplex' und Aufstiegswillen aus. Dennoch bewahrte er sich, auch als privilegierter Angehöriger des wilhelminischen Bildungsbürgertums, die Distanz- und Unterlegenheitsgefühle des gesellschaftlichen Aufsteigers. Die letztlich intellektuell nicht verarbeitete Diskrepanz zwischen seiner Herkunft und seinem späteren sozialen Arrangement erzeugte ein ideologisch zu verdrängendes oder zu verbrämendes ‚schlechtes Gewissen'. Daher konnte sich bei ihm trotz seines bürgerlich-affirmativen Gebarens noch die subjektive Empfindung erhalten, gegen die Gesellschaft zu opponieren. (35)

II VOM AVANTGARDISTEN ZUM KLASSIKER

1. Der Durchbruch

Im Rückblick auf die Zeit seines literarischen Durchbruchs (1887—89) schreibt Hauptmann in seiner Autobiographie:

> Aber das soziale Drama, wenn auch zunächst nur als ein leeres Schema, lag als Postulat in der Luft.(...) Bei diesem der alten Zeit konträren Beginnen (...) waren Zivilcourage und Bekennermut eine Selbstverständlichkeit. (CA VII, 1078)

Ein Jahr vor dem Erscheinen des Erstlings ,,Vor Sonnenaufgang" hatte Hauptmann einen nachhaltigen Eindruck von dem Geist der neuen Zeit während seines Aufenthalts in Zürich bei dem Bruder Carl empfangen. Er verkehrte im Hause des positivistischen Philosophen Richard Avenarius, hörte Vorlesungen bei Forel und besuchte dessen psychiatrische Kliniken. Im Freundeskreis (Alfred Plötz und Ferdinand Simon*) glaubte man an

---

* Alfred Plötz, Sozialdarwinist und Rassenhygieniker. Ferdinand Simon, Arzt, Schwiegersohn von August Bebel.

den Fortschritt und den Sieg der Naturwissenschaft und war durchdrungen vom Geist des „sozialen Mitgehens" (CA VII, 1063).

Auch durch das Erlebnis der Großstadt war Hauptmanns Empfindung für die soziale Frage geschärft worden. Ein Jugendfreund, Adalbert von Hanstein, berichtet über seinen Eindruck von Hauptmann aus den achtziger Jahren: „Was mir vor allen Dingen an ihm auffiel (. . .), war sein starker sozialethischer Zug. Er sah sein ganzes noch junges Leben in diesem Lichte." (1) Hauptmann las nach Autodidaktenart „alles, was von naturwissenschaftlicher, staatsmännischer und theologischer Seite über Soziologie geschrieben wurde. Darwin und Marx waren seine Führer, ohne daß er zu einer bestimmten Partei sich bekannt hätte. Die Religion verwarf er zwar als eine ‚morsche' Stütze (. . .), aber ein starkes religiöses Empfinden (. . .) verriet sich doch überall." (A.v. Hanstein) (2) Hauptmann selbst bekundet, dem Sozialismus nahegestanden, sich jedoch nicht als Sozialist im parteipolitischen Sinne gefühlt zu haben (CA VII, 1047). Er war einer jener — für Bruno Wille generationstypischen — jungen „Idealisten bürgerlicher Herkunft", die sich von der proletarischen Sozialbewegung ethisch angesprochen fühlten. (3) Die gemeinsame Opposition gegen die Gründerzeit-Gesellschaft schuf Verbindungen zwischen dem politischen Sozialismus und einer Gruppe junger Literaten, deren Aufgeschlossenheit für die sozialen Probleme ihrer Zeit durch die ausländische Literatur, vor allem durch Zola, beeinflußt wurde. (4) Dazu kam ihre generationsbedingte Frontstellung gegen ein Establishment, das durch die Besetzung gesellschaftlicher Positionen dem Aufstiegswillen der Jungen im Wege stand.

Getragen von großen gesellschaftlichen Strömungen und geistigen Impulsen, war Hauptmann freilich nicht nur auf „Zivilcourage" und „Bekennermut" angewiesen, um das in Epigonentum erstarrte Theaterleben zu revolutionieren. In den „Annalen vom Jahr 1889 an" (geschrieben 1937) erinnert er sich an die glückhaften Umstände, die zur Aufführung von „Vor Sonnenaufgang" und damit zur Geburt einer neuen Literatur- und Theaterepoche beigetragen haben:

> Ich fand den Gedanken absurd, den einige hatten, daß man nämlich „Vor Sonnenaufgang" öffentlich aufführen könne. Ich hatte die Frage, als ich das Drama schrieb, als indiskutabel verneint. (. . .)

> Der Entschluß wurde gefaßt, zu meinem nicht endenwollenden Staunen, mich in der zweiten Vorstellung der „Freien Bühne" als ersten deutschen bühnenrevolutionären Autor mit meinem Werk einzusetzen. (. . .)

Die führenden Geister des Berliner Journalismus hatten meine Sache zu der ihren gemacht. (. . .)

Fast ohne mein Zutun war ich – ich begriff das durchaus – in eine sowohl maßgebende als in jeder Beziehung gehobene Gesellschaftsschicht hineingeraten. (CA XI, 533-535)

Unter der Protektion von Otto Brahm, Paul Schlenther und Theodor Fontane wurde Hauptmann bald zum führenden Dramatiker des Naturalismus. Seit 1889 erfolgte nahezu jedes Jahr die Uraufführung eines neuen Werkes. Als 1890 die „Freie Volksbühne", der Bühnenverein für die Arbeiter, gegründet wurde, entschied sich Hauptmann für Otto Brahm und dessen mittleren Weg zwischen Hoftheater und Arbeiter-Bühne. Die gleichnamige Zeitschrift der „Freien Bühne" entwickelte sich zu einem Organ des liberalen Bürgertums und wurde 1894 in „Neue Deutsche Rundschau" umbenannt: „Aus dem pionierhaft gestimmten polemischen Kampfblatt wird ein mehr konservatives und kontemplatives Organ." (5) Auch Hauptmann nahm eine ähnliche Entwicklung. Der ‚revolutionär -oppositionelle' Pionier des Naturalismus wandelte sich zum etablierten Dichter des bürgerlichen Theaters.

Das zeigte sich bereits darin, daß Hauptmann selbst die Brisanz seines Dramas „Die Weber" abzuschwächen suchte – dessen „embryonales Leben" sich im übrigen bereits während der Züricher Zeit 1888, also in Hauptmanns ‚progressivster' Lebensphase, geregt hatte. (6) Zwar ging es primär um den Kampf gegen die Zensur der wilhelminischen Obrigkeit, wenn Hauptmann zu seiner Verteidigung die Idee des unpolitischen Dichtertums aufgriff und seinen Rechtsanwalt erklären ließ, es habe ihm ferngelegen, mit den „Webern" eine sozialdemokratische Parteischrift verfassen zu wollen: (7)

In einer derartigen Absicht läge meiner Ansicht nach eine Herabwürdigung der Kunst. Ein Kunstwerk und nichts Geringeres war mein Ehrgeiz, und ich hoffe, daß dies für alle Kunstverständigen zum Ausdruck gekommen ist – es sei denn, daß man es mir als Verbrechen an der Kunst anrechnen wolle, daß die christliche und allgemein menschliche Empfindung, die man Mitleid nennt, mein Drama hat schaffen helfen.

„Die Hauptmann von seinen zeitgenössischen Kritkern unterstellte politisch oppositionelle Haltung resultierte wesentlich aus dem Eindruck, den die ‚Weber'-Prozesse in der Öffentlichkeit gemacht hatten, die politische Rezeption des Stücks fiel auf dessen Autor zurück" (M.

Brauneck). Die politische Aktualisierung der „Weber" war weitgehend unabhängig von den Intentionen Hauptmanns, war vielmehr bestimmt durch die zeitgeschichtlichen Rezeptionsbedingungen des naturalistischen Theaters Anfang der 90er Jahre. (8) Hauptmann, der „Weber"-Dichter: das war eigentlich ein Mißverständnis der Zeitgenossen. Denn hier schon setzte bei Hauptmann, wie die Erklärung seines Rechtsanwalts verdeutlicht, jener Rückgriff auf den Mythos vom ‚reinen' Kunstwerk ein. Es war der Anfang einer Auseinanderentwicklung von Ästhetik und Ethik in seinem Werk: eine Verselbständigung des ‚Künstlerischen' und die Tendenz, das Kunstwerk gegenüber seinem geschichtlich-gesellschaftlichen Kontext abzudichten.

Mit seiner Kunstauffassung hielt Hauptmann zwar subjektiv an dem Postulat der Einheit von Ästhetik und Ethik fest, wobei er sich von dem antiken Ideal der Kalokagathie (schön = gut) und entsprechenden Vorstellungen der deutschen Klassik leiten ließ. Doch der sich verstärkende Klassizismus und die Zunahme mythologischer Elemente in seiner Dichtung zeigte an, daß Hauptmann eine Vermittlung von Ästhetik und Ethik immer weniger zu leisten vermochte.

Seine frühen Stücke waren geprägt von einer Dramaturgie der Diskussion und Problemanalyse auf dem Niveau des zeitgenössischen Bewußtseins. Doch diese weltanschauliche Auseinandersetzung mit der Gegenwartsrealität wich zunehmend dem Entwurf mythischer Welten im mittleren und späteren Werk. Man kann darin die Errichtung von „Gegen- und Idealbildern für die entfremdete Gesellschaft (H. Schumacher) erblicken, ja eine Widerspiegelung des „modernen sozialpolitischen Entfremdungsprozesses" (W. Emrich). (9) Diese Mythisierung entsprang jedoch einer Resignation, die künstlerisch gestaltete Kritik blieb ausweglose Bestätigung dieser Entfremdung. Die Schwäche des Individuums, Leitthema im Werk Hauptmanns, war nicht zuletzt die Projektion seines eigenen Lebensgefühls. Ohnehin vorhandene, aus einer Ich-Schwäche resultierende Kleinheitsgefühle erfuhren eine ständige — auch ideologische — Selbstverstärkung. Hauptmanns urteilende und handelnde Einstellung zum politisch-gesellschaftlichen Geschichtsprozeß war geprägt von diesem Ohnmachtsgefühl: die häufig unzulängliche gedankliche Durchdringung des Geschehens ließ ihn das Nichtverstandene, Nichtdurchschaute zum ‚Elementarereignis' verdinglichen, das den einzelnen zur Machtlosigkeit verurteile. Dieser Mechanismus einer Selbstverkleinerung verstärkte andererseits das soziale Anpassungs- und Anlehnungsbedürfnis Hauptmanns, ließ ihn einer zunehmend affirmativen Kulturrepräsentanz und dem politisch-sozialen Opportunismus des Bildungs- und Besitzbürgertums verfallen.

Wie später bei der Festspielaffäre 1913 erkannte Hauptmann schon bei den Auseinandersetzungen um die „Weber" offensichtlich nicht, daß er sich mit seinem Postulat des unpolitischen Dichtertums nichtsdestoweniger im politisch-gesellschaftlichen Kräftefeld befand. Er machte sich nicht klar, daß er mit seiner Erklärung zu den „Webern" der reaktionären Hetze gegen sein Stück zuviel Ehre antat und daß in einer Zeit einschneidender sozialer Veränderung und Unruhe eine vorgeblich unpolitische Haltung schon an sich eine Unterstützung der bestehenden politischen Ordnung bedeutete. (10)

Nachdem Hauptmann also in die „in jeder Beziehung gehobene Gesellschaftsschicht" Berlins geraten war und einen großbürgerlichen Lebensstil angenommen hatte, wandelte sich sein sozialer Erfahrungsbereich, und die frühere sozialethische Einstellung schwächte sich ab. Wenn er später an die Tradition seiner frühen sozialkritischen Stücke anknüpfte – mit „Fuhrmann Henschel", „Rose Bernd", den „Ratten" und „Dorothea Angermann" –, so griff er stets auf die Erfahrungen und Erlebnisse der Jugendzeit zurück.

Mit einem seiner größten Bühnenerfolge, dem Märchendrama „Die versunkene Glocke", schloß Hauptmann schließlich seinen „offiziellen Burgfrieden mit dem pseudoidealistischen Geschmack des wilhelminisch-eingestellten Großbürgertums" (J. Hermand). (11) Was Hauptmann zu dieser Zeit über die Öffentlichkeitsfunktion des Theaters dachte, war gewiß nicht mehr weit entfernt von jener ironischen Bemerkung des Jahres 1934, mit der er dem Theater einen vom jeweiligen politischen System unabhängigen Unterhaltungs- und Erbauungseffekt zusprach:

> Theater ist ⟨geistiges⟩ staatliches Ventil – ist gesunde, harmlose und geniale Opposition, in der sich Staatsmänner, Parteigenossen und alle Philister ausruhen und erlösen zum Transzendenten und zum „Allzumenschlichen" *Nachlaß-Nr. 15, S. 209*

Die eigentümliche Verschmelzung seiner Künstlerlaufbahn mit seinem sozialen Aufstieg war Hauptmann selbst Gegenstand der Reflexion. 1898 ließ er von dem Projekt des sozialen Dramas „Jesus von Nazareth" ab, in dem unter anderem von Klassenkampf, Anarchismus und Sozialdemokratie die Rede ist (CA IX, 74 ff.). Den Grund dafür nennt er im Tagebuch:

(11.1.1898)
Ich war vielleicht nur zu einer Zeit befähigt, den „Christus" zu schreiben, wo Alter

und Umstände mich in jener Beschränkung hielten, die den begabten Mann aus dem Volke, ohne Bildungsmittel, zu Extravaganzen treiben muß. *Nachlaß-Nr. 1, S. 225*

Nach dem ‚proletarischen' Debüt mit „Vor Sonnenaufgang" und den „Webern" glaubte Hauptmann in der Folgezeit sich der ‚höheren' Formen der Poesie bemächtigen zu müssen, weil er sich bildungsbürgerliche Vorstellungen vom ‚Dichter' zu eigen machte.

2. Distanzierung vom Naturalismus

Dieses auch äußerlich zur Pose gerinnende Rollenbild hat Hauptmanns künstlerisches und gesellschaftliche Selbstverständnis entscheidend geprägt. Ein wichtiges Dokument dieser Entwicklung ist das Großfoliotagebuch von 1896/99 (Nachlaß-Nr. 1). Im Frühjahr 1897 hatte Hauptmann zusammen mit Margarete Marschalk, seiner späteren zweiten Frau, eine große Italienreise unternommen. In Anlehnung an Goethes „Italienische Reise" hielt er seine Reiseeindrücke in fortlaufenden Tagebucheintragungen fest.

In der Auseinandersetzung mit der italienischen Renaissancemalerei und Bildhauerkunst kamen ihm klärende Gedanken über die zeitgenössische Kunst in Deutschland. Im titanischen Ringen Michelangelos erblickte Hauptmann den hohen idealistischen Zug, der jedem großen Künstler eigne. Daran gemessen, sank die Gegenwart in seinen Augen auf die Stufe kleinlichen Epigonentums:

> (6.3.1897)
> Da wäre der erste Schritt, daß ihr versuchtet, die Großen, deren tote Namen euren Zungen viel zu geläufig sind, zu erkennen und eure Seelen an ihren Seelen zu weiten, statt daß ihr den Leichenfledderern auf die Finger seht, die ein kleinliches, ekelhaftes, diebisches Geschäft treiben, das sie Psychologie nennen.
> Kommt zu den Quellen, sie sind nicht verschüttet! Goethe und alle Großen tranken daraus. Da wird denn zunächst aller kleinbürgerlicher Schmutz und Geruch von euch verschwinden, wenn ihr nicht wie ein armer Ungenannter unter meinen Berliner Kameraden, zu vollkommenen Schmutzfinken geworden seid. *Nachlaß-Nr. 1, S. 51 f.*

Diese Polemik gegen psychologisierende Kunstbetrachtung („Leichenfledderei") bezeugt nicht nur eine frühe Aversion gegen das zergliederndes Analysieren des Kunstgeheimnisses, das er später vor allem durch die

‚Entlarvungspsychologie' Freuds bedroht sah. Sie ist zugleich ein Plädoyer für das erhebende, erbauende Kunsterlebnis und bereitet seine Kritik an der auslaufenden Bewegung des Naturalismus vor:

> Unsere Bewegung fing sich gesund an, aber sie hat eine Tendenz zur Breite gehabt. Sie muß die Tendenz zur Höhe bekommen.
>
> Naturalismus! Realismus! Du lieber Gott! Das ist der Boden jeder Kunst. Der Baum, der wachsen will, muß seine Wurzeln wohl in die Erde senken. (. . .) Es ist zuviel Knieholz bei uns.(ibd., S. 52)

Damit nahm Hauptmann gewissermaßen das ästhetische Credo des dogmatischen Naturalismus zurück. Zur theoretischen Beschäftigung mit dem Naturalismus gehörte die Auseinandersetzung mit Emile Zola, die um 1891 mit Eugen Wolffs Werk „Zola und die Grenzen von Poesie und Wissenschaft" als abgeschlossen galt. Auch Hauptmann schwor nun verspätet dem Stammvater des epischen Naturalismus ab:

> Seine Methode ist ein Scharlatanshumbug, soweit sie eine Methode sein will; sonst hat man in ihr ein dünnes Restchen jener von Polybios über Winckelmann, Herder, Buckle, Taine fortwirkenden Anschauung, daß der Mensch ein Milieuprodukt etc. sei: er hat es — dieses dünne Restchen — wacker für sich ausgemünzt und ist der Stammvater jener mehr als zweifelhaften Schriftstellertypen geworden, die ihr löchriges Kunstingenium mit den geborgten Wissenschaftslappen zu- und ausstopfen (. . .) (ibd., S. 59).

Mit der Distanzierung von Zolas Milieutheorie rückte Hauptmann auch entschieden von der geistigen Position seiner Frühzeit ab, deren Kennzeichen ein unter dem Einfluß materialistischer Philosophie und sozialistischer Gesellschaftstheorie stark deterministisch geprägtes Menschenbild war (vgl. „Vor Sonnenaufgang"). (12) Das Festhalten an einer materialistischen Anthropologie — für das konservative Denken Bestandteil einer antibürgerlichen Weltanschauung — vertrug sich nicht mehr mit der Annäherung an die idealistische bürgerliche Tradition.

Naturalismus war für Hauptmann zu einem Synonym für Trivialität geworden:

> Ich habe heut, wie ich glaube, den „Wieland"-Stoff richtig gefaßt. (. . .)
>
> Es scheint mir, als habe meine tiefer ins Mysterium eindringen wollende Neigung

nun den richtigen Weg gefunden. Der „Arme Heinrich" und das Orient-Drama*
wären zu sehr Oberflächengebilde und darum meinem Zuge aus allem Zeitlichen ins
Ewige augenblicklich unangemessen. Ich will die Mythe als das Märchen großen
Stils.

Vor aller Charakteristik der Eintagsnatur fliehe ich augenblicklich. Ich will sie nicht
mehr, als das Belanglose. Ich will Urformen von gewaltiger Kraft und Größe (. . .).
(ibd., S. 158)

Den Realismus ließ Hauptmann nur noch als Durchgangsstufe zu
künstlerischer Reifung gelten:

Diejenigen Leute, die mich auf den Realismus festnageln wollen, sollen das ad
notam nehmen. (. . .). Jedermann, der einen Tempel betritt, kommt durch Vorhöfe
und muß sich dem Heiligsten mehr und mehr nähern. Vom Gegenwärtigen, Zufälli-
gen und Äußeren schreitet man notwendig ins Tiefe, Innere, Ewige. — In mir lebt
diese Richtung. (ibd., S. 226 f.)

Diese Äußerung macht deutlich, daß die neuromantische und
halbklassizistische Stilwendung bei Hauptmann allerdings auch aus dem
„subjektiven Bedürfnis nach thematischer und gehaltlicher Erweiterung"
(H. Kaufmann) erfolgte. (13)* Unter den Kritikern, die Hauptmann das
Abweichen von dem anfangs eingeschlagenen Weg des sozialkritischen
Realismus verübelten, stand vornan Franz Mehring. In seiner Enttäuschung
über Hauptmanns Entwicklung begann er seine Rezension über „Hanneles
Himmelfahrt" mit der Feststellung: „Wir sind noch niemals verurteilt
gewesen, einen so großen Mißbrauch eines so großen Talents mit eigenen
Augen zu sehen." (14)
In seiner ‚Rechtfertigung' wandte sich Hauptmann gegen eine strikte
Einteilung der literarischen Entwicklung in Schulen oder Richtungen,
denn sie waren nach seiner Ansicht ein zu enges Schema für den individuellen künstlerischen Reifungsprozeß:

Richtungen: ihr Wert und Unwert. Sie sind Schule und Stufe. Eine Stufe ist ihrem

---

* Daß er den sozialkritischen Realismus der „Weber" beliebig hätte fortsetzen
können, äußerte er im „Zweiten Vierteljahrhundert": „Ich habe ein Stück ‚Die Weber'
geschrieben. Ich könnte ein zweites Stück mit den gleichen Menschen schreiben, das
unter den Fundamenten des ersten liegt, und das Thema bliebe trotzdem ein uner-
schöpftes" (CA XI, 507)

Wesen nach Stütze für den Aufwärtsschreitenden. Wer stehenbleibt, verrät Bequemlichkeit oder Schwäche.

(. . .) Der unreife Schüler ist ziellos, deshalb wird auch ihm Richtung gegeben. Das
Ziel wird man der Masse schwerlich je können sichtbar machen, auf einer gewissen
Stufe indessen erkennt es der Schüler: dann wird er Meister; er sondert sich von der
Masse, die ihn nicht mehr begreift. (. . .) Die Masse muß nun vertrauen und schwei-
gen, oder sie gibt ihn auf, achtet ihn als Verlornen. (ibd., S. 163)

Dieser künstlerische Emanzipationsprozeß bezog sich auch auf Hauptmanns Verhältnis zu den beiden anderen Mit-Initiatoren des Naturalismus,
Arno Holz und Johannes Schlaf. Deren Prosa-Skizze „Papa Hamlet" war
zwar für Hauptmann 1889 eine „entscheidende Anregung" gewesen, wie
er Johannes Schlaf gegenüber bekannt hatte. (15) Doch als 1898 der Streit
zwischen Schlaf und Holz um die Priorität der Anwendung des
naturalistischen Verfahrens ausbrach — ausgelöst durch einen Zeitungsartikel Schlafs mit der Behauptung: „Ich bin (. . .) der Initiator unserer
neuen dramatischen Richtung" (16) —, sprach Hauptmann von einem
„knabenhaften Prioritätenstreit" um die „Erfindung von Kinderspielzeug"
(Nachlaß-Nr. 2, S. 26). Den Stationen der Entfremdung zwischen
Hauptmann und Arno Holz, die sich von seiten Holz' bis zur offenen
Feindschaft steigerte, ist Helmut Scheuer in seiner Arno Holz-Studie
nachgegangen. Sein Resümee über die Einstellung Hauptmanns zu Holz
lautet sehr kritisch: „Er (Hauptmann) wollte seine künstlerische Unabhängigkeit manifestieren und glaubte, das nur erreichen zu können, indem
er Arno Holz zu einer mediokren Figur erniedrigte". (17) Gewiß ist in den
autobiographischen Zeugnissen Hauptmanns eine Tendenz spürbar, die
Situation des Konkurrenzkampfes zu verdrängen, Einflüsse abzuwerten
und insbesondere Persönlichkeit und Leistung Arno Holz' herabzusetzen.
Doch die Schärfe der späteren Äußerungen läßt sich auch als Echo auf die
Anfeindungen durch Holz begreifen.
　Das Trennende zwischen Hauptmann und Holz lag nicht nur im
Bereich der Rivalität, sondern Hauptmann scheint eine Animosität gegen
Holz als den theoretisierenden Intellektuellen, kurz den Literaten, gehegt
zu haben. Diese Ablehnung des ihm konträren Dichtertypus geht aus einer
Aufzeichnung über Holz und Schlaf hervor, in der Hauptmann Schlafs
Abwertung von Fragen der Dichtungstheorie und -technik teilt:

(7.3.1897)
Johannes Schlaf, der Dichter, dessen ein Scharlatan (A.H.) sich bediente: der Ver-

fasser der „Familie Selicke", des „Meister Oelze" (. . .)

Schlaf und Hölderlin. Zwei Erscheinungen, die das Herz zur Liebe und Trauer aufregen*. Tiefstes, schönheitsdürstiges, lauteres deutsches Wesen tritt in beiden zutage und — reine Größe.
Schlaf hat uns manches gelehrt *(!)*
Die Storchschnabelmanier seines Freundes erzielte er spielend, ohne Storchschnabel. Aber auch er verwarf diese Exerzitien bald, die allzu bequem und mechanisch sind. Er hat Wichtiges und Persönliches auf dem Herzen.*Nachlaß-Nr. 1, S. 54*

Hauptmann hat wohl die Wahlverwandtschaft seines Naturells mit dem J. Schlafs gespürt. Beide unterschieden sich — folgt man der Künstlertypologie Lange-Eichbaums (18) — durch ihr „mehr traumhaftes Fühl-Denken" von der „wachen, zielgerichteten, logischen Ratio" eines Arno Holz.
Mit Holz setzt die „Poetologie der modernen Artistik" (H. Schwerte) ein, deren Experimentalcharakter unter dem Signum der Naturwissenschaft und dem Nietzsche-Begriff des „Artistischen" steht. (19) Diese literarische „Artistik", die Arno Holz mit Thomas Mann, Döblin, Musil und anderen Autoren des 20. Jahrhunderts verbindet, sollte Hauptmann stets fremd bleiben. Die polemischen Randbemerkungen in seinem Handexemplar von Arno Holz' „Die Blechschmiede" zeigen ein völliges Unverständnis für die virtuosen Sprachexperimente und das parodistische Genie des anderen. „Wichtiges und Persönliches auf dem Herzen" zu haben wie J. Schlaf: darin bestand Hauptmanns traditioneller Begriff von Poesie als Erlebnis- und Bekenntnisdichtung.** Die Gegenüberstellung von Schlaf und Holz nahm zudem die schon im 19. Jahrhundert beliebte Unterscheidung zwischen Dichter und Schrifsteller auf. In der Abwertung von Arno Holz präfigurierte ferner Hauptmanns ablehnende Gleichgültigkeit gegenüber der literarischen Moderne.„Sprachschliff ist kalte Ausländerei" (20) — dieses Diktum Hauptmanns aus den 20er Jahren klingt schon an, wenn er das „lautere deutsche Wesen" J. Schlafs der „Scharlatanerie" eines Arno Holz gegenüberstellt.

---

* Hauptmann spielt vermutlich auf die Nervenkrankheit J. Schlafs an.
** Auf Hauptmanns eigene Entwicklung zur „Wortkunst" kann hier nicht eingegangen werden.

3. Programmatische Klassik

Während dieser Phase seiner literarischen Entwicklung (um 1897) grenzte sich Hauptmann nicht nur in der Negation ab, sondern er suchte nach neuen Orientierungspunkten durch Anschluß an die Tradition. Dabei unternahm er den Versuch, seine eigene Position literarhistorisch einzuordnen. Er konstruierte zwei dramenhistorische Traditionsreihen:
1. Shakespeare — Schiller — Kleist
2. Lessing — Goethe — Ibsen — Tolstoi
Von der ersten heißt es:

> Die Sache ist: Wir haben ein nationales Drama, ein modernnationales Drama, seit Schiller und Goethe. Von keinem Volke ist das Theater in so erhabenem Sinne gebraucht worden wie im Schillerschen. Er hat seine Möglichkeiten erweitert, trotz Shakespeare. Bühnenwirkungen, Stimmungswirkungen wie im „Tell", wie am Schluß des „Wallenstein" sind unerreicht. Da ist aus einem alten Spinett ein Bülow-Orchester geworden. Dies ist ein großer, bleibender Erwerb für den Schaffenden. Er hat dann den ewig wirkenden Shakespeare in sich, er hat die Linie Shakespeare-Kleist.
> Dieser goldene Faden ist fortzuspinnen. *Nachlaß-Nr. 1, S. 65*

Mit der Tradition „Shakespeare — Schiller — Kleist" meint Hauptmann offensichtlich das Theater im ‚erhabenen' Sinne: die hohe Tragödie, das Pathos, den dramatischen Idealismus. Die zweite Reihe bezeichnet für Hauptmann die Tradition des dramatischen Realismus:

> Lessings und Goethes Prosastücken reiht Ibsen die seinigen an; er macht sie ernster, tiefer, spezifisch schwerer. Er zeigt, daß auch mit dieser Form allerernsteste, tragische Stoffe zu fassen sind: das ist zunächst ein großes Verdienst, wenn auch formaler Natur, denn Formen entbinden. Hier ist noch Tolstoi zu nennen mit „Macht der Finsternis" (ibd., S. 65 f.).

Aufschlußreich für Hauptmanns Annäherung an den ästhetischen Idealismus ist es, wie er an dem Realisten Ibsen weniger das inhaltlich revolutionäre Moment seiner gesellschaftskritischen Problemanalyse hervorhebt, sondern die vergleichsweise konventionelle Form seiner Dramen.
Zwischen den beiden Traditionsreihen stehe, so Hauptmann, Shakespeare als Vermittler, denn er habe sie sichtbar getrennt in seinen Werken kultiviert: „Prosa und grobe Wirklichkeit neben dem Verse und enthobener Wirklichkeit". Die Vorbildrolle Shakespeares für seine eigene Ent-

wicklung sieht Hauptmann folgendermaßen:

> Für mich ist es Tolstoi gewesen, der gesagt hat: Senke die Wurzeln in den Boden
> (...).
> Wir sahen Shakespeare und konnten uns ihm nicht nähern, er war uns zuviel unbe-
> greifliches Wunder. Tolstoi hob uns zu Shakespeare. Mit einemmal sahen wir nun
> den Acker, aus dem dieser Riese seine Kräfte sog: diese Natur, dies Volk. (...)
> Nachdem wir dies *(sc. den Realismus)* eine Weile getrieben, wuchsen wir in die
> höhere Linie hinein und wurden befähigt, ihre Fortsetzung zu versuchen: die Linie
> Shakespeare – Schiller (formal) – Kleist. (ibd., S. 66)

Hauptmann bescheinigte sich also hiermit, daß er auf dem Wege zur
Klassizität der „höheren Linie" war. Ihn hatte er zumindest formal
mit dem Versdrama „Die versunkene Glocke" (1896) beschritten. –
Bemerkenswert ist die Feststellung Hauptmanns, daß die Verfolgung der
‚niederen' Linie des Realismus eine Art „internationaler Arbeit" sei. „Die
Verfolgung der zweiten, höheren Linie ist eine ausschließlich nationale
Angelegenheit": „Das Anonyme, was hier ins Feld rückt und zur
Hauptsache wird, ist so fein, subtil, heilig und besonders, daß nur
deutsche Laute es tragen, nur ein deutsches Gehör es vernehmen kann."
(ibd., S. 66) Hauptmann griff damit Unterscheidungen der konservativen
Kritik auf, für die Naturalismus und Sozialdemokratie als antibürgerliche
Internationale zusammengehörten. Dem „literarischen Internationalis-
mus" der naturalistischen Richtung war aus dieser Sicht die Sicherung der
nationalen Kunsttradition entgegenzusetzen. (21)

Zu Hauptmanns Anschluß an das nationalkonservative Denken gehörte
auch die Rückorientierung an die deutsche Klassik. So bekannte er sich
nicht nur zur Doppeltradition Shakespeares, sondern auch zu Goethe, der
ebenfalls als Vorbild des Aufsteigens von der realistischen zur „höheren"
Linie gelten konnte. Die Berufung auf Goethe – ein frühes Zeugnis der
vielzitierten Goethe-Imitatio Hauptmanns – findet sich am Ende dieser
von Hauptmann selbst als „grob schematisch" bezeichneten Ausführungen:

> Ein Künstler, der aus der Tradition Lessing-Goethe-Ibsen-Tolstoi in die Tradition
> Shakespeare-Kleist aufgestiegen ist, wird sich zu fragen haben, ob er versuchen soll,
> sein Intimstes und Universellstes in einem einzigen Werk herauszustellen, wie es
> Vischer* und Goethen zu tun beschieden war. (ibd., S. 68)

---

* Das Sebaldusgrab Peter Vischers empfand Hauptmann als „besonderen und
höchsten Ausdruck" deutschen Kunstgeistes. (24)

Mit der Hinwendung zum klassizistisch-idealistischen Stil verband sich für Hauptmann auch eine erhöhte Vorstellung vom Künstlertum. „Insofern aber das Subjekt Künstler ist, ist es bereits von seinem individuellen Willen erlöst und gleichsam Medium geworden (. . .)." (22) Diesen Gedanken Nietzsches aus der „Geburt der Tragödie" übernahm Hauptmann als Bestätigung einer eigenen Erfahrung:

(4.8.1897)
Das mediumistische Gefühl hatte ich vor der „(Versunkenen) Glocke", und neuerlich habe ich es gesteigert. Ich erinnere mich nicht, das Gefühl dieser Begnadung bei meinen realistischen Werken gehabt zu haben; sie waren, wie (Jakob) Böhme sagen würde, in der „Selbheit" empfangen und aus der „Selbheit" geboren. (Zusatz: ich habe mich hier verleumdet) (ibd. S. 126).

Bei der Gestaltung der realistischen Werke schöpfte Hauptmann vorwiegend aus der empirischen Erfahrung. Beobachtung, Erinnerung, Quellen- und Milieustudium waren die dichterischen Musen bei der Entstehung der „Weber" oder des „Florian Geyer". Zwar ist Hauptmann auch mit seinem späteren Werk weitgehend dem Typus des „Poeta doctus" zuzurechnen. Je länger er sich jedoch auf der „höheren Linie" bewegte, desto mehr näherte sich sein Begriff der poetischen Inspiration dem Bereich des Irrationalen: Begnadung, göttliches Sehertum, mystisches Medium – das waren die Glaubensinhalte seiner Kunstreligion. (23)

Diese Überhöhung der eigenen Dichterexistenz entsprach nicht nur literarischer Konvention, sondern war auch eine Projektion des erfolgreichen Aufsteigers. Ein nachvollziehbarer Entwicklungsprozeß von Talent und Bildungserwerb wurde zu einer Angelegenheit metaphysischen Ranges stilisiert – Selbsterhebung über das eigene Ursprungsmilieu und den Aufstiegskampf, aber auch gründerzeitliche Reminiszenz: Der avancierte Künstler-Bourgois stellte sich selbst den Adelsbrief der Auserwähltheit aus.

4. Soziales Degagement

Im Laufe der 90er Jahre distanzierten sich fast alle Naturalisten von ihrem Engagement für den Sozialismus. Ein sich rasch ausbreitender Individualismus mit teils aristokratischen Zügen ersetzte bei den „Friedrichshagenern" den anfänglich demokratischen und sozialistischen Geist. (25) Dieser allgemeine Trend spiegelte sich auch in Hauptmanns sozialem Degagement wider – am deutlichsten in einer Glosse, die er zu einem Essay des holländischen Dramatikers Herman Heijermans verfaßt hat. Dieser Essay „Kunst und Leben", der auch eine kritische Erwähnung Hauptmanns enthält, war dem Dichter mit der Bitte um Stellungnahme übersandt worden. Seine Entstehungszeit und die Entgegnung Hauptmanns ist 1902 zu datieren. (26)

Heijermans, der später (1910–12) im „Vorwärts" unter dem Pseudonym Heinz Sperber in einer Reihe von literaturkritischen Artikeln für eine proletarische Tendenzdichtung eintrat, (27) trug in dem Essay „Kunst und Leben" einen Pauschalangriff gegen die angeblich seichte und verantwortungslose Gegenwartskunst vor. Er zielte dabei auf eine Kritik der bürgerlichen Gesellschaft und ihres globalen ökonomischen Interessennetzes, in das auch die sich unabhängig dünkenden Künstler eingespannt seien. Sie lieferten für den großen „Kunsttrust, der, mit einer geringen Ausnahme, das Interesse der bestehenden Weltordnung beschirmt". Mit dem l'art-pour-l'art-Prinzip· machten sich die Künstler zu den „Lakaien einer veralteten Lebensauffassung". Sie hätten den Kontakt zur Realität verloren, bespiegelten ihre Ich-Schmerzen und befriedigten mit ihrer Kunst die bloßen Dekorationsbedürfnisse des Bürgertums. Auch ein Gerhart Hauptmann habe sich zu ihnen gesellt, wie ein Ausspruch von ihm zeige („Ich gehöre vor allem mir selbst"). Stets habe die große Kunst der Vergangenheit in konkreter Beziehung zur Gemeinschaft mit ihren Konflikten gestanden. Die moderne Kunst halte es dagegen für unter ihrer Würde, „den Ursachen des Leidens und des Elends ihrer Gemeinschaft nachzuspüren".

Bei seiner Erwiderung verfuhr Hauptmann ähnlich wie zahlreiche andere Ex-Naturalisten, die in autobiographischen Berichten ihren einstigen Sympathien mit dem Sozialismus den „Charakter einer Jugendtorheit" (H. Kaufmann) zuschrieben. (28) Für Hauptmann zeigte die in dem Essay dokumentierte Gesinnung Heijermans ein biographisches Stadium an, das er selbst schon längst hinter sich gelassen habe:

(. . .) eine gewisse soziale Verbitterung, ein quälender Ärger, den ich aus vergangenen Zeitabschnitten meines Lebens sehr wohl kenne.
(. . .) Ich habe in früheren Jahren, als mein Horizont enger war und ich weder Leben noch Kunst annähernd so umfaßte wie heut, gierig an demselben Hungerknochen genagt. Seither weiß ich, daß Kunst nicht vor Leben geht und Leben nicht vor Kunst, sondern daß Kunst und Leben eins ist. (CA XI, 776, 778)

Ehrlicher als dieses Spiel mit den Begriffen „Kunst" und „Leben" und ihrer unreflektierten Identifizierung ist jedoch Hauptmanns unumwundenes Eingeständnis, kein „Märtyrer der Nächstenliebe" geworden zu sein. Zwar habe der „Schrei des Hasses, der grade von dem Teil der sozial weniger bedrückten und geistig geweckteren Masse ausgeht", einst auch ihn in seiner jugendlich-idealistischen Empfindung bedrückt. Dies sei jedoch ein „Stadium, das überwunden werden muß, wenn man sich einmal entschlossen hat, kein Märtyrer zu sein". Heijermans befinde sich noch in einem psychischen Zustand der Unausgegorenheit und Halbheit. Man müsse sich ausschließlich und konsequent für eine Sache entscheiden:

> Wer die Kunst um ihrer selbst willen nicht gelten lassen (. . .) kann, wer nicht aller Kunst von vornherein eine tief kulturelle Kraft zuschreiben kann, der vermehre nicht das Unnütze und Überflüssige in der Welt durch künstlerisches Wirken: er begebe sich vielmehr auf das politische Gebiet, auf das Gebiet der sozialistischen Wissenschaften, pflege Kranke und Sterbende (. . .). Wer Nächstenliebe will, der wolle sie in ihrer stärksten Form: als Tat, nicht als Phrase! Wer Kunst will, der wolle sie auch in ihrer stärksten Form: das heißt wiederum auch als Tat und nicht als Phrase. (ibd., 777)

Das Problematische dieser sich so entschieden gebenden Maxime ist der Satz: „Wer nicht a l l e r *(vom Verf. gesperrt)* Kunst von vornherein eine tief kulturelle Kraft zuschreiben kann (...)". Die Unterscheidung zwischen einer kraftvollen und einer seichten Kunst war ja gerade der kritische Ansatz Heijermans. Hauptmann ließ sich gar nicht erst auf eine inhaltliche Diskussion über ein Mehr oder Weniger sozialer Verantwortung in der Kunst ein, sondern plädierte für eine strikte ‚Arbeitsteilung':

> dasjenige Problem, was uns alle gequält hat und Herrn Heijermans heut noch quält, Kunst oder Aufopferung aus Nächstenliebe (. . .) Herr Heijermans will anstatt einer Lösung den Kompromiß, aber sein Kompromiß ist vom Standpunkt des Künstlers ein ebenso großes Unding als vom Standpunkt des Sozialreformers gesehen, und drei Dinge zerbrechen bei diesem Ausgleich: das soziale Ideal, das Kunstideal und die Persönlichkeit. (ibd., 780 f.)

Hauptmann machte aus dem, was Heijermans vermittelt wissen wollte – Kunst und Sozialverantwortung –, eine scheinhafte Alternative. Die drei genannten Werte: Sozialideal, Kunstideal und Persönlichkeit bekamen im übrigen für ihn mit zunehmendem Lebensalter in der umgekehrten Reihenfolge Geltung.

Als ein letzter Ausläufer dieser ‚Abrechnung' mit einem Literaturkonzept des sozialkritischen Engagements kann eine Bemerkung Hauptmanns zum Tode Ibsens gelten:

(30.5.1906)
Ibsen (. . .) sowie Björnson steckt der Bardismus im Leibe. Die Wahrheit, zum Trotz aller Welt. Diese mehr pfäffische oder wissenschaftliche Devise (. . .) ist nicht die meine. Das Nützenwollen, auch bei Goethe, W. Meisters Wanderjahre. Der Punkt über den ich, zu Nutzen oder Schaden? hinweg bin. *Nachlaß-Nr. 11 b, S. 159*

Hauptmann unterdrückte freilich mit einer solchen Selbsteinschätzung Reste eines dennoch latent bei ihm vorhandenen „Bardismus". Dies offenbart sich zum Beispiel in einer Polemik gegen Stefan George, der den von Hauptmann propagierten reinen, absichtslosen Kunstsinn in der übersteigerten Form des esoterischen Ästhetizismus verkörperte. So macht sich Hauptmann 1904 — in einer Satire auf die „Großkophta"-Attitüde Stefan Georges in den „Blättern für die Kunst" — fast wörtlich jene Argumente Heijermans für eine sozial engagierte Kunst zu eigen: (29)

Der Meister spricht von dem Plebejertum der Wirklichkeits-Apostelei, und dies muß beanstandet werden (. . .) weil gerade diese Phrase besonders plebejisch ist und weil die Gesinnung, die in der unendlichen Fülle des starken, entbehrungsreichen und arbeitsamen Volkslebens nichts als Plebejertum sieht, auf eine tote Stelle im durchdunsteten Haupte des Meisters schließen läßt. (. . .) Ich glaube ihm, daß er den markdurchdringenden Schrei der Verzweiflung nicht verträgt. Eine Kunst aber, die diesen Schrei nicht hört oder hören will, gehört in eine Anstalt für Taubstumme. (CA XI, 789 f.)

In dieser vom Widerspruch gegen das jeweilige Extrem bestimmten Position zeigt sich noch einmal das Schwanken Hauptmanns zwischen dem anfangs eingeschlagenen Weg des sozialethisch inspirierten Realismus und der von ihm subjektiv als notwendig und berechtigt gefühlten poetischen ‚Höherentwicklung'.

III DIE WILHELMINISCHE ÄRA

1. Künstler und Gesellschaft

Hauptmann wollte sich selbst Mut zu dem eingeschlagenen Weg machen, die Kritik an seinem Entwicklungsgang schien ihn nicht ganz unangefochten gelassen zu haben. Als Dichter der „Weber", als führender Vertreter des Naturalismus war er ein „öffentlicher Charakter" geworden. Nun wurde ihm die Erwartungshaltung der literarisch interessierten Öffentlichkeit zum Problem. Ihr setzte er das Recht auf eine nur sich selbst verantwortliche Entwicklung entgegen:

> (11.6.1898)
> Man redet von öffentlichen Charakteren. Es gibt überhaupt keine anderen. Das, was wir Charakter nennen, ist eine Betrachtungsform. Je feiner und intuitiver die Betrachtung ist, je tiefer sie auf Wesenhaftes drängt, je weniger Charakteristisches wird sie bemerken (. . .).
> Ergo: ihr sollt nicht einen „Charakter" aus mir machen wollen! Sucht ihr nach meinen festen Merkmalen, so werdet ihr letzten Endes nur auf das stoßen, was allen Menschen gemeinsam ist. (. . .) Bebel ist ein öffentlicher Charakter: ich nicht. Das Gesicht aber, welches Bebel euch durch einige Jahrzehnte zugekehrt hat, ist nicht sein eigentliches. (. . .) Den Charakter, den Bebel öffentlich darstellt, will er darstellen. Er muß ihn darstellen. Ich aber will noch muß einen „Charakter" darstellen, sondern mich, mich selbst. Wenn ihr nach meinem Charakter sucht, so ist das, als ob ihr nach meinen Staatsuniformen sucht. *Nachlaß-Nr. 1, S. 275 f.; vgl. CA VI, 992*

Ein „öffentlicher Charakter" zu sein — diese Rolle wurde Hauptmann besonders als Theaterautor aufgedrängt, zumal als führendem Repräsentanten des bürgerlichen Theaters in Berlin. Dessen künstlerischer Vorrang vor dem Königlichen Schauspielhaus war zwar unumstritten. Dennoch mußte das Theater Otto Brahms und später Max Reinhardts mit dem gesellschaftlichen Prestige der Hoftheatertradition konkurrieren. Daraus ergaben sich Repräsentationsverpflichtungen, die Hauptmann als Belastung empfand:

> (5.3.1905)
> Depression. Mein Talent legt mir pflichtmäßige Konsequenzen äußerlicher Art auf, die den Neigungen meiner Natur nicht entsprechen. Das Zwangsverhältnis zu Theater und Publikum z.B. Mir fehlt ganz die nötige Eitelkeit mit ihrer Selbstberauschungskraft, die über alles Widerwärtige des Schaustellungsbetriebes hinweghebt. *Nachlaß-Nr. 11b, S. 7 v*

Die Stellung des Künstlers im öffentlichen Leben — in dieser Frage spiegelt sich jedoch zugleich die allgemeine Einstellung zum Problem der Öffentlichkeit im deutschen Kaiserreich. Hier war, anders als im Westen, die Sphäre der Öffentlichkeit noch abgegrenzt gegen die Privatsphäre des einzelnen und die nichtstaatlichen Bereiche wirtschaftlicher, sozialer und kultureller Institutionen. (1) Die nationalstaatliche Fehlentwicklung Deutschlands und das Scheitern der bürgerlichen Revolution von 1848 hatten die Installierung eines aufgeklärten politischen Humanismus westlicher Prägung verhindert. Auch 1871 war in Deutschland die Biedermeierzeit, jene „behaglich-laue Atmossphäre der bisherigen Kleinstaaterei — auch der preußischen Kleinstaaterei" (H.J. Schoeps), politisch noch nicht überwunden. (2) Bis 1918 vermochte sich der Öffentlichkeitsbegriff als Norm und Mittel politischen Lebens nur bedingt durchzusetzen. Die Einstellung zum Problem der Öffentlichkeit war in Deutschland mit „Philosophemen belastet, die im öffentlichen Leben nur eine Ablenkung von allem sahen, was für den Menschen wesentlich ist, eine Zone, in der er sich fremd wird" (H. Plessner). (3) „Die öffentliche Sphäre — das war Fürsorge für das Dasein der Massen, Staats- und Parteibürokratie, hohle, unehrliche Demagogie" (G. Mann). (4)

Hauptmann, aus provinzieller Enge in die Großstadtgesellschaft verschlagen, spürte noch sehr stark diesen biedermeierlichen Zwiespalt zwischen öffentlicher und privater Existenz:

> Ich gebe zu: das öffentliche Leben verlangt „feste Charaktere". So war Luther ein „fester Charakter".
> Er war gezwungen, immer die gleiche Physiognomie der Welt zuzukehren. Dadurch hat er gewirkt bis zum heutigen Tage. Aber der Zustand des großen Funktionärs der Gesellschaft in der Öffentlichkeit (...) Wehe, wenn er nicht zwei Leben lebt: eines als öffentlicher Charakter und eines als Mensch, ein künstliches, was der künstliche Staat verlangt, und ein natürliches: andernfalls ist der vollkommene Narr das Ergebnis. *Nachlaß-Nr. 1, S. 276 f.*

Diese Gegenüberstellung von „natürlicher" und „künstlicher" Existenz steht zweifelsohne in einer geistesgeschichtlichen Tradition, die in Rousseaus Anthropologie des homme naturel und citoyen kulminiert und als Begriffspaar von bourgeois und citoyen noch die Gesellschaftstheorie Karl Marx' beeinflußt hat. (5) Durch die geschichtliche Entwicklung ist der Begriff des citoyen in Deutschland nicht zum politischen Leitideal geworden. Als Exponent des unpolitischen Bildungsbürgertums erblickte

Hauptmann in der Öffentlichkeitssphäre ein notwendiges Übel: sie barg die Gefahr der Selbstentfremdung vom privatbürgerlichen Sein, das als schlechthin natürliche Lebensform verstanden wurde. Dieses Identitätsverständnis: bürgerlich = privat = natürlich kam ungebrochen in Hauptmanns privatistischem Standpunkt zur Festspielaffäre 1913 zum Ausdruck: „Stehe ganz und voll zur Sache. Das ist natürlich, aber noch immer bürgerlich (nämlich ohne Partei)". (6) Noch in den „Betrachtungen eines Unpolitischen" erhob Thomas Mann bürgerliche Wert- und Verhaltensnormen gleichsam zur Naturqualität: „ . . .denn das Deutsche und das Bürgerliche, das ist eins". (7) Deutschtum und Bürgerlichkeit – das waren Anti-Begriffe zu den Phänomenen Öffentlichkeit und Gesellschaft.

Der Künstler hatte sich nach Auffassung Hauptmanns möglichst von allen Einflüssen des Staates und der Gesellschaft freizuhalten, weil die Basis seines Schöpfertums die integrale Persönlichkeit, der ursprünglich-natürliche Mensch sei. Der Künstler soll der „unvoreingenommenste Betrachter" sein und auf das allgemein Menschliche hinter allen Rollen, Masken und Funktionen zielen. Damit sein universaler Standpunkt gewährleistet sei, habe er sich von dem Rollenzwang des „öffentlichen Charakters" freizuhalten. Hier wurzelt Hauptmanns „Dramaturgie der Parteilosigkeit" (K. Müller-Salget) und sein unpolitisches Selbstverständnis, seine politische ‚Charakterlosigkeit': (8)

Der Staat, die Gesellschaft, welche die höchsten Anforderungen in bezug auf „Charakter" an seine bedeutenden Staatsmaschinisten zu stellen gezwungen ist, muß dem Künstler gegenüber vollkommen auf diese verzichten. Die Kunst ist frei, und so muß auch der freieste Mensch im Staate der Künstler sein. Bezweckt der Staat die größtmögliche Entwicklung seiner Individuen, so kann er an seinen Künstlern erkennen, wieweit er jeweilen seinem Zweck dient. Je größer und umfassend entwickelte Künstler eine Nation hervor- und zur Reife bringt, um so gesünder und gerechter ist sie. Ein Kind *(sic!)* ist der Künstler, ein natürlicher Mensch und kein „Charakter". Er wendet sich (. . .) an das im Menschen, was seinesgleichen ist. Den Staat ignoriert er, um den Menschen zu erbauen. (. . .) Auch versteht sich der Künstler falsch, wenn er sich etwa zum Feinde des Staatsmannes macht. Jener gleicherweise wie er arbeiten daran, das Gesetz zu erfüllen, nicht es aufzulösen. Das erfüllte Gesetz aber ist der freie, edle harmonische Mensch. (. . .)
Ich möchte sagen, die Probe auf das Exempel des Staates ist der Künstler. *NachlaßNr. 1, S. 277 f.; vgl. CA VI, 1026 f.*

„Bezweckt der Staat die größtmögliche Entwicklung seiner Individuen

..." — „Die Probe auf das Exempel des Staates ist der Künstler": Solche Sätze sind gleichsam durchtränkt vom Geiste Wilhelm v. Humboldts, der in seiner Schrift „Ideen zu einem Versuch, die Grenzen der Wirksamkeit des Staates zu bestimmen" fordert, der Staat solle dem Bürger Freiheit und „Mannigfaltigkeit" zur „höchsten und proportionierlichsten Bildung seiner Kräfte" gewährleisten. (9) Humboldts Staatsideal war ein Protest gegen die utilitaristische Staatsphilosophie der französischen Aufklärung. In Humboldts Idealstaat sollten die Bürger nicht Mittel zum Zweck (des Staates, des Allgemeinwohls), sondern Selbstzweck sein: (10)

> So ließen sich vielleicht aus allen Bauern und Handwerkern Künstler bilden, d. h. Menschen, die ihr Gewerbe um ihres Gewerbes willen liebten, durch eigengelenkte Kraft und eigne Erfindsamkeit verbesserten und dadurch ihre intellektuellen Kräfte kultivierten, ihren Charakter veredelten, ihre Genüsse erhöhten.

Zwischen Wilhelm v. Humboldt und Gerhart Hauptmann lagen die Schockerfahrungen eines Jahrhunderts der Industrialisierung, Vermassung und Verelendung. Der historischen Abstand schlug sich in der Verkehrung des Humboldtschen Humanitätsideals nieder: Sollen bei Humboldt alle Menschen Künstler werden, so können für Hauptmann nur noch die Künstler „freie, edle harmonische Menschen" sein. Der Utopie menschlicher Totalität wurde damit gleichsam ein Asyl im Künstlertum zugewiesen, bei den „großen Außenseitern, den Inspirierten, den Andersartigen, den Bohemiens, die sich im Rahmen einer immer sachlicher werdenden Welt einen gewissen Rest an Natur und Menschlichkeit zu bewahren versuchten" (J. Hermand) (11).

Nicht nur in diesem Kult um die romantische Außenseiterstellung des Künstlers drückte sich der politische Rückzug der bürgerlichen Intelligenz vor der gesellschaftlichen Misere der Reaktionszeit nach 1848 aus. Hatte das Humanitätsideal Humboldt und seiner Zeit als Antriebskraft zur Schaffung einer liberalen Gesellschaft gedient, so flüchtete sich das Bildungsbürgertum aus seinem Emanzipationsstreben später in einen unpolitischen Idealismus. Seine Kulturhaltung wies in der zweiten Hälfte des 19. Jahrhunderts einen „deutlichen ästhetisch-aristokratischen Zug" (F. Stern) auf. (12) Eine verhältnismäßig dünne Oberschicht gebildeter Protestanten hatte Christentum und deutschen Idealismus zu einer Kulturreligion verschmolzen, die auf eine Kultivierung des Ichs, der Innerlichkeit hinauslief. Die Freude an der Kultur blieb passiv, es fehlte der Wille, sie auf die unteren Schichten auszubreiten oder die Bedingungen für ihre Verbreitung zu schaffen. (13) Diese Kluft war vertieft worden durch die Reaktionszeit, welche die breiteren Volksschichten in ihrer Erziehung durch Schule und Kirche in einer „bewußt rückständigen Verfassung" (K. Kupisch) beließ und nur den fortschrittlichen Bürgerkreisen ihren ‚freien' Weg gestattete. (14) Zudem verstärkte sich angesichts des schnell anwachsenden Proletariat im Bürgertum ein Gefühl der Bedrohung und die Auffassung, daß Kultur und Demokratie letztlich unvereinbar seien. (15)

Dieser betont bildungsaristokratische Charakter des bourgeoisen „Vulgäridealismus" (F. Stern) in der zweiten Hälfte des 19. Jahrhunderts war eine entscheidende Voraussetzung für den Individualitätskult, den Hauptmann wie viele andere Exnaturalisten im Laufe der 90er Jahre adaptierte. Der damit verbundene Ästhetizismus, der Trend um die Jahrhundertwende zum „Schein des schönen Lebens" (J. Hermand), machte sich auch in Hauptmanns persönlichem Lebensstil bemerkbar. (16) Mit der Fürstlichkeit seines 1900 erbauten Agnetendorfer Domizils nahm Hauptmann gleichsam den Repräsentationsstil der Gründerzeit wieder auf. „Festivitas" ist der vòn Hauptmann später immer häufiger gebrauchte Begriff, der den Wandel Hauptmanns von einer Einstellung der sozialen Solidarität zum festlich erhöhten Individualismus eines gleichsam außergesellschaftlichen Lebenskünstlers kennzeichnet. (17) „Es ist vielleicht ein Luxus, außerhalb der furchtbaren sozialen Kämpfe zu stehen und in einem gewissen Sinne stehen zu wollen, aber lassen Sie hie und da einen solchen Menschen gewähren als eine Erinnerung daran, wo wir trotz aller Kämpfe und durch alle Kämpfe hinwollen", schrieb Hauptmann in einem Entwurf zu seiner Rede vor dem Arbeiter-Bildungs-Ausschuß in Breslau 1932, solchermaßen den schönen Schein seines reicherfüllten Dichterlebens mit dem Schimmer der Utopie ineins setzend. (18)

Das Bewußtsein dieses „Luxus" blieb ihm zeitlebens lebendig. Das vielleicht nie ganz überwundene „proletarische Ressentiment" erfüllte ihn bisweilen mit Skrupeln gegen seine verbürgerlichte Dichterexistenz, die sich anstelle des sozialethischen Impulses seiner Frühzeit zunehmend einem letztlich unverbindlichen Kulturidealismus verschrieb. „Sollst du nicht zur vollen, treuherzig-ehrlichen Wahrheit von ‚Vor Sonnenaufgang' zurückkehren", fragte Hauptmann sich 1909 und deutete damit selbst an, daß seine künstlerische Entwicklung ihn in die Richtung eines unechten Klassizismus und einer unaufrichtigen Kulturrepräsentanz trieb. (19) Diese Selbsteinschätzung äußerte sich noch prononcierter in einer selbstkritischen Anwandlung während des 1. Weltkrieges, als seine dichterische Produktivität stagnierte:

(22.3.1917)
Leide an Zuständen der Blasiertheit. Bin willenskrank. Bin lustlos und unfähig zur Arbeit. Fange an, meine Schwächen deutlicher und schmerzlicher zu fühlen als in jüngeren Jahren. Habe meine Zeit nicht genügend ausgenützt: hätte sie auszunützen vollauf Gelegenheit gehabt. Über ein halbes Jahrhundert vertan. Die Menschen nennen mich einen Menschenfreund. Lirumlarum. Was tat ich für die Menschheit? *Nachlaß-Nr.4, S. 165*

Zwar läßt sich diese melancholische Unproduktivität als Ausdruck einer geistigen Krise begreifen, in die sich viele Vertreter des Kulturbürgertums durch den Krieg versetzt fühlten. Aber es spiegelt sich doch auch in dem hier geäußerten tiefen Ungenügen am eigenen Lebenswerk ein Wesenszug Hauptmanns zum Praktisch-Konkreten, der auch seiner nie erloschenen Sehnsucht nach einem tätigen Kolonistenleben zugrunde lag. Sie war geweckt worden im Breslauer Freundeskreis der „Ikarier" mit ihren utopischen Auswanderungsplänen, lebte wieder auf während der ersten Amerika-Reise 1894, regte sich noch in der Europa- und Kulturmüdigkeit des letzten Lebensjahrzehnts und wird gleichsam beglaubigt durch die derb-feste, auf manchen Porträts geradezu bäurisch anmutende Physiognomie des Dichters. (20)

2. Patriotismus und Deutschtum

Als „Spielverderber im Kaiserreich" hat sich Hauptmann in seiner Autobiographie bezeichnet (CA VII, 728). Diese Rolle war Hauptmann freilich mehr durch die Repräsentanten des wilhelminischen Deutschland aufoktroyiert als von ihm selbst gewählt worden. Hätte Wilhelm II. ihm nicht so lange Zeit die „Weber" verübelt, Hauptmann wäre vielleicht schon im Kaiserreich der Poeta laureatus geworden wie nach 1918. Nach der Jahrhundertwende paßte Hauptmann schwerlich noch in die Rolle des Opponenten: er dominierte im Theaterleben der Reichshauptstadt und verkehrte mit gesellschaftlich hochgestellten Persönlichkeiten, darunter dem Botschafter in London, Fürst Lichnowsky, und dem Reichskanzler Fürst Bülow. Der ersten Einladung bei Bülow und Lichnowsky, am

11.5.1902, gedachte Hauptmann allerdings später — 1922 — als einer für die Zeitverhältnisse ungewöhnlichen Begebenheit: „Es war von Lichnowsky eine ‚Idee', von Bülow damals eine ‚Tat'; welche erbärmliche preußische Zeit" (Nachlaß-Nr. 6, S. 120). „Erbärmliche wilhelminische Zeit" wäre wohl richtiger gewesen.

Eine Kritik am Wilhelminismus sucht man bei Hauptmann in der Vorkriegszeit vergeblich. Trotz mehrfach erfahrener Zurücksetzungen war ihm die Person des Dynasten, die doch immerhin für viele Zeitgenossen nicht unumstritten war, sakrosankt. Hauptmann, eine „Art von Gegenkaiser im Reiche der Literatur" (K. G. Just), war ein Beispiel dafür, daß sich gerade die ‚Oppositionellen' insgeheim häufig danach sehnten, offiziell vom Kaiser anerkannt zu werden. (21) So notierte er sich im Jahr vor dem Empfang des Nobelpreises: „ ‚Glaube und Heimat'.* Der Kaiser hat in Kiel zu *(Karl)* Schönherr gesagt, er könne der große deutsche Dichter werden, der in Deutschland bis jetzt noch fehle" (Nachlaß-Nr. 11 b, S. 403 v). Einen Kommentar zu diesem Kaiserwort hat Hauptmann unterlassen, aber schon das Faktum des Notats dürfte als Indiz seiner Betroffenheit gelten. Wurde er durch demonstrative Nichtbeachtung in den latenten Inferioritätsgefühlen des Emporkömmlings bestärkt, an denen er auch später noch litt — etwa gegenüber Trägern des Pour-le-Merite wie Wilamowitz-Moellendorff oder anderen Akademie-Mitgliedern?

Die gesellschaftlich-ideologische Integration Hauptmanns war jedenfalls nach der Jahrhundertwende weit fortgeschritten.Gewiß hielt Hauptmann mit den Dramen „Der Rote Hahn" (1901), „Rose Bernd" (1903) und den „Ratten" (1911) weiterhin der wilhelminischen Gesellschaft den Spiegel vor. Dies entsprang jedoch nicht einer primären gesellschaftskritischen Intention, sondern seinem künstlerischen Realismus. Friedrich Engels hat es als einen „Triumph des Realismus" bezeichnet, daß Balzac trotz seiner royalistisch-konservativen Gesinnung ein schonungsloses Bild des zum Untergang verurteilten Adels in seinen epischen Werken gezeichnet hat. (22) Ähnlich subjektive Voraussetzungen der Beobachtungsgabe und gestalterischen Wahrhaftigkeit führten auch bei Hauptmann trotz eines ästhetischen Idealismus und der vom wilhelminischen Bürgertum übernommenen unpolitischen Kulturhaltung zu einem Sieg des kritischen Realismus, der die eigene Klasse nicht verschont.

---

* Historisches Drama von 1910, mit dem Karl Schönherr großen Erfolg hatte.

Das Bild des ‚Gesellschaftskritikers' Hauptmann darf also nicht verdecken, daß sich bei Hauptmann schon früh Ansätze für Staatsloyalität und Patriotismus finden. In seiner Autobiographie erwähnt Hauptmann die „rückhaltlose Bismarckverehrung" seines Vaters (CA VII, 541, 551). Auf der Volksschule wurde dem kleinen Gerhart zur Zeit der Gründerjahre „deutsche Gesinnung" vermittelt, die er „hungrig aufschnappte" (607). Im Zeichen des beginnenden Kulturkampfes wurde im Unterricht die Gestalt Martin Luthers herausgestellt und der „Geist von Rom" angeprangert (606). Dies ist der Keim für Hauptmanns späteren Luther-Kult und seinen Affekt gegen den Ultramontanismus. – Während der Gutselevenzeit schloß sich der junge Hauptmann seinem Vater in der Freude am neuen Deutschen Reich an und sprach zu den Landarbeitern „mit übernommenem Enthusiasmus von Bismarck, Moltke und anderen" (764). Freilich konnte er sich auch von dem billigen Hurra-Patriotismus deutscher Touristen im Ausland distanzieren (936).Die frühe Bismarck-Begeisterung lebte in Hauptmann nach seiner nationalkonservativen Wende wieder auf:

(3.12.1898)
Ich lese Bismarcks „Erinnerungen". Sprachlich durchaus nichts Lutherisches. Eine. Art Benvenuto Cellini auf preußisch und auf dem Gebiete der Politik. Deutsches Fundamentalbuch. Ein Buch, das Preußens Hegemonie rechtfertigt. Ein wahres Preußenbuch. Es ist ein Lehrbuch, ein Gesetzbuch, ein Grundbuch und Bismarcks zweite Tat. (. . .) *Nachlaß-Nr.2, S. 39;* (CA VI, 1023)

Hauptmann bekannte sich nachdrücklich zur preußisch-protestantischen Tradition und der kleindeutsch-preußischen Lösung von 1871. Erst nach 1918 fand er zu einer großdeutschen Einstellung.

In seinen ersten künstlerischen Versuchen hatte der junge Hauptmann die mit der Reichsgründung und nationalen Hochstimmung aufkommende Germanenschwärmerei geteilt. Als Siebzehnjähriger war er in Breslau Mitglied einer Blutsbrüderschaft mit pangermanischen Idealen geworden. Dieser romantische Nationalismus trat zunächst in den Hintergrund, als Hauptmann 1883 bei der Totenfeier für Richard Wagner in Weimar die Hohlheit dieses „nationalistischen Historismus bourgeoiser Kunstmode" (Hans Mayer) erkannte. (22) Er nahm jedoch diese Tradition auf einer höheren Ebene wieder auf: mit dem „Florian Geyer". Welche Intention er damit verfolgte, zeigt sein langes Grübeln über den Mißerfolg der Uraufführung von 1896:

(23.7.1897)
Der Schmerz steigert sich, wenn ich bedenke, daß sein Deutschtum, all sein Hei-

misches und Neues, keinen Widerhall wecken konnte, daß in Deutschland der Florian Geyer, d.h. der ritterliche alte Huttengeist mit seiner goldenen schlichten Vaterlandstreue und -liebe tot ist.

(...)ich hätte geschworen, daß ich in diesem Stück eine Sprache geredet, einen Empfindungsstrom ergossen habe, für den alle deutschen Seelen bereitet sein mußten. Ich erwartete dieses deutschen Freiheitsgeistes jubelnden Empfang. – Was ward mir? Aber weder die Fanfare noch der Weihedonner. Die Traurigkeit, die an allem Leben, an aller Kunst haften muß, drückt die schwachen Hörernaturen. Mich drückt sie nicht. *Nachlaß-Nr. 1, S. 108*

Die „schwachen Hörernaturen" waren bisher auf die Epigonendramatik eines Ernst v. Wildenbruch angewiesen, wenn sie im Theater dynastische oder patriotische Erbauung suchten. Die erfolgreiche Wiederaufführung des „Florian Geyer" 1904 mit Rudolf Rittner zeigte, daß der Mißerfolg von 1896 eher auf eine Fehlbesetzung der Titelrolle zurückzuführen war als auf eine mangelnde Resonanz des Nationalgefühls, wie Hauptmann es wahrhaben wollte. (24)

Im Gegenteil: zu dieser Zeit, als das Deutsche Reich einen hektischen Machtaufschwung erlebte, ohne in einer geschichtlich gewachsenen nationalen Tradition zu wurzeln, hatten Vergangenheitssucher eine gute Konjunktur. Das bewies der Erfolg von Langbehns 1890 anonym erschienener Schrift „Rembrandt als Erzieher", die sich gegen die Zeittendenzen des Naturalismus, Sozialismus und der Industrialisierung wandte. Der „modernen Anbetung des Mammons" wird die „legendäre Einfachheit eines frühen Zeitalters" (F. Stern) gegenübergestellt. (25) Als Vorbild galt der „Nordgermane" Rembrandt, daneben Luther, „der deutsche Glaubensheld, der hervorragendste Held überhaupt" (Langbehn). (26) Mit der Devise: Individualismus gegen Vermassung suchte Langbehn der als dekadent empfundenen Gegenwart den Heilsweg einer neuen, an Geschichte und Volkstum orientierten Kulturfrömmigkeit zu weisen.

Auch Hauptmann hatte sich auf seine Weise – mit dem „Florian Geyer" – darum bemüht, das Flittergold der neudeutsch-wilhelminischen Germania auszutauschen gegen den „ritterlichen alten Huttengeist mit seiner goldenen, schlichten Vaterlandstreue und -liebe". Aber für die Rückwärtsgewandtheit des deutschtümelnden Kulturpropheten Langbehn hatte er zu dieser Zeit wenig übrig:

(20.5.1897)
(...)dieser Langbehn hat einen Vorrat zusammengelesener Gedanken, den er ausgeben möchte. Mag sein, in der besten Absicht: durch sie aber wird sein Ragout nicht zum ehrlichen, lebendigen Stück Fleisch. *Nachlaß-Nr. 1, S. 106*

Desgleichen lehnte er den ehemaligen ‚Friedrichshagener' und Lang-
behn-Adepten Ola Hansson ab, der sich vom Hauptmann-Verehrer zum
Naturalismus-Gegner und Verfechter neuromantischer Dichtung gewandelt
hatte. (27) Ein Essay Hanssons über Langbehn (1897) begann mit der
Feststellung: „Unsere zeitgenössische Kunst und Dichtung ist dazu
verurteilt, frühzeitig abzusterben. Unsere am lautesten tönenden Namen
werden für die Nachwelt blechern klingen." (28) Hanssons Spekulationen
über eine „pangermanische Zukunftskultur" wurden von Hauptmann
entsprechend abgetan:

> Langbehn ist ein Wichtigtuer, aber der größere Wichtigtuer und schlimmere Musi-
> kant ist Hansson. Herrgott, wenn er nicht wäre, der germanische Genius stürbe an
> einer Fehlgeburt. (. . .)
> Kauft Wasserbrühe!! Wahrhaftig, die Leute löffeln das Zeug, gut gegen den Verfall
> der deutschen Kultur, des deutschen Geisteslebens, der deutschen Art etc. (. . .)
> Der deutsche Genius wäre wahrhaftig keinen Schuß Pulver wert, wenn er zu diesen
> gravitätischen Vielmaulern und Windmachern müßte seine Zuflucht nehmen. (ibd.,
> S. 106)

Auffälligerweise richtete sich Hauptmann mit Schärfe gerade gegen
solche Kulturphilosophen, zu denen er eine gewisse Affinität besaß
(Eklektizismus, pseudophilosophische Verbrämung, Monumentalisierung,
Neigung zu großen historischen Synthesen). Unter diesem Aspekt sind
auch seine späteren Invektiven gegen Oswald Spengler zu sehen. (29) —
Die Absage an die Deutschtümler hinderte Hauptmann im übrigen nicht,
ein Jahrzehnt später freundschaftliche Beziehungen zum Haus Wahnfried
anzuknüpfen, unter anderem zu dem Germanophilen Houston Stewart
Chamberlain — dessen Antisemitismus er allerdings gelegentlich behutsam
zurückwies. (30)

Hauptmanns Vorstellungen vom Deutschtum waren orientiert an
kraftvollen historischen Gestalten wie Luther oder Ulrich von Hutten.
Ebenso wenig wie die Propheten eines völkisch-rassischen Nationalismus
sagten ihm daher literarische Esoteriker des Deutschtums vom Schlage
eines Ferdinand Avenarius zu. Dessen Zeitschrift „Der Künstwart"
versuchte in konservativ-reaktionären Sprach- und Stilformen die Weiter-
führung des deutschen Idealismus. (31)

> (8.8.1897)
> Das Dünne und Laue der „Kunstwart"-Art ist nichts für mich, und seine deutscheln-
> de Weise ist weit entfernt von deutscher Weise. Ferdinand Avenarius ist mir zu sehr
> Ästhetiker, Feinschmecker der Kunst, und sein Geist ist davon auseinandergegangen
> wie sein runder, weichlicher Körper. (ibd., S. 134)

Die Vorstellung Hauptmanns von einer deutschen Kunst stand im Gefolge zahlreicher literarischer Manifeste des Naturalismus zwischen 1880—92, welche einen Neubeginn der Literatur nicht nur im Sinne eines sozialen Realismus, sondern auch einer nationalen Vertiefung forderten.

So erblickte Heinrich Hart in dem englischen und französischen Einfluß eine Ablenkung von der „Bahn einer wahrhaft nationalen Poesie". „Kleinere germanische Volksstämme" seien auf dem richtigen Wege: vielleicht entstehe durch den Einfluß Ibsens und Björnsons allmählich ein „gesundes, kerniges Volksdrama". (32) Eine echt nationale Dichtung, die „nicht dem Salon, sondern dem Volk gehört", müsse „aus der germanischen Volksseele heraus" geschaffen werden. Weder Hellenismus noch Gallizismus dürfe sie bestimmen, sondern sie solle den „Quell ihres Blutes in den Tiefen der germanischen Volksseele." haben (H. und J. Hart). (33) Die Entwicklung Friedrich Lienhards vom Anhänger des Naturalismus zum Verfechter der Heimatkunstbewegung macht deutlich, welche Verbindungslinien sich von der Programmatik des Naturalismus zu späteren völkischen Kunstbestrebungen ziehen lassen. Die bei den Völkisch-Konservativen in den 20er Jahren beliebte Unterscheidung zwischen Dichter und Literat findet sich bereits in der Forderung der Brüder Hart, daß der „Roman wieder den Händen des Schriftstellers entwunden und zu einer Sache der Poesie" werden solle. (34) Auch die spätere völkische Polemik gegen die sog. dekadente Großstadtliteratur klingt schon in dem Programm der Zeitschrift „Die Gesellschaft" an. (35) In Julius Harts Lob der Neuromantik schlagen gar kulturchauvinistische Töne durch: „Das vorherrschende lyrische Genie des deutschnationalen Kunstgeistes zeigte da wieder seine Überlegenheit (...) über den romanischen (...)." (36) Aufgabe der „Völker deutscher Zunge" sei es, „als Vorarbeiter und Muster menschlicher Kultur sich in Geltung zu erhalten" (M. G. Conrad). (37) Solche Tendenzen einer „präfaschistischen Ideologie" (M. Brauneck) formierten sich in der Übergangsphase Deutschlands zum wilhelminischen Imperialismus und kamen in der ‚deutschen Ideologie' beim Kriegsausbruch 1914 voll zum Ausdruck. (38)

Auch Hauptmann zollte dieser Geisteshaltung seinen Tribut. Die Affinität naturalistischer Terminologie zum völkischen Jargon findet sich vielfach in seinen programmatisch-theoretischen Äußerungen zu Dichtung und Kunst. Sie sind durchsetzt von Vitalitätsmetaphern wie Wurzelschlagen, Blühen, Reifen der Kunst im „Mutterboden des Volkstums". Beispielhaft für diese Anschauungsweise ist Hauptmanns Rede „Der Baum von Gallowayshire" (1928). (39)

Immerhin hatte Hauptmann wie keiner zuvor in der deutschen Literatur das Volk in seiner sozialen Zuständlichkeit für die Dichtung entdeckt und mit den „Webern" in den Rang eines dramatischen Subjekts erhoben. Sein Ehrgeiz, dem Drama eine volkstümliche Basis zu geben, ging nun sogar im ersten Jahrzehnt seiner öffentlichen Wirksamkeit über das rein literarische Schaffen hinaus. Er entwarf den Plan, ein Netz von Laienspielbühnen über Deutschland zu verbreiten. Hier äußerte sich — gleichsam als Residuum des früheren „sozialethischen" Idealismus — ein nationalerzieherischer Impetus, der schon dem Versuch zugrunde lag, durch den „Florian Geyer" zur Vertiefung des deutschen Nationalgefühls beizutragen. Hauptmann setzte der Theatermetropole Berlin, die ihn groß gemacht hatte, die Idee eines echten Volkstheaters entgegen:

(12.1.1898)
Plan.
Dilettantenbühnen ernster Art über ganz Deutschland. Eine Zentral-Schauspielerbil-dungsstätte. Weihnachtsfestspiele. Osterfestspiele. (. . .) Pfingstspiele. Ausbildung von Regisseuren. Das kleine Schauspielhaus (Typus wie Kirchentypus zu schaffen), zweckmäßig für kleine Gemeinden. Mein Weg ist vorgezeichnet. Anschluß an Volk und Grund. Es muß an jedem Ort einen Regisseur von Beruf geben, wie es einen Pfarrer gibt. Sommerakademie. Der Freie und Unabhängige fördert sein Volk am meisten. (. . .) Wahre Bildungsstätten sollen das sein: dies meine Lebensaufgabe. Ich sehe großartige Perspektiven. Sollte mit Hilfe der Lehrer etwas zu machen sein? (. . .) „Ich suche nicht m e i n e Ehre". („Die Kunst des Dramas, S. 197")

Festspiele — das war ein deutscher Lieblingsgedanke des 19. Jahrhunderts, um die „verspätete Nation" (H. Plessner) wenigstens im festlichen Hochgefühl zu einigen. (40) So trug sich Hauptmann mit dem Gedanken, in seinem schlesischen Wohnsitz Agnetendorf ein Festspielhaus errichten zu lassen. Daß sich der hochfliegende Plan einer volkstümlichen Umwandlung des deutschen Theaterlebens dann doch nicht erfüllte, war ihm noch Jahrzehnte später Anlaß des Bedauerns: „Man hätte mit anders gearteten Lasten, anders gearteten Pflichten im Bereiche des Deutschtums noch mehr aus mir zu machen vermocht" (CA XI, 486).

3. Affekt gegen die Großstadt

Neben den volkspädagogischen Bestrebungen bezeugt dieser Plan eines Volkstheaters einen frühen Affekt Hauptmanns gegen die Großstadtkultur. „Anschluß an Volk und Grund" wollte er finden. Darin äußerte sich die Sehnsucht, anstelle einer als entwurzelt und zerstörerisch empfundenen Zivilisationskultur die Bindung an eine natürlich vorgegebene Ordnung zu finden. Seine Ansiedlung 1892 in der schlesischen Provinz (Schreiberhau, später Agnetendorf) ist nicht frei von Eskapismus. Die ‚organisch' gewachsenen Formen volkstümlichen Gemeinschaftslebens ließen die politisch-sozialen Widersprüche verblassen, die Hauptmann so desillusionierend in der Großstadtgesellschaft erfahren hatte. Schon vor der Jahrhundertwende — bei einem seiner periodischen Aufenthalte in Berlin — empfand Hauptmann Großstadtmüdigkeit und beklagte die Selbstentfremdung des Großstädters:

(22.11.1898)
Der Staub der Stadt liegt mit auf Augen, Lungen und Herzen. Es gibt auch einen geistigen Staub.
Ihr seid die Unfrohen, nicht wir. Kunst kann nicht gedeihen in der modernen Großstadt. Deshalb Wien über Berlin. ⟨In der modernen Großstadt rennen die Menschen hinter sich selbst her, erreichen sich nie, sind nie bei sich⟩ (. . .) In der Großstadt ist Phantasietätigkeit ausgeschlossen. *Nachlaß-Nr. 252, S. 18 f.*

Auf seiner Amerika-Reise 1894 hatte Hauptmann die ihm Schrecken erregende „Verknäulung der Zivilisation von New York" kennengelernt, „wo sich unter den Hieben einer unsichtbaren Peitsche, unter der Lockung des Dollar-Zuckerbrots der Mensch um den Menschen dreht". (41) Mit der Erinnerung an diese Erfahrung verteidigte Hauptmann seine Hinwendung zu den konservativen Kräften der Kultur: des „Volkes und Grundes".

(25.10.1897)
Ist es nicht im Hinblick auf Amerika unsere verdammte Pflicht und Schuldigkeit, konservativ zu sein? *Nachlaß-Nr. 1, S. 195*

Amerika, das Symbol der neuen Zeit und des Fortschrittsglaubens, abzulehnen war zeitgenössisches Symptom einer zivilisationsfeindlich eingestellten Kulturkritik. Dennoch geriet Hauptmann nicht in das Fahrwasser der reaktionären Heimatkunst, obgleich im „Fuhrmann Henschel" anklingt, wie eine „Welle des naturalistischen Dramas" in der Heimatkunst verebbt und dort einen „dumpfen und zugleich balladenhaften Charakter" (J. Hermand) bekommt. (42) Daß Hauptmann sich von den Tendenzen völkischer Heimatdichtung trotz einer gewissen Prädisposition im wesentlichen freihielt, ist wohl seiner Verbindung mit dem Berliner kulturellen

Leben und seinen maßgebenden Vertretern zuzuschreiben. Seit der Aufklärung hat Berlin stets ein für die deutsche Dichtung „schlechthin uner-
setzliches Korrektiv" (K. Ziegler) gegen diese Gefahr eines Rückzugs in die
Innerlichkeit, Idyllisierung und Provinzialisierung gebildet. (43)

Hauptmanns Einstellung zu Berlin war zeitlebens ambivalent − je nachdem, welcher Wesenszug bei ihm dominierte: die Neigung zur Verinnerlichung und schöpferischen Sammlung in der Stille oder der Realitäts-
hunger und die Menschenneugier des Dramatikers und Epikers.

Mit einer Mischung von Faszination und Abneigung sah der Gestalter in
ihm das Großstadtpanorama:

(19.2.1908)
Hier in Berlin Eindruck von Raserei und dadurch hervorgerufener Beklemmung:
Verrohung durch blutige Sensationen (. . .)
Furchtbar ist diese Stadt: die nur wenige Menschen von denen, die an sie gebunden
sind, lieben. Ein ewiger, dumpfer Donner. Das Ratteln und Tuten der Automobile.
Man möchte dieser rasenden Orgie Halt gebieten. Der Mensch grassiert wie eine
Plage. (. . .) Vielleicht kann ich dieser Stadt wenigstens in einem Werk einmal den
Spiegel vorhalten. Sie muß sich so sehen, wie ich sie sehe (. . .) erfüllt von Dämonen,
ein Inferno. *Nachlaß-Nr. 11b, S. 336 f.*

Hauptmann wußte natürlich auch die produktiven Möglichkeiten der
Großstadt zu schätzen, die „Arbeitsleistungen der Geselligkeit" (ibd.). Dazu kam die verhältnismäßig liberale Atmosphäre, die Berlin auch in der
wilhelminischen Zeit bot. Als ‚rote Hauptstadt', von der Sozialdemokratie
zunehmend politisch erobert, in ihrer Selbstverwaltung bestimmt vom
politischen Freisinn, geriet Berlin in einen wachsenden Gegensatz zum
konservativen Preußen. (44) Das Regime der Hohenzollern stand der Stadt
indifferent oder gar feindlich gegenüber. (45) Auch die berühmte Berliner
Toleranz, die aus einer „frühzeitigen und freizügigen Mischung verschiedener religiöser Bekenntnisse" (K. Ziegler) geboren war, verstärkte den
Kulturliberalismus. (46) Im Gegensatz zu Berlin empfand Hauptmann daher in Wien „die aristokratische Schicht furchtbar drückend über den
Geistern" (ibd., S. 337), was sich ja nicht zuletzt in der Absetzung „Rose
Bernds" vom Spielplan des Burgtheaters 1904 gezeigt hatte. (47)

Freilich blieb auch in Berlin das „schädliche Erbe" (G. Lukacs) spürbar, das die gescheiterte Revolution von 1848 und die besondere Form der
deutschen Einigung von 1871 hinterlassen hatte. (48) Die politisch-soziale
Rückständigkeit und nationale Zerrissenheit, welche während des 19. Jahrhunderts in Deutschland keine große, der englischen und französischen

vergleichbare realistische Literatur hatte aufkommen lassen (49), spürte auch Hauptmann noch als Beeinträchtigung seiner künstlerischen Möglichkeiten:

> Ibsen und seine Modelle. Da wir seine Modelle nicht haben, können wir so interessierende Gestalten nicht schaffen. Deutschland hat kein freies geistiges Leben. *Nachlaß-Nr. 1, S. 253*

Eine Gesellschaft wie die deutsche, mit einer noch wenig ausgeformten hauptstädtischen Tradition, bot dem Dramatiker begrenzte Typisierungsmöglichkeiten. Hinzu kam der das neue Reich durchdringende preußische Unitarismus. Seine Zentralisierungstendenz wurde verbreitet als Uniformierung der gesellschaftlichen Verhältnisse und Überfremdung regionalen Eigenlebens empfunden:

> (16.6.1899)
> Die Nüchternheit unseres Staatswesens. Auch die Exaltierten sind Funktionäre im Staat. Der Staat muß nicht einem homogenen Teig gleichen. Er muß bunt, vielgestaltig bleiben (. . .) *Nachlaß-Nr. 2, S. 202*

Der Wille zum realistischen Gesellschaftsporträt war bei Hauptmann unbeschadet seiner klassizistisch-romantischen Werke stets vorhanden. So nahm er sich nach der Jahrhundertwende vor, die „Denkweise herrschender Kasten" jahrelang zu studieren, das „neue Drama der Zeit" zu schreiben, „gesellschaftliche, materielle, staatliche Abhängigkeiten zur Grundlage von Dramen" zu machen und nicht die „kleinen ängstlichen, ärmlichen Rücksichten auf Bühnen, Kirchen, Gesellschaftsschichten, Erfolge, Kritiker etc. walten" zu lassen (ibd., S. 436 v, 369 v, 330 v); denn: „Das Dichten ist ein Ergebnis staatlichen Lebens" (ibd., S. 202).

4. Politisches Desinteresse

Bis zum Ausbruch des 1. Weltkriegs hat sich Hauptmann politisch weder engagiert noch exponiert. Die Friedenszeit von 1871 bis 1914 trug das ihre dazu bei, den politischen Sinn abzustumpfen. Es war eine Epoche der „machtgeschützten Innerlichkeit" (Thomas Mann) unter dem Signum bürgerlicher Sekurität. Das geistig-kulturelle Leben konnte sich scheinbar autonom entfalten. Epochenmerkmal war die Isolation der einzelnen gesellschaftlichen Bereiche. Künstler und Literaten lebten großenteil einem gesellschaftsfernen Ästhetizismus. (50)

Wie Hauptmanns Tagebücher — gemessen an späteren Aufzeichnungen — bezeugen, lag das politische Geschehen dieser Epoche außerhalb seines Blickfeldes. Nur selten äußerte er sich zur politischen Aktualität. Als Künstler erteilte er sich Dispens von der Beschäftigung mit (partei-)politischen Fragen:

(5.1.1899)
Der Künstler ist seinem Wesen nach ein Privatmann. Er hat neutral zu bleiben, außer mit dem Stimmzettel oder im Krieg, als Soldat. *Nachlaß-Nr. 2, S. 57*

Die Distanz zum parteipolitischen Sozialismus, die schon bei der „Weber"-Affäre sichtbar geworden war, wurde noch größer. Die Ablehnung des Sozialismus war freilich mehr ästhetisch als politisch motiviert. Hauptmann empfand für die Abbildung des gesellschaftlichen Lebens den Sozialismus als „störendes Beiwerk, durch das hindurch man dringen muß". (51) Der bürgerlichen Polemik gegen die angeblichen Nivellierungs- und Vermassungstendenzen der sozialistischen Bewegung schloß sich Hauptmann kritiklos an:

(6.2.1899)
Der Sozialismus. Er will verstaatlichen, auch die Geister. So werden auch die Geister kein Eigentum mehr haben. Es läuft auf Staatsuniformierung hinaus c(um) g(rano) s(alis). (ibd., S. 71)

Diese Befangenheit in zeitüblichen Klischeevorstellungen vom Verhältnis Sozialismus — Individualismus artikulierte bürgerliche Ängste, die durch die ‚Begehrlichkeit' des sozialistischen Gleichheitsanspruchs geweckt wurden. Im proletarischen Angriff auf das bürgerliche Bildungsmonopol steckte ja auch das In-Frage-Stellen der eigenen erreichten Position — von Hauptmann erlebt als ideologische Bedrohung seines individualistischen Lebensgefühls, der „Einzigkeit meines Wesens" — wie es in der Autobiographie heißt. (52)

Die ablehnende Haltung Hauptmanns gegenüber der Sozialdemokratie änderte sich auch nicht durch die persönliche Bekanntschaft mit August Bebel, dessen Schwiegersohn Ferdinand Simon zum Breslauer Freundeskreis Hauptmanns gehört hatte. In einer frühen Tagebuchnotiz über einen

Besuch bei Bebel findet sich allerdings kein näherer Aufschluß über seine
Einstellung zu dem sozialdemokratischen Parteiführer:

(9.11.1890)
Am Vormittag war ich bei Bebels. Bebel empfing mich in seinem Arbeitszimmer.
Voller Freundlichkeit. Im Laufe des Gesprächs kam er auf die *(Robert)* Koch'schen
Ergebnisse. Er glaube, daß später nur noch die Menschen an Altersschwäche sterben
würden. *Nachlaß-Nr. 265, S. 57*

Obwohl sich Hauptmann gelegentlich in einem Brief positiv über Bebel
geäußert haben soll (53), entsprach Bebel offenbar nicht seinem Ideal von
einem wahrhaft volksverbundenen Politiker:

(8.3.1899)
Was im Reichstage fehlt: ein Mann, welcher wirklich die Not des Volkes aus der
Tiefe kennt und eine Beredsamkeit aus dem wirklichen Wissen vom Leide hat.
Nachlaß–Nr. 2, S. 91

Was später zum Ruf nach dem ‚starken Mann‘ wurde, war hier noch die
sozialromantische Vorstellung von einem Volkstribunen, der jenseits aller
parteipolitischen Programmatik als Sprachrohr des Volkes fungiert. Ihm
war es nicht gegeben, die Politik als eine Sphäre anzusehen, in der
Konflikte konkurrierender Partikularinteressen reguliert werden. Stattdes-
sen schwebte ihm als Gesellschaftsideal die Solidarität sozialer Gefühls-
kommunikation vor.

Für ein politisches Engagement fehlte ihm während des Kaiserreichs die
positive Orientierung. Wohl hatte er in der Phase jugendlichen Oppositi-
onsgefühls mit dem „Umsturz" sympathisiert, war aber gegenüber dem
organisierten Sozialismus stets auf Distanz geblieben. Zum politischen
Liberalismus jener Zeit konnte seine Generation keinen Zugang finden. In
der wilhelminischen Ära fehlte dem Liberalismus die Attraktivität, mit der
er vor 1848 die politischen Energien der bürgerlichen Intelligenz hatte
mobilisieren können. Die Nationalliberalen hatten sich durch ihre Mitwirkung beim Kulturkampf und Sozialistengesetz voll an das Bismarcksche
System angepaßt. Aus dem Linksliberalismus wurde unter Eugen Richter
ein kleinkarierter wirtschaftspolitischer Interessenverband, der bei der
jüngeren Generation zu sehr diskreditiert war, um als glaubwürdige,
konsequente Alternative zum Bestehenden zu gelten. (54) Es war zudem
die „Tragödie des deutschen Liberalismus" (F.C. Sell), daß sich seine an

den Kaiserwechsel von 1888 geknüpften Hoffnungen nicht erfüllen konnten. (55) Er blieb in sich zerstritten und wurde schließlich zwischen den beiden großen Machtblöcken von Industrie und Landwirtschaft einerseits und der Arbeiterbewegung andrerseits zerrieben. Durch die Ohnmacht der politischen Vertretung des liberalen Bürgertums im halbautoritären Bismarckschen Verfassungssystem blieb auch die kulturelle Elite Deutschlands, die keine tragfähige Verbindung mit der sozialdemokratischen Oppositionsbewegung eingehen konnte, großenteils in politischer Unmündigkeit. Ihre Einflußlosigkeit war zusätzlich durch die traditionelle Organisationsunwilligkeit des liberalen Bürgertums bedingt.

Die politische Apathie Hauptmanns läßt sich daher nicht nur aus seiner Persönlichkeitsstruktur oder seinem künstlerischen Selbstverständnis erklären. Es mußte schon die Ungunst der geschichtlichen Stunde hinzukommen, damit sich Hauptmanns „soziales Tiefengefühl" derart entpolitisierte. – Eine soziologische Entwicklung verstärkte zudem die gesellschaftliche Abgeschlossenheit der deutschen Schriftsteller: Standen noch in der ersten Hälfte des neunzehnten Jahrhunderts die Hälfte der namhafteren Autoren in bürgerlichen Berufen, so sank dieser Anteil in der zweiten Hälfte auf ein Zehntel und darunter. (56) Dies förderte eine Loslösung von politisch-sozialen Bindungen und das Gefühl, frei über allen Partei- und Klasseninteressen zu stehen. Dem gesellschaftsbezogenen Honoratiorentypus wurde dadurch die Basis entzogen.

Wenn Hauptmann sich während der wilhelminischen Zeit in seinen Aufzeichnungen sporadisch zu Fragen der Politik äußerte, dann tat er es eher zur Außen- als zur Innenpolitik. Das war ein Zug der Zeit: die Außenpolitik des erwachenden deutschen Imperialismus nahm die nationale Phantasie mehr und mehr in Anspruch.

Die deutsche Außenpolitik nach dem Ausscheiden Bismarcks sah Hauptmann kritisch. Nach seiner Auffassung konnte die deutsch-russische Annäherung zwischen 1895 und 1897 die Versäumnisse nicht wettmachen, die durch die Nichterneuerung des Rückversicherungsvertrages (1890) entstanden waren. Angesichts der Allianz von Rußland und Frankreich (Militärkonvention 1892, Zweibund 1894) sah Hauptmann Deutschland in der bedrohlichen Situation der Einkreisung und glaubte in dem „Allianz"-Geschrei schon das Erbeben „unterirdischen Donners" zu vernehmen:

(28.8.1897)
Ich habe das feste Gefühl, daß unser politisches Leben augenblicklich an einer

Wende ist. Der innere und äußere Ernst fordert einen neuen Kurs. Wir stehen zwar unterm Schild und gepanzert und haben das Schwert entblößt, aber wir sind auch ringsumdräut. Unsere Rußlandpolitik war eine zu späte Wendung. Frankreich war in zu großem Vorsprung. Da wir ihm diesen Vorsprung gelassen hatten, hätten wir auch die Wendung nicht machen sollen. *Nachlaß–Nr. 1, S. 153*

Mit dem sozialen Konservatismus des gesellschaftlichen Aufsteigers, ja mit Gleichgültigkeit reagierte er auf die russische Revolution 1905. Dabei dominierte ähnlich wie in seiner Einstellung zum Umsturz 1918 der bürgerlich-konservative Ordnungssinn:

(14.4.1905)
Die Balten. Die baltischen Provinzen. Kurland *. Rußland gleicht einem starken Mann, der einen Schnupfen hat. Wenn er sich schont, wird er den Schnupfen verlieren. Wenn er ausgeht, wird er in Gefahr geraten, schwerkrank zu werden oder gar zugrunde zu gehen. Der Bauer ist der beste Kerl von der Welt. Seine Bürokratie frißt an seinen Eingeweiden. *Nachlaß-Nr. 11 b, S. 33*

In welcher vergleichsweise unpolitischen Idylle Hauptmann bis zum Ersten Weltkrieg lebte, zeigen diese sporadischen Exkurse zur großen Politik; am deutlichsten vielleicht eine Bemerkung zur zweiten Marokko-Krise von 1911 (als Deutschland aus Protest gegen die französische Marokko-Politik das Kanonenboot „Panther" nach Agadir entsandte):

(24.8.1911)
Die wahre Wichtigkeit der Mona–Lisa–Entwendung und die Unwichtigkeit von Marokko: trotz aller Gravität aller Historiker. Ich schwankte. Die Politik ist wie eine verlockende Buhlerin und macht leicht blind und dumm. (ibd., S. 421)

1912 kam es durch die neue deutsche Flottenvorlage und die vergebliche Mission des englischen Kriegsministers Haldane in Berlin, Deutschland von dieser Vorlage wieder abzubringen, zu dem verhängnisvollen Scheitern einer deutsch-englischen Verständigung. Das Mißtrauen auf beiden Seiten war schon zu groß. – Noch war Hauptmann der kritisch räsonnierende Zuschauer:

---

*In den russischen Ostseeprovinzen trug die städtische Arbeiterschaft revolutionäre Parolen aufs Land und rief zum Kampf gegen die deutsche Herrenschicht auf.

(9.9.1912)
Es gibt zwei Möglichkeiten. Man kann in den Brand der Zwietracht hineinblasen,
oder aber man kann das Feuer der Erkenntnis anzünden. „Vereinigte Staaten Europas". (ibd., S. 460)

Die Idee der „Vereinigten Staaten von Europa" dürfte er von Rathenau
bezogen haben. Dieser berichtet in seinem Tagebuch 1912 von einer
Unterredung mit dem Kaiser, in deren Verlauf Wilhelm II. diesen
Gedanken äußerte. (57) Zu dieser Zeit war Hauptmann im Begriff, das
„Festspiel in deutschen Reimen" zu schreiben, das mit dem Auftritt der
griechischen Göttin Pallas Athene, verwandelt in „Athene Deutschland",
ein Licht der Erkenntnis in der von nationalen Leidenschaften verdunkelten Zeit entzünden sollte.

5. Die Festspielaffäre 1913

Als der Breslauer Magistrat Gerhart Hauptmann im April 1912 aufforderte, für die Jahrhundertfeier der Befreiungskriege ein Festspiel zu schreiben, tat er es mit der Begründung, Hauptmann sei der erste, „den jeder bei
der Umschau nach einem Dichter dieses Festspiels nennt". (58) In der Tat
war Hauptmann trotz der Ablehnung durch die Repräsentanten des
wilhelminischen Deutschland zum führenden Dichter avanciert, wie sich
noch im selben Jahr bei den Feiern zu seinem 50. Geburtstag und der
Nobelpreis—Verleihung zeigen sollte. Ein weiter Weg vom skandalumwitterten Dichter der „Weber" zum offiziellen Festspieldichter schien
zurückgelegt. Der Schein trog, wie die durch das Festspiel 1913 ausgelöste
nationale Kontroverse um Hauptmann zeigen sollte. Als ob Hauptmann
selbst dem Schein der Aussöhnung mit einem Staat, zu dem er bisher in
mehr oder minder freiwilliger Opposition gestanden hatte, noch nicht
recht trauen mochte, stellte er nach all den erfahrenen Ehrungen Ende
1912 fest:

(28.12.1912)
Mein Verhältnis zum modernen Deutschland hat sich gewandelt, naturgemäß versöhnlich gestaltet. Wie sonderbar, wie unerwartet. Welche Revision wird notwendig,
welche Entwaffnung hat sich vollzogen. Was soll ich mir von alledem zurechnen?
Nachlaß—Nr. 11 b, S. 484

Mit dem Nobelpreis hatte man Hauptmann vor allem für das Drama „Die Weber" ehren wollen, dessen revolutionärer Geist und Stil in der offiziellen Laudatio hervorgehoben worden war. So lag es nahe, daß Hauptmann im Ausland als Gesellschaftskritiker des wilhelminischen Deutschland galt, zur politischen Opposition gerechnet und nach seiner politischen Parteizugehörigkeit befragt wurde. Der schwedischen Zeitung „Sozialdemokraten" antwortete Hauptmann, er habe nie einer politischen Partei angehört, die Kunst müsse frei sein, die „Weber" seien ein „rein menschliches Dokument" und der Nobeltag eigne sich nicht für solche Fragen. (59) Diese Stellungnahme trug ihm in Deutschland den Vorwurf des „Widerrufs" ein. Der „Vorwärts" meinte, daß Hauptmann „nicht gern an seine sozialistische Jugendliebe erinnert sein will, nachdem er der von der Bourgeoisie gefeierte Dichter geworden ist". (60) Aber auch das verbreitetste Blatt des liberalen Bürgertums, das „Berliner Tageblatt", schloß sich dieser Kritik an Hauptmann an:

In einem Privatgespräch hat er den kompromittierlichen Verdacht weit von sich gewiesen, daß er etwa irgendeiner demokratischen Partei angehöre oder je angehört habe. „Ein Künstler darf kein Politiker sein". Bei dieser Gelegenheit spielte er, offenbar zur Erhärtung seines politischen Reinigungseides, den verblüffenden Trumpf aus, daß sein Drama „Die Weber" nur als ein Dokument des menschlichen Lebens, aber beileibe nicht als eine Kritik der sozialen Gesellschaft aufzufassen sei.

Das ist glatter Widerruf, etwa so, als wenn der Dichter von „Kabale und Liebe" hätte versichern wollen, er habe sich durchaus nichts Böses dabei gedacht und nur ein Dokument des Kleinstaatlebens zeichnen wollen; denn „Die Weber" sind ein Drama voll furchtbarer Gesellschaftskritik und leidenschaftlicher Parteinahme des Autors für die naiv—revolutionierenden Helden (. . .).

Im Grunde läuft die eifrige Ablehnung jedes politischen Verhaltens auf etwas sehr Triviales heraus, nämlich daß man es mit keinem verderben will . . .

Alfred Kerr schickte Hauptmann die Nr. 15 seiner Zeitschrift „Pan" (vom 10.1.1913) zu, in der diese Pressestimmen von ihm unter dem Motto „Hauptmann und der Sozialismus" zusammengestellt worden waren. Eine Stellungnahme, die Kerr wohl erhofft haben mag, beschränkte Hauptmann auf die folgende Tagebuchnotiz:

(25.1.1913)
Da wird unter andrem gesagt: „Das ist glatter Widerruf!" (bezogen auf ein Telefon-

gespräch zu Stockholm, in dem ich erklärt hatte: „Ich habe nie einer politischen Partei angehört"; was die reinste Wahrheit ist). – Also Widerruf? Da ich im Sinne einer Partei niemals gerufen noch widergerufen·habe, schweige ich auch jetzt dazu. *Nachlaß–Nr. 11 b, S. 502*

Wenn Hauptmann sich somit jeder politischen Zuordnung – etwa zum bürgerlich-demokratischen Lager – entzog, so führte ihm wenig später die Festspielaffäre vor Augen, zu welchen gesellschaftlichen Kräften im wilhelminischen Deutschland er sich eigentlich zu zählen hatte.

In seinem unpolitischen Selbstverständnis war ihm wohl kaum merklich, wie sehr er sich mittlerweile Tendenzen des wilhelminischen Zeitgeistes überließ. Ein gefühlsmäßiger Aristokratismus, der nicht mehr allzu fern vom Dünkel der wilhelminischen Oberschicht gewesen zu sein scheint, spricht aus der folgenden Reflexion – entstanden aus der Beschäftigung mit dem Festspiel-Stoff:

(26.2.1913)
Schöneberg. Stadtverordnetenversammlung.

Die Könige haben recht. Der Aufruf 1813 *(des preußischen Königs an die Bevölkerung, sich gegen Napoleon zu erheben)* war so, als wenn sich ein Privatmann in letzter Not an seinen Kutscher oder Hausknecht wendet. – So empfunden – wie berechtigt? Nicht im Hinblick auf die Minorität, aber im Hinblick auf die Majorität. – Soll man entschlossen sein *(?)*. Bebel. *(Eduard)* Bernstein *(Stadtverordneter von Schöneberg)* ist eine Minorität. Auch der König ist eine Minorität. Stein, Körner sind Minoritäten. Also? *Nachlaß-Nr. 11 b, S. 511 v*

Majorität = Masse, Minorität = Elite: nicht die Biederkeit einer Stadtverordnetenversammlung schien es ihm zu verlohnen, sondern einzig die wenigen großen, überragenden Persönlichkeiten der Geschichte. Der preußische Absolutismus von 1813 wurde nachträglich ins Recht gesetzt – von einem Nationaldichter, der das Festspiel zur Jahrhundertfeier der Freiheitskriege verfaßte. Hauptmann war also in einem tieferen Sinne ‚bereit' für diese Aufgabe. Hatte er doch auch im Juli 1912 an Walther Rathenau geschrieben: „Übrigens lese ich jetzt eifrig Treitschke und werde womöglich auf meine alten Tage noch Preußenfanatiker". (Briefnachlaß I, s. v. Rathenau, Walther)

Als an Hauptmann der Festspiel–Auftrag ergangen war, hatte er – ähnlich wie hundert Jahre zuvor Goethe – zunächst eine schwankende Haltung eingenommen. Doch sagte er zusammen mit dem als Regisseur vorgesehenen Max Reinhardt schließlich zu unter der Bedingung, daß „billiger Hurra—Patriotismus und höfisch—byzantinische Rücksichten" nicht erwartet, daß „Änderungen und Vorschläge (...) von keiner Seite gemacht" und daß „keiner Kommission oder behördlichen Persönlichkeit (...) Einfluß auf die Ausgestaltung und spätere Inszenierung zugestanden" werden dürften. (61) Aus der anfänglichen, von Hauptmann dann widerrufenen Absage geht allerdings hervor, daß seine Bedenken auch künstlerischer Art waren. (62)

Im Gegensatz zu Goethes allegorischem Festspiel „Des Epimenides Erwachen", das sich allen direkten Angriffsmöglichkeiten entzog, verstand sich Hauptmann zu einer Marionetten—Burleske, welche die historischen Ereignisse konkreter, wenngleich durch Puppenspielfiktion und Knittelvers ironisch gebrochen, darstellte. Wertungen waren unschwer zu erkennen: in der Revue der für die Erhebung gegen Napoleon geschichtsträchtigen Kräfte fehlt die preußische Dynastie. Sogar ein Versagen der preußischen Dynastie wird in dem Philistiades—Kommentar zur Katastrophe von Jena und Auerstedt angedeutet: „Kurz, es ward Nacht um den Preußenthron". (63)

Nach der großen Friedensvision am Schluß des Festspiels stolpert noch einmal der Furor militaris in Gestalt des alten Blücher auf die Bühne: (64)

> BLÜCHER
> Wat soll mich denn dem Friedenstirili?
> Ick bin for Infantrie und Kavallrie.
> DER DIREKTOR
> In deine Kiste!
> (...)
> Ich schenk' es Deutschland, brenn' es in sein Herz —
> nicht deine Kriegslust, aber dein: Vorwärts!!

Daß solche Worte von den herrschenden Kreisen als eine Kritik am preußischen Militarismus verstanden werden konnten, zeigte der heftig einsetzende Meinungsstreit um das Festspiel in der Öffentlichkeit. Zahllose Ortsgruppen vaterländischer Kriegervereine hielten Protestversammlungen ab.

Hauptmann reagierte auf die Angriffe gegen ihn überaus gelassen. Eine Woche nach der Uraufführung des Festspiels zog er folgende Bilanz:

(nach dem 4.6.1913)
Scheiterhaufen.
Ich beanspruche keine Schonung auf literarischem Gebiet. Hier aber war nicht zuerst der literarische Wert, sondern die nationale Gesinnung zu berücksicht*(ig)*en (. . .) Ich stehe nicht außerhalb der Gesetze: ein schamloser Mensch nennt mich einen internationalen Jammerkerl — weil ich den Völkern und auch unsrem Lande den Frieden wünsche. Und die Motive? — Ich finde in meiner eignen Seele nichts, was mir diese Menschen etwa durch Analogie verständlich machen könnte. (. . .) Es wird keinem Franzosen einfallen, einen französischen Schriftsteller so herabzuziehen. *Nachlaß-Nr. 11b, S. 518*

Der deutsche Kronprinz ließ als Protektor der Jahrhundertfeier das Festspiel am 17. Juni 1913 vorzeitig absetzen. Am folgenden Tag erschien in der „Vossischen Zeitung" eine Erklärung Hauptmanns, in der er ankündigte, er werde vielleicht die Festspielaffäre durch einen öffentlichen Vortrag in Berlin zum Abschluß bringen: „Die ganze Angelegenheit, das ganze Gewebe von Angriffen und Intrigen, das lediglich einen parteipolitischen Charakter trägt, hat seinen Ursprung in Berlin." (65) Doch der anhaltende Rumor um das Festspiel hat ihn bewogen, weiterhin zu schweigen. Dabei hatte er nicht nur Kritik, sondern vielfachen Zuspruch erfahren, sowohl von seiten bedeutender Persönlichkeiten, als auch kultureller Vereinigungen, ja selbst behördlicher Gremien. (66)

In Anbetracht des national überhitzten Zeitgeistes wäre wohl ein Ernst von Wildenbruch geeigneter gewesen, die preußische Geschichte und die Hohenzollern in einem Festspiel zu glorifizieren. Als Hauptmann die Aufforderung erhielt, mag er die Empfindung gehabt haben, sich dieser ehrenvollen patriotischen Aufgabe nicht entziehen zu dürfen. Mit der großen Friedensapotheose der „Athene Deutschland", die sich thematisch und formal sichtlich von dem Kontext des Festspiels abhebt, hatte Hauptmann einem Kompromiß mit dem militaristischen Zeitgeist zu entgehen gesucht. Aber die Proklamierung einer Gesinnung unbedingter Humanität und Friedensliebe konnte ihn nicht vor der Verstrickung in die Sphäre der Politik und der ideologischen Anfeindung bewahren. Daß Werk und Person unbeschadet aller gegenteiligen Postulate in einem politisch —gesellschaftlichen Kontext standen, vermochte Hauptmann ebensowenig bei der Festspielaffäre als zwei Jahrzehnte zuvor bei der umstrittenen Aufführungsgeschichte der „Weber" einzusehen. Er fühlte sich im Gegenteil durch solche Kontroversen in seinem Rückzug auf eine unpolitische Position bestätigt.

(30.6.1913)
Wie werde ich den Festspiellärm in die Reihe meiner Erlebnisse einordnen?
Als ein sogenanntes „Schlammleben".
Als ein Ereignis anorganischer Natur, demgegenüber ich der vollkommen passive
Betrachter bleibe. (ibd., S. 521)

Hier äußert sich ein für Hauptmann typischer Widerspruch: einerseits trat er als Präzeptor Germaniae auf, mit dem Anspruch, ethisch auf die Nation und Gesellschaft einwirken zu wollen. Andrerseits leitete er bei einem ihm mißliebigen Echo sogleich den Rückzug auf sein unpolitisches Dichtertum ein und fühlte sich als Opfer von Mißverständnis und Böswilligkeit. Die Metapher vom „Schlammbeben" zeigt an, wie Hauptmann des ganzen Vorgang als unbeeinflußbares Elementargeschehen hinstellte, sich die Rolle des passiven Betrachters zuwies und sich recht eigentlich aus dem Wirkungszusammenhang seines Werkes herauszunehmen suchte. Darin enthüllte sich die Unverbindlichkeit des im Festspiel enthaltenen Engagements, das Hauptmann zwar in subjektiver Ehrlichkeit, aber einigermaßen ahnungslos eingegangen war und das sich doch erst in der Behauptung gegen diese unvorhergesehene Anfeindung voll bewähren konnte.

Zum gleichen Zeitpunkt, als er für sich einen Standpunkt der Indifferenz artikulierte, schrieb er an den Kritiker Arthur Eloesser, die Festspielangelegenheit habe „ihren anfänglich deprimierenden Charakter in einen erfrischenden umgewandelt. Gegensätze, Klüfte, Fremdheiten, wie sie jetzt innerhalb unserer Nation zutage treten, waren auch vorher da: und es ist besser, sie deutlich zu sehen, als verschwommen. Der Vorgang hat sein Gutes, und zwar reichlich." (67) In der Tat enthüllte diese Klärung wiederum zwei verschiedene Gesichter der Nation: den wilhelminischen militaristischen Machtstaat und das andere Deutschland, dessen bessere Kräfte Hauptmann in dem Festspiel beschworen hatte. Was Ende 1912 Hauptmann als „Aussöhnung" des vielzitierten Antagonismus von Macht und Geist erreichbar schien, war nun wieder aussichtslos entschwunden. So blieb am Ende apathische Resignation: ⋅

(6.10.1913)
Festspiel
Ich überlasse euch nun ganz das Feld.
„Lasciate ogni speranza". *Nachlaß-Nr. 11b, S. 532*

Ein Jahr später hat Hauptmann eine nachträgliche Rechtfertigung des Festspiels unternommen. Anlaß war die Zuschrift eines Majors, der, gleich zu Kriegsanfang verwundet, die dadurch erzwungene Ruhepause benutzte, dem Verfasser des Festspiels trotz kriegspropagandistischer Betätigung eine immer noch mangelhafte Gesinnungstüchtigkeit zu bescheinigen. (68) In mehreren Entwürfen suchte Hauptmann die Kritik des Majors zurückzuweisen, der nach eigener Angabe das Festspiel mit „Tränen des Unwillens" gelesen hatte. Hauptmann empfahl ihm das Festspiel als „leidenschaftlich und kriegerisch genug", indem er unter anderem auf die im Festspiel Blücher und Scharnhorst unterlegten Verse verwies. Außerdem gab er eine Erklärung für sein Schweigen während der Festspiel—Affäre ab:

> Vielleicht war es ein falscher Stolz, der mich abhielt, meine Verteidigung in einer Sache zu führen, in der mich kein Schatten von Schuld trifft und gegen Vorwürfe, die Punkt für Punkt zu entkräften sind. Vielleicht war es auch die Überzeugung, daß man als einzelner auch der unsinnigsten Massensuggestion mit der reinlichsten und deutlichsten Sache ohnmächtig gegenübersteht. *Nachlaß-Nr. 269, Fasz. 5a, S. 1a*

Auch den Schluß des Festspiels, die Friedensapotheose mit dem Auftritt der Mutter Deutschland als der „viel verkannten Athene Deutschland", verteidigte Hauptmann ausdrücklich:

> Was um Gottes Willen kann nach erfolgtem S i e g e *(vom Verf. gesperrt)* jemand gegen Friedenklänge haben, die sich ins Feierliche und Religiöse steigern und die deutschen Stämme in einem Kirchgang vereinigen. (. . .) Alle diese Sachen sind so selbstverständlich, so unmißverständlich: das doch eingetretene Mißverständnis bleibt das größte Problem. (ibd., S. 6 f.)

Ganz so unmißverständlich, wie Hauptmann es hier hinstellt, war die Aussage seines Festspiels sicherlich nicht. Die Unentschiedenheit des in ihm gestalteten weltanschaulich—politischen Bekenntnisses ist unübersehbar. Aus den von Hauptmann angeführten Zitaten spricht gewiß der Geist eines kampffreudigen Patriotismus, aber das Festspiel kulminiert doch in der bekenntnishaften Friedens— und Liebesgesinnung der kultischen Versöhnungsfeier — des „Demonstrationszuges des Weltfriedens", wie es in einer Schlußvariante heißt (CA X, 1227). Das Festspiel kommuniziert einerseits mit einer Fülle von Topoi des nationalen Zeitgeistes, aber es bringt andrerseits auch Hauptmanns höchst eigene Weltanschauung und

Geschichtsauffassung zum Ausdruck: Pessimistischer Geschichtsfatalis-
mus, Abkehr vom christlichen Erlösungsgedanken, Vision eines neuen
Heidentums, Glaube an die deutsche Sendung, an ewiges Protestantentum,
Affekt gegen den Ultramontanismus, Kritik des Kosmopolitismus, zugleich aber auch des beschränkten Untertanenverstandes und Spießbürger-
tums, Ablehnung einer irrationalen Revolutionspraxis (Französische Revolution), Bekenntnis zum wehrhaft-opferfreudigen Patriotismus und doch
auch zum Pazifismus (Weltfrieden).

All diese teils einander widersprechenden Ideen konnte Hauptmann in
den fiktiven Gestalten seines Puppenspiels Revue passieren lassen. Wenn er
jedoch nun in seiner Antwort an den Major einzelne Rollenpartien zur
Dokumentierung seiner Gesinnung als Autor heranzog, so hob er damit die
Fiktion auf — und zugleich die dadurch ermöglichte ironische Distanz des
Autors zu den Bewußtseinsinhalten seiner Figuren und dem „Simmelsam-
melsurium" der Geschichtsrevue. Insofern nahm Hauptmann selbst ein
tendenziöses ‚Umfunktionieren' des ideologisch komplexen Festspiels vor,
als er in der Stunde der ‚nationalen Erhebung' resümierte:

Ob mein Festspiel dem Breslauer Zweck angemessen war oder nicht (. . .): daß es
aber deutschnational bis auf die Knochen ist, darüber ist die Entscheidung getroffen. Sie liegt im Text. Sie liegt in jeder *(!)* Zeile, in jedem Wort, in jedem Reime
des Textes offen. Es ist auch ein geharnischtes Stück, es ist auch ein gewappnetes
Stück, wenn es auch mehr schneidet als rasselt. (ibd., S. 7 f)

Gewiß war der von Hauptmann in seiner Apologie verwendete Begriff
„deutschnational" noch nicht von einer parteipolitisch reaktionären Praxis
belastet wie nach 1918. Aber indem Hauptmann sich von der Intransigenz
eines offensichtlich bornierten Militaristen zu einer solchen Deutung
herausgefordert fühlte, gab er nachträglich dem Urteil eines zeitgenössischen Kritikers recht, der 1913 das Festspiel den „gereimten Epilog zu
der neuen deutschen Wehrmachtsvorlage" genannt hatte. (69)

IV DER I. WELTKRIEG

1. Patriotischer Aufschwung

Der Ausbruch des 1. Weltkriegs rüttelte Hauptmann – wie die ganze Nation – zutiefst auf. Bezeichnend für jenen Stimmungsumschwung ist folgende Erinnerung Fritz v. Unruhs: (1)

Als dann in Sarajewo das österreichische Thronfolgerpaar ermordet worden war, erhielt ich von Margarete Hauptmann besorgte Briefe: ob ich in den Krieg müsse, wenn er ausbräche? „Gerhart", so schrieb sie, „kümmert sich überhaupt nicht um das politische Geschehen! Er ist tief in neuer Arbeit..."
(...)
Im September 1914 erhielt der Ulan Unruh vor einer Fernpatrouille einen „siegessicheren" Brief von dem nie in eine Uniform geknöpften Dichter der Deutschen.

Zunächst überwog bei Hauptmann das Gefühl der Beklommenheit angesichts des „schwarzen Kriegshorizonts". Er empfand die nahende Katastrophe als zugleich zerstörend und befreiend. Am Tage der Verkündung der deutschen allgemeinen Mobilmachung notierte er:

Berlin-Grunewald, den 31. Juli 1914
Gestern kritischer Tag erster Ordnung für Europa und jeden Europäer, ein Tag, wie ich ihn, seit ich bewußt bin, nicht erlebt habe. (...) Man spürte die Hinfälligkeit des allgemein gepriesenen Kulturzustandes: man ahnte nahe, nächst! – den Zusammenbruch. Jede friedliche Arbeit und Bestrebung erscheint in diesem Augenblick entwertet, eine schale Spielerei. Dem bürgerlichen Leben und Wirken scheint jede Farbe, jeder Sinn genommen, zugleich mit jedem Reiz. Das wohlbekannte Gesicht Europas löscht aus. Etwas ganz anderes tritt an seine Stelle: die Medusa. – Das wohlbekannte „Zeitalter" ist nicht mehr: Nichts von allem ist noch, was als fest und unumstößlich gegolten. *Nachlaß-Nr. 4, S. 7*

Doch noch war Hauptmann nicht in der Gemütsverfassung, die ihm seine Kriegsgedichte eingab. Seine innere Stimmung bekundete er zunächst so, wie es von dem Dichter des „Mitleids" zu erwarten war:

(1.8.1914)
Ich hatte heut morgen (vor 7 Uhr) bei meinem Spaziergang in der Stadt Augenblicke, wo es mir Mühe kostete, nicht laut aufzuschluchzen angesichts des angehenden, nahenden Völkermordens. (ibd., S. 7 v)

Bald jedoch wurde Hauptmann von der Woge allgemeiner Siegeszuversicht mitgerissen. Sein Tagebuch spiegelt, wie sich ihm der Kriegsgang in dramatischer Plötzlichkeit aufdrängte und ihn in die öffentliche Meinung einstimmen ließ. Eifrig protokollierte er die militärischen Operationen — wie es scheint, unter dem frischen Eindruck der täglichen Zeitungslektüre. Auch propagandistisch hochgespielte Greuelmeldungen über den Gegner fanden Eingang in die Tagebuchnotizen:

> (13.8.1914)
> Der deutsche Boden ist von Feinden gesäubert. (. . .)
> Die allgemeine Humanität, dieser Muttergrund aller wahren Dichtkunst, ist in Kriegszeit suspendiert. (. . .) Lebensnot hebt die Kultur auf. (. . .)
> Der zerschnittene deutsche Schlächter in Brüssel. (ibd., S. 12)

> (14.8.)
> Belgische Bestie. Sonst nichts Neues.

> (15.8.)
> Warum entbindet man Geistliche vom Kriegsdienst? — Mit Unrecht! — Das Elementare muß auch hier seinen Durchbruch ungehindert erhalten. (S. 12 v)

Fieberhaft verfolgte Hauptmann die Entwicklung an der Westfront, seine Stimmung wechselte je nach den Meldungen zwischen Unruhe und Zuversicht:

> (16.8.)
> Ich kann nicht leugnen, daß ich, nach stockender Berichterstattung, Siegesnachrichten erwarte. (. . .) Steht denn unsre Niederlage ganz außer Möglichkeit? sicherlich nicht. (S. 12 v f.)

> (18.8.)
> Man fühlt: wir müssen siegen! oder untergehen. (S.13)

> (21.8.)
> (. . .) Nachmittag.
> Ungeheure Meldung von Sieg zwischen Metz und Vogesen. (S.15)

> (22.8.)
> Diese Blätter fangen an, eine unsterbliche Chronik zu werden. (S.17)

(26.8.)
Wieder um einen Tag dem Frieden näher.
Die belgischen Zeitungen erscheinen in deutscher Sprache. (. . .) Die Zeitungen, wie
nasser Lappen einem Verdurstenden, rein aus- und leergesogen. (S.16)

(12.9.)
(. . .)Marnelinie, östlich Paris, große Entscheidungen, aber ich glaube nicht an eine
Möglichkeit der Überwältigung des deutschen Riegels — es muß alles, wie begonnen,
enden. Gott will's.(S.24)

„Fast alle deutschen Dichter, Hauptmann und Dehmel voran, glaubten
sich verpflichtet, wie in urgermanischen Zeiten als Barden die vorrücken-
den Kämpfer mit Liedern und Runen zur Sterbebegeisterung
anzufeuern", so ironisiert Stefan Zweig den kulturellen Atavismus
deutscher Kriegslyrik von 1914. (2) Hauptmann lieferte einige markante
Beispiele, darunter das „Reiterlied". Ihre zweite Strophe lautet: (3)

Es kam ein schwarzer Russ' daher. —
Wer da, wer? —
Deutschland, wir wollen an deine Ehr'! —
Nimmermehr!!
Ein Kaiser spricht es hoch vom Sitz.
Viel Feind, viel Ehr', wie der Alte Fritz.
Sein „Nimmermehr" ist mehr als Schall,
s'ist Donnerrollen und Blitzesknall,
s'ist Wetterstrahl.

Diese vaterländischen Gesänge — wie auch „O mein Vaterland, heiliges
Heimatland" — sind zwar aus der Ergriffenheit des Augenblicks entstanden, aber sie waren nicht unmittelbarer Gefühlsausdruck. Hauptmann
selbst faßte sie als einen Beitrag literarischer Wehrertüchtigung auf:

(13.8.1914)
Gestern habe einige Kriegspoeme veröffentlicht. Ich rechne diese Art Poesie bei mir
selbst nicht. Man könnte „wahre Kriegslieder" schreiben, aber sie würden kaum
ermutigend wirken. *Nachlaß-Nr. 4, S. 11 v*

Eine um so peinlichere Entgleisung stellt daher jenes Gedicht dar, das Hauptmann auf die Einziehung seines ältesten Sohnes Ivo verfaßte — zu einem Zeitpunkt, als die erste Kriegsbegeisterung längst verraucht war:

(6.12.1914)
Nun auch Ivo für Feldartillerie eingezogen.

Komm, wir wollen sterben gehn
in das Feld, wo Rosse stampfen,
wo die Donnerbüchsen stehn
und sich tote Fäuste krampfen.

(...)

Diesen Leib, den halt' ich hin
Flintenkugeln und Granaten:
eh' ich nicht durchlöchert bin,
kann der Feldzug nicht geraten.
Nachlaß-Nr. 4, S. 42 v; vgl. CA XI, 663

Diese Imitation traulichen Volksliedtons war poetischer Aufguß: ein Spiel mit literarischen Topoi, entlehnt aus der patriotischen Kriegslyrik von 1870/71, die ihrerseits schon Anachronismus und verklärender Rückblick auf die Freiheitskriege von 1813 war. Die Altertümlichkeit der metaphorischen Requisiten in „Komm, wir wollen sterben gehn" („Rosse", Donnerbüchse") spiegelt ganz die Erlebnisferne zum Geschehen und Charakter des Krieges. Wohl hatte eine vierzigjährige Friedenszeit im allgemeinen Bewußtsein die Vorstellung vom Wesen des Krieges ausgelöscht, aber inzwischen waren fünf Kriegsmonate ins Land gegangen, die — allein durch die furchtbaren Verluste unter den Freiwilligen bei Langemarck — die Beschwörung der vergleichsweise idyllischen Zeit von 1813 blutig dementiert hatten.

Angesichts der schweren Schicksalsstunde der Nation glaubte Hauptmann sich keine privat—familiären Sentiments leisten zu können. Dies hatte sich gleich zu Kriegsanfang gezeigt, als sein zweiter Sohn aus erster

Ehe, Eckart, den Gestellungsbefehl erhalten hatte. Ein aufschlußreiches Zeugnis über Hauptmanns Verhalten in jenen Tagen bietet ein Nachlaß-Fragment, der „Berliner Kriegs-Roman", dessen zweite Fassung 1928/29 entstand (vgl. CA X, 325 ff.).

In den vollendeten drei Kapiteln der zweiten Fassung schildert Hauptmann, wie er und seine Familie den Ausbruch des Weltkrieges — zunächst in Berlin, später auf dem „Wiesenstein" im Riesengebirge — erleben. Die Personennamen sind chiffriert, die autobiographische Authentizität weist sich jedoch durch eine Fülle eingearbeiteter Tagebuch–Stellen aus. In dem Tagebuch 1914—18 (Nachlaß–Nr. 4) hat Hauptmann über viele Eintragungen mit Rotstift das Stichwort „Roman" geschrieben. An dem „Berliner Kriegs–Roman" überrascht nicht nur die minuziöse Erinnerung nach 14 Jahren, sondern auch die geradezu naive Offenheit des Selbstporträts. Hauptmann figuriert in dem Roman–Fragment als Geheimrat Berthold Schwarz:

(Am 1. August 1914)
Erich Schwarz *(Eckart Hauptmann)*, ein erwachsener Sohn, aus erster Ehe — Manon *(Margarete Hauptmann)* war Schwarz' zweite Frau —, hatte sich für den Abend angesagt. Die Klingel ging, und einige Augenblicke später trat der junge Kaufmann in der Uniform eines Leutnants der Reserve ein. (. . .) zum Opfer geschmückt, dachte er, als er seinem Sohne die Hand reichte.
Der junge Soldat, der junge Held verbreitete um sich eine tiefe Feierlichkeit. (. . .)

Höchst seltsamerweise hörte man, kaum daß Erich gekommen war, unter dem offenen Fenster eine Mädchen- und eine Jünglingsstimme das bekannte traurige Lied in kläglich gedehnten Tönen anstimmen:„Morgenrot, Morgenrot, leuchtest mir zum frühen Tod (. . .)."

Schwarz, den die Beziehung des Liedes zu dem, was er dachte und fühlte, im tiefsten traf und der seine Wirkung auf Erich fürchtete, bäumte sich augenblicklich gegen diese weichlich-sentimentale Welle auf. Und da die Musik wirklich eine Art Ständchen sein sollte, trat er ans Fenster und brachte sie augenblicklich zum Schweigen. Er hielt den Sängern eine Art Volksrede: Solche Lieder, zu Beginn eines Krieges gesungen, seien weichliche Pinselei. Man gehe nicht in den Tod, sondern ins Leben. Man könne zwar sterben, aber das sei nicht der Zweck. Der Zweck sei das Siegen, Flennen führe gewiß nicht dazu. — (. . .) Jetzt wurde die Stimme eines der gerüffelten jungen Menschen laut, der etwas flau erklärte, daß er jedenfalls im Felde seinen Mann stehen werde. Schwarz sagte, er sei davon überzeugt. (CA X, 340 f.)

Solche bedingungslose patriotische Loyalität verlangte ihm ein bewußtes Sich-Verhärten ab. Die Darstellung dieses Schicksalsjahrs im „Berliner Kriegs-Roman" zeigt, daß Hauptmann auch anderthalb Jahrzehnte später seine Einstellung zum damaligen Geschehen kaum geändert hat. Allerdings unternahm er den Versuch, seine Gutgläubigkeit psychologisch zu rechtfertigen: die hoffnungsvolle Stimmung habe damals zugenommen und keiner den „Riesenvorgang" übersehen können. „Der Pessimist, der jetzt noch seine Befürchtungen verlautbaren ließ, bekämpfte damit das Unheil nicht mehr, sondern er half es nur herbeirufen". Hauptmann wollte also 1914 kein Defätist sein und sagte seinem „schwarzseherischen Dämon" ab. (4)

Zur patriotischen Hochstimmung steuerte Hauptmann nicht nur Kriegslyrik bei, er schrieb auch Zeitungsartikel. Die Vehemenz, mit der sich Hauptmann im ersten Kriegsjahr publizistisch engagierte, war der Erguß eines lange gestauten patriotischen Gefühls. Der Kaiser selbst hatte in seiner Thronrede vom 4.8.1914 das Stichwort gegeben: „Ich kenne keine Parteien mehr, ich kenne nur Deutsche." (5) Mit dem Kriegsausbruch war das Unbehagen am wilhelminischen System hinweggefegt: endlich konnte sich Hauptmann, der „Spielverderber", mit dem deutschen Staat identifizieren. Für das Nationalgefühl verschmolz Deutschland unter dem Druck des Krieges zu einer ‚echten Volksgemeinschaft'. Auch die bisher mehr oder weniger abseits stehenden geistigen Repräsentanten fühlten sich durch die Ereignisse „in ihr Volk hineingerissen" (R. Musil), gleichsam ‚integriert'. (6)

Im öffentlichen Bewußtsein herrschte die Überzeugung vor, in diesem Kriege werde die deutsche Kultur verteidigt, obwohl der Stolz auf das ‚Blühen' des deutschen Geistes, wie er zur Zeit der Klassik und Romantik legitim war, nicht mehr die Grundlage eines nationalen Sendungsbewußtseins sein konnte. Dieser Hang, das elementare Machtstreben der Nation mit idealistischem Gedankengut zu verbrämen, war eine Folge der preußischen Reichsgründung von 1871, der − von oben oktroyiert − eine tiefere ideelle Fundierung mangelte. Freilich lag auf dem deutschen Imperialismus „doch immer noch ein geistiger Schimmer, der dem rechnenden Merkantilismus des Ancien regime fremd gewesen war, nämlich der Schimmer des Ideals der politischen Selbstverwirklichung der individuellen Nation im Kreise von ihresgleichen" (L. Dehio). (7) Gegenüber dem politischen Humanismus des Westens befand sich die deutsche Position allerdings in der Defensive. So wurde die deutsche

Individualität „Gegenstand geistvoller Grübelei". (8) Wie im frühen neunzehnten Jahrhundert suchte man Deutschland als vorbildliches Weltvolk zu begreifen. Die Propagierung dieser Mission war in erster Linie Sache der ‚Dichter und Denker'.

2. Deutsch-französische Kontroverse

Als einer der ersten ergriff Hauptmann öffentlich das Wort. Er fühlte sich herausgefordert von Henri Bergson, der am 8. August 1914 in der Akademie der Geisteswissenschaften zu Paris eine flammende Rede gegen Deutschland gehalten und darin gesagt hatte: „Der begonnene Kampf gegen Deutschland ist eigentlich ein Kampf der Zivilisation gegen die Barbarei." (9) Hauptmann entgegnete mit einem am 26. August im „Berliner Tageblatt" veröffentlichten Artikel „Gegen Unwahrheit", in dem er sich einer ungewöhnlich ironischen Polemik befleißigte. Zu Beginn heißt es:

Wir sind ein eminent friedliches Volk. Der oberflächliche Feuilletonist Bergson in Paris mag uns immerhin Barbaren nennen, der große Dichter und verblendete Gallomane Maeterlinck uns mit ähnlichen Titeln belegen. (...)

Es folgt eine mit der Attitüde grimmigen Humors vorgetragene Vertuidigung der „barbarischen deutschen Kultur", verbunden mit einem Sendungsbewußtsein, das an die bekannte Maxime vom „deutschen Wesen" erinnert. Hauptmann proklamierte:

Durch den vollständigen Sieg deutscher Waffen wäre die Selbstständigkeit Europas sichergestellt. (...)Das Barbarenland Deutschland ist, wie man weiß, den übrigen Völkern mit großartigen Einrichtungen sozialer Fürsorge vorangegangen. Ein Sieg müßte uns verpflichten, auf diesem Wege durchgreifend *(!)* weiterzugehen und die Segnungen solcher Fürsorge allgemeiner zu verbreiten. Unser Sieg würde fernerhin dem germanischen Völkerkreise seine Fortexistenz zum Segen der Welt garantieren.

Deutschlands Kampf um sein bloßes Daseinsrecht wurde aus solcher Sicht zur großen Kulturtat stilisiert:

> Wie gesagt: An den Grenzen steht unsere Blutzeugenschaft: der Sozialist neben dem Bourgeois, der Bauer neben dem Gelehrten (. . .), und alle kämpfen für deutsche Freiheit, deutsches Familienleben, für deutsche Kunst, deutsche Wissenschaft, deutschen Fortschritt. (. . .)

Obwohl Hauptmann prononciert nationalistische Töne angeschlagen hatte, erhielt er auf die Veröffentlichung hin die Zuschrift des obenerwähnten Majors. (10) Wie der Antwort Hauptmanns zu entnehmen ist, hatte der Major sogleich den ersten Satz des Artikels beanstandet: „Wir sind ein eminent friedliches Volk." Hauptmann forderte den Major auf, abermals den Artikel gründlich zu lesen: „Vermutlich werden Sie dann eine flaue Tendenz zum ewigen Weltfrieden und zum Weltbürgertum nicht mehr darin finden." Seine Auffassung und die Erwiderung des Majors („Wir Deutschen sind ein eminent kriegerisches Volk") ließen sich sehr wohl miteinander vereinen, denn: „die Friedensliebe, die friedliche Kulturkraft eines Volkes, steht im genauen Verhältnis zu seiner Wehrkraft". Der Artikel „Gegen Unwahrheit" sei allerdings für das Ausland gedacht, dem es das „Friedensgesicht" der Nation, nicht ihr kriegerisches, zuzukehren gelte. (11)

Hauptmanns Artikel „Gegen Unwahrheit" bewog Romain Rolland zu einem offenen Brief an Hauptmann. Auf französischer Seite war Rolland einer der wenigen, die versuchten, inmitten des Kriegsgetöses und der schrillen Propagandatöne die Stimme der Vernunft und Humanität zur Geltung zu bringen und zwischen den feindlichen Lagern zu vermitteln. Er beschwor Hauptmann, im Namen Europas und im Namen der Ehre des deutschen Volkes, mit äußerster Energie gegen das „Verbrechen" des deutschen Einfalls in Belgien zu protestieren.

Doch dieser Appell traf bei Hauptmann auf taube Ohren. Zu sehr war er vom heiligen Recht der Deutschen in diesem Krieg überzeugt. „Ein solches Ereignis war irrational, und nie und durch keine Vernunft ist das große Irrationale jemals bewältigt worden", heißt es noch 1928 im „Berliner Kriegs—Roman" (CA X, 347). In der „Vossischen Zeitung" vom 10.9.1914 erschien Hauptmanns „Antwort an Herrn Romain Rolland".

Zu Beginn bekundete Hauptmann, daß auch er Schmerz über die Gefährdung der europäischen Kultur und die Zerstörung kostbarer Kunstdenkmäler empfinde. Aber er weigere sich, „eine Antwort zu geben, die Sie mir im Geiste schon vorgeschrieben haben und von der Sie mit Unrecht behaupten, daß ganz Europa sie erwarte". Auf Rollands Klage über die „ehrlose Schandtat" der deutschen Heere, welche „die Neutralität des edlen Belgien verletzen", entgegnete Hauptmann:

Der friedliche Durchzug deutscher Truppen, eine Lebensfrage für Deutschland, wurde von Belgien nicht gewährt, weil sich seine Regierung zum Werkzeug Englands und Frankreichs gemacht hatte.

Hauptmann behandelte diese Frage mit einer „bestürzenden Blindheit" (H.-A. Walter) für jegliches moralische Argument. (12) Der Krieg war für ihn ein „Elementarereignis", über dessen Begleiterscheinungen man nicht rechten könne.

Daß es in Belgien zum Widerstand gegen die das Land überrollende deutsche Militärmaschinerie kam, kommentierte Hauptmann folgendermaßen:

Dieselbe Regierung *(sc. Belgiens)* hat dann, um ihren verlorenen Posten zu stützen, einen Guerilla-Kampf ohnegleichen organisiert und dadurch – Herr Rolland, Sie sind Musiker! – die schreckliche Tonart der Kriegführung angegeben.

Wenn Rolland sich durch den „Riesenwall deutschfeindlicher Lügen" hindurcharbeiten wolle, solle er den Bericht des Reichskanzlers an Amerika vom 7.9. und das Telegramm des Kaisers an Präsident Wilson vom 8.9. lesen. Damit zeigte Hauptmann selbst die Herkunft solchen an Zynismus grenzenden Propaganda–Bombastes an: die bedenkenlose Übernahme der offiziellen deutschen Propaganda aus patriotischer Gutgläubigkeit. Mit welcher entwaffnenden Naivität und Autoritätsgläubigkeit er die offizielle Lesart wiederholte, geht daraus hervor, wie er dem Major das Motiv des Artikels „Gegen Unwahrheit" erklärte:

Er ist entstanden, weil unsere Regierung wünschte, daß unter den neutralen Mächten den lügnerischen Ausstreuungen entgegengearbeitet werde, die der deutschen

Regierung den Friedensbruch in die Schuhe schieben wollten. (. . .) Man wünschte in den leitenden Kreisen, daß die Tatsache im Auslande bekannt werde, wonach Kaiser und Volk, gleichermaßen friedlich und friedliebend, provoziert und zur Notwehr gezwungen wurden. *Nachlaß-Nr. 269, Fasz. 5 b, S. 6*

Gleichwohl überging diese als patriotische Pflicht verstandene publizistische Betätigung wiederum — wie bei der Kriegslyrik — innere Vorbehalte, die in Kontrast zu der nach außen gezeigten Rigorosität standen:

(7.9.1914)
Mein lieber, herzlich geliebter Rolland — Du hast so vollkommen recht und unrecht. — Erinnere Dich an den Todesmut und die Todesnähe und stirb jugendlich, Greis! *Nachlaß-Nr. 4, S. 21 v*

Vor der Instanz der Vernunft, so meinte Hauptmann wohl, habe Rolland mit seinem Appell recht, aber sein Pazifismus resultiere gleichsam aus einem Mangel an Vitalität und Heroismus. Diese Apostrophe an Rolland ist im Geiste der deutschen Kriegsideologie gehalten, derzufolge sich in diesem Kampf die Substanz und Tiefe des Deutschtums mit der Oberflächlichkeit westlicher Zivilisation messe. Diese Überzeugung faßte Hauptmann in einem unübertrefflichen Ausdruck zusammen: „Wir sind elementar — elementar mit Bewußtsein!"(ibd., S. 77 v). Gegenüber dem ‚Zivilisationsliteraten' Rolland fühlte sich Hauptmann als der mit seinem Volk elementar verbundene Dichter. Rollands Mittlerposition war für Hauptmann die Optik eines innerlich Zerrissenen, der, obzwar „deutschen Blutes", Frankreich zu seinem „Adoptiv–Vaterland" erwählt hatte und somit ‚entwurzelt' war.

Rolland brachte auf den offenen Brief Hauptmanns eine Erwiderung im „Journal de Geneve", in der er bedauerte, „daß ein Franzose dem alten deutschen Idealismus, den der preußische Imperialismus zermalmt, treuer ist als er *(Hauptmann)*". (13) Rolland hatte die Absicht, in Genf führende Geistesvertreter der Nationen zu einer „Art moralischem Parlament" zu versammeln. (14) Stefan Zweig sollte die Bereitschaft dazu bei deutschen und österreichischen Kollegen sondieren: (15)

Ich machte mich sofort ans Werk. Der wichtigste, der repräsentativste deutsche Dichter war damals Gerhart Hauptmann. Ich wollte, um ihm Zusage oder Absage leichter zu machen, mich nicht direkt an ihn wenden. So schrieb ich unserem gemeinsamen Freunde Walther Rathenau, er möge Hauptmann vertraulich anfragen. Rathenau lehnte ab – ob mit oder ohne Verständigung Hauptmanns, habe ich nie erfahren –, es sei jetzt noch nicht an der Zeit, einen geistigen Frieden einzuleiten.

Rathenau wußte, daß eine solche Initiative bei Hauptmann zu diesem Zeitpunkt sinnlos war. Von Anfang an der Überzeugung, daß dieser Krieg lang und furchtbar werden würde, hatte Rathenau kühl in sein Tagebuch notiert: (16)

(vor dem 2.11.1914)
Aus dem herrschenden Optimismus heben sich bisher nur ab: Harden, Theodor Wolff und wenige andere. Auch Hauptmann ist völlig befangen.

Erst im Mai 1915 kam die große Kontroverse zwischen Hauptmann und Rolland zu einem halbwegs versöhnlichen Ende – durch Vermittlung Stefan Zweigs. In einem Brief Zweigs an Hauptmann vom 13.4.1915 heißt es:

Es war mir schmerzlich, Sie in Wien nicht sehen zu können: ich hatte von meinem Freunde Rolland eine Botschaft der Liebe und des Vertrauens für Sie. Wenige wissen so sehr als ich, wie sehr er Sie bewundert – selbst in den Stunden, da sich die Nationen befeinden. *Briefnachlaß I*

Dies verfehlte offensichtlich nicht seine Wirkung auf Hauptmann, denn Stefan Zweig konnte Rolland Anfang Mai 1915 mitteilen: (17)

Ich erhielt einen Brief von Gerhart Hauptmann, in dem er Sie in freundlicher Weise erwähnt. Wie schön ist es doch, daß diese Meinungsverschiedenheiten in Worten vorüber sind (...).

In unmittelbare Verbindung zueinander traten die beiden Kontrahenten freilich nicht. So tat denn wohl der Vermittler Stefan Zweig ein wenig zuviel des Guten, wenn er den folgenden Schlußstrich unter diese Angelegenheit in einem Schreiben an Hauptmann vom 4.5.1915 zog:

Ich bin persönlich glücklich, daß zwischen Rolland und Ihnen jedes Mißverständnis beseitigt ist (...) wie ich mich freue, einen Einklang nun wieder hergestellt zu sehen, in dem die beiden gütigsten und klarsten *(!)* Stimmen zweier Nationen sich verbinden. *Briefnachlaß I*

Mit solchen Schmeicheleien wurde es Hauptmann von seinen Freunden häufig allzu leicht gemacht. Eine gewisse Mitschuld an Fehlhaltungen des so leicht Beeinflußbaren ist ihnen – wie auch Alfred Kerr 1933 selbstkritisch erkannte – nicht abzusprechen. Im übrigen hat die Kontroverse mit Rolland 1914 wohl doch eine Narbe bei Hauptmann hinterlassen. Nach der Lektüre von Stefan Zweigs Monographie über Romain Rolland äußerte sich Hauptmann später noch einmal – wie 1914 – kritisch über den ‚Zivilisationsliteraten' Rolland:*

(nach dem 1.1.1933)
Ein so großer geistiger Blutegel als Rolland ist weder *(Emil)* Ludwig noch Stefan Zweig, beide sind freier, heiterer, selbstblütiger (. . .). *Nachlaß-Nr. 15, S. 20*

3. Ernüchterung

Die Erbitterung der deutschen Öffentlichkeit richtete sich vor allem gegen England, das als der europäische Störenfried galt und dessen Staatsmänner mit ihrem Prinzip des kontinentalen Gleichgewichts als die eigentlichen Urheber des Krieges hingestellt wurden. Wie weit dieser Haß gegen England auch bei Hauptmann ging, macht folgende Tagebucheintragung deutlich:

(23.9.1914)
Gestern von deutschen Unterseebooten im Kanal drei englische Panzer*(schiffe)* in Grund gebohrt. (. . .) Welcher ungeheure Einfluß geht von diesen Dingen aus. – (Ehrlich: selbst gegen Shakespeares Werk bin ich kühl geworden). Das nationale Empfinden herrscht, und zwar „ausschließlich"! *Nachlaß-Nr. 4, S. 27*

---

* Das letzte Wort Hauptmanns über Rolland klingt dagegen wieder sehr versöhnlich – zu einer Zeit geäußert, in der sich für Hauptmann die wilhelminische Ära bereits verklärt hatte:
(3.1.1944)
Im Oktober *(1943)* wurde der Tod Romain Rollands gemeldet. *(Falschmeldung).* Ich hatte im Weltkrieg die Ehre, öffentlich Briefe mit ihm zu wechseln. Es handelte sich um die Erhaltung der Kathedrale von Reims. Seine literarische Gestalt strahlte Wärme und Güte aus. Er vertrat in allen Dingen Menschlichkeit. An originaler Kraft erreichte er die großen Franzosen, seine Landsleute, nicht. (CA XI, 595)

In Deutschland wurde mit allem Ernst diskutiert, ob Shakespeare noch auf deutschen Bühnen gespielt werden dürfe. 1915 bejahte Hauptmann diese Frage im Shakespeare–Jahrbuch, freilich nicht ohne dabei Shakespeare für Deutschland geistig zu ‚annektieren‘, denn dies sei „das Land, wo er wahrhaft lebt". (18)

England hatte ihn 1905, eher als sein Vaterland, mit der Verleihung der Ehrendoktorwürde geehrt. „Die Frage tritt an mich heran, die Auszeichnung von Oxford nachträglich gleichsam zurückzustellen" (ibd., S. 17 v). Hatte man an ihn ein solches Ansinnen gestellt? Doch Hauptmann verwarf den Gedanken; er wollte es nicht unternehmen, „friedliche Kreise kriegerisch zu beleidigen" und damit einen künftigen Frieden zu beschweren.

Aber er ging daran, in einem großangelegten Leitartikel den ‚Verrat‘ Englands an Europa zu brandmarken, wobei er die Form eines offenen Briefes an das italienische Volk wählte. Italien war 1914 noch neutral, obwohl Gabriele d'Annunzio bereits seinen fanatischen Deutschenhaß predigte. (19) Der Artikel Hauptmanns mit dem Titel „Der Fluch Europas" war zum Abdruck im „Berliner Tageblatt" vorgesehen. Wiederum beteuerte Hauptmann darin die Friedensliebe der deutschen Regierung, verwies auf das Studium der entsprechenden Notenwechsel und malte ein ausführliches Bild der angeblich intriganten englischen Politik. Der Artikel stand bereits im Drucksatz, als der Chefredakteur Theodor Wolff Hauptmann in einem Brief vom 6.10.1914 sein Urteil über den Artikel mitteilte: „Die einzige Stelle, wo ich ein leises Bedenken verspürte, ist die (...) über den Militarismus" (Briefnachlaß I). Hauptmann hatte sich gegenüber der englischen Kriegspropaganda, welche die öffentliche Meinung Europas zum Kampf gegen den deutschen Militarismus aufrief, zu dessen Verteidiger aufgeworfen:

Über Nutzen und Schaden des Militarismus wollen wir nach dem Krieg reden. Gewiß ist, daß sein Nutzen ein nationaler, sein Schaden ein internationaler ist. (...) Es sind Räubergeschichten, wenn man sagt, daß irgendein deutscher Bürger durch den Militarismus geknechtet gewesen ist. Ich behaupte: die persönliche Freiheit, die persönliche Meinung, das freie Wort sind bei uns mindestens in gleichem Maße wie in England jederzeit garantiert gewesen. (CA XI, 861 f.)

Mit dieser Behauptung leugnete Hauptmann gegenteilige Erfahrungen: etwa die Bekanntschaft mit dem Sozialistengesetz – als er 1887 als Zeuge im Breslauer Sozialistenprozeß auftreten mußte – oder mit der obrigkeitlichen Zensur als „Weber"–Dichter. Diese Verharmlosung, wenn nicht Apologie des wilhelminischen Kastengeistes, seines militaristischen Gesellschaftsideals und seiner politischen Klassenjustiz, veranlaßte Theodor Wolff in jenem Brief zu der diskreten Ermahnung: „Binden Sie sich damit nicht allzusehr für spätere Zeit die Hände?" Hauptmann ist wohl durch diesen Rat des von ihm außerordentlich geschätzten Journalisten nachdenklich geworden und hat die Veröffentlichung unterlassen. Auch beherzigte er den Ratschlag Theodor Wolffs, an spätere Zeiten zu denken: denken:

(10.9.1914)
Es gibt ein rein geistiges Gewissen (. . .) Es gibt einen rein geistigen Feldzug, für diesen bewahre ich mich, das ist mein Entschluß. *Nachlaß-Nr. 4, S. 23*

Damit stellte er zwar seine ganze bisherige Beteiligung an der Kriegsdiskussion in Frage. Doch erst gegen Jahresende gewann er größeren Abstand. Nun gab es Augenblicke, wo ihm sein übersteigerter Patriotismus zum Problem wurde und er seine chauvinistischen Emotionen zu analysieren suchte:

(11.12.1914)
Durchdringendes Urteil.
Tut der Weise recht, die Sache eines Landes ganz zur eignen zu machen? oder soll er sich mehr auf sich besinnen? (. . .) Da ist ein englischer Seesieg. Er liegt mir wie Blei in den Gliedern. (. . .) Ich bin beleidigt, verwundet! und doch habe ich englisches Wesen im Frieden nicht gehaßt. (. . .) Aber die englische Seeherrschaft macht mich rasend. Warum? Weil mich die Idee der deutschen Seeherrschaft be*(se)*ssen hält. Was aber habe ich von der deutschen Seeherrschaft? Nichts! (ibd., S. 44 v)

Hauptmann besann sich auch auf frühere Demütigungen durch die staatliche Obrigkeit, zuletzt während der Festspielaffäre 1913. Allein schon dies hätte ihm eine gewisse Zurückhaltung bei der Beteiligung an der propagandistischen Schützenhilfe auferlegen sollen, wie er sich nun eingestand:

War ich nicht den deutschen Regierenden immer ein Paria. Hat man mich nicht, in einigem Abstand, behandelt wie Coriolan? Hat man nicht noch vor kurzem, die höchste Person als Jägermeister, ein allgemeines Kesseltreiben auf mich, als einziges Wild, veranstaltet? – Dennoch fühle ich den *(englischen)* Seesieg bei den Falklandinseln wie einen Faustschlag ins Gesicht. (ibd.)

Auf eine sehr persönliche Weise empfand Hauptmann die von ihm als kathartisch vorausgespürte Wirkung des allesumstürzenden Krieges. Er ahnte bereits seine veränderte Stellung in einem kommenden neuen Deutschland so, wie es nach 1918 eintreffen sollte:

> (24.12.1914)
> Worin verändert mich der Krieg? Im Lebensalter? Er schneidet mich zurück, daß ich die kommende Verjüngung und Erneuerung der Nation schon darstelle. – Die verbitternden Erscheinungen sind nun nicht so sehr alle auf mich, als ihr alleiniges, feindliches Ziel gerichtet, sondern auf die Nation. Darum bin ich eher entlastet als mehr beladen. (ibd., S. 49 v)

Aber hatte er sich als Repräsentant dieser nationalen Erneuerung nicht allzu sehr auf eine propagandistische Unterstützung des Ancien regime eingelassen? Noch war Hauptmann weit entfernt davon, eine Ablösung des alten Systems ernsthaft zu wünschen. Doch spürte er, daß sein öffentliches Auftreten 1914 ihn von seinem eigentlichen Weg abbrachte, der ihm von seinem bisherigen Schaffen vorgezeichnet war. Wiederum berief er sich auf das Festspiel, welches er vor kurzem noch als „leidenschaftlich und kriegerisch genug" empfohlen hatte:

> (31.12.1914)
> Mehr, vielmehr, als ich seinerzeit vorahnte, habe ich mich fortan auf den Grundstandpunkt meines Festspiels 1913 zu stellen und dort grundlegend aufzubauen. Das wird, wenn ich lebe und Kraft behalte, den vielleicht wichtigsten Teil meiner Lebensarbeit ausmachen. (ibd., S. 54 v)

Kurz zuvor noch hatte Hauptmann einen Durchhalte–Artikel, „Weihnachten 1914", geschrieben, der keine differenziertere Sehweise bekundete. Da ist die Rede von einer „so widersinnigen Treibjagd einer beschämenden Überzahl gegen zwei arbeitsame und friedliche Völker", von der „Selbstmordmanie" Frankreichs und dem „englischen Serum", und schließlich die Versicherung: „Niemand zweifelt daran: wir werden bis zum letzten Mann und bis zum letzten Blutstropfen durchhalten". (20)

Die nationale Verblendung, in der Hauptmann noch befangen war, ließ ihn die Propaganda–Tätigkeit auf beiden Seiten mit unterschiedlicher Elle messen. In einem für die „Neue Rundschau" bestimmten, jedoch unvollendeten Artikel geißelte er die „scheußlichen Verirrungen der literarischen Kriegspsychose", von der er selbst nicht frei war. (21)

Zu jener Zeit war die geistig—moralische Autorität der Dichter und Schriftsteller allgemein unbestritten. So hatte die „spontane Manifestation eines großen Dichters tausendmal mehr Wirkung als alle offiziellen Reden der Staatsmänner" (Stefan Zweig). (22) Entsprechend groß war die Entrüstung über einen Mißbrauch dieses Prestiges, den man ausschließlich den Wortführern des feindlichen Lagers anlastete. Hetzpropaganda war während des 1. Weltkrieges ein dem öffentlichen Bewußsein noch wenig vertrautes Phänomen: „Das Wort hatte damals noch Gewalt. Es war nicht zu Tode geritten von der organisierten Lüge, der ‚Propaganda', die Menschen hörten noch auf das geschriebene Wort, sie warteten darauf" (Stefan Zweig). (23)

D'Annunzio, der eine beispiellose Demagogie entfesselte, um Italien in den Krieg gegen Deutschland hineinzuziehen, (24) war vor allem Zielscheibe der Kritik Hauptmanns. Ihr auslösendes Moment war eine Rede d'Annunzios im Mai 1915, kurz vor dem Eintritt Italiens in den Krieg. (25) Hauptmann, der zu Beginn seiner Kritik dem Heroismus und Adel des Frontsoldaten seine Reverenz erwies, konnte seiner Abscheu vor d'Annunzio nicht Ausdruck genug geben:

Es kostet Überwindung, sich von der Art des andern unehrenhaften Krieges den wahren und ekelhaften Begriff zu bilden, von Kämpfern, die darauf aus sind, in feiger Sicherheit, die ehrlichen Gegner mit Kot zu besudeln. Einer der übelsten Kämpfer dieser üblen Armee ist Gabriele d'Annunzio. (. . .)
Gott bewahre die Welt vor solchen Hyänenseelen, solchen Bluthunden wie diesem den Dichternamen entehrenden d'Annunzio. *Nachlaß-Nr. 594 III, Fasz.i 1 b*

1938 wird Hauptmann anders über den Freischarenführer von Fiume* und Intimus Benito Mussolinis urteilen.**

In „feiger Sicherheit" und in „scheußlicher Groteske Tintentropfen als eingebildete Flinten-, ja Kanonenkugeln" verschießen? Damit berührte

---

* 1919 versuchte d'Annunzio die italienischen Ansprüche auf Fiume durch einen Putsch zu verwirklichen.

**(3.3.1938)
Wie sich das Leben von Gabriele d'Annunzio abrundet, ist nicht ohne Größe. Die Kriegshetzreden waren es. Er machte sie gut und erhob sich darüber hinaus durch den Einsatz seines Lebens. Eine flackernde Erscheinung (. . .). Er dichtete in einem gewissen Sinne sein Leben. *Nachlaß-Nr. 230, S. 89 f.*

Hauptmann das Problem all jener, die untauglich oder zu alt waren, militärischen Dienst zu tun, und doch mithelfen wollten. Richard Dehmel, dem anderen großen Kriegsbarden, war es trotz seiner 51 Jahre — allerdings unter Schwierigkeiten — gelungen, Verwendung im Militärdienst zu finden. (26) Auch Hauptmann, der 1888 aufgrund schwächlicher Konstitution der Reserve (dem Landsturm 1. Aufgebots) zugeteilt worden war, konnte sich nur schwer mit dem zur Untätigkeit verurteilten Zivilistentum abfinden. Angesichts der allgemeinen Kriegsdienstbegeisterung mag er mit ein wenig Neid auf jene geblickt haben, die an die Front zogen:

(31.12.1914)
Mode. (. . .) Krieg. Front. Heut gibt es einen leidenschaftlichen Zug in die Front, wie in das Modebad. Dort ist die Welt! Dort der Brennpunkt der Zivilisation. — Wie an der Spielbank geht es auf Tod und Leben. Auch die Erotik hat dabei ihr Recht. Jedenfalls das Abenteuer, die Sensation. *Nachlaß-Nr. 4, S. 54 v*

Auf der gegnerischen Seite hatte sogar der siebzigjährige Anatole France seine Einziehung zum Heer durchgesetzt, (27) da er — wie Hauptmann anerkennend äußerte — „wenigstens eingesehen *(habe)*, daß man in würdiger Weise nur an der wirklichen Schlachtfront kämpfen kann" (Nachlaß–Nr. 594 III, Fasz. i 2). Wie es bei ihm selbst mit der Möglichkeit bestellt war, sich als Freiwilliger zu melden, suchte Hauptmann am Jahresende in einer Gewissensprüfung zu ergründen:

(31.12.1914)
(. . .) Dennoch möchte ich in *(sic!)* die Front. Das zu erleben, was Feldbriefe mitteilen, würde mich nicht anziehen. (. . .) Helfen könnte ich kaum genügend, da ich als Nichtsoldat zu wenig Anknüpfung habe. Den Drill als Rekrut durchzumachen, fühle ich mich außerstande. Nun also: Krankenpfleger! Ich hätte mehr als die erforderliche Ausdauer, Empfindungslosigkeit, Sachlichkeit. In diesem Kriegsfalle *(?)* würde ich sie haben: dennoch weiß ich nicht den angemessenen Platz für mich. Wie traurig. *Nachlaß-Nr. 4, S. 55*

(. . .)Jedenfalls: nicht jeder, der freiwillig zu Hause bleibt, ist notwendigerweise feig. Ich z.B. kenne, mit meinen 52 Jahren, keine Feigheit.(. . .) Als Gaffer hinauszugehen allein fürchte ich. Und in den Quartieren, wie ich zu nützen *(?)* imstande sein würde, würde ich kaum akzeptiert. (. . .) Ich mag mich nicht eindrängen, nicht vordrängen, und für Subalternität bin ich allzu empfindlich. (. . .) Vielleicht kann ich mich doch noch beim Abtransport von Verwundeten betätigen. (S. 56)

4. Berliner Kriegszeit

Während des Krieges hielt sich Hauptmann vorwiegend in Berlin auf. Die Teilnahme an dem erregenden Zeitgeschehen fiel ihm im Getriebe der Großstadt leichter. „Welcher Ernst, welches tiefe Herauskommen, welches Lagern des Schicksals, in dieser Stille schreit der Krieg, hier rast er, in Berlin nicht", notierte Hauptmann im März 1915 in Agnetendorf. (28) — In der Berliner Gesellschaft verkehrte Hauptmann auch mit prominenten Politikern, darunter Walther Rathenau, dem er seit 1909 freundschaftlich verbunden war. Beide saßen im Präsidium der „Deutschen Gesellschaft 1914", einer Vereinigung von führenden Vertretern des öffentlichen Lebens, die einen nicht unwesentlichen Einfluß auf das politische Geschehen der Kriegszeit ausübte. (29) Hauptmann soll neben dem jüngeren Moltke an der Gründung dieser Gesellschaft beteiligt gewesen sein. (30) Dies wird in einem Geburtstagsgruß der „Deutschen Gesellschaft" von 1932 bestätigt: „Unter Ihrer tätigen Mithilfe ist sie in stürmisch bewegter Zeit entstanden" (Briefnachlaß I, B III K2). Insbesondere die „politischen Montag-Abende" des Klubs waren aktuellen Themen gewidmet.

Auf welche Weise Hauptmann durch seine gesellschaftlichen Kontakte Einblick hinter die Kulissen des Zeitgeschehens erhalten haben mag, geht etwa aus den Notizen über eine Begegnung mit dem ehemaligen Reichskanzler Fürst Bülow hervor:

(15.10.1914)
Gestern Bülow. Er hat an Manieren eingebüßt, beträgt sich laut und läßt sich gehen wie ein alter Rentner. (. . .)Später, nach Tisch, kam ein Moment, in dem er auftaute. Da trat der unzweifelhaft temperamentvolle und begabte Staatsmann hervor. ⟨Ich hatte behauptet, man dürfe Antwerpen bis Calais nicht wieder herausgeben. „Poeta vates!" sagte er und stimmte voll bei.⟩ *Nachlaß-Nr. 4, S. 30 v*

Ähnlich vehement wie bei der Annexionsfrage äußerte sich Hauptmann zu personalpolitischen Fragen:

Die deutsche Diplomatie gab man preis. Ich legte mir dabei ebensowenig Zwang auf. Man solle die vier unfähigsten Diplomaten auswählen und durch fähige Militärs ersetzen. Es würde nicht schwer halten, sie zu finden. (ibd., S. 31)

Solche Gespräche bewirkten bei Hauptmann jedoch keine realistischere Einschätzung der politischen Wirklichkeit, sondern eher eine Bestärkung in seinen Vorurteilen gegen die sogenannte Realpolitik. Er hielt um so mehr an seinem Gefühlsidealismus fest, als er sich darin von dem Zynismus Bülows, eines „verklatschten, boshaften Diplomaten" (Golo Mann), herausgefordert fühlte: (31)

> Bei keinem der Herren spürte ich ein Bewußtsein vom Nahen der wahrhaft angehenden Epoche nach dem Kriege. Bülow sagte auch viele Gemeinplätze: so von der verwerflichen deutschen Gefühlspolitik.(. . .) Es wurde manches von Kameraderie bei Besetzung der höchsten Stellen gesprochen, etwa drei Korps, voran die Borussen in Bonn, wechseln ab im Vorrang. – Und das große Drama von Blut und Tränen? (ibd., S. 31 v)

Noch lange nach 1918 wird Hauptmann sich darum mühen, dem „großen Drama von Blut und Tränen" einen Sinn abzugewinnen. Bis zum Ende der Kriegszeit schwankte er zwischen ‚offiziellem' Optimismus und privater Betroffenheit, die sich in zahlreichen Verurteilungen des Krieges äußerte. (32) Wie sehr der Wille zu ersterem überwog, wird deutlich an seiner Reaktion auf eine Trauernachricht von seiten des Dichterfreundes Hermann Stehr:

> (2.7.1915)
> Am 20. Juni ist Willi Stehr ebenfalls an der Lorettohöhe gefallen. Wer den Blick darauf wendet, der sieht nur Verbrechen, Blut, Mord, Schmerz, Tränen: nur wer ihn wegwendet, sieht: Ruhm, Ehre, Vaterland, Zukunft. Wende weg den Blick. (ibd., S. 81 v)

Wie Hauptmann den Blick vom millionenfachen Leid des Krieges wegzuwenden sucht, schildert er im „Berliner Kriegs–Roman". Nach einer mystischen, dem Gott des Weins gewidmeten Nachtwache im Turmzimmer des Bergfrieds (=„Wiesenstein") erklärt der Geheimrat Schwarz seiner Frau:

> „Ich glaube, es ist mir heut nacht geglückt, ich habe das ganze Kriegsereignis sozusagen abgekapselt. Ich kann nun soviel davon hereinlassen, als mir nötig scheint und erträglich ist." (. . . .)
> (Manon:) Abkapseln? den Krieg? – Nein, das konnte sie nicht.
> (. . .)
> „Du mußt verstehen, was ich gemeint habe. (. . .) Alles (. .) in uns ist auf Selbsterhaltung, auf Selbstbehauptung angewiesen. Ich spreche hier durchaus nur vom Geistigen. Wir wollen geistig stark und gesund bleiben. Das kann man nur, wenn man beizeiten seine prophylaktischen Maßnahmen trifft, wenn es sich nämlich um Leute wie mich und auch dich handelt." (CA X, 365 f.)

Zu Hauptmanns schöpferischer Konstitution merkt Herbert Ihering an: „Eine Erlebnisfähigkeit wie seine, hüllenlos allen Eindrücken hingegeben, ihn selbst immer wieder verwandelnd, war die Kraft seines produktiven Schaffens und die Schwäche seiner Widerstandsmöglichkeiten". (33) Als Schutz gegen die Irritabilität nahm Hauptmann für sich das Recht der „Abkapselung" in Anspruch. Diese „Abkapselung" durch Verdrängung und Verleugnung der zeitgeschichtlichen Realität ermöglichte es ihm auch, während des Dritten Reiches in Deutschland zu bleiben und weiterhin dichterisch zu schaffen.

Den Blick gerichtet auf „Ruhm, Ehre, Vaterland, Zukunft" konnte Hauptmann am Ende des zweiten Kriegsjahres Hoffnung schöpfen. Das Kriegsgeschehen hatte sich 1915 nach Osten verlagert: Im Oktober 1915 wurde Serbien von den Mittelmächten überrannt und damit eine Landverbindung zur Türkei geschaffen, welche für die Ostfront von hoher strategischer Bedeutung war. Kühne Perspektiven erschlossen sich, Kriegsziele der alldeutschen Propaganda erschienen nicht mehr utopisch. — Hauptmann faßte neue Zuversicht:

(21.12.1915)
Goethe war Politik eine peinliche Sache. (. . .) Er befand sich in einem eingezwängten Stätlein. (. . .) Wir werden eine Nation, ein Staat, eine Macht! Da mag man schon mit mehr Freude in die Politica eintreten. Und wir tun es. — Gestärkte Marine. Aber Wiederaufnahme des Landwegs nach Asien. Rußland muß sich erschließen. Indien muß den Engländern genommen werden. Auf dem Seeweg, auf dem Landweg.
Kartenstudium
Nachlaß-Nr. 4, S. 46

Doch schon Anfang 1916 erstarrte auch auf dem Balkan der Bewegungskrieg in der Ausbildung einer festen Frontlinie. Daher suchte Falkenhayn, der Chef des Generalstabs, wiederum eine Entscheidung an der Westfront. Nach vier Monaten jedoch mußte der Kampf um Verdun abgebrochen werden. Falkenhayn wurde von Hindenburg und Ludendorff abgelöst. Zu den Befreiern Ostpreußens hatte das deutsche Volk seit 1914 ein grenzenloses Vertrauen gefaßt. Hauptmann notierte ins Tagebuch:

(31.8.1916)
Gestern Hindenburg zum Chef des Generalstabs ernannt. — Gott auf Knieen, daß nicht zu spät! (ibd., S. 123 v)

Angesichts des wechselnden Kriegsglücks äußerte Hauptmann schon früh einen Gedanken, der sich ihm nach dem Ende des Krieges zum Mythos verfestigte: das deutsche Volk sei ein unschuldiges, irregeleitetes Opfer.

(26.3.1916)
Das deutsche Volk ist das verlassenste und das mißbrauchteste Volk: und allein deshalb würde man zu ihm stehen müssen, wenn man es auch nicht ohne(hin) tun müßte. (ibd., S. 105)

Anders jedoch als im ersten Kriegsjahr trat Hauptmann nur noch selten mit Stellungnahmen an die Öffentlichkeit. Eine gewisse Ernüchterung über den sich hinziehenden Krieg mochte er sich nur schwer eingestehen:

(3.11.1916)
Leidenschaftslos läßt sich dieser Krieg nicht behandeln. Ja, es ist ein Frevel gegen die Kämpfer, das zu tun. (ibd., S. 134)

5. Friedensfühler

Im Frühjahr 1916 hatte der amerikanische Präsident Wilson an die Ententemächte appelliert, der Vermittlung eines Verständigungsfriedens zuzustimmen. England und Frankreich zögerten. Um die amerikanische Vermittlung zu umgehen, machte die deutsche Regierung ihr eigenes Friedensangebot, ohne jedoch genaue Friedensbedingungen zu nennen. Trotz der Verschlechterung der militärischen Lage glaubte man sich noch stark genug für einen „Siegfrieden".

Hauptmanns Reaktion im Tagebuch bezeugt leichte Ratlosigkeit über diesen politischen Schritt, doch begrüßte er zögernd die deutsche Initiative:

(12.12.1916)
Die große Reichstagssitzung miterlebt, wo Friedensangebot verkündet. Man dachte an ein Scheinmanöver. Aber immerhin, es müssen Steine unter das rasende Fahrzeug geworfen werden, damit es nach und nach langsamer gehe. *Nachlaß-Nr. 4, S. 157*
(17.12.1916)
Unser Friedensangebot von Rußland (Trepow)* abgewiesen. (ibd., S. 157 v)

---

* A. F. Trepow, russischer Ministerpräsident.

Die Entente erblickte allerdings in dem Angebot das Eingeständnis der Schwäche. Doch machte die deutsche Erklärung des uneingeschränkten U—Boot—Krieges ohnehin weitere Vermittlungsversuche Wilsons zunichte. Anfang April 1917 erklärten die USA Deutschland den Krieg.

Dies löste bei Hauptmann geradezu wütende Angriffe gegen Amerika aus. Den Anspruch Wilsons, als internationaler Schiedsrichter aufzutreten und mit der Gründung eines Völkerbundes Friedensgarantien zu schaffen, tat er als Überhebung eines Neulings der Weltgeschichte ab:

(nach dem 22.4.1917)
Die lächerliche (...) Anmaßung Amerikas. Das Wort, die Prägung „N e u e Welt" ist ihrer Eitelkeit zu Kopf gestiegen: und darum blickt ihre Eitelkeit herab auf die A l t e Welt. Die amerikanischen Bengels reiten darauf pompös herum.
Haltet euren Schnabel, ihr *(Völker-)*Konglomerat! — Wir sind Europäer. (ibd., S. 173 v f.)

Im Sommer 1917 veränderte sich die innenpolitische Konstellation in Deutschland, der ‚Burgfrieden' von 1914 ging zu Ende. Am 19.7.1917 bekannte sich die Reichstagsmehrheit aus Zentrum, Fortschritt und Sozialdemokratie in einer Resolution zu einem Frieden der Verständigung und dauernden Versöhnung der Völker. Sie stand damit im Gegensatz zu den annexionistischen Kriegszielen der Alldeutschen und der Obersten Heeresleitung. Auch im Hinblick auf die Staatsverfassung polarisierten sich zwei Lager: die Anhänger eines Verständigungsfriedens arbeiteten auf eine Demokratisierung hin, die Befürworter des „Siegfriedens" hielten am kaiserlichen Obrigkeitsstaat fest.

Hauptmann spürte den innenpolitischen Klimawechsel, der sich auch in den ersten Streiks, der wachsenden politischen Unruhe und Agitation von seiten der Linken bemerkbar machte.

(nach dem 7.4.1917)
Die Angelegenheiten hinter den Fronten sind nachgerade wichtiger als die der Fronten (die sie hervorgerufen haben). (ibd., S. 170)

Er nahm zwischen den konträren außen— und innenpolitischen Positionen gleichsam eine Mittelstellung ein, wie der Redeentwurf „Deutschlands Aufgabe im künftigen Frieden" zeigt. (34) Er ist vermutlich 1916/17 entstanden und stellt das Bedeutsamste dar, was Hauptmann politisch in der Zeit von 1914—18 geäußert hat. In der Rede fehlt der grelle Ton der Propaganda—Artikel von 1914: sie ist der Versuch einer moralischen Bilanzierung des Kriegsgeschehens und eine Prognose seiner Folgen und Verpflichtungen.

Als ein für die Zukunft verpflichtendes Erlebnis stellt Hauptmann das im Weltkrieg entstandene Einigkeitsgefühl des Volkes heraus. Die daraus resultierende Stärke Deutschlands dürfe nicht wieder durch Spaltungen religiöser und sozialer Art geschwächt werden. Das gemeinsam getragene Schicksal des Krieges habe die sozialen Unterschiede aufgehoben: „Die Söhne des Adels sind gleich den Söhnen des Bürgertums, Bauers und Arbeiters hingemäht worden". Die Adelskaste dürfe daher nicht wieder in ihren alten Dünkel zurückfallen. Der Grundgedanke Hauptmanns war, daß ein deutscher Sieg moralisch ‚verdient' sein müsse: „Das deutsche Volk, wenn es siegt, muß dem Siege gewachsen sein".

Was die Kriegsziele betraf, so befürwortete Hauptmann einen „Siegfrieden" mit Annexionen, etwa Belgiens. Beim Dozieren über dieses Thema schlug ein wenig die Clausewitz–Lektüre von 1914 durch (35):

Das deutsche Volk muß (. . .) die Folgen seiner Weltberufung auf sich nehmen (. . .). Zunächst ist es dazu berufen, sich seinem eigenen Wachstum, seiner eigenen Ausdehnung nicht philiströs selbst zu widersetzen. (. . .) Die Armee hat Defensivzwecke. Der Krieg macht jede Armee offensiv. Der Sieg ist der Sieg der Offensive. Der frühere Defensivfrieden ist in einen neuen Defensivfrieden überzuführen, der die Früchte der Kriegsoffensive zu verteidigen hat. (. . .)

In diesem Zusammenhang die belgische Frage, die Kanalfrage. Hier heißt es vor nichts zurückschrecken. (CA XI, 880 f.)

Diese „gemäßigte Expansionspolitik" solle vor allem auf eine starke Stellung Deutschlands gegenüber England abzielen, das Deutschland um seine Kolonien gebracht habe. Als inneres, moralisches Äquivalent forderte Hauptmann einen neuen innenpolitischen Kurs. Der „Platz an der Sonne", von dem der Kaiser gesprochen habe, müsse „zum mindesten dem Fleiß, der Pflicht und dem Talente immer zugänglich sein":

Alle die Kräfte der Nation, die sich, geweckt im Krieg, so über alle Begriffe mächtig offenbart haben, müssen auch zur kommenden Friedensarbeit geweckt werden. (. . .) Dazu ist notwendig, daß man mit einem System breche, das die wahre Blüte und Essenz der Nation ungenützt verwelken läßt, wenigstens zum Teil (. . .). Einem System, das aus Kastenvorurteil Urteil macht und notorischen Schwachköpfen von Adel verantwortungsvolle Posten einräumt, die sie zum schweren Schaden der Nation innehaben, während geniale Kräfte in einflußlosen Sphären verkommen. Die Parole nach innen und außen muß heißen: Bahn frei! (ibd., 882)

Wie negativ sich Protektionismus und Adelsprivilegien bei der Besetzung diplomatischer und politischer Ämter auswirkte, hatte Hauptmann ja aus erster Hand erfahren. Daß er nun derart nachdrücklich eine bessere Auslese politischer Talente forderte, dürfte auf den Einfluß Walther Rathenaus zurückzuführen sein. Rathenau hatte bereits vor dem Weltkrieg für den „Volksstaat" mit einer Elitebildung auf breiterer Grundlage plädiert und diesen Gedanken gerade wieder in seiner 1917 erschienen Schrift „Von kommenden Dingen" verfochten. (36) Es wäre vorstellbar, daß die gesamte Rede auf Anregung Rathenaus entstanden ist und zum Vortrag in der „Deutschen Gesellschaft 1914" bestimmt war.

„Gesunde Kritik" in allen Gesellschaftsbereichen und Chancengleichheit, d.h. mehr Demokratie: auf diese Forderung lief Hauptmanns Argumentation hinaus. Dennoch darf bei aller an den bestehenden Verhältnissen geübten Kritik nicht übersehen werden, daß hier die durch den Krieg ausgelösten nationalen Allmachtsvorstellungen unterschwellig weiterwirkten und auf den künftigen Friedenszustand projiziert wurden. Hauptmann hing weiterhin der Idee eines machtgeschwellten Deutschland an. Seine Kritik zielte nicht weit genug. Die Mißstände, die in dem sich hinziehenden Krieg zutage traten, wertete er primär als Ineffektivität des Systems, wie es der ‚Technokrat' Rathenau tat. Unkritisch blieb Hauptmann gegenüber der ideologischen Substanz des deutschen Imperialismus und Militarismus. So bereitete sich der Opfermythos nach 1918 vor: der als überraschend und unerklärlich empfundene Zusammenbruch Deutschlands wurde nun auf das Versagen einer unfähigen Führung zurückgeführt, nicht jedoch auf die überspannte Gesamtkonzeption der deutschen Politik vor 1914.

Der Nachfolger des im Juli 1917 gestürzten Reichskanzlers Bethmann –Hollweg, Georg Michaelis, war als Kandidat der Obersten Heeresleitung wenig dazu geeignet, dem neuen Kurs einer Parlamentarisierung zum Durchbruch zu verhelfen. Michaelis, ein bewährter Verwaltungsfachmann, war als Politiker bisher nicht hervorgetreten. – Hauptmanns depressiven Phantasien vom starken Befreier konnten weder die beiden Diktatoren im Generalstab noch ihr Geschöpf Michaelis Genüge tun:

(nach dem 23.9.1917)
Heut ist also Michaelis. (...) Es gibt viele Nullen. Die Null der Nullen ist M*(ichae-lis)*. Der Posten eines Reichskanzlers sollte nicht mehr besetzt werden. *Nachlaß-Nr. 4, S. 187*

(27.9.1917)

Unbewußt sehnen wir uns nach dem Manne, dem Mächtigen: das kann aber weder ein Ludendorff noch ein Hindenburg sein, denn diese Leute sind nur mächtig durch die Gnade ihres Kaisers. — Es muß ein Mann sein, aus sich und seiner Kraft wirkend, herrschend, und der getragen von den Ideen seiner Zeit. (ibd., S. 187 v)

Später hat Hauptmann an dieser Stelle des Tagebuchs mit Rotstift eine Randbemerkung angebracht: „Htl? " (=Hitler) und sich also gefragt, ob Hitler dieser „Mächtige" sei. In aller Deutlichkeit zeigt sich hier, wie die im wilhelminischen Obrigkeitsstaat erzeugte Untertanenmentalität zu der Bereitschaft und Sehnsucht führte, sich der starken, autoritären Führerpersönlichkeit zu unterwerfen.

Auch die Person des obersten Kriegsherrn hatte in den Kriegsjahren viel von ihrem Glanz verloren. Hatte Hauptmann 1914 noch den „hoch vom Sitz" die Feinde zerschmetternden Kaiser verherrlicht, so kam ihm nun das militaristische Pathos der kaiserlichen Auftritte lächerlich vor:

(17.12.1917, Wiesbaden)

Imperator — Brustpanzer, Herrscherstab, Helm mit Silberadler. — Welche Komödie — und warum? — Existiert keine Scham? Welcher Unsinn! Wer tut ihm etwas? Gehe ich in einem Panzer spazieren? (. . .) Geht in Zivil, ihr Herren! (ibd., S. 196)

Im Herbst 1917 scheiterte der erneute Versuch einer Friedensvermittlung durch Papst Benedikt XV. Der britische Premier Lloyd George erklärte, England werde kämpfen, bis das französische Kriegsziel, die Befreiung Elsaß—Lothringens, erreicht sei. Dennoch zeigte sich auch bei den Ententemächten Kriegsmüdigkeit. In England wurden Stimmen laut, die sich für einen Verständigungsfrieden einsetzten. Bei den Franzosen war es nach den verlustreichen Frühjahrsoffensiven zu schweren Meutereien gekommen. — Resigniert notierte Hauptmann über die ‚Falken' und ‚Tauben' in beiden Lagern:

(28.10.1971)

Die Macht der Unwissenden. Deutschland in diesem Kriege und England, und die Ohnmacht der Wissenden. — Theodor Wolff (. . .), Flake in seiner Ohnmacht. (ibd., S. 189)

Welcher Seite war Hauptmann selbst zuzurechnen? Sein Gesprächspartner Otto Flake ließ daran keinen Zweifel (37):

Auch in diesem Winter *(1917/18)* sah ich dort *(in Berlin)* Hauptmann und Rathenau. Die politischen Gespräche waren unerquicklich, Hauptmann hielt sich an eine zu allgemeine Vorstellung, die er die Nation nannte und die ihn bewog, alles mit in Kauf zu nehmen, wie es eben war.

Auch im privaten Kreis war Hauptmann also nicht bereit, seine Ansichten zu differenzieren, er wollte unter allen Umständen positiv eingestellt bleiben, ‚durchhalten'. Um so weniger mochte er sich dazu verstehen, mit einem Friedensappell an die Öffentlichkeit zu treten — wozu ihn ein Vertreter der jungen Generation, Ernst Toller, gedrängt hatte. Toller war tief enttäuscht gewesen von einer Tagung, zu der der Verleger Eugen Diederichs Anfang Oktober 1917 auf Burg Lauenstein eingeladen hatte. Man diskutierte dort das „Führungsproblem im Staate und in der Kultur" und suchte nach einer geistigen Neuorientierung inmitten des Kriegschaos. Das erlösende Wort, das Toller auf der Tagung vermißt hatte, erwartete er nun von Gerhart Hauptmann (38):

Ihr Werk verpflichtet Sie, wir jungen Menschen warten auf das Wort eines geistigen Führers, an den wir glauben, Sie haben sich täuschen lassen, wer tat es nicht, jetzt müssen Sie, der Dichter des leidenden Menschen, Ihren Irrtum bekennen, Ihr Wort wirkte mächtiger als der Appell der Generale, es wäre der Ruf zum Frieden, es würde die Jugend Europas sammeln.
Keine Antwort kam von Gerhart Hauptmann.

Toller war nicht der einzige, der an Hauptmann appellierte. Hauptmann notierte im Tagebuch einen Besuch Theodor Däublers, in dessen Gefolge sich einige junge Leute von einem befremdlichen missionarischen Eifer befunden hätten. Von einem Besucher heißt es:

(25.2.1918)
Er verlangt, ich solle zum Frieden rufen, solle die große Gewissensrede an die Menschheit halten, gegen „Potsdam" reden etc. — Meine Ablehnung war unzweideutig. *Nachlaß-Nr. 4, S. 215 v*

Hielt Hauptmann einen Friedensappell zu diesem Zeitpunkt für eine Verletzung der patriotischen Solidarität, für einen psychologischen ‚Dolchstoß' in den Rücken der deutschen Frontheere? Wie 1914 wollte er kein ‚Defätist' sein. Daher konnte er sich nicht nur nicht dazu aufschwingen, seinen Irrtum einzugestehen, er verfiel ihm von neuem. Der Beginn der großen deutschen Westoffensive im Frühjahr 1918 erregte wieder Hoffnungen. Romain Rolland schrieb bekümmert in sein Tagebuch: „Die deutsche Meinung steht ganz unter dem Einfluß Ludendorffs (...). Die deutschen Intellektuellen (wie Gerhart Hauptmann, Dehmel usw.), die gestern noch zum Frieden neigten, haben ihre Ansicht wieder geändert und sprechen nur noch von Krieg und Eroberung. Ludendorff macht mit ihnen, was er will." (39)

Die deutsche Sache schien freilich nach dem Sonderfrieden von Brest—Litowsk (März 1918), der Deutschland die militärische Entlastung im Osten brachte, nicht schlecht zu stehen. Die politischen Folgen dieses deutschen Friedensdiktats waren allerdings verhängnisvoll. Dabei hatten sich zu Beginn der Verhandlungen beide Seiten zu einem Frieden ohne Annexionen und zum Selbstbestimmungsrecht der Völker bekannt.

Hauptmann meldete seine Zweifel an dem ehrlichen Verhandlungswillen beider Seiten an, banalisierte jedoch das Problem zur Frage der persönlichen Glaubwürdigkeit der Unterhändler:

(29.1.1918)
Brest-Litowsk. (...) Nun aber prätendiert Trotzki*, nicht gewinnen zu wollen, (was Lüge ist), und K(ühlmann)** das gleiche: was ebenso Lüge ist. (...) Trotzki ist nicht Tolstoi. Fort mit Trotzki. – Der humansten Russen einer ist Gorki. (...) Trotzki ist ein Advokat. *Nachlaß-Nr. 4, S. 203 f.*

In Trotzki erblickte Hauptmann den ihm verhaßten Typus des politischen Doktrinärs. Trotzki trug früh zu Hauptmanns Aversion gegen den Bolschewismus bei, denn er sah in der bolschewistischen Diktatur nur eine Fortsetzung des Zarismus, den er bezeichnenderweise für ein folgerichtiges Produkt des russischen Volkscharakters hielt:

Trotzki hat sein ABC von den Marx-Engels und der „Neuen Zeit"***. Ich verkenne nicht den Wert des ABC, aber ich bin kein ABC-Schütz auf Lebenszeit. (...) Ich mache meine Verbeugung vor der Tragik des Zarismus. Diese hat zwei Seiten *(:)* Das Volk hat die stärkere Tragik. (...) Es hat diese zaristische Schwäche gezeigt und den Zaren geschaffen. Es hat gehabt, was es haben mußte. Trotzki ist ein Zar: Trotzki ist unlogisch, wenn er es sein will, und darf es nicht sein, ohne sich und den

---

* Trotzki war 1917 zum Volkskommissar des Äußeren ernannt worden.
** Richard v. Kühlmann. Staatssekretär des Äußeren.
*** In der Erkner-Zeit hatte Hauptmann die Wochenschrift „Neue Zeit" abonniert.

internationalen Sozialismus zu verraten. Trotzki ist ein – ja was? – Christus? – Nein. – Maschinengewehre etc.? (ibd., S. 204-205 v)
(7.2.1918)
In Rußland treiben die Bolschewiken einen Ludersozialismus, der Marx und Engels aufknüpfen würde. (ibd., S. 207 v)

Brest–Litowsk war eine Probe aufs Exempel, wie ein künftiger europäischer Friede im Falle eines deutschen Sieges beschaffen sein würde. Die Oberste Heeresleitung setzte sich mit ihren Machtansprüchen durch: Rußland verlor in dem Sonderfrieden rund ein Viertel seines Gebietes und Dreiviertel seiner Industrie. Deutschland exerzierte damit vor, was ihm selbst 1919 in Versailles widerfahren sollte. – Hauptmann, der in den Folgejahren nicht müde wurde, gegen die Knechtung Deutschlands zu protestieren, fand 1918 kein Wort der Kritik an dem Diktatfrieden: „Annektionen; was ist das? Was es immer war" (Nachlaß–Nr. 4, S. 206).

V ZWISCHEN MONARCHIE UND REPUBLIK

1. Der Umsturz 1918

Das unter dem Druck der Obersten Heeresleitung Anfang ·Oktober 1918 ergangene Waffenstillstandsangebot der deutschen Regierung an Wilson wirkte auf die deutsche Öffentlichkeit wie ein Schock. Um der Kriegsmüdigkeit entgegenzutreten, hatte die militärische Führung es bis zuletzt unterlassen, die Bevölkerung über die Aussichtslosigkeit der militärischen Lage zu informieren — ein Umstand, der später hauptsächlich zum Mythos vom unbesiegten Heer beitrug. Dieser einem offiziellen Eingeständnis der Niederlage gleichkommende Schritt öffnete nun auch Hauptmann die Augen für den Ernst der Lage:

> (1.10.1918)
> Dann las Heeresbericht. Lage bis 10 Minuten vor Z(wölf) (. . .) Der deutsche Himmel ist sehr düster.
> Volksregierung angeblich durch den Kaiser bewilligt. Die Flandernfront weicht. Die Entscheidung vor der Tür. *Nachlaß-Nr. 4, S. 236 v* ا
>
> (5.10.)
> Die vierzehn Punkte Wilsons durch unsre neue Regierung angenommen.
> Ungeheure Zeitwende für die Welt und für Preußen insbesondere. (ibd., S. 237)

Walther Rathenau sah in dem Waffenstillstandsangebot der Regierung einen „übereilten" Schritt, zu dem sie von dem in schwerer Verantwortung nervlich zerrütteten Ludendorff gedrängt worden sei und der die deutsche Position unheilbar schädigen mußte. Verzweifelt, in der Voraussicht des Kommenden, rief Rathenau am 7. Oktober 1918 zu einer Volkserhebung auf, die eine bessere Position für Friedensverhandlungen schaffen sollte. (1) Rathenau konnte sich bei den führenden Stellen nicht durchsetzen, doch die Entwicklung sollte seinen Befürchtungen recht geben. — Einen Monat später schloß sich Hauptmann der Überzeugung des Freundes an:

> (4.11.1918)
> Unser Waffenstillstandsersuchen vom 4. oder 5. Oktober war der schwerste politische Fehler des ganzen Krieges. Erst damit hat die Generalstabsdiktatur ihren äußeren und inneren Bankrott in aller Form angesagt. Das Gesuch mußte Signal zum allgemeinen Abfall von uns werden und ist es geworden.*Nachlaß-Nr. 234, S. 9*

In den ersten Oktobertagen hatte sich Hauptmann freilich bereits kampflos auf eine neue Haltung zu den Ereignissen umgestellt. Jetzt, wo die nationalen Omnipotenzphantasien verrauscht waren und sich die Erniedrigung durch die Siegermächte abzeichnete, entdeckte Hauptmann wieder die Werte der Innerlichkeit:

(1.10.1918)
Welche Wandlung. Vielleicht habe ich nur noch den Untergang meines Landes zu schreiben. (. . .) Laßt uns stark sein im Leiden. Stark in der Knechtschaft und frei in der Knechtschaft. Laßt uns die Knechtschaft aufheben mit unsrer inneren Kraft. *Nachlaß-Nr. 11a, S. 20*

Die äußere Knechtschaft mit der inneren Freiheit zu verklären war gute alte Tradition des deutschen Idealismus.

Mit Eifer begrüßte Hauptmann sogleich die neue Regierung unter Prinz Max von Baden, der als Vertreter eines Verständigungsfriedens bekannt war. Hauptmanns gleichzeitige Invektive gegen die kleineren deutschen Dynastien antizipiert schon den satirischen Geist im „Till Eulenspiegel"-Epos, wo die Hofhaltung des gestürzten Königs Abalus und seiner reaktionären Umgebung karikiert wird (vgl. 7. und 8. Kapitel):

(nach dem 3.10.1918)
Kabinett Prinz Max von Baden - gut. Er hat etwas vor. – Er hat ein Programm – Gott lasse es gelingen. – Die Regierung gewinnt Ansehen und Kraft (das hatte nur die Diktatur!). – Preußen ist abgedankt. – Gut? – Jetzt gut! weil es sein muß und weil Preußen verspielt hat (. . .) Prinz Max von Baden, Retter des Reichs (Gott gebe!); wenn die kleine Könige sich mucksen (. . .) sie sind gegen Max), so hol' sie und mich der Teufel. Diesen deutschen Unsinn mache ich nicht mehr mit. (. . .) Dann mag Bayern, W(ürttemberg) und S(achsen) auf Kadavern Throne errichten. Lieber Kellner und Barbier – aber nicht unter diesen . . . (ibd., S. 20 v f.)

Entbunden von der gefühlsmäßigen Loyalität gegenüber einem durch die militärische Niederlage zum Untergang verurteilten Staatssystem, fand Hauptmann nun scharfe Worte der Kritik am Wilhelminismus. Jetzt prangerte er die schweren Versäumnisse der Vergangenheit an und prophezeite dem neuen parlamentarisch–demokratischen Kurs eine schwere Zukunft:

(nach dem 20.10.1918)
Es wird schwerhalten in Deutschland mit der neuen Regierung. Sie hat ungeheure Mächte gegen sich: die historische Gewohnheit und Gleichgültigkeit der Masse. Die

ungeheure Willenskraft und Intelligenz und Erfahrung der Stützen des alten Regimes. Das Militärfromme im deutschen Volk, die Einzelstaaten und deren Fürsten, die eigne Unerfahrenheit und Unsicherheit (. . .) Und doch: möchte sich Deutschland finden, endlich seine Knechtseligkeit über Bord werfen (. . .) *Nachlaß-Nr. 4,S. 239*

Mit erstaunlicher Deutlichkeit hat Hauptmann hier das Schicksal der Weimarer Republik vorausgeahnt und die Kräfte benannt, an denen sie zugrunde gehen sollte. Dieser tiefe Einblick in die innere Schwäche des geschlagenen Deutschland hat ihn in den ersten Jahren der Nachkriegszeit bewogen, seine gewohnte politische Zurückhaltung aufzugeben. „Wir sind im Demokratischen ahnungslos: deshalb wissen wir nicht, wie produktiv wir im Demokratischen sein würden", schrieb er im Oktober 1918. (2) Als ihm jetzt die Augen geöffnet waren, wollte er aktiv in die Politik eingreifen. Joseph Chapiro berichtet in seinen „Gesprächen" mit Hauptmann: Vor Kriegsende habe sich Hauptmann von den herrschenden Zuständen so angeekelt gefühlt, daß er sein ganzes Wirken in den Dienst der Politik zu stellen beschloß, um die regierende Kamarilla zu bekämpfen, die, wie er fühlte, Deutschland zugrunde richten mußte (3):

So erschien er eines Tages bei dem ihm befreundeten Chefredakteur einer großen Zeitung und erklärte ihm, er sei fest entschlossen, seine literarische Tätigkeit aufzugeben und sich ganz der Politik zu widmen. Sein Freund riet ihm davon ab, und Hauptmann sah auch bald selbst ein, daß jener recht hatte.

Jener Freund war der Chefredakteur des „Berliner Tageblatts", Theodor Wolff. Er spielte zwei Jahre später — anläßlich der Gerüchte über eine Reichspräsidentschaftskandidatur Hauptmanns — eine ähnliche Rolle wie 1918.

Als mit der Abdankung des Kaisers die Monarchie zu Ende ging, entlud Hauptmann gegen die Person des Monarchen seinen ganzen Groll, der sich bei ihm durch die offizielle Zurücksetzung vor 1914 angesammelt und den er im patriotischen Aufschwung unterdrückt hatte.

(9.11.1918)
Das Ungeheure ist zur Tatsache geworden. Die Bahn Wilhelms II., dieses eitlen, überheblichen und fleißigen Monarchen, ist beendet. *Nachlaß-Nr. 4, S. 240*

In bildkräftiger Sprache schlug Hauptmann nun — post festum — Töne an, nach denen sich ein Jahr zuvor die Generation Ernst Tollers gesehnt hatte:

(11.11.1918)

Der Kaiser hat abgedankt, die Hohenzollern überhaupt (...). Persönlich habe keinen Anlaß, ihnen nachzutrauern. Nicht zwar war auch der Einfluß des Kaisertums an sich auf Deutschland unheilvoll, aber die Persönlichkeit gerade dieses Kaisers Wilhelm II. erlebte die romantische Machtphrase, ward von unruhiger Eitelkeit ununterbrochen an der Rampe des Welttheaters festgehalten, ließ gleichsam die Sonne auf- und niedergehen, und ohne Geheiß seiner Pritsche fiel kein Sperling vom Dache. Die deutsche Knechtseligkeit aber nahm das Recht des Daseins wie Brosamen aus seiner Hand. Dennoch, hätte er diesen Krieg verhindert, würde Deutschland und er bis zu seinem Tode und darüber hinaus unerschüttert geblieben sein. Seine Epoche war Deutschlands gewaltiger Aufstieg, allzu grell, ja schreiend und herausfordernd durch ihn repräsentiert. Hätte er den schlichten schwarzen Adler nicht zu schlicht gefunden, ihn nicht mit Pfauenfedern und Flittergold schaubudenmäßig herausstaffiert, die vereinigten Raubschützen der Welt würden die Gelegenheit nicht gefunden haben, ihn zu rupfen (...) (was durch die heut bekannten schmählichen Waffenstillstandsbedingungen geschehen ist.) *Nachlaß-Nr. 234, S. 10 v f.*

Gott war, indem er sich Wilhelms II. bediente, gegen uns. (ibd., S. 11 v)

So verhängnisvoll das Auftreten des Kaisers im einzelnen gewesen sein mag — letztlich hatte er doch nur den Geist einer Epoche repräsentiert. Mit der Kritik an der Hohenzollern—Dynastie vereinfachte sich für Hauptmann das moralische Problem, die vergangenen vier Kriegsjahre zu bewältigen. Der Sündenbock war gefunden: die historische Schuld traf die ehemals Herrschenden, das Volk aber war von ihnen verführt worden und stand nun als hilfloses Opfer da, ausgeliefert einem rachsüchtigen Gegner:

(5.12.1918)

Jede ungerechte Handlung, die wir *(später eingefügt:* etwa*)* getan haben, wird von den Gegnern ohne Zögern weit überboten. Ihre Praxis ist schlechthin gnadenlos. Sie straft ein Siebzigmillionenvolk, das von seinem Herrscher und seinen Herrschenden mißbraucht, für seine Penaten gekämpft, gelitten, geblutet hat, mit einem Heroismus, der nicht zu überbieten ist. Ungebrochen stand seine Front (...). *Nachlaß-Nr. 234, S. 12*

Ungebrochen stand seine Front": dieser Opfer—Mythos führte später bei der nationalen Rechten zur Bildung jener Dolchstoß—Legende, die der NS als Agitationsmittel gegen den innenpolitischen Gegner, die „Novemberverbrecher" von 1918, einsetzte. Gemeinsam war diesem Opfer-Mythos und der Dolchstoßlegende das Motiv, sich mit der Niederlage nicht abfinden zu können. Die Gründe des Zusammenbruchs schienen unerklärlich,

die Deutschen „grübelten über die Niederlage nach, um sie (. . .) als unge-
rechtfertigt zu erweisen, nicht um sie als berechtigt zu verstehen" (L. Dehio). (4)

> Hinter uns liegt eine ungeheure Anstrengung über unsre Kraft, wie sie die Welt so
> noch nie gesehen hat. (. . .) Wir haben verspielt. Mitten im Übermaß unsrer
> Leistung sind wir vor dem Unmöglichen plötzlich in uns zusammengebrochen. Von
> niemand geschlagen, von niemand als unsrer eigenen Schwäche besiegt. Niemals hat
> sich Ruhm von einem Sieger scheuer und ferner wie diesmal zurückgezogen. Wehe
> denen, die unsre herrliche Kraft vor die unüberwindliche Aufgabe gestellt und
> gebrochen haben. Diese Leute sind nicht mehr. (ibd., S. 12 v) Und nun hat man
> allen Grund, im rechten Verhältnis unsre Kraft für Europa zu retten.

Die mythische Verrätselung der Ursachen des Kriegsausgangs brachte es
mit sich, daß Hauptmann die Weltkriegsfolgen für Deutschland nicht auf
ihre historische Kausalität hin befragte, sondern sich ausschließlich einer
moralischen Entrüstung über das harte Vorgehen der Siegermächte
überließ. Ihr Verhalten bei den Pariser Friedensverhandlungen wurde von
ihm zum apokalyptischen Geschehen dämonisiert:

> (19.6.1919)
> Heut haben wir das Ultimatum der Entente. Gigantisch und nackt, als ein zynisch
> kalter Würgeengel, steht das Niederträchtige da – nein, ein rauchender Moloch,
> steht es da und verbrennt heulend, klappernd, brüllend, alles und alles überlärmend,
> die guten und reinen Genien der Menschheit und Menschlichkeit (. . .) Ich denke
> nicht allein an Clemenceau. (ibd., S. 17)

Den leidenschaftlichen Anklagen Hauptmanns gegen das alte Regime
und die jetzt zutage tretende Willkür und Unerbittlichkeit der Siegermäch-
te fehlte allerdings das Komplement, das einem Kritiker und Moralisten im
Augenblick des geschichtlichen Umbruchs wohl angestanden hätte: ein
Wort der Selbstkritik über die eigenen Irrtümer. Lediglich die flüchtige
Eintragung in einem kleinen Notizheft streifte das Problem der geistigen
Mitschuld an den vergangenen Ereignissen:

> (18.10.1918)
> Heute wollten wir in fünf Minuten die Völker unter Kanonendonner und
> Handgranaten von unsrer Kultur überzeugen, von unsrem geistigen Reichtum. Die
> Geister wurden verfrachtet und generalstabisiert – in die „Kunst-Schützengräben"
> verschickt. – Welche Roheit, welche Torheit, welcher schreckhafte Unsinn. Eine
> Parvenüsache mit Parvenübewußtsein (. . .) das war Deutschland von 1870–1914.
> *Nachlaß-Nr. 16, S. 34 f.*

Das war freilich weit entfernt von einem selbstkritischen Bekenntnis. Die Dimension persönlicher Verantwortung (durch die Beteiligung an der propagandistischen Schützenhilfe) verschwindet gleichsam in der Anonymität der Passiv-Konstruktion: „Die Geister w u r d e n verfrachtet und generalstablisiert". Auch hier schlug bei Hauptmann wieder der Opfer-Mythos durch. Kritische Gewissenserforschung war nicht seine Sache. Sache.

Statt dessen dokumentierte er sogleich seine positive Einstellung zur erstmals ausgerufenen deutschen Republik. Eine Woche nach dem Umsturz und der Bildung einer Regierung, dem „Rat der Volksbeauftragten", erschien in der Presse eine von Hauptmann verfaßte „Kundgebung von Berliner Künstlern und Dichtern". (5) Die Anregung dazu war von dem Kunsthistoriker Julius Meier—Graefe ausgegangen, der in einem Brief vom 4.11.1918 Hauptmann beschworen hatte:

(. . .)das Volk, das neue Volk, auf das wir jetzt rechnen müssen, erwartet von uns eine Mitteilung unserer Kräfte jenseits des persönlichen Werkes, darf sie von dem Dichter der „Weber" in erster Reihe erwarten. *Briefnachlaß I*

Dem Brief lag ein von Meier—Graefe zusammen mit Richard Dehmel ausgearbeiteter Entwurf eines Aufrufs bei, zu dem Hauptmann Korrekturwünsche äußern sollte. Hauptmann hat offenbar eine völlig neue Erklärung entworfen. (6) Darin hieß es:

Seit einem Jahrtausend hat die deutsche Nation nichts erlebt, was an Bedeutung dem Ereignis der letzten Tage gleichzusetzen wäre. Wer es versteht, der fühlt seine unvergleichliche Macht. Seine Bedeutung ist unendlich viel tiefer, und es kommt auch aus ganz anderen Quellen her, als vielleicht jene meinen, deren weltgeschichtliche Pflicht es ward, es äußerlich zu vertreten. Wer wollte sich dieser eisernen Bestimmung entgegensetzen? (CA XI, 899)

Für Hauptmann war Geschichte nicht ein Prozeß politisch oder sozial analysierbarer Kausalität, sondern das Diktat „eiserner Bestimmung": Im Geschichtsverlauf walte eine Dichotomie der Kräfte: einerseits die als metaphysisch begriffene Macht des Geschichtsereignisses, andrerseits das Wirken seiner „äußerlichen Vertreter", deren (partei—) politisch fixiertes Bewußtsein die „unendlich viel tiefere Bedeutung" der Weltstunde nicht zu begreifen vermöge. Politiker waren nur die wechselnden „Figuranten" (7). — Wie sehr Hauptmann in der politischen Liquidation des Kaiserreichs einen Elementarprozeß, losgelöst aus dem historischen Erklärungszusammenhang, erblickte, erhellt sein Kommentar zu den Vorgängen des 9. November:

(11.11.1981)
Vorgestern nun wurde Deutschland zur Republik erklärt, (. . .)so daß sich etwas vollzogen hat, was in Deutschland während dreier und mehr Jahrhunderte kaum einem denkbar schien. Die Krisis, die Mauser ist ungeheuer. Sie schien⟨mir⟩ bereits ⟨als ich⟩ Florian Geyer ⟨schrieb⟩ notwendig zur Gesundung Deutschlands, aber ich hielt sie nicht für möglich. Daß sie in Begleitung dieser Kriegskatastrophe kommt, erhöht die Gefährlichkeit. Sie kann eine Epoche wahrer Gesundheit des deutschen Volkskörpers nach sich ziehen, aber auch im schlimmsten Fall Siechtum und Tod. *Nachlaß-Nr. 234, S. 11*

„Mauser" und „Gesundung" des deutschen „Volkskörpers": in dieser Vitalmetaphorik spiegelt sich die unerfüllte deutsche Nationalgeschichte: das Vertrauen auf die Kraft des Volkstums ersetzt das Fehlen einer historisch gewachsenen nationalstaatlichen Tradition. Ebendiese geschichtliche Fehlentwicklung hat die deutsche Nationalvorstellung ins Völkerpsychologische projiziert: „Dieses deutsche Wesen trägt die Signatur eines ewigen Frühlings, in der Gebärde des Erwachens und Zu-sich-selber-Kommens nach Jahrhunderten der Überfremdung" (H. Plessner). (8)

Die Novemberrevolution als ‚Katharsis des Volkskörpers': diese Einschätzung stand noch außerhalb jeder politisch–ideologischen Wertung und folgte einem allgemeinen zeitgenössischen Empfinden; denn im Winter 1918/19 wurde die Revolution auch noch von den Nationalisten und Konservativen als Verheißung eines Neubeginns begrüßt. (9)

Hauptmanns freudige Bejahung des geschichtlichen Umbruchs wurde zunächst nur gedämpft durch Befürchtungen hinsichtlich des ungewissen Schicksals, welches die Siegermächte Deutschland zu bereiten gedachten:

(1.12.1918)
Am 22. Tage der deutschen Republik.
Deutschlands tiefe Erniedrigung. Oder steht eine noch tiefere von außen bevor? Sonst ist Großes, Befreiendes geschehen, unbedingt. – Aber Deutschland muß leben, um es zu erfahren: dann würde es eine moralische Erneuerung bedeuten. *Nachlaß-Nr. 6, S. 3*

(6.12.1918)
Unerhört,was Neues wir alles jetzt in uns entdecken. Da versteht man erst, was die Leute schreien: weg alles, was mit dem alten Regime irgendwie verknüpft ist. – Eigentlich empfinde auch ich so. Aber man muß die Leute mehr studieren, die nun

einem Frühlingshauche schon gehorchen. – Wir spüren ihn noch nicht, weil der Staub des Zusammenbruches uns noch beinah erstickt. – Dennoch...Harden z.B. Ekelhaftes, beflecktes alte Regime (ibd.)

Unverkennbar nahm Hauptmann trotz der Proklamation seines guten Willens eine zögernd–abwartende Haltung gegenüber dem innenpolitischen Umgestaltungsprozeß ein. Mit parteipolitischen Richtungskämpfen und programmtheoretischen Diskussionen konnte er nichts anfangen. Entscheidend für ihn war der persönliche Eindruck der verantwortlich Regierenden und Handelnden. Noch waren die Konturen der künftigen politischen Entwicklung unklar. – Um so mehr begrüßte Hauptmann den angesichts der Revolutionswirren erstaunlich geordneten Rückzug des deutschen Heeres. Ein Schlaglicht auf seinen nach wie vor ungebrochenen Patriotismus wirft dieser Augenzeugenbericht vom disziplinierten Einmarsch der Truppen in Berlin:

(12.12.1918)
Am 10. Einzug der Truppen Unter den Linden miterlebt. Sturmhelme, Maschinengewehre, Feldküchen, Fähnchen. Alles soldatisch in guter Ordnung! Die eingewurzelte Popularität der Armee wurde wieder klar. Prachtvolle Truppen, Keine roten Abzeichen. Die Kapellen spielten: Sei's trüber Tag, sei's heitrer Sonnenschein". – Ich rief: Bravo. Heitrer Sonnenschein war es gewiß nicht, um so mehr trüber Tag. Aber man fühlte Deutschland ist nicht tot. *Nachlaß-Nr. 234, S. 13*

2. Einstellung zum Bolschewismus

Daß die Novemberrevolution ohne das Bürgertum stattfand, läßt sich an der Einstellung Hauptmanns studieren. Für die Richtungskämpfe innerhalb der Linken in Deutschland und die politische Alternative: Rätesystem oder parlamentarische Demokratie scheint er weder Interesse noch Verständnis gehabt zu haben. Zwar stand er dem Umsturz anfangs positiv gegenüber und bekannte sich sogar verbal zu dem Gestalt gewinnenden politischen Sozialismus:

(18.12.1918)
„Vorwärts". Wir sind Sozialisten, wollen alle auf diesem Boden stehen und wirken. *Nachlaß-Nr. 6, S. 3 v*

Als jedoch wenige Tage später die innenpolitischen Auseinandersetzungen in der Reichshauptstadt einen ersten blutigen Höhepunkt erreichten, sah er nur noch Destruktion am Werke:

(26.12.1918)

Zeige auf das Wesen der Anarchie (ibd., S. 4 v).

Der Krieg hat jeden Glauben, außer dem an die alleinseligmachende Gewalt, entwurzelt in Religion, Wissenschaft, Kunst! — Der Friede scheint die Arbeit vollenden zu wollen. Was die vorstürzende Flut *(des Krieges)* noch nicht zerstörte, das scheint die rückflutende mit sich reißen zu wollen (S.5).

Die Revolution hatte leichtes Spiel: ihr Sturmwind fegt nur über eine Wüste. (S.6)

(29.12.1918)

Statt des Krieges nach außen haben wir den Bruderkrieg: der letztere ist im kleinen Rahmen unendlich viel verheerender als der Krieg gegen den äußeren Feind (. . .). (S. 8)

Als im Revolutionswinter 1918/19 die Möglichkeit zum Aufbau einer sozial gerechteren Gesellschaftsordnung gegeben war, sah Hauptmann auf den politischen Kampf mit dem mißtrauischen Blick des Bourgeois, dem es in erster Linie um Ruhe und Ordnung ging. Wie gleichgültig die soziale Frage damals allgemein dem Bürgertum war, hatte Walther Rathenau beim Scheitern der Gründung eines „Demokratischen Volksbundes" feststellen müssen. (10) Die Entscheidung für oder gegen eine sozialpolitische Umformung der Gesellschaft lag bei Hauptmann außerhalb des Blickfeldes. Er sah mehr auf das, was zerstört wurde oder längst zerstört war, als auf das, was vielleicht nun erreichbar war. Dem Zweifel an einer grundsätzlichen Veränderbarkeit der Gesellschaft, dem Fehlen jeden reformerischen Willens entsprach die Indifferenz seiner fatalistischen Geschichtsauffassung — auch zum Zeitpunkt revolutionären Aufruhrs:

(27.12.1918)

Von Sozialismus zu Sozialismus. Das alte Regime hat ihn, als allgemeines Volksheer, zum Kampf aufgerufen, somit überhaupt aufgerufen, ihn verlangt. Da ist er nun, hat sich gegen die alten Gewalten gewendet und ergreift eigne Maßregeln. Zur Verwirklichung ganz andrer, eigner Zwecke. (ibd., S. 6)

Hauptmann erkannte zwar, daß die durch den Krieg geschaffene Veränderung der innerstaatlichen Verhältnisse auf eine Stärkung der Demokratie und des sozialen Gedankens hinauslief. Jetzt aber, wo der Augenblick der Umgestaltung gekommen war, galt ihm der Sozialismus nicht so sehr als politisches Desiderat, als zeitgemäße Forderung nach Ablösung des alten, abgewirtschafteten Systems, sondern wurde von ihm unter dem Aspekt historischer Schicksalsdialektik gesehen: als leichtfertig gerufener Geist, der nun nicht mehr verschwand und sein unberechenbares Wesen trieb. — In Wahrheit hatte Hauptmann keinen klaren Standpunkt in gesellschaftspolitischen Fragen solchen Ranges. Sein zum Kompromiß neigendes Naturell beugte sich gern der Macht des Faktischen, und sein weltanschaulich bedingter Respekt vor ,organischen' oder ,elementaren' Entwicklungen bewog ihn häufig zu zögerndem Abwarten anstelle prononcierter Stellungnahmen.

In seiner Reserve gegenüber dem parteipolitischen Sozialismus wurde Hauptmann vollends bestärkt durch seine Abscheu vor dem politischen Terror der russischen Revolution. Zu diesem Thema hat er Ende 1918 eine Flugschrift der „Aktion" mit dem Titel „Die Wahrheit über die Bolschewiki" gelesen. (11) Der Verfasser dieser Broschüre, J. Grigorowitch, nach einem Redaktionsvermerk kein Bolschewist, suchte der westlichen Öffentlichkeit die terroristischen Auswüchse der Revolution aus der historischen Situation Rußlands heraus verständlich zu machen. Es sei, so der Autor, viel leichter und bequemer, sich über die Grausamkeiten der Bolschewisten moralisch zu entrüsten als die weltgeschichtliche Tragweite des russischen Bürgerkriegs zu begreifen. In einem längeren Essay — betitelt „Bolschewismus? " — analysierte Hauptmann dieses Pamphlet. (12) Er unterzog dabei zunächst den Inhalt einer immanenten, formallogischen Begriffskritik. Erst im letzten Drittel löste sich Hauptmann von dieser Textanalyse und formulierte seine Einwände gegen die Praxis des Bolschewismus. Er wies den Vorwurf Grigorowitchs zurück, daß die Weltöffentlichkeit sich eher mit einem Völkerkrieg als mit einem Bürgerkrieg abfinde: Es sei nicht dasselbe, „im Gefängnishof von Henkershand, von gedungenen Meuchelmördern einer Regierung im eigenen Haus oder aber im Kampfe gegen den Feind für die Idee des Vaterlandes zu sterben" (CA XI 923). Des weiteren erblickte Hauptmann einen Widerspruch in dem bolschewistischen Programm der totalen Verstaatlichung und der marxistischen Theorie, daß bei allmählich entstehender proletarischer Selbstverwaltung der Staat als Organisation der Gewalt allmählich unnötig werde und absterbe. Ferner bekannte sich Hauptmann zu einer absoluten Ablehnung des Gewaltprinzips in der Politik und geißelte den bolschewistischen „alttestamentarischen Vernichtungskrieg". Außerdem mißverstehe der Bolschewismus die marxistische Lehre: Wenn nach Marx—Engels im gesetzmäßigen Fortgang der Geschichte das Proletariat das Bürgertum ablöse, so sei damit nicht gemeint, daß das „ungeheure Kapital" bürgerlicher Kultur über Bord geworfen werde, sondern daß der Proletarier „voll in die Reihe der Bürger eintreten", mit dem Bürgertum identisch sein würde" (ibd., 921). Dieser Gedanke einer kulturellen Integration der Arbeiterschaft ins Bürgertum

war im übrigen eine Reminiszenz an die Ideen der bürgerlichen Volks-
bühnenbewegung aus den 90er Jahren. Ihr politisches ‚Bändigungskonzept'
war es gewesen, die soziale Frage zur volkspädagogischen Reform
umzudeuten, d.h. den Klassenantagonismus durch den allgemeinen Zugang
zu Kunst und Bildung aufzuheben. (13)

Weitere Motive einer weltanschaulichen Ablehnung des Bolschewismus
sind aus andernorts festgehaltenen Entwurfsnotizen zu diesem Essay
ersichtlich:

Bolschewisten-Aufsatz.
Es ist eigentlich das, wo(ge)gen ich hauptsächlich kämpfe. Hexenhammer. – Die
beiden Mönche, die ihn machten. – Bluttriefende Scholastik. Und es ist
mißverstandener Marx, Engels, Bebel, Liebknecht, Lafargue, tiefer blutiger Mißver-
stand.
Friede!
Frage: ich glaube, daß der Sozialismus siegen muß – aber es ist Maschinenart, das
langsam Gewordene, langsam Umgebildete nicht zu sehen.
(...) Ich bin national, wie Tolstoi und Gorki Russen sind, nicht anders. Das
Nationale, wie das Soziale, ist Grund der Persönlichkeit, und diese ist nur als
übernational wahrhaft zu denken und als ein überpersönliches Gefäß des Göttli-
chen! (was sagt Herr Trotzki dazu?) *Nachlaß-Nr. 81, S. 25 f.*

„Scholastik" war ein Lieblingsbegriff Hauptmanns, um Theorien zu
brandmarken, welche nach seiner Ansicht die Vielfalt des Lebens mit
einem eng–doktrinären Schema vergewaltigen. Er lehnte die „Maschinenart" ab, mit welcher der Marxismus in die politische Praxis umgesetzt
werde; das Leben, auch das gesellschaftliche, gehorche organischen
Wachstumsgesetzen und vertrage keinen mechanisch– dogmatisch eingrei-
fenden Veränderungswillen. Dem Internationalismus des Marxismus setzte
er das kosmopolitische Ideal der deutschen Klassik entgegen: Individualität, Nationalität, Universalität als Wechselverhältnis von Besonderheit und
Allgemeinheit. – Sozialismus war für Hauptmann überhaupt keine Frage
der politischen Technik, sondern lediglich ein Synonym für Gemein-
schaftsgefühl:

(vor dem 15.11.1930)
Sozialismus, Kommunismus, wo ist er nicht: kein Mensch lebt außerhalb *(der
Gesellschaft)*. – Aber man kann ihn vertiefen – Sozialismus ist Liebe, Familie, Volk
in Liebe – störend sind Apparathaftigkeiten (...). Schafft die Tscheka* ab.

---

*Tscheka: Vorläuferin der Geheimpolizei GPU.

Vernichtet jeden Mordtechniker, und ihr werdet ein heiteres, lebendiges Volk gewinnen. (. . .). Besitzeinziehungen, alles das bedeutet nichts! − Nur geistige Freiheit (. . .). *Nachlaß-Nr. 7, S. 303 v-304.v*

Entsprechend negativ war Hauptmanns Einstellung zum Radikalismus des deutschen „Spartakus"−Bundes im Revolutionswinter 1918/19. „Verwirrung, Verantwortungslosigkeit, blutrünstige Ausdrucksweise und diktatorische Ansprüche" (P. Gay) prägten das Bild von der spartakistischen Linken in der Öffentlichkeit. (14) Die regierenden Sozialdemokraten trugen das Ihre dazu bei, den „Spartakus"−Bund zum Bürgerschreck zu machen, indem sie die Spartakisten beschuldigten, russische Agenten zu sein. (15) Auf diese Verdächtigung spielte Hauptmann wohl mit der folgenden Anmerkung zum Bolschewismus−Pamphlet der „Aktion" an:

„Aktion" 1918: Ihr wollt, was ihr nicht wollt und wollt nicht, was ihr wollt, aber ihr habt Geld bekommen und seid nicht nur gekaufte, sondern geborene Schurken. *Nachlaß-Nr. 81, S. 27 v*

Der diffamierende Ton dieser Äußerung dürfte sich allerdings als Reaktion Hauptmanns auf eine Polemik erklären lassen, die er dem Rückumschlag der Flugschrift entnehmen konnte. Dort heißt es − nicht gerade zimperlich: „Die ‚Aktion' hat die Untaten aller Verräter des Volkes, aller ‚Umlerner', angefangen von den bürgerlichen Gelegenheitspazifisten (. . .) Fulda, Theodor Wolff, Gerhart Hauptmann (. . .)´bis zu den Hohenzollernsozialisten um Scheidemann an den Pranger gebracht". − Hauptmann machte sich seinen satirischen Vers darauf:

Die Unbestechlichen ⟨Schurken⟩
(. . .)
Gestern warst du den Junkern ein Volksverräter,
heute giltst du den Sowjets als Attentäter.
(ibd., S. 28)

Er war jedoch von der innenpolitischen Lage in Deutschland ernsthaft beunruhigt und entwarf, verschreckt von der kommunistischen Revolutionsdrohung, ein wahres Schreckensgemälde von der Gefahr einer Bolschewisierung Deutschlands und des übrigen Europa:

(8.1.1919)
In Berlin sind seit Tagen blutige Straßenkämpfe. Die Spartakusgruppe will die Diktatur des Proletariats. Sie bewaffnet die Arbeiter, um ihnen die bürgerliche Welt

wehrlos preiszugeben. Eine rote Garde, nach russischem Muster, wird gleichsam als Geburtstagsgeschenk der neuen Menschheit ersehnt (...). *Nachlaß-Nr. 234, S. 14 v*

Was auch immer der Bolschewismus ⟨Gutes⟩ wollen mag. Sein Allheilmittel, Diktatur des Proletariats, auch nur ein Jahr lang restlos in Europa verwirklicht, müßte es in einen geistigen Kirchhof verwandeln. Unterbunden, vielleicht für immer erstickt, würden sein mit der Knebelung des Bürgertums das Gebiet der Religion, das Gebiet der Kunst, das Gebiet der Wissenschaft (...), kurz, alle Gebiete, deren Grundlage (...) die persönliche Freiheit ist. Damit würde das Proletariat nicht einmal die materielle, geschweige die geistige Erbschaft des Bürgertums angetreten haben, denn der russisch versteinte Rest der Gedanken zweier deutscher Bürger, Marx und Engels, allein kann dafür nicht gelten.

(...) das terroristische Programm: (...) Das schuldlose Kind eines Bürgers ist verflucht, und es wird nur gebilligt, wenn Proletarierkinder es wie eine Kröte steinigen (...). In dieser Zeitspanne gibt es nur eine einzige Autorität, die Gewalt und den Totschlag. (...) Geistesarbeit wird überhaupt nicht als Arbeit angesehen. (...) Nietzsche und Goethe sind (...) verfemte Faulenzer. An etwa fünfzig Millionen Bürger Deutschlands (...) wird kein gutes Haar gelassen. (ibd., S. 14 -15).

In der bolschewistischen Revolution erblickte Hauptmann ein ungeheures Attentat auf die abendländische Kultur, die er sich nur als Domäne des Bürgertums vorstellen konnte. Die Liquidierung der bürgerlichen Klasse und Kultur in Rußland mochte solcher Panikstimmung Nahrung geben, wenngleich ein Bürgerkrieg vergleichbaren Ausmaßes im hochzivilisierten Deutschland schwer vorstellbar war. (16)

Diese Einstellung zum Bolschewismus mag bei ihm auch die sehr zurückhaltende Reaktion auf die Ermordung der führenden Köpfe von „Spartakus" bewirkt haben:

(16.1.1919)
Nachmittag.
Liebknecht und Rosa Luxemburg gefallen: wie man will genommen, kann man doch nicht ableugnen, überzeugungstreu für ihre Überzeugung. *Nachlaß-Nr. 6, S. 9*

Der postrevolutionären Entwicklung in der Sowjetunion stand Hauptmann auch in der Folgezeit mit distanzierter Skepsis gegenüber. Über die sowjetischen Führungspersönlichkeiten äußerte er sich durchweg negativ, Lenin eingeschlossen. In einem Notizbuch von 1924, dem Todesjahr Lenins (gestorben am 21.1.), findet sich eine Anmerkung zu seiner Person — offenbar im Zusammenhang mit dem Till-Eulenspiegel-Thema:

(nach dem 25.7.1924)

Till.

Ich halte Herrn Lenin nicht für einen großen Mann, eher für einen blutrünstigen Schwachkopf oder Narren. Die Kommunisten (. . .) sie grübeln über eine neue Art Sklaverei. Und diesmal gilt ihr Feldzug dem Geist. *Nachlaß-Nr. 139, S. 30 v*

Auch seine späteren Äußerungen über die Stalinära waren ganz in den Stereotypien des konservativen Antikommunismus befangen: „(1930) Rußland ist heut, was es war. Ob einer Lenin heißt oder Iwan der Schreckliche (. . .)". „Der Fanatiker des Terrors, also ein Lenin oder ein Stalin". (17) Nur über Maxim Gorki konnte er eine positive Beziehung zur Sowjetunion finden, vor allem im humanitären Bereich. (18)

3. Für die neue Republik

Wenn Hauptmann auch die politische Entwicklung im Januar 1919 zunächst ratlos und ängstlich verfolgte, so berührte ihn doch die „Ungeheuerlichkeit der Ereignisse" in diesen Wochen, und er fühlte ihnen gegenüber die „Unzulänglichkeit der Vorstellungskraft und noch mehr der Sprache" (Nachlaß—Nr. 6, S. 7).

Doch bald ergriff er wieder öffentlich das Wort: als wenige Tage nach der Niederschlagung des Spartakistenaufstands die Wahlen zur verfassungsgebenden Nationalversammlung anstanden, beteiligte er sich an einer Aufruf-Aktion der „Zentrale für Heimatdienst". Er forderte eine echte Reform des Parlaments — freilich in einer merkwürdig altfränkischen Diktion:

Wehe einem Nationalthing, der *(sic!)* nichts weiter als die Rumpelkammer solchen Urväterhausrates darstellte mit den alten, ausgeleierten politischen Gassenhauern und Akteuren. Entweder es schwebt das glaubensstarke Bekenntnis zum Neuen über einer kommenden Ratsversammlung der deutschen Stämme, in der unsere deutsch-österreichischen Brüder nicht fehlen dürfen, oder: „Lasciate ogni speranza" (. . .) (CA IX, 928)

Seinen hochgespannten Erwartungen bei dem staatlichen Neubeginn tat die sich erst langsam konsolidierende innenpolitische Situation nur wenig Genüge. Insbesondere mißfiel ihm die im Vergleich zum kaiserlichen

Obrigkeitsstaat unauffällige Machtentfaltung und Repräsentation der neuen Staatsspitze, die zunächst nicht in der politisch unruhigen Hauptstadt Berlin, sondern im weitab gelegenen Weimar residierte. Ungeduldig forderte er Abhilfe:

(29.2.1919)
Die Karikatur der Armee.
Warum hört man nichts von Ebert.
Weimar repräsentiert viel zu wenig.
Wir wollen ein Zentrum sehen.
Warum empfängt der Präsident nicht?
Das gesellschaftliche Moment. *Nachlaß-Nr. 6, S. 11*

Hauptmann traf damit sicherlich einen richtigen Punkt: die Republik sollte nicht zuletzt wegen der mangelnden Überzeugungskraft ihrer Selbstdarstellung scheitern; denn sie entwickelte „ein lächerliches Minimum an Machtmitteln" (H. Diwald). (19)

Trotz der Übergabe der bedrückenden Friedensbedingungen an Deutschland vom 7.5.1919 gab Hauptmann sich einem freudigen Aufbauenthusiasmus hin. Noch acht Tage vor der Unterzeichnung des Versailler Vertrags schrieb er:

(20.6.1919)
Es wird jetzt darauf ankommen, das leergebrannte deutsche Haus neu aufzubauen und einzurichten. Darauf muß man das Denken und muß die Tätigkeit der Hände gegenwärtig und künftig allein abzielen. Da heißt es Bausteine formen, sammeln und zweckmäßig einbauen etc. *Nachlaß-Nr. 234, S. 18*

Dabei wollte er andere mitreißen, die bedenklicher zu sein schienen oder ihre Einstellung zu der geschichtlichen Umwälzung erst finden mußten. Einer von denen, welchen es schwerer als Hauptmann fiel, zu allem Neuen sogleich eine ‚positive' Haltung einzunehmen, war Thomas Mann. Mitte Oktober 1918 hatte er seine „Betrachtungen eines Unpolitischen" — „das sonderbarste aller literarischen Kriegsprodukte", wie er selbst meinte (20) — verspätet, von den Ereignissen überholt, veröffentlicht. Im Juni 1919 schrieb Thomas Mann an einen Freund, er habe vorerst der politischen Schriftstellerei abgeschworen, jetzt sei nicht der Augenblick für einen neuen Rechenschaftsbericht. (21) Kurz vor dem Inkrafttreten der neuen Verfassung konnte Hauptmann nicht verstehen, daß andere nicht die gleiche rückhaltlose Zustimmung wie er zum Ausdruck brachten:

(nach dem 15.16.1919)
Thomas Mann, Heinrich Mann, all ihr Männer, seid Männer. – Heraus, tretet ein für die Republik. *Nachlaß-Nr. 41, S. 12*

Ein Jahr zuvor hatte Hauptmann Thomas Mann allerdings noch die rechte deutschpatriotische Gesinnung abgesprochen. Just in dem Augenblick als Thomas Mann, der es doch auch 1914 nicht an patriotischem Engagement hatte fehlen lassen, die „Betrachtungen eines Unpolitischen" mit ihrem unüberbietbaren Bekenntnis zum Deutschtum abschloß, spottete Hauptmann:

(14.3.1918)
Thomas Mann.
Er nennt dich deutsch,*
was liegt daran:
deutsch warst du freilich nie und nimmer.
Nachlaß-Nr. 4, S. 212 v

Hauptmann fiel zudem das Eintreten für die neue deutsche Republik unendlich viel leichter: er hatte im Grunde keinen Standpunkt zu überwinden wie Thomas Mann. (22) Das brachte freilich auch mit sich, daß sein Bekenntnis zur neuen Ära wenig an Substanz zur Konsolidierung eines republikanischen Staatsbewußtseins beitrug. Betrachtet man die im Sammelband „Um Volk und Geist" (1932) vereinigten Reden und Aufrufe, dann wird man sich dem Urteil J. Amerys anschließen müssen: „Viele schöne, kraftvolle, anfeuernde Worte spricht Hauptmann zu seinem Volke. (. . .) Die politische Gestaltung Deutschlands wird den Männern der Tat und der Untat überlassen. Daß sich Hauptmann ‚zur Verfügung' stellt, muß das Volk ihm hoch anrechnen. Daß er nicht darüber hinausgeht, daß er nicht schon in diesen frühen Tagen als Diener der

---

* Möglicherweise bezieht sich diese Bemerkung Hauptmanns auf einen Passus in „Betrachtungen", von dem er zu diesem Zeitpunkt vielleicht schon Kenntnis erhalten hat: „(. . .) denn ich bin kein sehr richtiger Deutscher. Zu einem Teil romanischen, lateinamerikanischen Blutes, war ich von jungauf mehr europäisch-intellektuell, als deutsch-poetisch gerichtet. (. . .). Ein deutscher Dichter zu sein, wie etwa Gerhart Hauptmann (. . .) habe ich mir nie einzureden versucht (. . .)" (23).

Republik die Feinde dieser Republik erkennt, daß er die Deutschen zur Einheit aufruft, aber nirgendwo den Versuch unternimmt, sie zugleich auch zur Demokratie zu erziehen: dies darf auch dort nicht vergessen werden, wo seiner ehrend zu gedenken ist." (24) Wie wenig Hauptmann demokratisch—republikanisches Gedankengut propagierte, geht allein schon aus der Tatsache hervor, daß „Um Volk und Geist" nahezu unverändert in die Ausgabe letzter Hand 1942 aufgenommen werden konnte — ausgenommen die beiden Reden auf die Juden Otto Brahm und Walther Rathenau. (25)

Hauptmann warnte nicht vor den Feinden der Republik, obwohl er die nationalistische Verhetzung der Jugend, die offene Republikfeindschaft der Studentenschaft und Hochschullehrer früh erkannte:

(25.3.1921)
Zur politischen Flugschrift.
Leute wie Herr (Gustav) Roethe, die Deutschlands studentische Jugend, das Kostbarste, was der deutsche Geist hat, für sich beanspruchen: die es mit einer fixen Idee imprägnieren, der monarchistischen, ohne zu bedenken, daß Monarchen für das Volk da sind, wenn sie überhaupt Daseinsrecht haben (. . .). Also dient auch ihr dem Volk zuerst, Lehrer des Volkes, Professoren, Männer der Wissenschaft, oder ihr seid Pfaffen einer fixen Idee (. . .). *Nachlaß-Nr. 80, S. 20 v*

Der Germanist Roethe war im folgenden Jahr einer der Festredner auf der Feier, die die Berliner Universität zum 60. Geburtstag Hauptmanns veranstaltete. Studenten und Professoren legten bei dieser Gelegenheit ein „grotesk borniertes Verhalten" (H. Graf Kessler) an den Tag: die Berliner Studentenschaft beschloß, den Festakt zu boykottieren, da der Republikaner Hauptmann nicht mehr als charakterfester Deutscher zu betrachten sei, und der Rektor, Julius Petersen, versuchte gar zwei Tage vor dem Termin, den Reichspräsidenten wieder auszuladen. (26)

VI HAUPTMANN UND RATHENAU

Durch die Steigerung dieses republikfeindlichen Geistes zum politischen Mord wurde eine der bedeutendsten Freundschaften im Leben Hauptmanns jäh zerstört: der Verkehr mit Walther Rathenau.

1905 hatten sich beide kennengelernt, am 8.10. 1909 Duzbrüderschaft geschlossen und sahen sich während der Kriegszeit häufig in Berlin. (1) Rathenau wohnte in der Nachbarschaft des Verlegers Samuel Fischer in Berlin-Grunewald und verkehrte in dem Kreis der „Verlagsfamilie". — Von Rathenau wurde Hauptmann häufig in seiner politischen Meinung beeinflußt. Ein Reflex davon findet sich im „Berliner Kriegs—Roman", in dem Hauptmann Rathenau mit der Figur des Dr. Schlohoff ein literarisches Denkmal gesetzt hat. (2) Rathenau neigte zum Dozieren; im Gespräch stellte er Hauptmanns Ausführungen „belehrenden Tons richtig", wie Otto Flake berichtet. (3) Hauptmann war von dem in Analyse und Prognose starken Intellekt Rathenaus beeindruckt. „Ich ringe nach Aufklärung. Ich habe mich schon oft gedrängt gefühlt, gegen Juden mit meinen Fragen ganz offen zu sein", heißt es im Zusammenhang mit Rathenau in einem Tagebuch 1919. (4)

Auch Rathenau fühlte sich von der gegensätzlichen Persönlichkeit des Freundes angezogen. Er hegte die Vorstellung von „dunklen geistigen Furchtrassen und einer blonden, ungeistigen, mutigen Herrenrasse." „Furcht und als Erzeugnis der Furcht und einer einzigartigen Geschichte ein ungeheuerlicher, bis zur Unfruchtbarkeit überzüchteter Verstand, so empfand Rathenau die Erbmasse, die seine Vorfahren ihm vermacht hatten" (H. Graf Kessler). (5) Daraus entsprang bei Rathenau eine „leidenschaftliche Hingezogenheit zum Germanischen, die sich in seiner bewundernden Freundschaft zu dem homo Germanicus schlechthin, zu Gerhart Hauptmann, wie in einem Symbole aussprach" (J. Guthmann). (6) Oder in der boshaften Formulierung Franz Bleis: „(...) er *(Rathenau)* bewunderte als ihm nicht erreichbare Tiefe oder nicht mehr zugängliche Niederung der Einfalt Gerhart Hauptmann dort, wo Gefühliges sich äußerte (...). Daß es einen so reinen Toren wie Hauptmann noch heute gäbe, entzückte ihn wie blondes Haar und blaue Augen inmitten von Schwarzhaar und Brillen". (7)

Hauptmann war diese Vorstellungswelt Rathenaus bekannt, auch wenn es dahingestellt bleiben muß, wieweit er sie auf sich selbst bezog:

(30.11.1905)
Rathenau. Sein Rassenideal. Die Bestrebungen von Frau D.(eutsch)*: blond zu
werden. (. . .) *Nachlaß-Nr. 11b, S. 79*

Bei aller Unterschiedlichkeit der Mentalität war Rathenau und Hauptmann etwas gemeinsam, das ihren geistigen Austausch förderte: ein Hang
zum Mystizismus. Ein „Grunderlebnis der Mystik" nannte beispielsweise
Robert Musil Rathenaus Schrift „Zur Mechanik des Geistes". (8) Sie war
ein kulturkritischer Entwurf gegen die Mechanisierungstendenz der Neuzeit und ein Ruf nach „Entwicklung der Seele". Mit ihr und dem 1912
erschienenen Buch „Zur Kritik der Zeit", einer geschichtsphilosophischen
Gegenwartsanalyse, hatte Rathenau enormen Widerhall in der Öffentlichkeit gefunden.

Rathenaus Bestreben, die nach dem Zweckprinzip organisierte Industriegesellschaft durch die Aktivierung der Seelenkräfte des einzelnen zu
humanisieren, mußte auf die Sympathie Hauptmanns stoßen. So würdigte
Hauptmann 1917 in einem Grußwort zum 50. Geburtstag den „großen
Kaufmann", „Staatsmann", „Philosophen", „Soziologen", „Techniker",
„Künstler" Rathenau vor allem mit dem Hinweis auf seine kulturkri-
tischen Schriften. (9) Hauptmanns Rede „Die denkende Hand" (1922),
eine Betrachtung über geistige und körperliche Arbeit, trägt deutliche
Spuren der Beeinflussung durch Rathenaus Gedanken über die Mechanisierung. (10)

Fraglich bleibt, ob Hauptmann in den sozio–ökonomischen Hintergrund der Gesellschaftsanalyse Rathenaus gedanklich eingedrungen ist. In
der Würdigung Rathenaus deutet Hauptmann Verständnisschwierigkeiten
hinsichtlich des Abstraktionsgrades der Schriften an:

Diese Bücher sind Gebilde für sich, und als solche sie zu verstehen und gebührend
einzuschätzen ist eine recht zusammengesetzte Geistesarbeit erforderlich. Jedenfalls
sind es Werke von kräftiger Eigenart, es sind optimistische, ja gläubige Werke, in
denen das Angesicht der Gegenwartswelt mit Schärfe aufgefaßt und, man könnte
sagen, mit genialer Affektlosigkeit gezeichnet ist, und sie drängen zur Religion als
einer Erweckung und wahren Kultur der Individualseele (. . .). (CA IX, 890)

„Optimistisch" und „gläubig": das war Hauptmann selbst, und diese
Eigenschaften ließen wohl auch Rathenau während der Kriegszeit, als er

---

*Lili Deutsch, Frau des Geheimrats Felix Deutsch (AEG).

pessimistisch in die Zukunft Deutschlands sah, häufig den Weg zu Hauptmann finden. Fünf Jahre nach der Ermordung Rathenaus erinnerte sich Hauptmann in einer Gedenkrede auf den Toten an jene Zeit (11):

> Immer wieder haben wir dann während der Kriegsjahre unsere Hoffnungen und Ängste, Bedenken, Wünsche und Erwartungen ausgetauscht. Nächte hindurch haben wir allein gesessen,und ich muß sagen, ich habe den oft beinahe verzweifelten Mann immer wieder aufzurichten gehabt. Freilich, wenn er mich dann verlassen hatte, brach auch ich innerlich meistens zusammen. Es dauerte Tage und Tage, ehe sich meine alte Festigkeit und meine etwas anders geartete Auffassung der Gesamtumstände wiederhergestellt hatte. (3. Entwurf)

Rathenau dachte gleich zu Beginn des Krieges skeptisch über die Möglichkeiten für einen deutschen Sieg, weil er aufgrund seiner volkswirtschaftlichen Erfahrung Einblick in die Begrenztheit des deutschen Wirtschaftspotentials hatte. Seine planwirtschaftliche Rohstofforganisierung 1914/15 schuf eine entscheidende Voraussetzung dafür, daß Deutschland den Krieg so lange durchhalten konnte. Weitblick und Führungsqualität Rathenaus hatten sich somit bewährt. Der Übernahme eines hohen Regierungsamtes stand freilich entgegen, daß nach wie vor im wilhelminischen Staat Juden von maßgeblicher politischer Verantwortung ausgeschlossen waren.

Schon 1912 hatte Hauptmann in einem Brief an Rathenau von dessen Chancen gesprochen, einmal an leitender Stelle, etwa im Außenministerium zu stehen, und die Aussicht bedauert, „wohl noch einige Jahrzehnte bei uns in alter Weise die feste Hand und das ruhige, weittragende Auge fern vom Steuerruder *(zu)* sehen" (Briefnachlaß I, s. v. Rathenau). 1917 wiederholte Hauptmann in seiner Würdigung Rathenaus diesen Gedanken: Deutschland sei keinesfalls so reich an Kräften, „um auf einen seiner tatkräftigsten und umsichtigsten Köpfe verzichten zu können, jetzt, wo sich Aufgaben häufen, höchste Aufgaben, für deren Bewältigung eine bessere Kraft schwer zu finden sein dürfte" (CA XI, 889).

Als 1918 mit dem Sturz der Monarchie der Augenblick der Neugestaltung kam, auf den Rathenau mit all seinen Schriften und Plänen hingearbeitet hatte, befand er sich in einer tragischen Situation: er war politisch isoliert. Sein Name stand in Verbindung mit dem „Hindenburg"-Programm, einem Rüstungsbeschaffungsplan, der die Deportation Hunderttausender Belgier für den Arbeitsdienst vorgesehen hatte. Sein Aufruf zur Levee en masse vom Oktober 1918 hatte ihm in der Öffentlichkeit den Ruf eines Kriegsverlängerers eingetragen. Seine entschiedene Ablehnung des Marxismus, bei grundsätzlicher Aufgeschlossenheit für den Sozialismus, trennte ihn von der Sozialdemokratie. Auch seine Position in der Großindustrie stellte nun eine Belastung für ihn dar: Die Revolution ging gleichsam an ihm vorbei. In den Monaten nach dem Umsturz führte er einen „fast verzweifelten Kampf" (H. Graf Kessler), um aus dieser Isolation herauszukommen und bei der Gestaltung des neuen Deutschland mithelfen zu können. (12) Mit zahlreichen Publikationen meldete er sich jetzt zu Wort. Er war beispielhaft für jene deutschen Juden, die − durch den Umsturz endlich gesellschaftlich gleichgestellt − engagiert gegen die Lethargie eines großen Teils der Bevölkerung anzukämpfen suchten, weil sie die finanziellen und sozialen Folgen des Krieges besser als die übrigen Deutschen erfaßten. (13)

In diese Zeit fallen Tagebuchäußerungen Hauptmanns, die sein Verhältnis zu Rathenau in einer überraschenden Beleuchtung erscheinen lassen. Rathenaus hartnäckiges Bestreben, seine Kräfte in den Dienst des Aufbaus zu stellen, stieß Hauptmann ab, oder er brachte zumindest wenig Verständnis dafür auf:

(nach dem 26.5.1919)
Rathenau sucht die Öffentlichkeit, er sucht sie hysterisch-eitel. Wahre Not hat er niemals empfunden, außer in seinem großen jüdischen Schicksal. *Nachlaß-Nr. 6, S. 15 v*
⟨Rathenaus jetzige Publikationen sind Prostitutionen (Exhibitionen)⟩ (S. 17)

Auslösendes Moment der Kritik Hauptmanns an Rathenau war die Lektüre der 1919 erschienenen Schrift Rathenaus „Der Kaiser" − eine Charakterstudie über Wilhelm II. und zugleich eine Abrechnung mit dem Wilhelminismus. Der Kaiser wird darin als Opfer dynastischer Erziehung und des höfischen Milieus hingestellt, das Rathenau aus eigener Anschauung kannte. Er hatte, wie er zu Beginn der Schrift mitteilt, schon vor dem Krieg an einer „Psychologie der Dynasten" geschrieben. Er habe sie weder beendet noch veröffentlicht, da es ihm nicht ratsam schien, das monarchische Gefühl des Untertanen, welches „mißleitet und mißbraucht, doch immer ein menschliches blieb", „mit kalter Sachlichkeit, die wider Willen an Ironie grenzte", abzutun. (14) − Ebendiese Einstellung glaubte Hauptmann nun bei Rathenau zu erkennen:

„*(Der)* Kaiser".
Rathenau redet präzeptorial (Präzeptor Germaniae) über die mangelnde Tragik im Schicksal des Kaisers. Der K(aiser) sei zu intellektuell − und Rathenau selbst ist nur

intellektuell. – Er tut 40 Jahre Deutschland mit (. . .) einigen Abstraktionen ab. – (Ich gehe zu Mauthner*, wenn ich ringende Menschen und Philosophen fühlen will). Ich liebe Rathenau. Ich schätze seine Schriften. Sie sind (was er dem Kaiser beinahe zubilligt und doch abspricht) ebenfalls nicht genial. Aber ich würde das nicht schreiben. Seltsam! Ich hasse die Öffentlichkeit (als das Soziale?). Aber das Theater? (. . .) Rathenau sucht die Öffentlichkeit (. . .). *Nachlaß-Nr. 6, S. 15*

Rathenau, als früher Kritiker des Kaiserreichs moralisch legitimiert, analysierte mit kühler Überlegenheit das Verhängnis der letzten Jahre, welches Hauptmanns vergrübelte Innerlichkeit gedanklich nicht zu bewältigen vermochte. Was Hauptmann zwei Jahre zuvor als „geniale Affektlosigkeit" an Rathenau gerühmt hatte, verwarf er jetzt als intellektuelle Sterilität:

Der deutsche Ernst: Deutsche Schriften von Wagner, Chamberlain *(!)*, Romantik. Und nun W. R(athenau). Er sieht nicht zurück, für Tragik kein(en) Sinn. Begriff, Phrase. Und nun macht er in deutschem Ernst. Scheußlich. Dummheit tritt zutage. Schade! Schade! Weder kalt noch warm. Weder ein wahrhaftig kalter Gedanke, noch ein wahrhaftiges warmes Gefühl. (ibd., S. 22)

Wagner, Chamberlain, Romantik: Hauptmann hatte sich noch immer nicht aus dem Bannkreis eines Deutschtums lösen können, in dem auch Thomas Mann mit seinen „Betrachtungen" so lange befangen gewesen war. Letztlich sollte sich Hauptmann nie mehr davon lösen, obgleich er sich selbst schon während des Krieges zugerufen hatte: „Sklave! Befreie dich durchaus von aller Tradition, ‚deutscher Tradition' (. . .) – Nur Gott, nicht einmal Goethe, darf dich knechten" (15).

Hauptmann, der in einem Rede–Entwurf „Zum Gedächtnis der Gefallenen" (Ende 1918) aus den ungeheuren Opfern des Weltkrieges eine moralische Verpflichtung für die Nachwelt herleitete (16), vermißte solche Gefühle der Pietät in Rathenaus Publizistik: „Warum nicht das geringste Verweilen bei den Toten (Millionen) ? " Daß Rathenau offenbar nicht wie er selbst sich damit quälte, dem Sinnlosen nachträglich Sinn geben zu wollen, wertete Hauptmann als Frivolität: „Man darf nicht durch ein Schlachtfeld schreiten wie der Storch durch den Salat" (Nachlaß–Nr. 6, S. 22 v f.).

Hauptmann warf Rathenau Mangel an idealistischer Gesinnung vor. Ziemlich gering schien er den ethischen Impuls von Rathenaus Gesellschaftskritik zu veranschlagen, die – anders als sein eigener gefühlsmäßig-

---

* Fritz Mauthner, Mitbegründer der „Freien Bühne".

verschwommener Kulturidealismus – bei den konkreten Bedingungen der modernen Industriegesellschaft ansetzte:

Der Mensch ist kein Kaufmann. Der Mensch ist zunächst Mensch. – Du aber behandelst nur den Kaufmann, „behandelst" den Menschen – nimmst ihn als Handelsobjekt. – Das ist der Grundfehler deiner Betrachtungsweise und ihr Produktives zugleich. (ibd., S. 10 v)
Bei Rathenau immer und überall der von ihm bekämpfte Zweck! Zweck! Zweck! (ibd., S. 16)
Rathenaus Meckerei ist Kaufmannslogik, Angst und „Gefühl". (S. 19)

Als trennendes Moment entdeckte Hauptmann nun auch das Judentum Rathenaus. Rathenau hatte in seiner Schrift „Der Kaiser" einen etwas verdüsterten Ausblick auf die „Barbarisierung und Erneuerung" des kommenden Jahrhundert gehalten, an dessen Ende jedoch „nicht der Bolschewismus herrschen noch das Proletariat diktieren", sondern eine neue Form der Selbstverwaltung der Völker stehen werde. (17) Hauptmann interpretierte merkwürdigerweise eine Option für den Bolschewismus hinein: „Beginnender Bolschewismus. Bolschewismus scheint mir etwas Reinjüdisches (Ich kann mich täuschen!)" (ibd, S. 15 v).

Dieselbe Verbindung von Bolschewismus und Judentum findet sich in dem folgenden Diktum:

Rathenaus Verhältnis zur Kunst: ist jüdisch-bolschewistisch von vornherein. (Du sollst dir kein Bild machen!). – Die Religion hat nachgewirkt. Frage: Ist Rathenau religiös? darüber spricht er nicht. (ibd., S. 16 v)

Der religiöse Kontext rückt hier die Formel „jüdisch-bolschewistisch" freilich von einem polemischen Vokabular ab, mit dem sie scheinbar kommuniziert: dem des völkischen Antisemitismus. Denn mit der Anspielung auf das alttestamentarische Bildtabu setzte Hauptmann einen angeblichen Charakterzug Rathenaus in Beziehung zur jüdischen Kulturtradition: Rathenau sei „zu intellektuell", „entsinnlicht" und – dies allerdings ein Vorgriff auf die völkische Polemik gegen den Typus des ‚Asphaltliteraten' – ein „ ‚Nur'-Berliner". (18) Diesem Urteil ließe sich das des Rathenau-Freundes und -Biographen Harry Graf Kessler entgegensetzen: „Rathenau war von Natur leidenschaftlich und, wie aus seiner künstlerischen Veranlagung und Sehnsucht zu folgern ist, sinnlich." (19)

Mit dem Epitheton „bolschewistisch" scheint sich Hauptmann jedoch verbreiteten Ressentiments angeschlossen zu haben, die einer so widersprüchlich schillernden Persönlichkeit wie Rathenau, dem Großindustriellen, Literaten und vermeintlichen Propagandisten sozialistischer Ideen, entgegenschlugen – von seiten all jener, die in der Nachkriegszeit ihre Deklassierungsängste auf das Feindbild des jüdischen Kapitalisten projizierten. Hauptmann, der es eigentlich besser wissen mußte, scheute sich nicht, solche Vorurteile zu übernehmen: „Einen so trübetümpeligen ‚Millionär' möchte man schwerlich zum zweiten Mal finden" (ibd., S. 16 v). Hatte Hauptmann vielleicht aus einer momentanen Verärgerung heraus so hart gegenüber Rathenau geurteilt? Seine Vorwürfe nahmen im übrigen eine Kritik vorweg, die später – nach dem Attentat von 1922 – von einem anderen Mitglied der ‚Verlagsfamilie' an Rathenaus politischen Ambitionen geübt wurde. Verlagslektor Moritz Heiman fand in einem erst posthum (1926) veröffentlichten Aufsatz, „Ja, warum sollte er denn nicht Minister werden? ", scharfe Worte über den Charakter Rathenaus. Seine erste Rede als Wiederaufbauminister 1921 sei für ihn im „innersten Keimpunkt, nicht etwa unbedeutend, sondern viel was Schlimmeres: nichtig. (. . .) Schein enorm realpolitisch, geschäftlich, ist aber nur eine affektierte Neuauflage der alten, kontrapolitischen Beamtenauffassung. (. . .) Kein Hauch von Natur, von Instinkt in dem Mann. Je mehr Erfolg, um so größere Niete. Er mußte schon als Jude (er, ein anderer nicht) unbedingt Nein *(zum Ministeramt)* sagen". (20) Heimanns Auslassungen stimmten im Tenor großenteils mit dem überein, was Hauptmann selbst 1919 gegen Rathenau vorgebracht hatte. Doch nach dem Attentat war Hauptmann zu sehr von Pietät gegenüber dem toten Freund erfüllt, um sich an seine eigenen kritischen Worte zu erinnern. Im Gegenteil – Heimanns Aufsatz, den ihm S. Fischer später gezeigt haben muß, verurteilte er aufs schärfste:

(nach dem 10.5.1923)
Ich habe geglaubt, ich wüßte etwas von der Schweinerei der Menschheit, aber (. . .) Heimanns Angriff auf Rathenau – sind weitergehende Dinge. *Nachlaß-Nr. 6, S. 159 v*

Als Rathenau im Zuge seines politischen Wiederaufstiegs im Frühjahr 1921 der Posten des Wiederaufbauministers angeboten worden war, hatte er mit der Annahme gezögert. Allzusehr war er bereits öffentlich angefeindet worden, um nicht zu wissen, daß die Übernahme eines solchen Amtes für ihn mit erhöhter persönlicher Gefahr verbunden war. Ratsuchend schrieb er an Gerhart Hauptmann. (21) „Hauptmann war enthusiastisch für Annahme: ein langes Telegramm ging in den Grunewald, und Rathenau hat (...) selbst später gesagt, daß diese dringende Depesche ihn erst endgültig bestimmt habe, in Person die politische Arena zu betreten (...)" (H. v. Hülsen). (22)

Im Herbst 1921 schickte Rathenau an Hauptmann das folgende Telegramm: „Solange ich mich mit Dir in Gedanken, Empfindung und Glauben so völlig einig fühle, verzweifle ich an nichts und erschrecke vor keiner Gefahr". (23) Ein halbes Jahr später war er deutscher Außenminister, vertrat Deutschland auf der Konferenz von Genua und schloß mit der Sowjetunion den Vertrag von Rapallo. So nimmt es nicht wunder, wenn Alfred Kerr sich in den 30er Jahren erinnert: „Rathenau war zuletzt für ihn *(Hauptmann)* kaum noch zu haben. (Was Hauptmann bedauerte). Warum? Erschien dem Intellektualismus Rathenaus des Dichters fine-fancy-Welt auf die Länge nicht geistig genug? Oder war Rathenau schon mit staatlichen Dingen zu sehr befaßt? Der eine Freund auf Zeit hörte schließlich nichts mehr vom andren." (24)

Als Rathenau am 24. Juni 1922 von rechtsradikalen Fanatikern ermordet wurde, äußerte Hauptmann seine tiefste Bestürzung:

(26.6.1922)Der Zeitstrom. Vorgestern früh Rathenau fortgerissen. Der wärmste und glanzvollste Mensch und Mann, von irregeführten Deutschen, wahrscheinlich jungen Menschen, auf militärische Art gemeuchelt. Ich habe ein ekelhaftes Gemisch von Tagen gelebt. (...) *Nachlaß-Nr. 6, S. 121*

Hauptmann arbeitete eine Rede aus, die er bei der Trauerfeier am 27.6.1922 im Reichstag halten wollte, sah sich jedoch im letzten Augenblick verhindert. (25) Das Tagebuch wurde zum Ventil seiner Betroffenheit:

(29.6.1922)
Der Verlust drückt schmerzlicher und schwerer mit jedem Tag. Es ist, als habe man ein Organ des Körpers verloren: persönlich und als Deutscher fühl(t) man sich verstümmelt. (ibd., S. 122)

Langsam wich die Gefühlsreaktion einer Reflexion über die Hintergründe des Geschehens. Zunächst vermeinte Hauptmann im deutschen Volk die „Wesenszüge" einer „noch im Naturzustand des Wahnsinns befindlichen Existenz" erblicken. Doch dann wurde er sich über die Genese des Unheils klarer:

(30.6.1922)

Das ist die alte Methode, dumpf und stumpf *(zu)* erhalten, Dumpfes und Stumpfes ausnützen, zu allem, was man will, und nie versuchen, es aufzuhellen, es zum Fühlen und Denken und zum Gewissen zu erziehen. — (Produkt: die Mörder Rathenaus) (ibd., S. 124 v)

(4.7.1922)

Diese Männer der ungeheuersten Verantwortung *(die Lehrer)* muß ich irgendwie mit der Krisis in Verbindung bringen, die durch den Mord an Walther Rathenau hervorgerufen ist. Ich zittere, daß die Regierung nicht erkennen könnte, wo der Aufbau des neuen Deutschland begonnen werden muß. Nämlich bei der Jugend. (ibd., S. 127)

Hauptmann spielte mit dem Gedanken einer „Denkschrift". Der Jugend müsse etwas gegeben werden, was sie fasziniere, woran sie glauben könne. „Belehrt sie über das Wesen der Republiken (. . .) und über die englische Demokratie" (ibd., S. 125) . Neben dieser Forderung, aus dem Attentat ideelle Konsequenzen zu ziehen und eine staatsbürgerliche Erziehung einzuführen, setzte sich bei Hauptmann zugleich eine andere Tendenz durch. Er sann dem Geschehen als einem schicksalhaft gegebenen nach:

(2.7.1922)

In dem Augenblick, wo ein Mensch sich unter eine Idee stellt, verknüpft er sich mit dem Schicksal dieser Idee: (. . .) wie ungeheuer viele neue Angriffspunkte für das Geschick. (ibd., S. 126 v)

Rathenau als Märtyrer (seiner politischen Ideen) zu sehen, wird der Tenor der Gedächtnisrede von 1927 sein.

Zuvor äußerte sich Hauptmann öffentlich über Rathenau, als Stefan Großmann ihn zum ersten Jahrestag des Attentats um einen Beitrag für seine Zeitschrift „Das Tagebuch" bat. Großmann fügte seiner Bitte den Wunsch hinzu: „Und am liebsten, ganz ehrlich gesagt, wenn es ein starkes, kräftiges Wort gegen die Sorte Judenhaß wäre, der Rathenau zum Opfer fiel" (Briefnachlaß I). Hauptmann erfüllte diesen Wunsch — freilich nicht ganz so, wie es sich der Bittsteller vorgestellt haben mochte (26):

Rathenau war Jude: dieser Umstand hat nicht wenig dazu beigetragen, Deutschland seiner unersetzlichen Kraft zu berauben. Aber nicht nur fanatische deutsche Christen (. . .), sondern auch deutsche Juden haben ihn fanatisch bekämpft, und ich habe in München einen solchen gesprochen, der ebendieselbe Ansicht vertrat, die zum Morde Rathenaus geführt hat. (CA XI, 1016).

Mit dem wachsenden zeitlichen Abstand zu den Ereignissen des Juni 1922 tauchten in den Erinnerungen Hauptmanns an den toten Freund auch alte Vorbehalte und Distanzgefühle auf, wie die folgende Charakteristik zeigt:

(15.7.1924)
Walther Rathenau.
Despot seinem Wesen nach, geei(g)net zum Diktator, geeignet als Cäsar, der aber, mehr ein Pompejus, vielleicht Cäsar unterlegen wäre.
Herodes hätte er auch sein können. Menschenverachtung, Geringschätzung war ihm natürlich. Er vermochte nicht einmal die Allüre der Überlegenheit zu verbergen. Er war schweigsam. In ihm war jedem Menschen gegenüber genau geordnet, was er leisten, was *(er)* erfahren, was nicht erfahren sollte. *(...?) Nachlaß-Nr. 27, S. 61*

Als 1927 der 60. Geburtstag Walther Rathenaus nahte, schrieb der Reichskunstwart Edwin Redslob an Hauptmann, die Walther-Rathenau-Stiftung plane eine Feier im Herrenhaus. Der Dichter werde gebeten, an ihr mit einer Ansprache teilzunehmen. Außerdem solle ihm der Vorsitz einer Walther-Rathenau-Gesellschaft angeboten werden, die bei dieser Gelegenheit gegründet werden würde. (27) Hauptmann lehnte dieses Ansinnen ab. In dem ersten Entwurf seiner Antwort führte er unverklausuliert politische Motive für seine Ablehnung an:

(7.7.1927)
Den Vorsitz der Rathenau-Gesellschaft könnte ich nicht übernehmen. Ich kann die Zeit nicht aufbringen, die ein solches Amt erfordern würde. Außerdem widerstrebt es mir, an die Spitze einer Vereinigung zu treten, die wahrscheinlich als eine wesentlich politische aufgefaßt werden wird. Ich möchte als Politiker Privatmann bleiben, um nicht unbefangenen Kreisen den Weg zu meinem Werke zu verbauen. Die Walther-Rathenau-Gesellschaft wird sich nun ganz gewiß bemühen, das Geistesandenken ihres Patrons auf eine Weise zu pflegen, die sich freihält von der Auffassungsart politischer Parteiungen. *Nachlaß-Nr. 712, S. 52 f.*

Wer kann, so ist zu fragen, als „unbefangen" gelten, wenn ein Bekenntnis zu Walther Rathenau ihm dem Zugang zu einem Autor verbaut? Es ist der alte Grundwiderspruch, in dem Hauptmann sich mit seinem Postulat des unpolitischen Dichtertums verwickelte. – In der zweiten Fassung seiner Antwort (9.7.1927) betonte Hauptmann den Mangel an Zeit für die ihm zugedachte Aufgabe. Das war nicht mehr als ein Vorwand, denn bei der Inanspruchnahme Hauptmanns für die geplante

Gesellschaft hatte man sicherlich nur an eine gelegentliche repräsentative Mitwirkung gedacht. Im Findbuch für den Briefnachlaß I sind rund 250 „Vereinigungen, Ehrenausschüsse, Mitgliedschaften" aufgezählt: von der „Academie internationale des lettres" bis zur „Wirtschaftspolitischen Gesellschaft". Sollte es Hauptmann nicht möglich gewesen sein, diese ein zusätzliche Verpflichtung — wenn es eine war — zu übernehmen? Wenn Hauptmann ferner mitteilte, daß er keine Ansprache halten könnte, doch hoffe, der Feier in einer „stummen Rolle" beizuwohnen, so scheint auch hier politische Zurückhaltung das Motiv gewesen zu sein. Wohl unter dem Eindruck dieser Antwort teilte Redslob dem Dichter zwei Monate später mit, daß auch er nicht mehr die Gründung einer besonderen Rathenau-Gesellschaft befürworte. (28) Aber er suchte Hauptmann doch noch als Redner für die Feier zu gewinnen. In Kenntnis der Abneigung Hauptmanns gegen eine politische Inanspruchnahme betonte Redslob, daß die Feier den „Charakter einer vom Kuratorium der Stifung unter dem Ehrenvorsitz des Herrn Reichspräsidenten veranstalteten Kundgebung" haben solle. Auch hielt er Hauptmann die Verpflichtung vor, als derjenige mitzuwirken, „dem Rathenau freundschaftlich verbunden war und dem er einst seine Werke* gewidmet hat". Redslob deutete ferner an, daß ihm diese nochmalige Bitte an Hauptmann nicht leicht gefallen sei.

Doch erst dem Ministerialdirektor im Preußischen Staatsministerium, Arnold Brecht, gelang es — wie er in seinen Lebenserinnerungen „Aus nächster Nähe" berichtet (29) —, Hauptmann dazu zu überreden, gemeinsam mit ihm, Redslob und dem Reichskanzler Marx auf der Feier das Wort zu ergreifen. Hauptmann arbeitete nun eine Ansprache aus, die weit über den erbetenen kurzen Umfang hinausging. Diese bei der Feier zum Gedächtnis Rathenaus am 29.9.1927 im Plenarsitzungssaal des Reichswirtschaftsrates von ihm gehaltene Rede enthält den Kernsatz: „Walther Rathenau war ein vollbürtiger, wahrer und tiefer deutscher Patriot, wenn es je einen gegeben hat" (CA XI, 1062). Ein Vergleich zwischen der dritten und vierten (endgültigen) Fassung dieser Rede zeigt freilich, wie Hauptmann die politische Brisanz einer Rathenau—Ehrung abzuschwächen bemüht war.

In dem dritten Entwurf wird — vage genug, aber immerhin erkennbar — die leidenschaftliche Verblendung jener politischen Kräfte ins Visier genommen, denen die geistige Urheberschaft an dem Attentat auf Rathenau zufiel (30):

---

*Rathenau hatte Hauptmann sein Buch „Zur Kritik der Zeit" (1912) gewidmet.

Entfesselte Leidenschaften denken nicht. Und es war damals eine Zeit der entfesselten Leidenschaft. Wenn die Menschen doch wußten, wie natürlich und gewöhnlich, wie typisch dieser Zustand nach einer großen Niederlage ist, sie würden es als Verdienst verstehen, sich davon freizumachen. Der Menge, die elementaren Gesetzen folgt, wollen wir das allerdings nicht zumuten, von denen aber, welche Führer dieser Menge sein wollen, verlangen wir es. Am allerwenigsten soll man diesen Zustand zu verewigen suchen.

Die Endfassung verwässerte gleichsam die Konturen der historischen Situation und des aus ihr resultierenden politischen Mordes. Wieder bemühte Hauptmann den Opfer—Mythos und reihte jenes Ereignis in den alles nivellierenden Vegetationsprozeß des Volkstums ein.

Der einzelne wird aus dem Volkstum geboren und stirbt in das Volkstum wieder hinein. Rathenau ist nur eines unter den zahllosen Opfern, die ein Volkstum immer gefordert hat. (. . .) Bekenner auf allen Gebieten haben Überzeugungen (. . .) mit ihrem Tode besiegeln müssen. (CA XI,1061)

Rathenau als Kronzeugen für die von ihm mitiniitierte Vernunftpolitik der Erfüllung des Versailler Vertrages aufzurufen und damit seinem Märtyrertod einen konkreten Sinn zu geben, war Hauptmanns Sache nicht. Ihm war Rathenaus Schicksal ein Gleichnis der „ewigen deutschen Not". Sie hat er zum Schluß der Rede mit Versen aus dem geplanten Terzinenepos „Der große Traum" beschworen — in einer Vision von der Erscheinung des toten Rathenau, der zur Zeit des von ihm im voraus so befürchteten Ruhrkampfes im Reichstag umgehe (31):

Im Dunste sah man welke Banner schleppen.
„Die deutsche Kraft ist nur mehr Not und Angst!"
sprach ich. Und er: „Wann sahst du je sie ebben? "

Diese Verse über „Sir Walther", in ihrer dunklen Bildersprache mehr pathetisch verschleiernd als aufklärend, fanden keinen Eingang in das Epos, dessen Endfassung in der Ausgabe letzter Hand 1942 erstmals erschien.

Als die Walther—Rathenau—Gedächtnisrede in die Gedenkschrift für Walther Rathenau (1928) aufgenommen wurde (32), konnte Hauptmann zufrieden an Redslob schreiben:

(November 1927)
Daß ich nun auch äußerlich mit dem, was Ihnen und mir besonders am Herzen liegt, verbunden bin, nämlich der Pflege des Andenkens unseres Märtyrerfreundes Rathenau, ist mir besonders lieb. *Nachlaß-Nr. 713, S. 61*

Wie allerdings das Vermächtnis Rathenaus bei Hauptmann aufgehoben war, zeigte sich, als 1933 derselbe Ungeist, der hinter der Ermordung Rathenaus gestanden hatte, an die Macht gelangte. Macht hatte stets Recht, Lebensrecht – aus der Sicht Hauptmanns. Wer waren die besseren Patrioten: jene, welche die Republik hatten erhalten wollen, oder diese, die nun so lautstark von Deutschlands neuer Macht und Größe phantasierten? Als Hitler den beiden Mördern Rathenaus, Fischer und Kern, zum 11. Jahrestag ihres Todes auf dem Friedhof im thüringischen Saaleck einen Gedenkstein errichten ließ, sinnierte Hauptmann über die Vieldeutigkeit des Begriffes Patriotismus, ohne dessen Mißbrauch zu erkennen:

(17.7.1933)
Schicksal. Gegenständliche Symbole von solchem. Zum Beispiel des großen Patrioten, den jugendliche Patrioten töteten, wofür heute von Patrioten ihr Denkmal enthüllt wurde. *Nachlaß-Nr. 230, S. 3*

VII NATIONALISMUS

Patriotismus war die eigentliche Antriebskraft, die Hauptmann zwischen 1918–1924 so häufig für die deutsche Nation eintreten ließ, nicht so sehr eine überzeugt republikanische Einstellung.

1920/21 wurden die Territorialregelungen getroffen, welche der Versailler Vertrag für das Deutsche Reich vorsah. Hauptmann nahm als Schlesier stärksten Anteil an dem Schicksal Oberschlesiens, das an Polen zu fallen drohte, obwohl sich die Bevölkerung am 20.3.1921 in einer Abstimmung zu 60 Prozent für den Verbleib bei Deutschland ausgesprochen hatte. Auf einer Kundgebung in der Berliner Philharmonie im Juli 1921 hielt Hauptmann eine Rede („Für ein deutsches Oberschlesien"), in der er an den Obersten Rat der Alliierten appellierte, sich nicht über dieses Votum hinwegzusetzen. Er warne davor:

> unauslöschliche heimliche Brandherde zu schaffen, die das Werk des Friedens bedrohen und binnen kurz oder lang einen schrecklicheren Weltbrand erzeugen müssen als den, der kaum vorüber ist. (. . .) Ein solcher Zustand wird niemals von Dauer sein können und wird so lange den Frieden Europas gefährden, bis er korrigiert ist. (CA VI, 724)

Die brennende Anteilnahme an dem Schicksal der Grenzlanddeutschen war ein Schlüsselmotiv seines Nationalgefühls während der Weimarer Zeit und machte ihn später für die völkische und nationalsozialistische Propaganda empfänglich.

Das nationale Empfinden in Deutschland war nach 1918 durch die Folgen des 1. Weltkrieges einer tiefgreifenden Veränderung ausgesetzt. Mit der Novemberrevolution und dem Versailler Friedensdiktat war der hergebrachte Begriff des deutschen Nationalstaates, seine territoriale, verfassungsmäßige und soziale Ordnung zerbrochen. Patriotismus und Nationalismus waren nicht mehr deckungsgleich wie im alten Preußen oder im wilhelminischen Kaiserreich, wo der Patriotismus eine Mischung aus Monarchismus, territorialstaatlicher Loyalität und übernationalen Reichsvorstellungen war. (1) Die Weimarer Republik bot zweifellos die Möglichkeit einer positiven Neuorientierung des Nationalbewußtseins: „Die volkstumsmäßige Homogenität, mochte sie auch durch schmerzliche Verluste erkauft sein, und die neuerlangte republikanische Staatsform hätte innerlich und äußerlich zur Ausprägung eines deutschen Nationalbewußtseins im Sinne der demokratischen Nationalstaaten des Westens führen können" (M. Broszat). (2) Doch das Ansehen der deutschen Republik litt von Anfang darunter, daß sie in einer Stunde der nationalen Erniedrigung geboren worden war. So schuf sich das nationale Empfinden in Deutschland einen Ersatz für die verlorene Staatsherrlichkeit, indem es um so mehr an der erhalten gebliebenen Volkssubstanz diesseits und jenseits der Grenzen festhielt.

Auch bei Hauptmann findet sich eine solche Umorientierung seines Nationalgefühls auf das „tiefere" und größere „völkische" Deutschland — freilich weit entfernt von dem politischen Sektierertum der Deutsch—Völkischen:

(4.2.1919)
Es muß geschaffen werden: Bewußtsein der deutschen Einheit. (. . .) nun grade bleibt uns nichts als tiefste völkische Selbstbesinnung. Die Nation muß zu ihren nationalen Schätzen an Geist und Gemüt durchdringen (. . .).
Das alte Preußen ist nicht mehr. Der alte Preußengeist wird nicht wiedererstehen. Aber Deutschland muß einen Kern bekommen, ein Prinzip ähnlicher Art, Preußen zu ersetzen, Deutschlands Einheit zu erhalten. Einesteils liegt es im Geist, wie oben gesagt, andrerseits in einem zentralen Willen mit der unbedingten Macht, sich durchzusetzen. *Nachlaß-Nr. 234, S. 28*

In den Ansprachen dieser Jahre wurde Hauptmann nicht müde, angesichts der territorialen und politisch— sozialen Zerrissenheit Deutschlands die nationale Identität durch Besinnung auf die kulturelle Tradition des Volkstums zu beschwören. In dieser Forderung nach „tiefster völkischer Selbstbesinnung" spielte der Begriff des Volkes die Rolle einer Idee, die, geschichtlich gleichsam noch unbelastet, einen ‚organischen' Grund für mögliche politische Formen barg. (3)

Das Beispiel der westlichen Demokratien, ihre von der Aufklärung bezogenen Grundideen des Natur— und Völkerrechts, waren durch das unnachgiebige Auftreten der Siegermächte für lange Zeit in Deutschland diskreditiert. Worauf konnte sich in Deutschland die Neubegründung eines Staatswesens ideell stützen? Allenfalls in der mißglückten bürgerlichen Revolution von 1848 sah Hauptmann einen Anknüpfungspunkt, wobei er bezeichnenderweise den Akzent nicht auf das Ziel der liberal—demokratischen Staatsverfassung, sondern das nationale Einheitsstreben der 48er setzte:

(23.12.1924)

Ich möchte beginnen mit einer Ausarbeitung der Pläne zur Begründung eines neuen Reiches, einer neuen nationalen Einheit. — Es handelt sich dabei um Zeit, nicht um Ewigkeit. Trotzdem gibt es Rückläufigkeiten, die wertvoll sind: so das Zurückgehen auf die Bewegung von (18)48 etc. *Nachlaß-Nr. 6, S. 167 v*

Die Zeit des machtgeschwellten Nationalstolzes war mit der wilhelminischen Epoche zu Ende gegangen. Diese war „geiles Wachstum, und darin Ausnahme. Wir müssen uns bewußt werden, (. . .) daß wir zur Regel zurückgekehrt sind" (Nachlaß–Nr. 26, S. 24).

In der großangelegten Rede „Deutsche Wiedergeburt" (1921) versuchte Hauptmann, dem Keimen eines neuen Nationalbewußtseins die Richtung zu weisen. Die „neue Phase der Verinnerlichung" stelle eine weitaus höhere Anforderung an das Deutschtum als die wilhelminische Phase:

Diese rechnete noch durchaus mit dem beschränkten Untertanenverstand. (. . .) Aufgerufen und zu ungeheurem, tätigem, aufopferungsfähigem Idealismus hingerissen, war doch dafür gesorgt, daß er letzten Endes gezwungen, gebunden und automatisch handeln mußte. Sein Idealismus wurde nicht höher gewertet als eine durch den Generalstab (. . .) ausgenützte Äußerlichkeit (. . .). Heute nun, bis auf weiteres, haben wir nur mehr das nationale Ideal (. . .). Und deshalb muß dieses nationale Ideal auf neue, freie und tiefere Weise gepflegt werden. (CA VI, 729 f.)

Hier zeigt sich in aller Deutlichkeit die Grenze, welche einem historisch–politischen Umdenken bei Hauptmann gesetzt war. Lag es nicht nahe, aus der Ausbeutung des „beschränkten Untertanenverstandes" und des „aufopferungsfähigen Idealismus" — auch des eigenen — zu folgern, daß nunmehr ganz und gar andere politische Tugenden geboten seien: Wachsamkeit des einzelnen, Kritik und Mißtrauen gegenüber nationalen Phrasen und Emotionen. Statt dessen beklagte Hauptmann, daß der Idealismus von 1914 „gänzlich ausgeschaltet, systematisch vernichtet wurde". Er redete nicht der Konsolidierung eines republikanischen Staatsbürgertums das Wort, sondern letztlich einer erneuten Vergötzung des „nationalen Ideals", eines wie auch immer überhöhten Nationalgefühls. Durch den Zusammenbruch der alten Wertvorstellungen in der Kriegs- und Nachkriegszeit war Nationalismus allerdings der „eigentliche Glaube, die einzige Religion und ideale Regung großer Volksteile in jedem Lande" (H. Graf Kessler). (4) Weil Hauptmann das spürte, wollte er daran anknüpfen.

Sein Patriotismus war gegenüber dem politisch sich organisierenden Nationalismus freilich ganz anderer Natur. Er stand in der Tradition des Pietismus, der, ursprünglich staatsfremd, Sinnerfüllung lediglich in der Innerlichkeit suchte, dann aber in der Form des patriotischen Pietismus Klopstockscher Prägung die „Überleitung starker religiöser Gefühlskräfte in den staatlichen und nationalen Bereich" (G. Kaiser) bewirkte. (5) Der patriotische Schwärmer besaß im Gegensatz zum Utilitarismus und Pragmatismus der Aufklärung die Idealvorstellung eines „inneren Vaterlandes". Durch die Spiritualisierung des Staatsbegriffes suchte er sich die fremde Sphäre der Politik dem Erlebnis und Gefühl zugänglich zu machen; also nicht zu verändern — wie der Aufklärer —, sondern zu verklären. Das „innere Vaterland" als eschatologische Idee des pietistischen Patrioten im Gegensatz zur politischen Realität des absoluten Fürstenstaats: so hielt auch Hauptmann in Verkennung der politischen Möglichkeiten an der Idee eines inneren Deutschland fest, das gleichsam unzerstörbar unter dem zeitgeschichtlichen Wandel tief verborgen ruhte. Wie der pietistische Patriot glaubte er, daß die Nation im Individuum zu einem geistigen Besitz werden kann, der sich nicht mehr nehmen läßt.

Bei den patriotischen Erben des Pietismus ging die Idee der nationalen Gemeinschaft auf das Modell der religiösen Gemeinde—Erweckung zurück. Das patriotische Geheimnis war nur den Erweckten zugänglich. Auch Hauptmann huldigte dieser Auffassung vom patriotischen Gefühlsmysterium. Über sein Mitleiden mit der unerlösten Sehnsucht der Grenzlanddeutschen nach Heimkehr ins Reich äußerte er einmal:

(1933)
So begriffen erschwert sich die Lage dessen, der nur im eigenen Weg das allgemeine Ziel verfolgen kann, aber wie gesagt, von der Seite des Menschlich-Nationalen sowie von der Seite des Nur-Menschlichen, nicht verstandesmäßig, sondern nur herzlich beansprucht wird. Freilich nur der Dahingelangte darf mitreden. *Nachlaß-Nr. 230, S. 12*

Wer „herzlich" nicht beansprucht wird, darf nicht mitreden: das ist dem Novalis—Wort aus „Glaube und Liebe" an die Nicht—Eingeweihten geistesverwandt: „Wer hier mit seinen historischen Erfahrungen angezogen kömmt, weiß gar nicht, wovon ich rede; (. . .) und er thut am besten, seinen Weges zu gehn (. . .) ". (6)

Die Affinität Hauptmanns zum patriotischen Pietismus ist unübersehbar. Die Erhöhung der Obrigkeit ist im christlichen Patriotismus ebenso zu finden wie bei ihm. Wie der christliche Patriot als Barde neben dem Fürsten stand oder als Sprecher des Volks—„Geistes" vor der Obrigkeit (7), so begriff sich auch Hauptmann in der Nachkriegszeit als politischer Prophet: als „Akkumulator der nationalen Nöte". (8) Wenn er sich schließlich von den Zeitereignissen zurückzog, so rechnete er sich selbst, einen pietistischen Begriff aufnehmend, zu den „Stillen im Lande". (9) Dieser mystische Patriotismus sollte dennoch anfällig sein für den demagogischen Mißbrauch, den die radikale Rechte mit den nationalen Beschwörungsformeln trieb.

VIII DICHTERFÜRST DER REPUBLIK

1. Gerüchte um eine Präsidentschaftskandidatur

Noch ehe sich 1922 bei den Feiern zum 60. Geburtstag Hauptmanns nationale Geltung auf überwältigende Weise dokumentierte, ließ ein politisches Intermezzo das Maß seiner staatlichen Repräsentanz erkennen. Hauptmann geriet in den Bereich abenteuerlich anmutender Spekulationen über eine Kandidatur für das Reichspräsidentenamt. Im Juni 1920 hatte Reichspräsident Ebert – nach der Verabschiedung des Gesetzes über die Wahl des Reichspräsidenten – die Ausschreibung der Wahl verlangt, da er im Januar 1919 von der Nationalversammlung nur provisorisch gewählt worden war. (1) Reichskanzler Fehrenbach bat den Reichspräsidenten jedoch, sich vorläufig noch wegen der unsicheren innen– und außenpolitischen Lage mit der Verschiebung einer Volkswahl einverstanden zu erklären. Obwohl ein definitiver Termin für die Wahl, die im übrigen nie stattfinden sollte, noch gar nicht feststand, machten sich politische und unpolitische Gruppen daran, Kandidaten zu benennen, die gegen den Repräsentanten der politisch stärksten Partei, der Sozialdemokratie, aufgestellt werden sollten. (2) Der Schriftsteller und Hauptmann–Biograph Hans v. Hülsen berichtet: „Damals tauchte in der Öffentlichkeit, erst an versteckter Stelle, bald aber sichtbarer und lauter, der Gedanke einer Kandidatur Gerhart Hauptmanns auf – ich weiß nicht, ob der Kunsthistoriker und Schriftsteller Julius Meier-Graefe ihn selbst erfunden hat; jedenfalls gehörte er zu denen, die ihn eifrig propagierten" – offenbar auch über weite Entfernung, denn der Schauspieler Emanuel Reicher schrieb aus New York einen begeisterten Brief an Hauptmann. (3) Aus einer Tagebucheintragung Hauptmanns geht hervor, daß Meier-Graefe und andere diese Idee schon zur Zeit des Kapp-Putsches propagierten, als Ebert und die Reichsregierung Berlin verlassen hatten und ihr politisches Schicksal ungewiß war:

> (9.5.1920)
> Der Abend mit Meo und Ivo*. Das Präsidentengepräch. Meos Suchen nach mir während des Kapp-Putsches und was sein Glaube an mich von mir erwartete und forderte. (. . . .)Morgen bei Meier-Graefe. Leo König da. Präsidentschaftsgespräch. Frau Lionhard: „Ich laufe durch Straßen und verteile Flugblätter". M(eier-)G(raefe) meinte, gegebenenfalls würde ein Nein selbst aus egoistisch-ideellen Gründen unerlaubt sein. *Nachlaß-Nr. 234, S. 45*

---

*Meo=Max Müller: Jugendfreund Hauptmanns. Ivo: Hauptmanns ältester Sohn.

Im August 1921 begann sich Hauptmann offenbar ernsthaft mit der Möglichkeit einer solchen Kandidatur zu beschäftigen. Ein Besucher auf Hiddensee erinnert sich: „Da Hauptmann damals mit dem Gedanken umging, sich unter Umständen als Reichspräsidenten aufstellen zu lassen, wurde viel über Politik gesprochen. Es wäre doch schön, so meinte er , ein ‚Napoleon de la Paix' zu sein" (C. Bernoulli). (4)

Von hoher Seite wurde Hauptmann in diesem Gedanken bestärkt. Der ehemalige Reichskanzler Fürst Bülow scheint ihm in dieser Sache geschrieben zu haben:

(23.8.1921)
Brief von Bülow. Ich erkenne darin etwas, was mich irgendwie in eine politische Mission weist. Er erwähnt meines Eintretens für Oberschlesien.* Meiner Rede am Tage der Gründung des Deutschen Reiches.** — Wenn eine Aufgabe auf mich gelegt werden sollte, so muß ich mich Florian Geyers erinnern: „Von Wahrheit ich will nimmer lan." — Und des „Festspiels". — Der Dichter trägt sein Werk — das Werk den Dichter. *Nachlaß-Nr. 80, S. 37 v*

Der Brief Bülows ist offenbar nicht erhalten. (5) Eine weitere hochgestellte Persönlichkeit hat Hauptmann anscheinend im gleichen Sinne zu beeinflussen gesucht, denn es ist eine Antwort Hauptmanns überliefert, in der er zum Schluß seine Freude darüber bekundet, „von einer der ersten Freuen Deutschlands der höchsten Ehre gewürdigt worden zu sein." (6) Leider hat Hauptmann die Adressatin in diesem Entwurf (?) nicht mit ihrem Namen angeredet. So muß es Spekulation bleiben, ob hinter dieser Werbung für eine Kandidatur Hauptmanns vielleicht sogar ein politisches Kalkül konservativer Kreise steckte, die anstelle des sozialdemokratischen Reichspräsidenten einen leicht beeinflußbaren Nachfolger zu finden hoffen mochten.

Hauptmanns Antwortbrief an seine hohe Gönnerin formulierte eher Bedenklichkeiten:

Wenn es richtig ist, was Sie schreiben, daß meine Präsidentschaftskandidatur von vielen deutschen Herzen aller Parteien begrüßt werden würde und ich also, mit dem höchsten und ehrenvollsten Mandat des neuen Deutschland bekleidet, als ein Symbol der Einigung und des inneren Friedens wirken könnte, so wäre dies allerdings eine Mission, welcher sich der redliche Patriot nur mit völlig triftigen

---

* „Für ein deutsches Oberschlesien" (15.7.1921); CA VI, 722–725.

** „Deutsche Einheit" (18.1.1921); CA VI, 716–721.

Gründen entziehen könnte. Allein, ich möchte und muß wohl glauben, daß die Zustimmung in solchem Sinn nicht so allgemein sein würde, um Meinungskämpfe auszuschalten, denen meine Person preiszugeben ich mich nicht entschließen kann. *Nachlaß–Nr. 269, Fasz. 6*

Im weiteren bezeichnete Hauptmann den Politiker in sich als „unbekannte Größe" und brachte die alte Befürchtung zum Ausdruck, daß für ihn als Politiker der „einfach menschliche Weg des Menschen zum Menschen durch das reine Medium der Kunst sich verschließen würde". Hatte er der Kunst nicht schon überreichen Tribut gezollt, so daß ein Verzicht zugunsten einer so hohen Aufgabe nicht zu erwägen sein sollte? Hauptmann mochte denn auch einen Sinneswandel nicht völlig ausschließen: „Wenn der gebieterische Ruf in die Bresche erschallt, könnte nur ein Feigling ihn überhören" (ibd.).

Über die eigene politische Befähigung scheint Hauptmann nicht die schlechteste Meinung gehabt zu haben. Denn politisches Dilettantentum, das ihm von der „Täglichen Rundschau" wegen seines Appells zur Hungerhilfe für Rußland vorgeworfen wurde (7), hielt er für ein traditionelles Attribut der alten Führungsschicht in Deutschland:

(20.8.1921)
Ich „dilettiere" in Politik, sagt die „Tägliche Rundschau". Was wäre dagegen zu sagen: Bethmann, Ludendorff, Holstein, Wilhelm II., Hohenlohe, was taten sie mehr? Bülow? — vielleicht er am wenigsten. Obgleich, wenn es schon sein mußte, er bei Agadir hätte losschlagen müssen (. . .).
Verachtung, nichts als das (. . .) für alle diese Dilettanten, Verbrecherdilettanten. — Für Bülow? — Er hat seine Politik nicht zu Ende führen können. Er hätte nie Krieg geführt. In der Alltagspolitik dilettiert alles, außer was parteipolitisch festgelegt ist, und das lebt in Entmündigung und ohne Denken, es dilettiert nicht, es pariert. *Nachlaß-Nr. 80, S. 35 v*

Die Verdammung der genannten Personen ist übrigens die Kehrseite der politischen Autoritätsgläubigkeit Hauptmanns. Nach Erich Fromm gilt für den autoritären Charakter: „Sobald sich die Autorität, an die er bisher geglaubt hat, als schwankend oder unsicher erweist, wandelt sich seine bisherige Liebe in Haß und Verachtung" (8). So schickte Hauptmann immer erst den gestürzten Größen seine Kritik nach — sei es Wilhelm II., Mussolini oder Hitler.

Walter v. Molo berichtet in seinen Erinnerungen, das Gespräch über die Kandidatur Hauptmanns endete schnell, als Theodor Wolff erklärte, „er zöge sich dann sofort ins Privatleben zurück, er hätte noch nie einen unpolitischeren Menschen als Hauptmann gekannt". (9) In der Zeitung des Freundes, dem „Berliner Tageblatt". ließ Hauptmann, als sein angeblicher Plan in der Presse ruchbar wurde, per Telegramm dementieren:

Diese Absicht liegt mir vollständig fern. Ich erkläre schon jetzt auf das bestimmteste und nach reiflicher Überlegung: Ich werde niemals die mir angemessene literarische Wirksamkeit aufgeben und in das politische Leben eintreten. Es fehlt mir die Neigung und es fehlt mir die Eignung dazu. (CA XI, 964)

Es ist in der Tat grotesk, sich Hauptmann im Amt des Reichspräsidenten vorzustellen, das von den Schöpfern der Weimarer Verfassung mit erheblichen Vollmachten ausgestattet worden war. Doch die spätere Wahl eines gleichfalls unpolitischen Volksidols, des Generalfeldmarschalls v. Hindenburg, verleiht den Spekulationen von 1920/21 um Hauptmann nachträglich einen Schimmer von Berechtigung.

2. Hauptmann-Jahr 1922

Als Gerhart Hauptmann 1922 seinen 60. Geburtstag feierte, wurde ihm ein Höchstmaß öffentlicher Ehrung zuteil. „Mit einer Ehrung Gerhart Hauptmanns ehrt das deutsche Volk sich selbst", hieß es in einem Aufruf des Reichspräsidenten zu einer Nationalfeier des Jubiläums. (10) Vier Monate zogen sich die Feiern hin, angefangen von den Gerhart–Hauptmann–Festspielen in Breslau (11.–20.8.) bis zur Verleihung des Adlerschildes des Deutschen Reiches in der Berliner Universität. Der Reichspräsident selbst hielt die Eröffnungsansprache in Breslau. Hauptmann war ein „Politikum erster Ordnung geworden. Die Republik bemächtigte sich seiner und wußte, was sie tat" (P. de Mendelssohn). (11) Etwas von Glanz und Ansehen der Persönlichkeit Hauptmanns sollte dem jungen Staatswesen und seinen Repräsentanten zugute kommen.

Hauptmann übernahm diese Repräsentationsrolle mit zwiespältigen Gefühlen. Einerseits empfand er Genugtuung über die überfällige staatliche Ehrung, die ihm nun widerfuhr. Andrerseits hatte er Bedenken, der ihm zugewiesene Ehrenplatz könne Ansprüche des Staates und der Öffentlichkeit mit sich bringen, die seiner Auffassung vom unpolitischen Dichtertum zuwiderliefen. Dies kommt in einer längeren Meditation zum Ausdruck, die er nach Absolvierung der strapaziösen Geburtstagsfeiern anstellte:

(29.11.1922)
Eine solche Lawine kann leicht verschütten. Ich tauche auf.
Das Werk meines Sinnens hat sich nach Breite und Tiefe wiederum mit dem Volkstum zu vermählen angefangen, dem es entstieg. Dieser Vorgang hat etwas Krisenhaftes (...). Der alte Staat, der Krieg, der neue Staat. Ich war der neue Staat im alten Staat als Kunst. Der neue Staat verbindet sich unter ganz bestimmten, gleichsam chemischen Erscheinungen mit dem Wahlverwandten, das ihm zugehört. Er beansprucht und nimmt mein Werk, das er, bisher eine Beiläufigkeit, zum Staatsbesitz, zum Nationalbesitz erhebt. *Nachlaß-Nr. 234, S. 61 f.*

Im Kaiserreich war Hauptmann insofern „neuer Staat im alten Staat als Kunst" gewesen, als er während der naturalistischen Epoche zur künstlerischen Avantgarde gezählt hatte. Bereits vor 1900 hatte freilich bei ihm jene Rückläufigkeit eingesetzt, die Martin Walser dem Typus des Klassikers zuweist: „Sie sind zuerst Avantgarde, dann lassen sie sich einholen und sind Verstärker. Vermittlung ist ihnen ein zu abstraktes Geschäft". (12) Dennoch war der 50. Geburtstag des Dichters 1912 noch eine „Angelegenheit (...) des fortschrittlichen Teiles der Nation" (J. Amery) gewesen. (13) Nicht mehr ganz so eindeutig verhielt es sich 1922. Aus einer tieferen historischen Berechtigung freilich, als Hauptmann selbst verstehen konnte, verband sich der neue Staat mit dem „Wahlverwandten" seiner Person und seines Werks: so wie Hauptmann gleichsam auf halbem Wege zwischen Tradition und Moderne stehengeblieben war, blieb auch die junge Republik nach der halbgeglückten Revolution im politisch—sozialen Kompromiß stecken. Hauptmann war als Dichter der „Weber" und anderer sozialkritischer Stücke ausreichend legitimiert, Symbolfigur der jungen Republik zu sein. „Die revolutionäre Vergangenheit der Dichter", so charakterisierte Georg Lukacs polemisch die Prädestination Hauptmanns zum Dichterfürsten der Republik, „gibt ihrer konservativen Gegenwart einen besonderen Reiz, eine erhöhte Anziehungskraft: man kann mit ruhigem Gewissen mittanzen, wenn solche Helden der ‚revolutionären' Opposition zur Versöhnung aufspielen". (14) Mit seinem poetischen Klassizismus kam Hauptmann dem kulturellen Konservatismus des Bürgertums entgegen und half das kulturelle Vakuum füllen, das durch den geschichtlichen Umbruch 1918 und den Verfall traditioneller Werte entstanden war. So wurde er 1922 „gefeiert für etwas, was kaum mehr gültig ist", wie es Max Krell in einem offenen Brief an Gerhart Hauptmann formulierte: „Im Chor Ihrer Gratulanten haben die Stimmen der Jugend gefehlt ... die neue Jugend will den verantwortlichen Geist, den Sie verweigern". (15) Aus dem gleichen

Grund war man bei den Vorbereitungen zu einer Festschrift für Hauptmann auf viele Absagen gestoßen. (16)

Wie sehr Hauptmann auch die Erhebung seines Werkes zum Nationalbesitz begrüßte, so zog er doch eine klare Trennungslinie zwischen dieser ‚Veräußerlichung‘ und seinem individuellen Schöpfertum:

> Es *(mein Werk)* wird hierdurch mir einigermaßen entrückt. Allein, so darf ich selbst es nicht ansehen. Vielmehr sondert sich das äußerlich Existierende, Übergroße, dem Staate und seine Bürgern Gehörige von seiner Idee, deren Abbild es ist und die in mir geblieben, in mir verschlossen ist. Anders darf es nicht sein, wenn ich aus dem gleichen Urgrunde wie bisher weiterwirken will. Überhaupt muß ich nur ganz Werkzeug bleiben und bleibe es, gleichviel wie ich selbst mein Werk einschätze, gleichviel, welchen Wert es wirklich besitzt. *Nachlaß-Nr. 234, S. 62*

Was kann ein Dichter mehr erstreben, als daß sein Werk zum Nationalbesitz erhoben wird? Ein Dichter zumal, für den Volkstum und Nation höchste Wertbegriffe waren. Vielleicht fühlte Hauptmann schon zu diesem Zeitpunkt untrüglich, daß die Republik, die ihn feierte, und das deutsche Volk nicht kongruent waren, daß weite Kreise zu diesem Staat in Opposition standen. Vergebens beschwor Thomas Mann in seiner Geburtstagsgabe für das Gerhart-Hauptmann-Heft der „Neuen Rundschau" („Von deutscher Republik") den Dichter, ein neues politisches Selbstverständnis zu entwickeln: „Das unmittelbare Ansehen des Schriftstellers steigt im republikanischen Staat, seine unmittelbare Verantwortlichkeit gleichermaßen, — ganz einerlei, ob er persönlich dies je zu den Wünschbarkeiten zählte oder nicht." (17) Das erhöhte Ansehen ließ Hauptmann wohl gelten, nicht jedoch die gesteigerte Verantwortung. Er meldete auch jetzt seine alten Vorbehalte an und vermochte kein grundsätzlich neues Verhältnis zu der nach 1918 gewandelten Öffentlichkeit zu finden. Hatten ihn früher obrigkeitliche Repressionen und öffentliche Kontroversen um sein Werk auf Distanz zu seiner zeitgeschichtlichen Wirkung gehalten, so wiederholte sich diese Skepsis jetzt auch bei der staatlichen Sanktionierung seines Werkes und seiner Person.

Nicht nur eine Reserve gegenüber jeder Art von Staatsdichtertum bewog Hauptmann, Selbstvergewisserung im Rückzug von der Öffentlichkeit zu suchen. Sein Vorbehalt hing tief mit der Auffassung seines Dichtertums zusammen. Für ihn war die Zeitgeprägtheit des Dichters nur ein Oberflächenphänomen, das „Ewigkeitsschicksal der Menschen immer ein größeres Thema als das zerebral bewußte Schicksal einer Epoche" (CA VI, 698).

Wenn Hauptmann auch weiterhin an der individuellen Autonomie als dem „Urgrund" seiner Kunst festhalten wollte, so entsprang das gewiß seiner subjektiven Erfahrung. Auch der marxistische Hauptmann–Kritiker Georg Lukacs konzediert, daß Hauptmanns Werk „ – scheinbar – originell und wirklich persönlich", die „tiefen Spuren eines wirklichen Erlebnisses, eines echten dichterischen Ringens mit dem Erlebnis" an sich trägt. (18)* Hauptmanns kunsttheoretischer Subjektivismus war orientiert an überkommenen schöpfungspsychologischen Vorstellungen der Geniezeit und einem religiös überhöhten Individualismus, der mit der Dichtertypologie des „vates" seit dem priesterhaften Künstlertum Klopstocks seinen festen Platz in der deutschen Dichtungsgeschichte hat. (19) In dem Festhalten an einer subjektivistischen Künstlerpsychologie spiegelt sich nicht nur Hauptmanns schöpferische Mentalität wider, sondern auch eine Defensivhaltung: die Neigung, sein „Dichterterrain mit einem Schutzwall mystifizierender Dicta" (C. Büttrich) zu umgeben. (20) Dies kommt in der zitierten Tagebuchstelle zum Ausdruck: Hauptmann setzt der Überwältigung durch die (Zeit–)Geschichte ein ästhetisches Ritual entgegen; die Heiligsprechung der Kunst und der ihr geweihte Dienst („ganz Werkzeug bleiben") sollen Schöpfer und Werk als ein nicht mehr zu hinterfragendes Arcanum vor den Ansprüchen einer als widersprüchlich und bedrohlich empfundenen Außenwelt abschirmen. So ist Hauptmanns künstlerisches Selbstverständnis durch die Ambivalenz von individueller Autonomie und mystischem Mediumismus gekennzeichnet. Diese Widersprüchlichkeit kommt auch in seinem zeitgeschichtlichen Bewußtsein zum Ausdruck. Der von ihm postulierte Individualismus schlug häufig in sein Gegenteil um: ins Einswerden mit dem Kollektiv – sei es politisch als ‚Volksverbundenheit', sei es intellektuell als Sich–Einreihen in ‚deutsche' Traditionen. In zahllosen Aufzeichnungen ließ Hauptmann – beinahe schon formelhaft – die Namen der großen Deutschen aus der Vergangenheit Revue passieren, um gleichsam eine Ahnengalerie des Individualismus aufzustellen und sich als ihr später Nachfahre zu begreifen.

---

*In Lukacs widersprüchlich formuliertem Versuch einer ideologischen Zuordnung Hauptmanns zur „liberalen Bourgeoisie" kommt die Aporie zum Ausdruck, den subjektiven Faktor der schöpferischen Spontaneität mit dem objektiven Faktor einer wie auch immer gearteten gesellschaftlichen Determination zu vermitteln: „Hauptmann reproduziert wahllos alle Widersprüche der gesellschaftlichen Lage dieser Schicht (. . .). Er tut es aber dichterisch gestaltet. D.h. sein Werk ist k e i n u n m i t t e l b a r e r, direkter Ausdruck der Ideologie der liberalen Bourgeoisie. Diese Ideologie kommt allerdings in seinem Werk g a n z u n m i t t e l b a r, naiv zum Ausdruck" *(vom Verfasser gesperrt).* (21)

Freilich auch in einem ganz unmittelbaren Sinn ist Hauptmanns Unbehagen angesichts der zahlreichen Ehrungen im Jublifäumsjahr 1922 zu verstehen. Sie waren „vielleicht mehr, als für das Selbstgefühl eines schaffenden Menschen gut sein kann" (J. Amery). (22) Der Gefahr einer Selbstentfremdung, die ihm von einem Leben des Ruhms und der Repräsentation drohte, war sich Hauptmann seit je bewußt. In diesem Zusammenhang hielt er sich die Labilität seiner schöpferischen Psyche vor Augen:

Eine Veränderung erlitt ich nicht (...).
Wäre es anders, müßte das Erlebte verwüstend sein. Der ideale Anstoß würde mit seiner Lawine den eignen Schöpfer begraben. Eine Elefantiasis der Persönlichkeit müßte eintreten. Eine Verzerrung aller Proportionen, und was das Schlimmste ist, eine Vernichtung des schöpferischen Organs. Anmaßung würde sich mit einer überstiegenen Forderung verbinden und geile Wucherung statt Werke hervorbringen.
Nachlaß-Nr. 234, S. 62 f.

IX KONSERVATISMUS UND MODERNE

1. Kritik am kulturellen Leben der 20er Jahre

„Nach den schweren Einengungen der neueren deutschen Geschichte, die in ein bürgerlich–nationalistisch geprägtes Sonderbewußtsein geführt hatten, zerbrachen Revolution und Republik die Selbstisolierung einer ‚deutschen' Kultur gegenüber dem Westen und gaben den Weg frei für die längst vorhandenen Ansätze übernationaler Strebungen" (K. D. Bracher). (1) Doch dieser „glänzende Durchbruch" fand seine Grenzen an dem „allgemeinen Bewußtsein der bürgerlichen Kulturkonsumenten". (2) Die sich nun entfaltende künstlerische Moderne hat der Kultur der Weimarer Zeit wohl ein unvergleichliches Gepräge gegeben, aber sie war eine „Schöpfung von Außenseitern" (P. Gay). (3) So erwies sich die repräsentative Rolle Hauptmanns zugleich als unzeitgemäß und zeittypisch. Die künstlerische Entwicklung der Moderne (seit der expressionistischen ‚Kunstrevolution' um 1910) war über sein vergleichsweise konventionelles Werk hinweggegangen. Hauptmann war ein Autor, der seinen schöpferischen Höhepunkt bereits lange überlebte. Der Anschluß an die neue Zeit war ihm nur bedingt möglich, sein vorgerücktes Lebensalter schloß grundsätzlich eine tiefergehende geistige Neuorientierung aus. Er zehrte, wie er Jahrzehnte später eingestand, geistig immer noch von der zweiten Hälfte des 19. Jahrhunderts. (4) Aus der damals geprägten ‚deutschen' Tradition vermochte er nach 1918 nicht mehr herauszufinden. Die unablässige emphatische Beschwörung des Deutschtums und der Bodenständigkeit seiner Kultur in „Um Volk und Geist" legen Zeugnis davon ab.

Nur in den ersten Nachkriegsjahren gab es selbstkritische Ansätze bei ihm: „Noch immer ist mein Gesichtskreis viel zu deutsch, d.h. viel zu (. . . ?) klein" (Nachlaß–Nr. 133, S. 30). Auch von Oswald Spenglers mythischer Kulturphilosophie in der Tradition der Lagardes und Langbehns wußte er sich zu distanzieren: „dieser ärgsten, allerärgsten Deutschheit, die wir noch immer nicht losgeworden sind" (Nachlaß–Nr. 234, S. 63).

In der Depression der ersten Nachkriegsjahre wurden verbreitet geheime Hoffnungen auf Amerika gesetzt. (5) Der Geist Walt Whitmanns, dessen Epos „Grashalme" 1922 in deutscher Übersetzung erschienen war, schwebte Hauptmann — ähnlich wie Thomas Mann in seinem Essay „Von deutscher Republik" — als Rezept gegen einen deutschen Provinzialismus vor:

(21.1.1922)

Ein Gefühl von Größe und Weite *(;)* bei der Erörterung der Amerikareise mit Grebith* und dem Schrei des Deutschtums in Amerika kam mir das Bewußtsein von der Enge und Muffigkeit unsrer kleinen Literatur von heut. T(homas) Mann und H(einrich) Mann nicht ausgenommen. Welche ärmlichen Winkeladvokaten. Das sag' ich unböse. Niemand soll es erfahren, aber ich muß es wissen. – Walt Whitmann: wie weit, groß, neu. *Nachlaß-Nr. 6, S. 106 v*

Daß Hauptmann selbst von dieser „Enge und Muffigkeit" bedroht war, zeigte sich, als er später erneut zu Thomas Mann Stellung nahm. Wohl rühmte er in einer Huldigung zum 50. Geburtstag Thomas Manns den soeben erschienenen „Zauberberg"–Roman als Zeugnis dichterischer Reife. (6) Doch bei der Lektüre des Romans hatte er sich einige Anmerkungen notiert, die die ‚Zeitgemäßheit' des im Roman gestalteten Ideengehalts anzweifelten. (7) Diese Kritik an der vermeintlichen Rückständigkeit des „Zauberberg"–Romans dokumentierte paradoxerweise Hauptmanns eigene, weitaus stärker ausgeprägte Rückwärtsgewandtheit:

(20.12.1924)

„Zauberberg": dies ausgezeichnete Werk? was gibt es? Was wir uns alle an den Schuhe abgelaufen haben. – (. . .) Aber das Buch hätte vor 40 Jahren genauso geschrieben werden *(können)* als heut. Es klappt nach, aber es holt auch ein. (. . .) Zeigt mir eine Idee darin, die nicht längst „abgewirtschaftet" hat. Eine, die vorwärtswiese, die auch nur wahrhaft mit Luther, Bismarck,** Nietzsche rechnete. (ibd., S. 166 v f.)

Im übrigen blieben solche Stellungnahmen zu zeitgenössischer Literatur bei Hauptmann Ausnahmen. Wenn er Beiträge fürs Feuilleton verfaßte, waren es meist Würdigungen oder Grüße zu Geburtstagsjubiläen seiner Generationsgenossen. (8) Hans v. Hülsen berichtet aus den 20er Jahren: „Über Literatur, und namentlich über zeitgenössische Literatur, spricht er nur selten, obwohl er viel liest. Es ist nicht Ängstlichkeit, was ihn zurückhaltend macht, es ist Güte". Auch der mit dem Dichter bekannte

---

* Hauptmann sollte bereits 1922 zu einer Amerikareise eingeladen werden (vgl. ibd., S. 107 v), die dann erst 1932 stattfand.

**Bismarck, den „großen Kanzler", „jenen Mann von Eisen", hatte Hauptmann in einem um 1920 entstandenen Gesang des „Großen Traums" angerufen:„Noch jetzt, wo man dein Reich in Stücke reißt, drängt jeder Atem in mir, dich zu preisen" (CA IV, 1110).

Schriftsteller Erich Ebermayer spricht euphemistisch von Hauptmanns „wohlwollend-gütiger Gleichgültigkeit gegenüber der Literatur, die nach ihm kommt". (9) So gelangte die nahezu vollständig bei Hauptmann eintreffende Verlagsproduktion zeitgenössischer Literatur auf den Dachboden des „Wiesenstein". (10) Als produzierender Autor hatte er ein bestimmtes Rezeptionsinteresse: er las mit Vorliebe Sachbücher und historische Darstellungen. (11)

Nicht nur Hauptmanns Stilkonservatismus bewirkte seine geringe Aufgeschlossenheit für die literarische Moderne. Ein lediglich auf Verehrung gestimmter Freundeskreis bestärkte ihn in einer narzißtischen Pose. Als Nestor der deutschen Literatur fehlte ihm das aufgeschlossene Interesse, das etwa Fontane in seiner Seniorenrolle anderen, jüngeren Kollegen entgegenbrachte — geschweige Thomas Manns nahezu enzyklopädische Verarbeitung des zeitgenössischen Geistes. Die innere Bezugslosigkeit Hauptmanns zum zeitgenössischen kulturellen Leben der Nachkriegszeit spiegelt sich auch in dem geradezu stupend dürftigen Versuch einer Zwischenbilanz — erschienen 1923 unter dem Titel „Germany's Idealism Undimmed" in der amerikanischen Zeitschrift „Current History and Forum". (12) Schon die erste Hälfte des Aufsatzes — eine umständliche Auslassung über die deutsche Geschichte — indiziert eine gewisse Ratlosigkeit über die ‚geistesgeschichtliche' Einordnung der Moderne. Zur zeitgenössischen Malerei und Literatur merkte Hauptmann lediglich Platitüden an und diagnostizierte nicht den Durchbruch eines neuen Lebensgefühls in der Kunst der Moderne, sondern den angeblich ungebrochenen deutschen Idealismus, der „immer im Zeichen größter Not mit vervielfachter Kraft in Erscheinung getreten ist" (13) — einer seiner Lieblingsgedanken.

In solchen öffentlichen Stellungnahmen wahrte Hauptmann bewußte Zurückhaltung. Deutlicher wurde er in den privaten Aufzeichnungen. Da heißt es dann ganz im Geiste der deutsch—völkischen Polemik gegen ‚dekadente' Literatur:

(8.11.1928)
Fürs erste will ich, solange wie möglich, die gepfefferte, paprizierte, getrüffelte, mit stechenden Eisenfeilspänen untermischte, meistens übergegangene, vielfach morphinisierte, kokainisierte moderne Geistesnahrung vermeiden. *Nachlaß-Nr. 234, S. 113*

Solche geistigen Giftstoffe vermeinte er bei der Lektüre Brechts und Bronnens festzustellen. Bei Brecht handelt es sich mit Sicherheit um das

Stück „Im Dickicht der Städte", wie das Handexemplar mit Anmerkungen im Hauptmann—Nachlaß des Märkischen Museums (Berlin—Ost) bezeugt:

(8.12.1928)
Brecht und Bronnen gelesen. Einiges. Mit Respekt. Wieviel Geist wird vertan. (...)
Brecht? Bronnen? Amerika? Karl May etc. — Diese verkappte Karl-May-Romantik. (...) Und dann das Absinthische (ein bißchen mißverstandener, nie erlebter Baudelaire). Exaltierte Absinth(iker?), die nie ein Verbrechen begangen haben noch je Absinth getrunken haben. Nachlaß-Nr. 7, S. 98
Herr Brecht: trägt zusammen wie ein Konditor und macht gepfefferte Konditorware. (S. 104)
Ich brauchte mir nur vorzustellen, diesen blödsinnigen amerikanisierenden Unsinn als mein Produkt vertreten zu müssen. Ich würde mich längst aufgegeben haben, bevor ich dazu Zynismus genug fände. (S. 102)

Vielleicht fühlte er sich an die forcierte Attitüde der krassen Boheme— und ‚Gossen'—Literatur des Naturalismus in den 80er und 90er Jahren erinnert. „Mir kommt es darauf an, ein möglichst phrasenloses, ein möglichst erlebtes Werk zurückzulassen" (14), lautet eine von ihm 1912 formulierte poetologische Maxime — die allerdings kaum auf den nichtnaturalistischen Teil seines eigenen Werks zutrifft. Phrase, Artistik, Unechtheit war ihm jedenfalls die Dichtung der 20er Jahre:

(Dezember 1928)
Die heutige Literatur ist nur männliche Hysterie. — Die Journalistik Hysterie, soweit sie sich nicht zum Zynismus erhoben hat. — Zynismus auf diesem Gebiet ist gesund. Nachlaß-Nr. 21, S. 83 v
Was ihr da macht, Bronnen, Brecht, Döblin, das ist „Zeugs"! (S. 87)
Was ist mir die sog. schöne Literatur? Ich kenne sie nicht und will nichts zu ihr beitragen. Ich will mich nur mitteilen. Das ist einfach sozial und ohne gemeinschaft(...?) Geist. (S. 65)

Stilistische Prägnanz und Eleganz waren für ihn geradezu Merkmale des Undeutschen: „Sprachschliff ist kalte Ausländerei" (15) — „Die wahrhaft deutschen Bücher (besser Autoren) sind schwer zu ergründen, darum ist ‚Zarathustra' kein deutsches Buch" (16). Solche Sentenzen verweisen auf den sich in den 20er Jahren ausbreitenden aufklärungs- und zivilisationsfeindlichen Irrationalismus, auf das „diffuse Verlangen vieler Zeitgenossen nach Innerlichkeit und Tiefe" (K. Sontheimer) — gemäß einem Ausspruch Alfred Bäumlers: „Was wirklich tief ist, ist auch wahr". (17)

Im allgemeinen speiste sich die ablehnende Haltung konservativer und völkischer Autoren gegenüber der künstlerischen Moderne aus einem Affekt gegen die angebliche Überfremdung der deutschen Kultur: gegen die „Fremdländerei" (W. v. Molo), die „Bevorzugung ausländischer Autoren" (W. Schäfer) auf den Bühnen der Reichshauptstadt. (18) Auch Hauptmann wollte nichts „mit englischen Tommies in unserer Literatur zu tun" haben (Nachlaß-Nr. 10, S. 60 v) und schloß sich der Polemik gegen den ‚internationalen' Literaturbetrieb in Berlin an:

(20.2.1926)
Diese Berliner Kritiker, außer Kerr, nehmen (. . .) die Kunst auf die leichte Achsel. (. . .) Jedenfalls, der Bankrott ist angesagt. – Und eine Stadt wie Berlin – sie wird international ruiniert. Kein Engländer läßt sich durch London unterdrücken – aber viele Deutsche (geistig) durch Berlin. – Wir müssen – dramatisch – vielleicht in Baden-Baden wieder zu leben beginnen. *Nachlaß-Nr. 51, S. 76*

Zwar ging Hauptmann in der Anfeindung Berlins nicht so weit wie die Völkischen. In einem Brief an Hans v. Hülsen meinte er 1931: „Der Ruf aber ‚Zurück zur Provinz' schließt in sich eine Absage gegen Berlin, die ich nicht unterschreiben kann" (Nachlaß–Nr. 716, S. 90). Aber in seine Berlin–Kritik mischte sich ein Moment der Unzufriedenheit, das den Ressentiments zu kurz gekommener völkischer Außenseiter verwandt war. Denn Hauptmann befand sich während jener Jahre in einer gewissen künstlerischen Krise, die sich auch in dem zunehmend gespannten Verhältnis zu seinem Verleger S. Fischer ausdrückte. (19) Seine bis in die Nachkriegszeit ungebrochene Geltung im Berliner Theaterleben hatte nicht zuletzt auf dem Bühnenkonservatismus Max Reinhardts beruht, der der modernen Dramatik nur zögernd Interesse entgegenbrachte. (20) Nun aber, in der ersten Hälfte der 20er Jahre, war Hauptmann kein großer Theatererfolg mehr beschieden gewesen, er stand im Hintergrund des von Expressionismus, Klassiker-Experiment, Agitprop und Boulevardkonfektion beherrschten Theaterlebens. So wandte er sich mehr der epischen Gestaltung zu, – wie er Max Reinhardt mitteilte – „aus Uninteressiertheit den diffusen Tendenzen des augenblicklichen deutschen Theaters gegenüber, die *(muß heißen: das)* von der lächerlichen Vatermörderei bis zu Shaw etwas Grundkräftiges und Wahres nicht mehr bietet" (Nachlaß–Nr. 708, S. 78). Reinhardt hatte 1920 die Direktion seiner Berliner Theater niedergelegt. Zum führenden Mann des Berliner Theaterlebens war inzwischen Leopold Jessner avanciert, der 1919 die Leitung des

Staatlichen Schauspielhauses Berlin übernommen hatte. Jessner, Jude und Sozialist, verhalf dem expressionistischen Drama zum Siegeszug. — Hauptmann fühlte sich von dem neuen Theatertrend vernachlässigt, und dabei ist eine Umsetzung seiner Unzufriedenheit in ideologisch gefärbte Ressentiments zu beobachten:

(nach dem 29.2.1926)
(. . .) wo sind die Träger meines Werkes? Das Theater? Gemeine, nichtsnutzige Nutznießer, nichts andres! — Das Berliner Staatstheater, ein gesichtspunktloser, verantwortungsloser Fremder! Fremdling der deutschen Kultur. Vielleicht ein leidlicher Organisator der Kassenverhältnisse, aber ein Mann *(Jessner?)* ohne Gefühl für Deutschland und deutsche Literatur. (. . .) Das deutsche Theater ist keine Konfektion (. . .) wie die Mode vom Jahre 1925. *Nachlaß-Nr. 51, S. 81 v f.*

Überhaupt war die Geschäftstüchtigkeit anderer für Hauptmann suspekt. Auch Reinhardt blieb in diesem Zusammenhang nicht verschont. Er sei „im lächerlich Materiellen ersoffen" (ibd.), meinte Hauptmann mit Blick auf den zum Konzern ausgewachsenen Reinhardtschen Gastspieltheaterbetrieb, der in der Nachkriegszeit die europäischen Grenzen überschritt und „im Sinne einer ökonomischen Expansion zum Welttheater" (H. Braulich) wurde. (21)

Eine hartnäckige Verstimmung gegen Max Reinhardt hielt sich bei Hauptmann, weil Reinhardts Inszenierungen von „Dorothea Angermann" (November 1926 in Wien, Oktober 1927 in Berlin) nicht recht reüssiert hatten. Als Reinhardt Ende 1927 auf eine mehrwöchige Tournee nach Amerika ging, um dort neun seiner Inszenierungen vorzuführen, blieb dem Stück wiederum ein überzeugender Erfolg versagt.* Vermutlich in Anspielung auf die Feier der Berliner Schauspielerschaft zum 20. Jahrestag der Übernahme des Deutschen Theaters durch Max Reinhardt, an der Hauptmann selbst teilgenommen hatte, grollte er nun:

(nach dem 19.1.1928)
Meine Herren, geben wir uns keiner Täuschung hin: zu einer Reinhardt-Feier lag auch nicht der geringste Anlaß vor (. . .), und Reinhardt (. . .) — was hat er nach allem Liebeswerben getan? Amerika — Verrat deutscher Kunst! Gemeine Geschäftsmache. *Nachlaß-Nr. 51, S. 71*

---

* Die drei erfolgreichsten Inszenierungen der Tournee waren „Sommernachtstraum", „Der lebende Leichnam" und „Dantons Tod". (23)

Dieselbe ressentimentgeladene Unzufriedenheit Hauptmanns kam in den Querelen mit seinem Verleger S. Fischer zum Ausdruck: „Habt ihr einen jüdischen Verlag oder habt ihr einen deutschen Verlag" (Nachlaß--Nr. 227, S. 55 v). Dabei bewies Hauptmann selbst eine enorme Geschäftstüchtigkeit im Umgang mit S. Fischer. Er hielt sich persönlich zwar meist aus den Verhandlungen heraus, versuchte aber über Dritte, „aus dem geplagten Freund (. . .) herauszuholen, was nur irgend möglich war. (. . .) Es war zuzeiten sogar recht häßlich", was sich nach dem Urteil Peter de Mendelssohns zwischen Autor und Verleger abspielte. (28) Auch in der Wahrnehmung der sog. Nebenrechte — Vorabdrucke in der Presse, Verfilmungen seiner Werke (acht bis 1928) — zeigte sich Hauptmann der kommerziellen Kunstauswertung nicht abgeneigt. Andrerseits forderte die verstärkte Kommerzialisierung des kulturellen Lebens nach 1918 seine konservative Kulturkritik heraus: „Sowohl die Kunst als die Wissenschaft stehen nicht mehr auf der reinen, unberührbaren Höhe. (. . .) Zu Goethes Zeit blieben Wissenschaft und Kunst vor den blutigen Stümpereien der rein merkantilen Politik bewahrt" (Nachlaß—Nr. 706, S. 73). Auch hier reproduzierte sich also die für Hauptmann typische psychologische Figur: Teilhabe bei innerem Vorbehalt. — In seiner Abneigung gegen den Kulturbetrieb ging er sogar so weit, die Funktionslosigkeit der Kunst als Widerstand gegen die Vereinnahmung durch den Markt zu fordern: „Gehe noch mehr ,abseits': Die Unverwendbarkeit der Produkte für Kino, Theater und Buchmarkt beweist ihre größere Echtheit, Wahrheit und Tiefe" (Nachlaß—Nr. 7, S. 44).

Der radikalen Veränderung der öffentlichen Kommunikation, dem beginnenden Siegeszug der Massenmedien Presse, Rundfunk, Kino stand er skeptisch gegenüber. Seine Einwände gegen die rasant expandierende Publizistik der 20er Jahre — insbesondere die Illusionswelt der Magazine — erscheinen wie eine Antizipation der Gegenwartskritik an der manipulativen „Bewußtseins—Industrie" (H.M. Enzensberger) (24):

(11.11.1930)
Es ist eine Zerstörung der Persönlichkeit im Gange. Mit dem Vielzuviel der Zeitungen und der Magazine, des Radio(s) und des Film(s) wird sie ausgelaugt und ausgesogen. Der Samsara* erdrückt, begräbt, erstickt sie. Ignoranz wird bald der einzige Schutz dagegen sein, und man wird sie zu glorifizieren haben.

---

* Samsara = buddhistisch: der endlose Kreislauf von Tod und Wiedergeburt.

Ein Faktor von dieser zerstörenden Art: das Scherl-Magazin**. Der konservative Herr Hugenberg übertrifft darin weit die sogenannte jüdische Presse an Skrupellosigkeit und Charakterlosigkeit. Es ist ein ausgemachtes barbarisierendes und demoralisierendes, keineswegs demokratisierendes seelisches Vernichtungsinstrument. Vorarbeit für das Sowjetideal der Masse, die nur noch aus Nummern, nicht mehr aus Menschen besteht, in der „Persönlichkeit" den neuen Verbrechertypus bildet. *Nachlaß-Nr. 234, S. 150 f.*

Die politischen Implikationen dieser Massenpresse wurden von Hauptmann ganz richtig eingeschätzt. Der demagogischen Wirkung des antidemokratisch-nationalistischen Pressekonzerns Hugenbergs sollten die Nationalsozialisten bei den Märzwahlen 1933 trotz ihrer kümmerlichen Parteipresse hohe Wahlerfolge verdanken (in Mecklenburg z.B. 53 Prozent). (25)

Die weitverbreitete Sehnsucht, der technischen Zivilisation des 20. Jahrhunderts zu entfliehen, führte auch bei Hauptmann zu kulturreaktionären Abwehrhaltungen. Er befürwortete eine radikale Rückbildung der Öffentlichkeitssphäre: „Ich bin so grundsinniger Deutscher, daß ich fast wünschen möchte, den ganzen Zeitungsbetrieb abzubauen und nur Bühnen zuzulassen (...)" (Nachlaß–Nr. 3, S. 13 v). Diese Identifizierung von Deutschtum und Kultur war ein Relikt aus der wilhelminischen Zeit, gespeist aus dem Affekt gegen die westliche ‚Überfremdung', insbesondere die Amerikanisierung des Lebensstils. So war Hauptmann anfällig für den völkisch–konservativen Kulturpessimismus der Weimarer Zeit und seine sich radikalisierenden Parolen von einer angeblichen Kulturdekadenz. Auch das sollte ihn 1933 bis zu einem gewissen Grade empfänglich für die ‚nationale Revolution' machen.

2. Künstlerischer Rückzug aus der Gegenwart

Nach der erneuten Lektüre von Langbehns „Rembrandt als Erzieher" notierte Hauptmann 1925 über seine eigene literarische Entwicklung:

(15.1.1925)
Wieder gefühlt, was mir Rembrandt ist und sein muß. Rembrandtisch begann ich. Das Rembrandtsche ist dann zurückgeblieben. Oft denke ich, es hätte rein bis zu

---

** „Berliner Illustrierte Nachtausgabe" (Auflage 250 000), Sensationsblatt mit stark nationalistischer Tendenz.

Ende geführt werden sollen, zur höchsten Steigerung. Was ist davon noch zu retten? Sehen wir zu. *Nachlaß-Nr. 234, S. 87*

Rembrandt stand für das ästhetische Credo seiner Frühzeit: für die „volle, treuherzig—ehrliche Wahrheit von ‚Vor Sonnenaufgang' " (Nachlaß—Nr. 11 b, S. 358 v). Eine Neigung zur Zeitflucht — zum erstenmal um die Jahrhundertwende, dann wieder während des 1. Weltkriegs — hatte die Abwendung von den Prinzipien des Realismus verstärkt. Sosehr auch die Erfahrungen des 1. Weltkrieges ihren stimmungshaften Niederschlag in dem Opferdrama „Der weiße Heiland" gefunden haben mögen — die zeithistorische Beziehungslosigkeit von Werken wie der „Winterballade" (1917), des Lustspiels „Peter Brauer" (1921) oder von „Indipohdi" (1922) ist offensichtlich. Mit ihnen hatte Hauptmann kaum etwas in der dunklen Nachkriegszeit zu sagen, „was über den Premierenglanz hinaus Licht in unsere Welt getragen hätte" (Frank Thieß). (26)

Während sich in der zweiten Hälfte der 20er Jahre die Neue Sachlichkeit durchsetzte und eine stärkere Gegenwartsbezogenheit der Kunst eröffnete, setzte bei Hauptmann eine „Rückwendung" (P. de Mendelssohn) ein. (27) Er ließ zwar ab von den märchenhaften und mythisch—allegorischen Stoffen, kehrte sich jedoch nicht der Zeitsituation zu, sondern seinem zurückliegenden Leben, um es in zahlreichen Prosawerken mehr oder minder autobiographisch verhüllt aufzuarbeiten. Auch „Dorothea Angermann" mit ihren stofflichen Anleihen aus der Autobiographie ist schon dieser Phase zuzurechnen.

Zwischendurch schloß er sich — durchaus innerhalb des autobiographischen Rahmens — mit dem „Berliner Kriegs—Roman" (1928—29) der 1927 einsetzenden Literatur über den 1. Weltkrieg an. Dieser unvollendet gebliebene Roman läßt sich auch in Zusammenhang mit dem seit längerem geplanten Projekt eines „Gegenwartsromans" („Der Tribun") bringen. Unter dem Arbeitstitel „Graf Y(or)k", hatte Hauptmann bereits 1923 einen ersten Ansatz zu einer Gegenwartstrilogie unternommen. (28) Das Fragment des „Berliner Kriegs-Romans" würde als Mittelstück in das von Hauptmann entworfene Schema dieser Gegenwarts—Trilogie hineinpassen.

(25.1.1923)
Betrachte dich dabei nicht als Romanschreiber, auch nicht so sehr als Dichter, sondern vielmehr als Geschichtsschreiber, also Historiker.
Das Werk soll drei Bände haben.
Band I: Wilhelminisch. Vorkriegszeit. *(„Graf Yk.")*
Band II: Krieg. *(„Berliner Kriegs-Roman")*

Band III: Die Republik und der Nachkriegszustand. *(„Der Tribun")*
Es wird darauf ankommen, systematisch für den Roman zu sammeln. (CA XI, 231 f.)

Auf dasselbe Vorhaben eines epischen Gegenwartspanoramas deutet eine Aufzeichnung ein Jahr vor Beginn des „Berliner Kriegs–Romans" hin:

(21.4.1927)
Im allgemeinen halte ich mich an den Kreis meiner Erlebnisse. Das scheint Beengung, kann aber auf Vertiefung hinauslaufen. Mein Drang, alles zu umfassen, muß dabei zurücktreten. Läge die Konsequenz dazu auf einem anderen Wege bei mir, so hätte ich mich zehn Jahre in das Studium Berlins vertieft: Reichstag, Regierung, sogenannte Gesellschaft, Berlin W-Gesellschaft, Gerichtssäle, Theater, Zirkus, politische Parteien und ihre Klientel an Bürgern und Arbeitern, Krankenhäuser (. . .), vor allem aber die Polizei. Ich habe ja Beziehung auch so zu alledem gewonnen, aber doch nur beiläufig. Noch immer könnte ich einen Berliner Roman schreiben, aber damit würde Berlin nicht die ungeheure Heldin sein, wozu ich sie im anderen Falle gemacht hätte. (ibd., S. 94).

Deutlich treten hier die beiden Pole der dichterischen Eigenart Hauptmanns zutage: einerseits die sich aus dem „Kreis" der autobiographischen Erlebnisse speisende realistische Tendenz, zum anderen der „Drang, alles zu umfassen", in mythisch-symbolischer Weise zu gestalten. Diesem Drang zur Totalität der künstlerischen Weltergreifung glaubte Hauptmann auf dem „anderen Wege", dem der Realitätsbeobachtung und –gestaltung, nicht Genüge tun zu können. Totalität extensiv, empiriegesättigt, zu gestalten – diese Möglichkeit sprach Hauptmann sich zwar zu, aber er gestand sich ein, daß seine Realitätserfahrung für einen Zeitroman zu „beiläufig" war. Es ist daher kein Zufall, daß der „Berliner Kriegs–Roman" wie so viele andere Arbeiten Hauptmanns Fragment geblieben ist: die autobiographische Basis war zu schmal für die Erfassung dieser Epoche des Kriegs und Nachkriegs. Zugleich zeigte sich in diesem Scheitern die Abdankung des traditionellen Erzählstils. Ein episches Gegenwartspanorama war nur mit neuen Kompositionstechniken herstellbar, wie sie etwa Alfred Döblin in „Berlin Alexanderplatz" verwendete.
Auch ein anderer Versuch, sich mit den durch den Krieg verursachten Umwälzungen auseinanderzusetzen, blieb unvollendet: „Herbert Engelmann" (1924). Es scheint, daß Hauptmann beide Arbeiten nicht zu Ende

führte, weil sie ihn mit einer Problematik beschäftigten, die bis in die politische Gegenwart reichte und die von Hauptmann auf der intellektuellen Ebene ebensowenig bewältigt war wie von seinem Helden Herbert Engelmann im Psychischen. Daß Hauptmann in jener Zeit nicht den erforderlichen inneren Abstand zu dieser Thematik hatte, bestätigte er selbst später (1941) in einer Bemerkung zu C.F.W. Behl, er wolle das Drama noch einmal neu schreiben, die Atmosphäre der Nachkriegszeit wesentlich verdichten und den historischen Aspekt verstärken. (29)

Wie Hauptmann die Auseinandersetzung mit der Nachkriegsrealität zugleich suchte und verdrängte, wird ebenfalls in dem Versepos „Till Eulenspiegel" sichtbar. Das Werk ist Zeugnis der Beschäftigung Hauptmanns mit dem traumatischen Erlebnis des Krieges und seinen Folgen. Es ist erfüllt von der „Sorge um Deutschland" — Leitmotiv Tills in den ersten sieben Abenteuern und Ausdruck der eigenen Betroffenheit des Autors. Freilich ist die Nachkriegsrealität im Epos nicht thematischer Gegenstand, sie gilt nur als eine von vielen Erscheinungsformen der von Leid bestimmten Wirklichkeit und wird im Epos mehr und mehr transzendiert. „Die im Verlauf des Epos sich steigernden utopischen Phantasien in mythischen Bildern sind Versuche der Erlösung (...). Das pädagogisch— aufklärerische Ethos wird zugunsten der Reduzierung auf das sich mythisierende, absolut gesetzte Ich aufgegeben" (C. Büttrich). (30) Diese Struktur des Werkes entspricht auch der entstehungspsychologischen Selbstinterpretation durch Hauptmann: „Mein ‚Till‘ ist ein Werk, das nur aus der Nachkriegszeit entstehen konnte. Durch alle Poren drang die Zeit in diese Dichtung ein. Es war eine Art Notwehr gegen die Trübsal und albhafte Problematik der Gegenwart. Ich schlüpfte in Till hinein und fühlte mich immer glücklich, wenn ich Till war. Durch ihn und mit ihm genoß ich die Zeit — trotz allem —, wie er selbst ja genießt und sich in seiner Phantasie erlöst (!)". (31)

Wie das Till—Epos war auch die Roman—Utopie „Insel der Großen Mutter" ein Gegenentwurf zur Gegenwartsrealität. Die Abwendung vom Zivilisatorisch—Rationalen war die Losung des Tages, mit der „Insel der Großen Mutter" griff Hauptmann das Thema des Abwerfens der Zivilisationslast und der Einkehr in ein Leben paradiesischer Einfachheit unter dem Vorzeichen des Mutterkultes auf. (32)

Hauptmann wurde in diesem literarischen ‚Eskapismus‘ durch seine politisch—soziale Bezugslosigkeit bestärkt. Sie hielt ihn — trotz einer nach wie vor virulenten Tendenz zum Realismus — letztlich davon ab,

Gegenwartsthemen aufzugreifen. Aufschlußreich dafür ist die Ideen–Skizze zu einem Drama über die politische Gegenwart von 1930. Seine Verwirklichung hätte ein interessantes literarhistorisches Pendant zu Ödön von Horvaths Zeitstück „Italienische Nacht" ergeben:

(31.10.1930)
Wie sehen diese kämpfenden Ideen aus? Ein Drama zum Beispiel: ein entlegenes Dorf gibt die ganze innerpolitische Situation. Dreiundneunzig Kommunisten werden von etwa einhundertsechsunddreißig Nationalsozialisten überstimmt. Diese hat der Gasthofbesitzer, ein kluger Mann, ohne das nationalsozialistische Programm zu kennen, lediglich aus dem Kampf gegen die Kommunisten aus der Erde gestampft. Der Kommunistenführer heißt John. Wer ist dieser John? Wie sehen die Nationalsozialisten aus? wie die Kommunisten? Ein mystisches Motorrad erscheint von Zeit zu Zeit bei John. John droht die kleinen Kätnerbesitzer aus ihren Häusern zu werfen. Der Nationalsozialist soll das verhindern, an Antisemitismus denkt sein Wähler nicht. Hier ist die Wahrheit des innerpolitischen Bildes in nuce. Aus diesem Boden könnte wohl eine Tragikomödie informierender Kraft hervorwachsen. Man müßte allen Beteiligten sehr gründlich auf den Zahn fühlen. *Nachlaß-Nr. 234, S. 147*

Wenn diese Dramenskizze auch keinen näheren Vergleich mit dem soziologischen Scharfblick Horvaths in der „Italienischen Nacht" zuläßt, so ist doch ein wesentlicher Unterschied des Milieus zu erkennen. In der „Italienischen Nacht" wird in erster Linie das tragikomische Versagen der republikanischen Mitte, der lauen, wankelmütigen und passiven Demokraten vorgeführt. Dieser Aspekt erscheint in der Dramenskizze Hauptmanns ausgespart. Spielt das Horvathsche Stück in einer „süddeutschen Kleinstadt", so ist bei Hauptmann ein „entlegenes Dorf" der Schauplatz, der eine Einbeziehung der bürgerlichen Mittelschicht ausschließt. Hauptmanns Dramenidee macht sich zwar ebenfalls die Polarisierung der innenpolitischen Szene — eine schon in sich dramatische Struktur — formal zunutze. Doch im Gegeneinander der politischen Extreme und ihrer tragikomischen Aufhebung hätte Hauptmann wohl weniger klar als Horvath Stellung bezogen. Die Ausblendung der politischen Mitte — Hauptmanns eigener Position — aus der dramatischen Auseinandersetzung „aller Beteiligten" scheint symptomatisch für seine gesellschaftspolitische Entscheidungslosigkeit zu sein.

Der Abstand zur Realitätsnähe seiner Frühzeit, der soziale Entfremdungsprozeß in seinem exklusiven Dichterleben manifestierte sich just zu diesem Zeitpunkt in dem „Gruß an die Weber des Eulengebirges".

Hauptmann hatte das Webergebiet 1891 bei seinen Vorstudien für die „Weber" bereist und erhielt Ende 1930 von dem „Proletarier im Eulengebirge" die Bitte um einen Beitrag zu diesem ‚Jubiläum'. „Grüßen Sie die Weber des Eulengebirges", lautet der unfreiwillig komisch anmutende Schluß von Hauptmanns Antwort, „und sagen Sie ihnen, daß ich hoffe, nach langer, langer Zeit nächstens bei ihnen einmal wieder aufzutauchen". (CA XI, 1096)

In den vierzig Jahren seitdem war er nie in Kontakt mit der modernen Arbeitswelt gekommen. Zwar kannte er das Landarbeitermilieu gründlich aus eigener Anschauung, doch der Typus des großstädtischen Industriearbeiters ist nie in sein Blickfeld gerückt. Es scheint, als sei er sich dessen erst sehr spät bewußt geworden – gelegentlich einer Eisenbahnreise, auf der er Bahnarbeiter beobachtet hat:

(13.4.1937)
Neues wichtiges Begreifen des Proletariats. – Klein-Großfunktionär. Ohne ihn ist keine Maschine, kein Eisenbahngleis, keine Maschine: kooperativ. (...) Vor dem Industriearbeiter: Hüte ab! Ich möchte, wenn ich jung wäre, einer sein! *Nachlaß-Nr. 117, S. 59 v*

In dem Zyklus seiner naturalistischen Dramen fehlte dieser Sozialausschnitt. Diese Einsicht war für Hauptmann offenbar mit einer Art Selbstvorwurf verbunden, den er sogleich mit dem Hinweis auf seine „Volksverbundenheit" beschwichtigte:

(9.4.1938)
Ich habe niemals eigentlich den deutschen Arbeiter geschildert. Im übrigen aber hat es in Deutschland noch nie einen Dichter von gleicher Volksverbundenheit gegeben. *Nachlaß-Nr. 269 A3, S. 83*

Es war freilich eine Art von Volksverbundenheit, die nicht unbedingt den spontanen sozialen Kontakt einschloß. Dies hatte Harry Graf Kessler im Dezember 1922 feststellen müssen (33):

Da heute abend eine große Feier der sozialistischen Jugend Haags für den Gewerkschaftskongreß im Zoologischen Garten war, versuchte ich Hauptmann zu bestimmen, mit mir einen Augenblick hinzufahren und ein paar Worte zu sprechen. Zuerst nahm er an, dann kamen ihm aber Bedenken, es sei vielleicht eine Parteisache, er könne nicht frei sprechen, es komme ihm etwas plötzlich, er könne nicht recht übersehen, was er damit tue usw. (...).

Schade, daß der Dichter der „Weber" und des „Hannele" sich nicht bewegen ließ, plötzlich inmitten dieser frischen Proletarierjugend zu erscheinen! Aber es bestätigt meine arevolutionäre Einschätzung Hauptmanns. Aber jetzt ist dieses Arevolutionäre schon fast bis zum Geheimrätlichen gediehen.

Hauptmann war sich dieser Erstarrung bewußt, denn er stellte selbstkritisch fest, daß seine literarischen Ressourcen zu sehr von einem am traditionellen Bildungsgut sich nährenden Kulturkonservatismus geprägt waren:

(nach dem 21.4.1931)
Ich war ein Ausbrecher, als ich begann. Vielleicht treibe ich heut zuviel literarische Inzucht. — Weiter! Weiter! — Man soll nicht immer auf Weimar starren, nicht immer auf Luther starren (. . .). *Nachlaß-Nr. 7, S. 348 v*

X PREUSSISCHE AKADEMIE DER KÜNSTE

1. Gründung der Sektion für Dichtkunst

Hauptmanns Verhalten gegenüber der Sektion für Dichtkunst der Preußischen Akademie der Künste ist ein aufschlußreiches Kapitel über sein dichterisches Selbstverständnis. Bei der Vorgeschichte der 1926 gegründeten Sektion für Dichtkunst war Hauptmann zunächst mit im Spiel. Zu Beginn der Weimarer Republik hatte er unverkennbar das Bedürfnis geäußert, sich aktiver am öffentlichen Leben zu beteiligen. So begrüßte er Anfang 1919 die Idee von Richard Strauss, ein Künstlerparlament zu schaffen, das weitgehende Befugnisse in der Beratung der kulturellen Gesetzgebung haben sollte.* In dem Entwurf eines Antwortbriefes an Strauss erklärte Hauptmann:

> Was Sie in Ihrer Zeitschrift an die Zentrale *(für Heimatdienst)* gesagt haben, finde ich übrigens ausgezeichnet. ⟨Das Künstlerparlament⟩ Sie machen jedenfalls praktische Vorschläge (. . .).
> Man kann nicht zweien Herren dienen. Wenigstens ich kann es nicht. Um etwas Fruchtbares durchzusetzen, müßte man sich ganz und gar der Politik widmen, sie zur alleinigen Lebensaufgabe machen. Das können wir nun einmal nicht. Dazu haben wir zu eingefleischte Gewohnheiten und Neigungen auf einem anderen Gebiet. (. . .) Möchte die Nationalversammlung etwas Schwung, Geistigkeit, ja zum Teufel nochmal Größe bekommen. Dafür selbst in der Revolution um so mehr trockenes, kleinigkeitskrämerisches Philisterium. *Briefnachlaß-Nr. I, s.v. Strauss, Richard*

Politik, so erkannte er, war für ihn nicht das angemessene Betätigungsfeld, wohl aber die Mithilfe bei kulturpolitischen Initiativen. Aus dieser Bereitschaft resultierte wohl auch Hauptmanns 1919 erfolgende Aktivität bei der Erörterung des Planes, eine Dichterakademie zu schaffen. Über Hauptmanns Rolle bei diesem Projekt informieren die „Aktenmäßigen Feststellungen der Akademie der Künste zum Fall Hauptmann", die der Akademie–Präsident, Max Liebermann, 1926 im „Berliner Tageblatt" veröffentlichen ließ, als Hauptmann überraschend den Eintritt in die

---

* Strauss hatte Hauptmann eine Abschrift seines Schreibens an die „Zentrale für Heimatdienst" vom 13.1.1919 zukommen lassen (s. Briefnachlaß I, s.v. Strauss, Richard).

Sektion ablehnte. (1) Diesen „Feststellungen" zufolge hatte Hauptmann mit dem damaligen Akademie—Präsidenten Prof. Manzel mehrmals mündlich und brieflich Kontakt in dieser Frage. In einem ausführlichen Schreiben vom 8. März 1919 unterrichtete Manzel Hauptmann, daß an eine Höchstzahl von fünf Mitgliedern gedacht sei und man in erster Linie an ihn, Hauptmann, denke. Außerdem erbat Manzel den Rat Hauptmanns bei der Aufstellung einer Vorschlagsliste für den Kultusminister Haenisch. Hauptmann, der in der Schweiz weilte, antwortete telegraphisch: „Je mehr ich nachdenke, je schwieriger scheint mir Problem. Bin Mitte Mai Berlin, möchte mich mündlich Ihnen gegenüber aussprechen." Welche Bedenken hatte Hauptmann? Bei der dann in Berlin erfolgten Besprechung mit Manzel und Klimsch nannte Hauptmann eine Reihe von Kandidaten und sprach sich auch nicht gegen seine geplante Ernennung aus. Auch soll er sich gegenüber dem ihm befreundeten Bildhauer Klimsch wiederholt günstig über diesen Plan ausgesprochen haben.

Nicht nur mit Akademie—Mitgliedern diskutierte Hauptmann die Idee einer Dichterakademie, sondern auch mit einem „bedeutenden Staatsmann": seinem Freund Walther Rathenau. „In manchen Nächten haben wir diesen Plan durchgesprochen", erinnert Hauptmann sich 1929 (Nachlaß—Nr. 7, S. 149 v, 150 v). Die nächste Spur findet sich 1923, als Hauptmann den Orden pour le merite empfing: für ihn ein Anlaß, um über eine der Academie Francaise vergleichbare deutsche Institution nachzudenken:

(26.6.1923)
(...) Mit Emil Ludwig und Frau sowie Fritz v. Unruh nachher zusammen *(im Hotel)* Adlon. (...) – Von Tisch aufgestanden, ins Palais des Reichspräsidenten zum Tee. (...) Unruh, Haenisch, der Reichspräsident und, außer Frau Ebert, Grete*. Der Gedanke, nach und nach eine autori(ta)tive Instanz von Geistigkeit zu schaffen, ähnlich der französischen Akademie. Einige große Preise von ihr verliehen, vom Präsidenten überreicht. Politisiert wurde nicht. (...)
Die (Pour le merite-)Kapitelsitzung am Sonntag. (...) Zugegen, mir bekannt, außer Harnack, Liebermann, (...) Einstein, Wilamowitz-Moellendorff (...). Denkwürdiger Eindruck. Hier bröckelte eine Akademie, wie sie im Teegespräch ersehnt und erstrebt wurde. Von den dreißig Unsterblichen, sind, glaube ich, fünf oder sechs über achtzig Jahr. *Nachlaß-Nr. 234, S. 78*

---

*Margarete Hauptmann

Als jedoch 1926 vom preußischen Kultusminister Becker an Hauptmann die Einladung erging, als Gründungsmitglied der geplanten Sektion für Dichtkunst zu fungieren, lehnte Hauptmann ab. Es war eine große Enttäuschung für die Beteiligten, daß der Mann, „auf den hin vielleicht überhaupt der Gedanke an die Gründung unserer Sektion entstanden sein mag" — so der Sektionsvorsitzende Wilhelm v. Scholz im März 1928 (2) — mit seiner Absage das so lange diskutierte Gründungsvorhaben gleich zu Anfang wieder in Frage stellte.

Hauptmann unterrichtete den Kultusminister in einem Schreiben über die Gründe für seine Absage (3): Er halte zwar eine Akademie der Wissenschaften, bildenden Künste und der Musik sowie die damit verbundenen Lehrinstitute für eine staatliche Notwendigkeit, nicht jedoch ein Dichterkollegium. Er selbst könne weder eine unbewußte noch bewußte Führerstellung auf dem Gebiet der Dichtkunst für sich beanspruchen. Den letzteren Gedanken hatte er in einem Vorentwurf des Schreibens noch stärker betont:

Das hohe Ministerium für Wissenschaft, Kunst und Volksbildung hat den Begriff „führende Dichter" geprägt. Es tut mir leid, sagen zu müssen, daß es meines Erachtens in der Dichtkunst eine Führung nicht geben kann. Wenn es indes eine solche doch gibt (. . .): ich bin ganz gewiß kein führender Dichter. Und auch das ist ein Grund, weshalb ich in einem Kollegium führender Dichter nicht am Platze bin. *Nachlaß-Nr. 269, Fasz. 10, S. 7*

Abgesehen von diesem kapriziös vorgebrachten Bescheidenheitstopos — Hauptmann war nicht der einzige, der an dem Begriff Dichterakademie Anstoß nahm. Thomas Mann tat es ebenfalls, und Otto Flake meinte, der Typus des Schriftstellers zwar lasse sich einigermaßen definieren, aber ein „Mann von Geschmack" bezeichne sich überhaupt nicht als Dichter in der Öffentlichkeit. (4) Auch für Hauptmann war dies eine Geschmacksfrage, doch er glaubte im Gegensatz zu Thomas Mann und Flake an einen essentiellen Unterschied zwischen Dichter und Schriftsteller. Hinter dieser Begründung steckte freilich noch ein anderes Motiv, das ihn uneingestandenermaßen von einem Beitritt in die Sektion abhielt. Hauptmann spürte selbst wohl zu diesem Zeitpunkt, wie Peter de Mendelssohn in seiner Essaysammlung „Von deutscher Repräsentanz" konstatiert, daß „seine Form der Repräsentanz unzulänglich geworden war". (5) Ersetzt man in der Argumentation Hauptmanns den Begriff „Dichter" durch „Schriftsteller", so wird deutlicher, was er meinte. Schon 1921 hatte er — in der

Rede „Deutsche Wiedergeburt" — seine „Schwäche" als „Schriftsteller" zugegeben, die ihn wünschen ließe, es käme „mehr Einfachheit, mehr Simplizität in das immerwährend öffentlich tagende deutsche Konzilium hinein". Er war also gewiß kein „führender Schriftsteller" in dem Sinne, daß er Freude an der Mitarbeit in einem Gremium hatte, dem kulturpolitische Funktionen zugedacht waren. Die Aussicht auf intellektuelle Konfrontationen in den Sitzungen der geplanten Institution schreckte ihn eher ab. Er gab in einem der Entwürfe sogar offen seine Befürchtung zu, „in einem staatlichen Dichterkollegium vor der deutschen und europäischen Öffentlichkeit (. . .) zu scheitern" (Nachlaß—Nr. 269, Fasz. 10, S. 3).

Die zahlreichen Entwürfe zu dem Absagebrief an Minister Becker bezeugen, wie schwer sich Hauptmann mit der Begründung tat. So führte er anfangs ein Argument an, das er in der Endfassung des Briefes weggelassen hat:

Der Eintritt würde mit der Übernahme eines verantwortlichen Staatsamtes auf dem Felde der Dichtung nahezu gleichbedeutend sein. Das würde, wie ich nun einmal geartet bin, ein Gefühl von Unfreiheit durch Rücksichtnahme in meine Produktion bringen, von der ich diese ganz und gar freizuhalten gewohnt und gebunden bin. Es würden sich vielleicht Beengungen einschleichen, die mich eines Tages zwingen müßten, das hohe Staatsmandat niederzulegen, was ich lieber im vorhinein ausschließe. (ibd., S. 9)

Das Motiv der Sorge um seine persönliche Freiheit wiederholte Hauptmann in einem Interview mit dem „Boten aus dem Riesengebirge" vom 30.5.1926, zu dem er sich angesichts der ziemlich einhelligen Kritik an seiner Ablehnung in der Tagespresse veranlaßt sah. (6) In diesem Interview verwahrte Hauptmann sich nachdrücklich gegen eine politische Interpretation seines Schrittes und bekannte sich unter Berufung auf die „Kundgebung" vom November 1918 zur Republik und ihren Institutionen — eine in diesem Zusammenhang freilich wenig glaubwürdige Versicherung.

Auch in diesem Fall gab es wieder die Schmeichler um Hauptmann. Stefan Großmann gratulierte Hauptmann zu seinem „herzhaften" Brief an den Minister Becker, ohne seine Zustimmung inhaltlich näher zu begründen. (7) Hauptmann, der angesichts der öffentlichen Kritik das Bedürfnis hatte, sich zu rechtfertigen, schrieb daraufhin an Großmann:

(31.5.1926)
Wenn auch eine solche Entscheidung, wie ich sie getroffen habe, eigentlich nur eine innere ist, so hat sie doch leider immer gewisse Konsequenzen in der Öffentlichkeit (. . .). Dem Ministerium Haenisch ist das Ministerium Boelitz gefolgt, dem Ministerium Boelitz das Ministerium Becker. In all dieser Zeit, bis zum Augenblick, habe ich außer der Nominierung weder schriftlich noch mündlich irgendwie irgend etwas über die Gedanken einer Akademie der Dichtkunst erfahren. Es mag ja sein, daß ich vor sieben Jahren mit Herrn Manzel einmal unverbindlich gesprochen habe. Ich habe daran nicht die leiseste Erinnerung. *Nachlaß-Nr. 709, S. 79 ff.*

Auch in dem Interview mit dem „Boten aus dem Riesengebirge" hatte Hauptmann die Kontakte von 1919 in Abrede gestellt, worauf sich der Akademie—Präsident Max Liebermann veranlaßt sah, mit den „Aktenmäßigen Feststellungen" an die Öffentlichkeit zu treten. Hauptmann empfand die anhaltende Diskussion über seinen Fall als sehr unangenehm, denn am 2. Juni 1926 schrieb er an Theodor Wolff:

Zur Akademiefrage muß *(ich)* mich durchaus jeder weiteren Äußerung enthalten. (. . .) Könnte ich fördern, wäre es etwas anderes, so aber verharre auf das Bestimmteste für meine Person negativ. Möchte doch die Diskussion recht bald verstummen. *Nachlaß-Nr. 709, S. 104*

In der Presse wurde darüber spekuliert, was Hauptmann über die von ihm selbst angegebenen Gründe hinaus bewogen haben könnte, den Beitritt abzulehnen. Das „Stralsunder Tageblatt" vom 5.6.1926 fragte, ob sich hinter der Absage Hauptmanns nicht „persönliche Abneigungen und Mißstimmungen gegen eins der mit ihm zugleich ernannten Akademie-Mitglieder" verbargen. (8) Gemeint war Arno Holz, eines der vorgesehenen fünf Gründungsmitglieder. Um Hauptmanns Einstellung zu Arno Holz zu illustrieren, sei sein Kommentar zu Gerüchten um eine Nobelpreis—Verleihung an Arno Holz zitiert:

(5.6.1922)
Besessenheit wegen Erteilung des N(obel) - P(reises) an A(rno) H(olz). Alles empört sich in mir gänzlich unphilosophisch. Hochstapelei in Kunsttheorie, Hochstapelei im Drama, Hochstapelei in lyrischen Folianten, ungeheuren Wülsten, mit Häcksel gefüllt. Bleibt ein Talentchen für harmlose Reimerei. (. . . .) Nun geht er daran, den N.P. zu ergaunern. Wie hat er den armen J. Sch(laf) ausgebeutet, wie ein Holzbock, ein Blutegel an ihm gesaugt (. . .). Und dieser verdienstvolle J. Sch. soll nun womöglich der öffentlichen Krönung dieses Lumpenhundes beiwohnen. Es würde an Skandal streifen. *Nachlaß-Nr. 234, S. 60*

Hinzu kam im Mai 1926 ein Affront Arno Holz' gegen Hauptmann. Letzterer erhielt am 20.5. — dem Datum seines Absagebriefes an Kultusminister Becker — ein Schreiben von Arno Holz, das schon in seiner äußeren Form merkwürdig zu nennen ist. Es war Hauptmann über seinen Verlag S. Fischer zugestellt worden, in einem Kuvert, das aufgeschnitten, aber „postamtlich" verschlossen worden war. (9) Anlaß des Schreibens war ein Gruß Hauptmanns zum 60. Geburtstag Johannes Schlafs. Darin hatte er das „echte Gold" bei Schlaf von dem „Katzengold anderer Gesteine" unterschieden (10) — ein Seitenhieb, den Arno Holz zwangsläufig auf sich beziehen mußte. Holz forderte eine Klärung ausdrücklich deshalb, weil er und Hauptmann „in ein und dieselbe Körperschaft berufen" worden seien und bei ausbleibender Bereinigung der Angelegenheit die „unerläßliche gesellschaftliche Mindestkonsequenz" zu ziehen sei. Der schroffe Ton und das Fehlen einer persönlichen Anrede konnten nicht anders als verletzend auf Hauptmann wirken.

In einem Brief an den Akademie–Präsidenten Max Liebermann bestritt Hauptmann später, daß das Schreiben von Arno Holz den Ausschlag für seine Absage gegeben habe:

Die Frage A. H(olz) hat übrigens nie für mich in ausschlaggebender Weise existiert, sein pöbelhafter Brief traf ein, als meine Antwort an den Minister bereits geschrieben *(und)* kuvertiert vorlag. Der unsaubere Tropfen brachte allerdings sozusagen das Glas zum Überlaufen. *Nachlaß-Nr. 713, S. 71*

Wie Arno Holz publizieren ließ, hatte Hauptmann den ‚offenen' Brief am 20.5. mit der ersten Post erhalten. (11) Zwei Tage später traf der Absagebrief Hauptmanns beim Ministerium ein. Hauptmann hatte mit dem Bescheid an den Minister länger gezögert, bis schließlich der Brief von Arno Holz den endgültigen Beschluß der Absage, d.h. das Abschicken des Briefes, bewirkte.

Ein weiterer Grund für die Absage an die Akademie, den Hauptmann in seinen Brief an Minister Becker ebenfalls nicht aufgenommen hat, ist der Wunsch gewesen:

dem weiten und an Gestalten so vielfältigen Reich der deutschen Dichtung keinen Anlaß zu berechtigten bitteren Erregungen zu geben. Wieviel junge und alte, nie aus der Verborgenheit aufgetauchte dichterische Kräfte müssen sich nicht durch das nominierte führende Dichterkollegium für übergangen und schwer benachteiligt halten. Ich kann mich nicht entschließen, zu dieser weitgehenden Verbitterung beizutragen und allesverwirrende Gegnerschaften auf mich zu ziehen. *Briefnachlaß I, s.v. Becker, C.H.*

Hauptmann sprach damit ein Problem an, das die Arbeit der Sektion späterhin so außerordentlich belastete: Wie sollten die unterschiedlichen literarischen Strömungen einschließlich ihrer ideologischen Positionen, die sich analog zur politischen Entwicklung polarisierten, in der Sektion ausreichend repräsentiert werden? Eine Frage, die bei der Zuwahl neuer Mitglieder aktuell wurde. Die Gründung einer preußischen ‚Dichterakademie' in der Weltstadt Berlin war natürlich ein Politikum und allzeit latenter Konfliktstoff für die Gruppe der völkisch–konservativen Autoren. Mit dem Hinweis auf die literarische ‚Provinz' („Verborgenheit") hat Hauptmann diesen Gegensatz vorausgeahnt und wollte es sich ersparen, in die zu erwartenden Auseinandersetzungen hineingezogen zu werden. Aber seine Ablehnung einer Mitgliedschaft war auch nicht frei von einem gewissen Hochmut:

(Juni 1926)
Loerke!!! Ruft Loerke! Wo wären und wo sind die wahren Akademiker? Kein Ministerium kann mich zwingen, mich lächerlich zu machen. Dichter und Postsekretäre sind zwei verschiedene Dinge. *Nachlaß-Nr. 51,S. 105*

Spielte Hauptmann damit auf Loerkes langjährige Lektoratstätigkeit bei S. Fischer an? Loerke wurde – Ironie des Zufalls – im Februar 1928 tatsächlich zum Sekretär der Sektion für Dichtkunst ernannt.

2. Erneute Werbung um Hauptmann

Bereits im zweiten Jahr ihrer Existenz wurde die Sektion von der sich verschärfenden Auseinandersetzung zwischen den „Berlinern" und den „Auswärtigen" um Statutenfragen überschattet. Die mangelnde öffentliche Resonanz der fast ausschließlich von den Berliner Mitgliedern bestrittenen praktischen Arbeit führte man auf das Fehlen „repräsentativer" Namen zurück. Das Mißbehagen über die „schmerzlichen Absagen" von 1926 (neben Hauptmann auch Hofmannsthal und George) hielt an. „Nur aus dieser Situation heraus wird nun auch das erneute Werben um Gerhart Hauptmann verständlich" (I. Jens). (12) Die Sektion einigte sich darauf, Thomas Mann als Vermittler vorzuschicken, um dann gelegentlich der Gratulation zum 65. Geburtstag des Dichters die Bitte an Hauptmann um Beitritt offiziell heranzutragen. Thomas Mann schrieb einen längeren, außerordentlich geschickt auf Hauptmanns Mentalität eingehenden Brief. Er betonte, daß die Bitte an Hauptmann nun nicht mehr der Ruf des Ministeriums, des Staates, sei, sondern der „konstituierten Gesamtheit der Mitglieder". Er versicherte Hauptmann, daß die „bloße Tatsache" seines Eintretens genüge und daß innere Bedenken, die trotz eines Beitritts fortbestehen könnten, „wohl mancher ebenso" wie Hauptmann hege. (13) — Nach dieser Vorbereitung schrieb der Sektionsvorsitzende Wilhelm v. Scholz an Hauptmann:

(13.11.1927)
In der letzten gemeinsamen Sitzung der Berliner und der auswärtigen Mitglieder ist einstimmig beschlossen worden, an Sie die Bitte zu richten, *(daß Sie)* die Mitgliedschaft der Akademie, deren natürliche Spitze Sie sind und die Sie leider und zum Schaden für das Ganze ablehnten — als der Staat Sie berief — jetzt annehmen mögen, wo Ihre jüngeren Kollegen Sie um die Ehre, sichtbar zu ihnen zu treten, bitten. *Briefnachlaß I*

Auch Max Liebermann hat sich noch einmal persönlich an Hauptmann gewandt, denn Hauptmann bat in einem darauf Bezug nehmenden Antwortbrief vom Dezember 1927 (Nachlaß–Nr. 713, S. 71) um Aufschub für seine Entscheidung bis zur nächsten Sektionssitzung am 10.1.1928. Nach Ablauf dieser Bedenkzeit beschloß die Sektion in der Sitzung vom 10.1., nunmehr keine weitere Initiative in dieser Frage zu ergreifen. Noch Mitte Januar war Hauptmann unschlüssig. Unter dem 14.1.1928 findet sich der Entwurf eines offenbar nicht abgeschickten Schreibens:

Hochverehrter Herr Präsident!
Haben Sie doch die Güte, in aller Stille davon Notiz zu nehmen, daß ich mich nach wie vor nicht entschließen kann, Ihrer staatlichen Organisation der Akademie für Dichtkunst *(Text bricht ab)*. *Nachlaß-Nr. 713, S. 117*

Zwei Tage später jedoch teilte Hauptmann dem Sektionsvorsitzenden seine Zusage mit (14):

(16.1.1928)
Vor zwei Jahren habe ich ⟨abgelehnt⟩ gezögert, mich an der Gründung dieser

Sektion zu beteiligen. Gleichviel ob meine damaligen Bedenken weiter bestehen oder nicht, die Sektion ist heute eine Tatsache und nicht mehr wie damals ein bloßes Fragezeichen. Und wenn heute zu dem ursprünglichen Vertrauen des Herrn Ministers die Einladung meiner Kollegen tritt, unterstützt von Max Liebermann und Thomas Mann, denen beiden ich in freundschaftlicher Verehrung verbunden bin, so würde mein Fernbleiben einer Versündigung an dem Gedanken der Kameradschaftlichkeit beinahe gleichkommen. *Briefnachlaß I, s.v. Scholz, Wilhelm v.; vgl. CA XI, 1068*

Der Appell an Hauptmanns Solidaritätsgefühl hatte also seine Wirkung nicht verfehlt. Statt des geplanten Absagebriefes an Liebermann konnte Hauptmann nun das folgende Telegramm an ihn absenden: „(. . .) Bin sehr glücklich, lieber Meister und Freund Liebermann, nun aus einem Saulus ein Paulus geworden zu sein und von Ihnen so gütig empfangen zu werden." (15) Dies legt den Schluß nahe, daß die Sinnesänderung Hauptmanns vor allem wohl der Fürbitte Liebermanns zuzuschreiben war. Ein weiteres Fernbleiben wäre in der Tat einer „Versündigung an dem Gedanken der Kameradschaftlichkeit" gleichgekommen, denn von den 1926 hinzugewählten neuen Mitgliedern waren zwei Drittel ehemals oder zur Zeit Autoren des S. Fischer–Verlags.

Fünf Jahre später — anläßlich der ‚Neuordnung' der Akademie — gestand Hauptmann in dem Entwurf eines Briefes an R.G. Binding den wahren Grund seines Beitritts ein: „weil ich nicht dünkelhaft erscheinen wollte" (Briefnachlaß I, s.v. Binding, R.G.). Sein Entschluß von 1928 war also nicht aus Überzeugung, sondern stimmungsbedingter Nachgiebigkeit gegenüber Gefühlsappellen erfolgt.Inge Jens wertet in ihrer Darstellung der Geschichte der Sektion für Dichtkunst Hauptmanns Verhalten so: „Dieses späte, nicht unproblematische ‚Ja' konnte allerdings in keiner Weise den Schaden rückgängig machen, den die Absage des Jahres 1926 (. . .) dem Ansehen der Sektion für Dichtkunst zugefügt hatte. Die Phalanx der Akademie–Kritiker sah sich bestätigt: überlieferte Vorstellungen von der Unvereinbarkeit freien dichterischen Schaffens mit staatlicher Verfügungsgewalt gewannen neue Aktualität." (16)

3. Plan einer Antrittsrede

Es war in der Sektion üblich, daß die frischgewählten Akademiemitglieder sich auf einer Einweihungsfeier, „wenn möglich in Person und durch ein literarisches Zeugnis" vorstellten. (17) Dem Vorsitzenden Wilhelm v. Scholz kündigte Hauptmann am 25.2.1928 an:

Meine Absicht ist, in einer öffentlichen Rede meine Beziehungen zur Akademie zu entwickeln. (...) Da meine Rede ziemlich lang werden wird, wäre es mir lieb, wenn ich in diesem Fall der alleinige Redner bliebe. (...) Meine, sagen wir, Antrittsrede könnte ich nur im kommenden Oktober oder November halten. *Nachlaß-Nr. 714, S. 1*

Des weiteren bekundete er, bei sich bietender Gelegenheit an einer internen Sektionssitzung teilnehmen zu wollen, verhehlte aber nicht seine nach wie vor bestehende Skepsis: „Wir sind eigentlich bei der Akademie Nebensache" (ibd.).

Zwar kam es 1928 nicht zu der geplanten Reise nach Berlin. Gleichwohl finden sich in den Aufzeichnungen Hauptmanns Entwurfsnotizen zu einer „Akademierede". Ausgangspunkt ist die angebliche Äußerung des preußischen Landtagsabgeordneten (und ehemaligen preußischen Kultusministers) Boelitz (DVP), die Akademiemitglieder kürzten ihren Kollegen außerhalb der Sektion das Brot. (18) Hauptmann wies eine solche Sicht als weltfremd zurück. Sodann reflektierte er die Aufgaben einer Akademie in der nachwilhelminischen Epoche:

(nach dem 12.2.1928)
Sollen wir eine erstarrte Körperschaft werden, sollen wir eine tote Körperschaft werden?
Wir sind nicht mehr dieselben: nicht mehr Untertanen, sondern alle gleichberechtigte Bürger: Regierungen sind uns verantwortlich. (...)
Wir hatten eine Militärdiktatur: wehe, wenn die Diktatur der Parteien uns mit Skorpionen vernichtete, wie diese die Diktatur um die Höfe *(?)* gebrauchte.
Wir sollen sein eine einige, eiserne Macht für die Kunst, ein Rocher de bronce. Das sei unsere einzige Politik, und das genügt. *Nachlaß-Nr. 138, S. 38 f.*

Das fügt sich nicht recht zusammen: einerseits das Bewußtsein von der neuen Ära der Demokratie und des mündigen Staatsbürgertums, andererseits wiederum die alte Abqualifizierung der Politik („Diktatur der Parteien"), der das reine Kunstwollen entgegengesetzt wird — mithin keine Vermittlung der beiden Sphären, wie sie in der Kulturpolitik der jungen Republik und nicht zuletzt in der Gründung der Sektion für Dichtkunst

zum Ausdruck kommen sollte. Wie in Anspielung auf die bereits zutage
getretenen Differenzen innerhalb der Sektion beschloß Hauptmann seine
Betrachtung mit einem Einigkeitsappell:

> Wir sind Individualisten. Hüten wir uns vor innerer Uneinigkeit, trotzdem oder
> gerade darum. Jeder von uns Akademikern, wehe, wenn es anders wäre, eignet sich
> eigentlich nicht zum Akademiker. Gegnerschaften läßt uns intern und auf
> freundschaftliche Art austragen. Es gilt die Sache. (ibd., S. 39).

Als einen Bruch dieser geforderten Solidarität empfand Hauptmann das
Verhalten des Akademiekollegen Alfred Döblin im November 1928, das
ihn zu einer anhaltenden Verstimmung gegen die Sektion für Dichtkunst
bewog.

4. Die Affäre Döblin

Alfred Döblin wurde anderthalb Jahre nach der Gründung, bei der
zweiten Zuwahl vom 10.1.1928, in die Sektion berufen. Seine Nominierung war umstritten gewesen. Thomas Mann hatte von „Bedenken gegen
seine gesellschaftliche Person" gesprochen. (19) Döblin war eine „aggres-
sive, aufpulvernde Unruhe" (P. de Mendelssohn) eigen (20). Er stellte den
völligen Gegensatz zum ehrwürdigen Akademikertypus dar, wie Hauptmann ihn sich vorstellte. Umgekehrt reagierte Döblin auf die Dichterpose
Hauptmanns äußerst befremdet, ja allergisch. Wie kritisch Döblin gegen
Hauptmann eingestellt war, erhellt aus seiner Ablehnung, einen Beitrag
zum 60. Geburtstag Hauptmann 1922 zu verfassen. Döblin beschied den
Bittsteller Felix Hollaender (21):

> Aber: mich „bekennen zu Hauptmann"? Da liegt der Hase im Pfeffer. Das ist eine
> Unmöglichkeit, und deshalb muß ich kneifen. (. . .) ich rede nicht davon, wie
> absurd, burlesk, völlig unbegreiflich es wäre, wenn ich mich plötzlich zu
> Hauptmann bekennte, ich, einer Generation und Seelenschicht angehörig, die in
> Fremdheit und fast in Widerspruch zu Hauptmännischem sich hochdrängt.

In einem anderen Brief Döblins wird Hauptmann der Kategorie des
„Dichters Bählamm" zugerechnet. Gegen das unpolitische Selbstverständnis Hauptmanns argumentiert Döblin dort: „Aber was schreibt Hauptmann im ‚Eulenspiegel'(-Epos)? Nichts als Politik, nichts als Demonstra-

tionen seiner Auffassung von Politik, Moral, überhaupt Leben! Er geht doch nicht im Walde so für sich hin. (. . .) Es äußert sich ein Geist, eine Moralität, eine — Partei; wer weiß eine Kaste, ein Stand, eine Klasse." (22)

Fasziniert dagegen war Döblin von dem alten Widersacher Hauptmanns, Arno Holz, der bereits 1926 — nach einem Krach bei den Gründungs-feierlichkeiten — de facto aus der Sektion ausgeschieden war, weil er sich nicht sogleich mit weitreichenden Umgestaltungsplänen für die Sektion durchsetzen konnte. Auch dadurch war ja der Weg für den Beitritt Hauptmanns geebnet worden. — Über Arno Holz hielt Döblin 1930 einen Vortrag in der Akademie unter dem Titel „Vom alten zum neuen Naturalismus". (23) Darin skizzierte er seine These von der Fehlentwick-lung des deutschen Naturalismus und bekannte sich zu der Verpflichtung, dessen gesellschaftskritische Funktion fortzusetzen. Als Vorkämpfer des Naturalismus stellte Döblin Arno Holz hin, der an der Fortentwicklung dieser progressiven Literaturrichtung teils durch subjektive, teils durch objektive Gründe — etwa das Bildungs- und Kunstmonopol der Bour-geoisie — gehindert worden sei.

Sehr scharf ist auf diese vorbildliche Haltung von Arno Holz hinzuweisen, gegenüber vieler muffiger Abseitigkeit, die sich — am anderen Pol — heute breit macht und in ihrer Verblasenheit mehr oder weniger offen im Gefolge oder gar im Dienst der uns drohenden Kulturreaktion steht. (. . .) Eine Anzahl Autoren schwenkte in eine frisch lackierte Romantik ein, der Individualismus, das verruchte Übel der Deutschen, fing wieder an zu blühen. Weltfremdheit, Mystik machte sich breit. (. . .)
Holz ist nicht mit fliegenden Fahnen in das Lager des gehobenen Bürgertums übergegangen.

Daß Döblin hier einen versteckten Angriff gegen Hauptmann vorbrach-te, steht außer Zweifel. Er ließ kaum eine Gelegenheit zu Invektiven gegen Hauptmann aus — so auch bei der Beisetzungsfeier für Arno Holz 1929, über die Loerke in seinem Tagebuch notierte: „Sehr ausfällig Döblin. (. . .) Natürlich bekam auch Hauptmann sein Teil, ohne Namensnen-nung". (24) Anläßlich des Todes von Hermann Sudermann (20.11.1928) hat sich ein ähnlicher Vorfall abgespielt, der sich freilich nicht genau rekonstruieren läßt. Die Reaktion Hauptmanns als des Betroffenen ergibt nur vage Anhaltspunkte. Döblin muß in einer Äußerung zum Ableben Sudermanns einen Angriff gegen Hauptmann vorgebracht haben. Bei der

164

öffentlichen Beisetzungsfeier für Hermann Sudermann, zu der der Vorsitzende der Sektion für Dichtkunst, Walter v. Molo, entsandt wurde, ist Döblin – der Berichterstattung in der Presse zufolge – nicht als Redner aufgetreten. (25) Eine sektionsinterne Feier für Hermann Sudermann scheint nicht stattgefunden zu haben, wie aus dem Protokoll der Sitzung vom 10.12.1928 hervorgeht. (26) Es bleibt also die Möglichkeit einer publizistischen Äußerung Döblins.*

Wie Hauptmann in einem Brief an Fritz Wreede vom 27.11.1928 schrieb, hatte er durch den befreundeten Herbert Eulenberg in seinem Namen einen Kranz an Sudermanns Grab niederlegen lassen. Offenbar hat Döblin darin einen Akt von Heuchelei erblickt, weil er – so Hauptmann an Wreede – von einer „Gegnerschaft" Hauptmanns zu Sudermann „geschrieben" habe (Briefnachlaß I). Wie auch immer – der Tenor einer Invektive gegen Hauptmann in Verbindung mit Sudermann läßt sich denken: Der verstorbene Dramatiker gehörte wie Arno Holz zu jenen, die im Schatten des Hauptmannschen Ruhmes hatten stehen müssen.

Die Nachricht von dem Affront Döblins erreichte Hauptmann während seines Winteraufenthaltes in Rapallo. In zahlreichen Tagebucheintragungen machte er seiner Empörung Luft. Am mildesten noch in einem längeren „Traktat" über Roheit, Niedertracht und Haß in der Welt:

(26.11.1928)
Ich habe in diesen Tagen mit einem seelischen Trauma zu tun gehabt. Ein Mensch versuchte, den Wert meiner Persönlichkeit öffentlich herabzusetzen. Die Form, in der es geschah, roh und geradezu von leidenschaftlichem Haß diktiert. (...) Der Grund gehässiger Böswilligkeit ist im gegenwärtigen Falle ein vielfältiger. Er ist von einem gewissen A *(Arno Holz)* auf einen gewissen B *(Döblin)* vererbt, ist aber selbstverständlich in B durch reichlichen eigenen Brennstoff vermehrt worden. (...)
Im gegenwärtigen Falle veranlaßte A den B, einen Pfeil abzuschießen, den er ihm auf den Bogen legte. (...)
In meinem Falle war der Attentäter Nervenarzt (...) Ich kenne meinen Feind persönlich nicht und wünsche ihn ebensowenig in Zukunft zu sehen. (...).
Nämlich ich bin in Trauer versetzt worden. (...). Sie ist von persönlich-überpersönlicher Art *(... darüber:)* daß der Neid-Haß oder Haß-Neid fast so verbreitet wie die Triebe des Hungers und des Durstes ist. (...) *Nachlaß-Nr. 234, S. 119-127*

---

* Eine Äußerung Döblins zu Sudermanns Tod ließ sich weder bibliographisch ermitteln noch im Verzeichnis der Manuskripte des Döblin-Nachlasses im Deutschen Literaturarchiv (Schiller-Nationalmuseum Marbach) auffinden.

Weniger gelassen gab sich Hauptmann in den Aufzeichnungen, die er nicht seiner Sekretärin diktierte, sondern eigenhändig schrieb:

Telegr.(amm): Sagen Sie doch, wie kommen Sie auf diesen säuischen und Minderwertigkeit an der Stirn tragenden Angriff auf mich, den Sie am Grabe eines verehrungswürdigen Mannes gegen mich richten? Glauben Sie, daß irgendein katholischer Pfarrer, evangelischer Pastor oder ein Rabbiner, geschweige ein wahrhafter Arzt, so unsinnig sein könnte (. . .). *Nachlaß-Nr. 7, S. 95*

Bezeichnend für Hauptmann ist, daß er in solchen Fällen selten auf den Inhalt der Anfeindung einging. Die Auseinandersetzung mit Döblin erstreckt sich über viele Tagebuchseiten, ohne daß man etwas Konkretes über den Anlaß erfährt. So beschränkte Hauptmann sich auf eine Beschimpfung des Gegners, um ihn in seinem Wert herabzusetzen und ihm die Berechtigung zu einer Kritik überhaupt abzusprechen:

Sudermann braucht Herrn Döblins verpöbeltes Mitleid ebensowenig und kann, lebend oder tot, ebensowenig Gebrauch machen wie ich von den aufstinkenden Äußerungen seines geistigen Rachens. *Nachlaß-Nr. 7, S. 82*
Herr D(öblin), Sie sind ein erbärmlicher Kerl . . . In einem dunklen Winkel des Verlags Fischer (S. 100). Warum richtet dieser Mensch (. . .), sozusagen ein talentierter Tippeltappel, gerade seinen Haß auf meine Wenigkeit. (. . .) Man muß ein bißchen in einer Stube gelebt haben, ehe man das große Wort führt. – Ein Verlagswinkel interessiert mich nicht. (S.111)
Herr D(öblin) glauben Sie nur nicht, daß ich literarisch *(= ein Literat)* bin, daß ich an einem Verlag oder an einer kleinen Winkelclique hänge. Ich bin ein Glied meines Volkes, ich bin *(so)* etwas wie seine Seele (wenn auch nicht ganz, denn sie ist zu groß) (. . .). (S. 92)

Entsprechend wurde Döblin als ein kleiner jüdischer Literat abgetan, der „Sport treiben und Meerbäder nehmen" sollte (Nachlaß–Nr. 21, S. 34).

(. . .) was Sie gegen mich anstinken, ist nicht einmal falsch *(!)*, der Gestank *(jedoch)* übertäubt alles. Wo kommen Sie her? Einen Mittelmaßgr(. . . ?)orientalisten schätzen wir nicht! Bringen Sie etwas Sachliches!
Ich kann intellektuelle Dichte(r) nicht er(. . . ?) Der kleine jüdische Dummkopf Döblin (. . .). *Nachlaß-Nr. 21, S. 35-39*
Da dieser Kleine mich wie einen Hund oder ein Wüstenkamel bespucken will, in die Knie zwingen will: so sage ich ihm (und das ist eine prinzipielle Frage!), das geht zu weit: und in diesem Fall bin ich ausgesprochener Antisemit. *Nachlaß-Nr. 7, S. 95*

Hauptmann erregte sich insbesondere darüber, daß ihm diese Angriffe von einem Akademiemitglied widerfahren waren — ihm, der kollegiale Solidarität bewiesen habe, als er sich für den politisch verfolgten ungarischen Schriftsteller Ludwig v. Hatvany in einem Brief an den Präsidenten der ungarischen Akademie der Wissenschaften einsetzte. (27) In den Diktatheften der Sekretärin Hauptmanns, Elisabeth Jungmann, findet sich der Entwurf zu einem Brief an die Preußische Akademie der Künste, mit dem Hauptmann in dieser Angelegenheit vorstellig werden wollte. Dieser Brief ist, wenn ausgeführt, zumindest nicht abgeschickt worden, denn das hätte Hauptmanns Austritt aus der Akademie bedeutet:

(vor dem 17.1.1929)
Es ist mir nicht bekannt geworden, daß von seiten der Akademie irgend etwas geschehen ist, mir Genugtuung zu geben für den rüden Anfall eines ihrer Mitglieder, A. D(öblin), gegen ein anderes Mitglied, nämlich mich. Ich halte eine solche Tat weder mit der Würde einer Preußischen Akademie für Dichtkunst für vereinbar, noch gestattet mir meine eigene Würde ferner, einer Gemeinschaft anzugehören, die dergleichen zu dulden scheint. *Nachlaß-Nr. 714, S. 124 f.*

Hauptmann beruhigte sich schließlich über diese Affäre, weil insbesondere der ins ‚offizielle' Tagebuch diktierte „Traktat" kathartisch gewirkt hatte. Er war, wie Hauptmann resümierte, „nichts als ein Teil der autopsychoanalytischen Heilungsbehandlung, die ich mit zufriedenstellendem Erfolg anwandte". Auch der antisemitische Ausfall wurde zurückgenommen: „Auf einen Juden, der beleidigt, kommen Gott sei Dank immer zwei, die das Gegenteil tun, und zwanzig ‚Christen', die beleidigen" (Nachlaß–Nr. 231, S. 11). Öffentlich auf solche Angriffe mit einer Gegenattacke zu antworten, versagte sich Hauptmann grundsätzlich: „Schon mit 29 Jahren habe ich der Polemik abgesagt: ich würde ein Meister auf diesem Gebiet gewesen sein, aber ich wäre, als Meister, sehr früh gestorben (...)" (Nachlaß–Nr. 105, S. 125 v). Außerdem kam er seinem Selbstbewußtsein mit der Überlegung zu Hilfe: „Sollte man nicht bekennen, daß man nicht in jedem Augenblick ist, was man als ideale Aura im Laufe der Zeiten um sich angesammelt hat?" (Nachlaß–Nr. 17, S. 8).

Die Döblin–Affäre erhielt sogar einen versöhnlichen Abschluß. Im Spätherbst 1929 hielt sich Hauptmann zu einer Nachkur im Berliner Franziskuskrankenhaus auf. Als Lektüre hatte ihm sein Verleger Samuel Fischer den soeben erschienen Roman „Berlin — Alexanderplatz" zugeschickt. Hauptmann fand Gefallen an dem Buch, und es kam – angeblich auf seine eigene Initiative hin (28) – zu einer Begegnung mit Döblin:

(14.12.1929)
Der Mann, dessen häßliche Entgleisung mir damals Kopfschmerzen machte, hat mich vor ungefähr vier Wochen im Franziskus-Sanatorium besucht. Ein Krankenbesuch – ein Versöhnungsbesuch. *Nachlaß-Nr. 234, S. 137*

Aber Döblin hat seine Meinung über Hauptmann nicht geändert. Noch Ende Januar 1933 notierte Loerke in sein Tagebuch: „Furchtbare Äußerungen des Hasses auf Hauptmann von Döblin". (29) Es war eine Sorte von Haß, die Hauptmann nicht verstehen konnte: die geistige Feindschaft.

5. Nobelpreis für Thomas Mann

Kaum war die Verstimmung über Döblin abgeklungen, da sah Hauptmann erneut einen Anlaß, sich über das Verhalten eines Akademiekollegen zu entrüsten. Am 14.12.1929 heißt es im Tagebuch:

Schwere Erfahrungen mit Menschen liegen hinter mir. (. . .) Hierzu kommt ein Fall krasser, schamloser öffentlicher Lügenhaftigkeit: Th(omas) M(ann). *Nachlaß-Nr. 234, S. 137*

Was war geschehen? Thomas Mann hatte am 12. November 1929 den Nobelpreis erhalten – als dritter deutscher Autor nach Paul Heyse und Hauptmann. Wie Thomas Mann später konzediert hat, war das „nicht zuletzt und vielleicht vor allem" Hauptmanns Werk gewesen (30): Hauptmann habe ihn angerufen, von einer entscheidenden Unterredung mit dem „Kingmaker" in Stockholm, Professor Böök von der Schwedischen Akademie, berichtet und seine Freude darüber ausgedrückt, der erste Gratulant zu sein. Dies war jedoch nicht der erste Kontakt in Sachen Nobelpreis zwischen Hauptmann und Thomas Mann gewesen. Aus nicht ganz uneigennützigen Motiven dürfte Thomas Mann den folgenden Brief geschrieben haben, der eine Reaktion Hauptmanns geradezu provozieren mußte (31):

(15.10.1929)

(. . .) Da wir bei Preisen sind: was sagen Sie zu der weitverbreiteten Nachricht, daß dank der Propaganda einer Oberlehrerclique, die ihn vorgeschoben hat, Arno Holz den Nobelpreis erhalten soll? Lassen Sie mich Ihnen gegenüber ganz offen reden, obgleich ich sonst vielleicht nicht ganz *(!)* in der Lage bin, es zu tun: ich würde eine solche Preiskrönung absurd und skandalös finden und bin überzeugt, daß ganz Europa sich in voller Verständnislosigkeit an den Kopf greifen würde. Seien Sie versichert, daß ich sachlich spreche: ich habe zu leben und würde zum Beispiel unserer klugen und bedeutenden Ricarda Huch den Preis von Herzen gönnen, aber Holz? Es wäre ein wirkliches Ärgernis, und man sollte wahrhaftig etwas dagegen tun. Aber die Regsamkeit ist, wie gewöhnlich, auf der falschen Seite.

Thomas Mann nahm Hauptmann als Nobelpreisträger sozusagen in Pflicht, darüber zu wachen, daß der Preis keinem unwürdigen Anwärter zufalle. Gewiß erhoffte sich Thomas Mann von einer Intervention Hauptmanns gegen Arno Holz zugleich Schützenhilfe für die eigene Kandidatur. Hauptmann ließ ihm denn auch die erwünschte Antwort zukommen:

(19.10.1929)

Nun zu A.H. und dem Nobelpreis. Ich teile in dieser Beziehung Ihre Ansicht durchaus. Wenn Ihnen eine Preisverleihung an ihn absurd und skandalös vorkommen würde, so erschiene sie mir außerdem als eine schwere Blamage der Nobelkommission und der deutschen Geisteswelt. (. . .) Ist aber eine Propaganda für A.H. im Gange, so kann man natürlich dagegen nichts tun, am wenigsten ich, dem man es als nackte Mißgunst auslegen würde. (. . .) Mein Nobelpreiskandidat waren bereits vor 5 Jahren Sie, und ich habe das in Stockholm schriftlich vertreten: Sie sind es heute wieder. Für Ricarda Huch würde ich ebenfalls stimmen. *Briefnachlaß II, B 1281/2*

Einen Tag nach der Entscheidung des Nobel–Komitees, am 13.11.1929, erschien in der Presse ein Kurzinterview Thomas Manns, in dem er erklärte, er empfinde „natürlich eine große Freude und Genugtuung". Andrerseits habe er sich zu fragen: „Ist die Wahl recht getroffen? Es gibt in Deutschland eine ganze Reihe von erlesenen Dichtern, die den Nobelpreis mindestens ebensogut verdient hätten . . . Hatte nicht gerade Arno Holz ein Recht auf die Auszeichnung." (32) Hauptmanns Reaktion war eindeutig:

(vor dem 15.11.1929)

Sie machen es mir sehr schwer, Herr Th(omas) M(ann), mich über Ihren Nobel-Preis zu freuen: Ihr öffentliches Bedauern darüber, daß Sie an die Stelle von A(rno) H(olz) rücken mußten, der ohne Zweifel den N(obel-) Preis verdient habe, reiht sich den schwersten öffentlichen Lügen ⟨an, die aus niedriger Heuchelei und Profitjagd⟩ *(Text bricht ab). Nachlaß-Nr. 169, S. 30*

Auch im Bekanntenkreis drückte Hauptmann seine Empörung über die Doppelzüngigkeit Thomas Manns unverhohlen aus. Diese Episode soll er Thomas Mann „nie vergessen und nie verziehen haben". (33)

6. Hauptmanns Fernbleiben von der Akademie

Hauptmann bewies in der Folgezeit als Sektionsmitglied eine Inaktivität, die allerdings für die anderen „von vornherein feststand" (Thomas Mann). (34) Seine Empörung über Döblins Verhalten hatte sich zu einer Verärgerung über die Sektion in toto ausgeweitet:

Diese Akademie: diese Leute sollten nach allen Richtungen auseinanderstieben, wenn sie nur eine Spur von Ehrgefühl haben: diese Brot- und Suppengemeinschaft soll mir gestohlen bleiben. Sie ruinieren die hohe Idee der Dichtung, indem sie nur an Brot und Profit denken und sich Verlegern ausliefern, nur um ihre älteren Werke drucken zu lassen.*
Ich bitte die Akademie für Dichtkunst, sich möglichst schnell aufzulösen, sie hat keinen Sinn, nur einen Unsinn: sie hökert mit Poesie, und das ist ekelhaft! fort damit! – Die Akademie hat zuviel nichts *(sic!)* zu tun, und da kommen die Geldgeber (...). Es kommen praktische Gernegroße! Die Dachkammer ist verleumdet worden. Habsüchtige Kunst hat sie verleumdet. Dachkammer und Dachkammer ist zweierlei. Auch Otto Ludwig wohnte in einer. *(...?)* ich in Dresden. (...) Ich schwöre bei Gott, dem Allmächtigen, daß ich der gleiche wäre in der Dachkammer und beim sardonnalischen *(sardonischen?)* Schmaus. (...) Aber den Betrieb dieser selbstmörderischen „Briefträger" finde ich kompromittierend für d*(ie Dichtung). Nachlaß-Nr. 7, S. 114 f.*

---

* 1928/29 wurde auf Anregung W. Schmidtbonns der Plan diskutiert, „wertvolle ältere, von der Öffentlichkeit nicht mehr beachtete Werke lebender Autoren in einem neuzugründenden Buche zu verarbeiten". (35)

Die Dachkammeridylle war ein Lieblingsbild Hauptmanns — geprägt von der romantisch verklärten Erinnerung an seine eigene, allerdings schon vom Thienemannschen Vermögen besonnte Dresdener Mansardenexistenz des Sommers 1884 (CA VII, 995 f.). Obwohl Hauptmann gelegentlich die Aussetzung einer Jahresrente an Johannes Schlaf und Theodor Däubler befürwortete (36), scheint er insgesamt nur unzureichend über die bitteren Existenzsorgen seiner Berufskollegen informiert gewesen zu sein. In welchem Maße den freien Berufen, den Künstlern und Schriftstellern während der 20er Jahre ein „niegekannter wirtschaftlicher Existenzkampf aufgezwungen" (H. Brenner) war, davon machte sich der verwöhnte und hofierte Hauptautor des S. Fischer—Verlags wohl kaum einen Begriff. (37) Die Lage der notleidenden Schriftsteller ließ sich den auch ihm zugeschickten Sitzungsprotokollen der Sektion entnehmen. In einem Rundschreiben der Akademie vom 23.7.1928 heißt es (38):

Aus Fonds des Herrn Ministers erhielten wir 5 000 RM zur ‚Förderung der Aufgaben der Sektion für Dichtkunst' durch Erlaß. (...) Die erschreckende kulturelle Notlage der Dichtkunst, die sich hinter dem lebendig literarisch-wirtschaftlichen Betriebe verbirgt, ist Ihnen bekannt. (...) Daß die Arbeit einzelner bedeutender Dichter von Ruhm und Erfolg begleitet ist, kann nicht mehr darüber hinwegtäuschen, wie sehr die Saisonneuheit, der bequeme Massenartikel (...) herrschen.

Der Sektionsvorsitzende Walter v. Molo (1928—30) berichtet in seinen Memoiren von Hilfsaktionen — auch behördlicherseits — für notleidende Autoren (39). Sektionsintern versuchte man, „in dringenden Fällen durch sachlich legitimierte Zuwendungen wie Druckkostenzuschüsse oder Bücherankäufe möglichst taktvoll und schonend zu helfen" (I. Jens). (40) Zwar hatte es die Sektion 1928 — in einer Stellungnahme zur Gründung einer „Allgemeinen Notgemeinschaft deutscher Kunst und Dichtung" — abgelehnt, „sich zu einer sozialen Hilfsanstalt für bedürftige Autoren zu entwickeln". (41) Doch 1930 hielt man allein noch die unverzügliche materielle Hilfe für sinnvoll.

Hauptmann selbst war wie auch andere bedeutende Autoren des S. Fischer—Verlags auf dem Höhepunkt der Inflationszeit 1923 vorübergehend in finanzielle Bedrängnis geraten (42), so daß er sich 1922 in einer Rede zugunsten der geplanten Gerhart—Hauptmann—Stiftung aus einer gewissen eigenen Anschauung zur Existenzbedrohung der „geistigen Arbeit" hatte äußern können:

Es soll ein materieller Fond geschaffen werden, aus dem heraus man die Not der
geistigen Arbeit wirksam zu bekämpfen hoffen kann, die sonst in Gefahr steht,
unterbunden zu werden. (. . .)
Wie Eis bei warmem Wetter schmilzt, so zerschmelzen sogar die ökonomischen
Grundlagen ,auf denen ganze Stände glaubten ihr Leben fest gegründet zu haben, so
daß sie im offenen Wasser zu versinken drohn. Zu diesen gehört der Schriftsteller-
stand. (CA XI,982)

Zwar würden die geistig Schaffenden „auch unter Entbehrungen aller
Art dem kategorischen Imperativ ihres Genius treu bleiben": Die
berühmten Dachkammern der deutschen Dichter bewiesen es. „Aber wir
haben kein Recht, in bequemer und frivoler Weise solche Dachkammern
als ihre angemessene Wohnung anzusehen oder gar sie dorthin zu
verweisen" (ibd., 983). Ebendas tat Hauptmann 1928. Das Inflationserleb-
nis von 1923 war für ihn ebensowenig ein nachhaltiger, die soziale Optik
schärfender Eindruck gewesen wie die 1929 einsetzende Wirtschaftskrise.
Vollends unter das eigene Verdikt der frivolen Bequemlichkeit fällt
Hauptmann, wenn man die den Akademiekollegen gegenüber erhobene
ideale Forderung an dem handfesten Geschäftsgebaren mißt, mit dem er
zur gleichen Zeit gegenüber seinem Verleger auftrat. (43) Daß er im
übrigen selbst nicht so recht an das Dachkammeridyll glaubte, bekundet
die folgende Bemerkung:

(1936)
Ich habe immer gesehen, daß auch Geister durch materielle Einengung beengt
werden und in gewissem Sinne verkümmern. Auch solche, die nichts davon ahnen.
E.R. Weiß., Emil Strauß, Hesse etc. Der letzte vielleicht am wenigsten. *Nachlaß-Nr.
52, S. 176*

Im übrigen hatte Hauptmann auch nach anderthalb Jahren Akademie-
Mitgliedschaft keine seiner früheren Vorbehalte gegen die Sektion
revidiert. Dies zeigen gelegentliche, teils recht verworrene Räsonnements:

(nach dem 20.10.1929)
Ich möchte eine Rechenschaft ablegen wie mein verehrter Freund Thomas Mann
von seinem Aufenthalt in P(aris).* Meine Rechenschaft betrifft mein Verhältnis zur

---

* Hauptmann bezieht sich auf Thomas Manns „Pariser Rechenschaft"(„Neue
Rundschau" Mai-Juli 1926). Thomas Mann schildert darin einen mehrtägigen
Aufenthalt in Paris, seine Zusammenkunft mit französischen Intellektuellen und den
Besuch kultureller Institutionen.

Akademie. Ich habe Akademien gehaßt, bevor ich wußte, was die erste *(Königlich Preußische)* Akademie war; das verdanke ich meinem Freunde Wi(lamowitz-) M(oellendorff), der ein Festspiel, das ich ve̦rfaßt habe, unwürdig genannt hat, obgleich Hans Thoma, der große Maler, andrer Ansicht war. (vgl. CA XI, 1086 f.) *Nachlaß-Nr. 7, S. 149*

Wie schon seine Bemerkung über den Orden pour le merite zeigte, hegte er einen ganz konservativen Begriff von der Institution einer Akademie: konservativ im Wortsinn als Pflegen und Repräsentieren der Tradition. In eigenartiger Begriffsverdrehung warf er, dem die Sektion nicht konservativ genug war, dem preußischen Kultusminister C.H. Becker Konservatismus in bezug auf die Sektionsgründung vor:

Also „Akademie". In einem Zeitpunkt für Deutschland, wo alles nicht ganz gesund, jung, sondern Jugend in Rekonvaleszenz ist. In einem solchen Augenblick gründet Becker eine Akademie. – Ja du lieber Gott: das Konservativste des Konservativen in einem Augenblicke, wo alles schwimmt. Das ist Unsinn (. . .).
Wir sind nicht alt genug, die Zeit ist nicht alt, Deutschland ist einmal wieder ein Brei, in den jeder seinen Löffel steckt. (ibd., S. 151 v, 153)

Als Hauptmann zu Anfang seiner Mitgliedschaft noch Interesse an der Sektion bekundete, suchte er diese Idee eines konservativen Akademismus zu fördern. „Mit Hauptmann viel über die Akademie gesprochen. Sein Wunsch, Reden für die Großen der Vorzeit zu halten", notierte Oskar Loerke am 28. Juni 1928 in sein Tagebuch. (44) In einem Rundschreiben der Akademie vom 23.7.1928 heiß es: „Angeregt haben: 1) Gerhart Hauptmann: in jedem Jahre eine repräsentative Feier für einen großen Dichter der Vorzeit zu veranstalten, damit Dank und Verantwortung für das kostbarste Gut unserer Überlieferung lebendig bleibe." (45) Im Tagebuch äußerte Hauptmann zu diesem Thema:

Müssen wir nicht klein werden vor dem, was außerhalb der Akademie ist. – Jetzt Akademie Platon. – Autoritätsglaube in Berlin gibt es nicht mehr (. . .) Zweckverband – unmöglich. Intensiv, nicht extensiv muß sie *(sc. die Akademie)* sein, wenn sie ist und sein will. Eintreten muß sie für die großen Dichter, denn wenn man tot ist, ist man einer! – Erfüllung mit ihrem Geist, Nennung ihrer heiligen Namen. *Nachlaß-Nr. 7, S. 154 f.*

Mit solchen Forderungen stand Hauptmann ganz im Gefolge jener, die
während der umstrittenen Vorgeschichte der Sektionsgründung für eine
„Deutsche Akademie" in Weimar plädierten, für ein „friedvolles geistiges
Olympia", einen „heiligen Hain mitten in der äußeren Zerrissenheit und
Zuchtlosigkeit der deutschen Gegenwart" (F. Lienhard). (46) Aufgabe
einer Dichterakademie war es nach Hauptmanns Auffassung, „in ganz
anderem Wurf und Schwung des Idealismus für deutschen Geist einzutre-
ten. Sie muß nicht theoretisieren und die Dichtkunst banalisieren. (. . .)
Die geistige Monas des Deutschtums gilt es zu reinigen" (Nachlaß—Nr. 10,
S. 60 v). So empfand er es als Profanation der Akademie—Idee, daß die
Sektion gleichsam in den Sog des Berliner Literaturbetriebs geriet:

Meine Herren, die Sache hat etwas Rohes, spüren Sie nicht das Präsentierbrett. (Was
habe ich für ein Gewissen und was sind diese Romanverfasser für eine gewissenlose
Bande). Es hat sogar etwas allzu Öffentliches. — Und Dichter — nein — das sollten
wir nicht *(vorstellen wollen?)*.
Wir wissen nicht, ob wir schlechte Bücher schreiben, und wir schreiben zuviel,
Tempo, Tempo! — Und die Gefahr ist für uns alle sehr groß; und da sehe ich in
Ricarda H(uch), Thomas Mann, H(einrich) M(ann) ⟨einen⟩ Halt. *Nachlaß-Nr. 7,
S. 155—156 v*
Ich sah nur einen Akademiker, Hut ab, Ludwig Fulda, unter uns (. . .). (ibd.,
S. 149 v)

Ludwig Fulda entsprach nicht nur mit der Würde seines Alters der
Idealvorstellung Hauptmanns von einem Akademiker: er zählte als
Mitbegründer der „Freien Bühne" zu seinen frühen Gönnern. Da Hauptmann sich ein in gegenseitigem Wohlwollen geeintes Gremium wünschte,
hätte er am liebsten eine neuzuschaffende Sektion aus seinem Verehrer-
kreis rekrutiert: „Neue Akademie. Stehr! ⟨Eulenberg⟩! Kerr! ⟨Hollaen-
der⟩! schon aus!" (ibd., S. 113).

In der Zeit von 1928 bis 1933 war Hauptmann ein einziges Mal in der
Akademie anwesend: auf dem Empfang zu seinem 70. Geburtstag im
November 1932. In dem ersten Entwurf zu einer Ansprache (vgl. „Tee in
der Akademie", CA XI, 1126) wollte er seine nach wie vor differierenden
Vorstellungen vom Wesen einer Dichterakademie berühren:

Ich stehe hier im dankbaren Genuß der warmen Gesinnungen, die mich umgeben, und das wissen Sie. Allerlei hätte ich freilich auf meinem Wunschzettel für einen Teil Ihrer Organisation *(sc. der Sektion für Dichtkunst)*, aber: kommt Zeit, kommt Rat! *Nachlaß-Nr. 596 a, Fasz. 14 b 1*

Der Lapsus „Ihrer Organisation" ist ein weiteres Indiz dafür, wie wenig Hauptmann sich innerlich der Akademie zugehörig fühlte.

XI BEGINN EINER POLITISCHEN RÜCKWÄRTSWENDUNG

1. Innen- und außenpolitischer Umschwung

1925 bedeutet für die Geschichte der Weimarer Republik eine folgenschwere Zäsur: am 28. Februar starb Reichspräsident Ebert. Hauptmann rühmte in einem Kondolenzbrief an die Witwe die Vorzüge des Verstorbenen: „ (...) wieviel glücklicher könnte Deutschland sein, wenn es den kernigen Bürgergeist dieses Mannes als sein bestes Wesen erkannt, verehrt und genutzt hätte"(Nachlaß-Nr. 705, S.60).

Keiner der sieben für die Nachfolge Eberts aufgestellten Kandidaten erhielt im ersten Wahlgang die erforderliche absolute Mehrheit. Hauptmann erblickte darin das „unzulängliche Wesen dieser Parteiregierungen":

Hat man es nicht so weit gebracht, daß z.B. keiner der sogenannten Präsidentschaftskandidaten irgendwelche Popularität besitzt, die doch vorausgesetzt werden muß, wenn das Volk bei der Wahl wissen soll, wen oder was es wirklich will. (. . .) Soll die Republik Bestand haben, so brauchen wir allerdings jetzt den großen Mann. *Brief an Geheimrat Kreutz; Nachlaß-Nr. 705, S. 82 f.*

Die Parteien der Weimarer Koalition — Sozialisten, Demokraten und Zentrum — einigten sich schließlich auf einen gemeinsamen Kandidaten, den ehemaligen Reichskanzler Marx (Zentrum). Den in der Opposition politisch erstarkten Deutschnationalen gelang es, den greisen Hindenburg für ihre Kandidatur zu gewinnen. —Hauptmann schien sich der Bedeutsamkeit dieser Alternative für die künftige politische Entwicklung bewußt zu sein, denn er äußerte zunächst seine Sympathie für den demokratischen Kandidaten. Der Entwurf eines Grußtelegramms an Marx lautet:

Wenn man den Marschall von Frankreich zum Präsidenten der französischen Republik gemacht hätte, es würde dieselbe bange Sorge auf jedes Deutschen Herz drücken wie jetzt. Möchte durch Ihre Wahl, hochverehrter Herr Reichskanzler Marx, zum deutschen Reichspräsidenten der trübe Himmel sich aufhellen. *Nachlaß-Nr. 269, Fasz. 4*

Die Problematik einer Wahl Hindenburgs erfaßte Hauptmann zu diesem Zeitpunkt mit einem Klarblick, der ihm in politicis nicht eben häufig eignete. Da er sich sonst über Hindenburg fast ausschließlich positiv ge-

äußert hat, ist folgende düstere Prognose möglicherweise Reflex eines Ge-
dankenaustausches mit einem versierten, kritischen Beobachter der politischen Szene:

(nach dem 12.4.1925)
Lob Hindenburgs.
Ein andres ist Reichspräsident.

1. Kann man ihm zumuten, den republikanischen Eid zu schwören.
Wenn er ihn schwört, was dann? Er müßte es mit sich selbst ausmachen.
Sicher würde er dem Eid treubleiben. Denn so schwarz ist niemand, nicht einmal ein
Hindenburg, daß er dem Volk Treue schwört, öffentlich und vor der Welt, und
meineidig werden sollte.
Es gibt Generäle und Admiräle, die heute noch den Bürgerkrieg wollen; unmittelbar
darauf, nachdem alle Kriegsgegner an die Wand gestellt sind, Krieg mit Frankreich.
Vorher oder nachher die Monarchie. All diesen Leuten müßte Hindenburg bis zum
letzten Blutstropfen entgegentreten, wenn er nicht zum schwärzesten Verräter
werden wollte an dem neuen Eid (. . .).
Und nun Hindenburg für das Ausland. Es heißt: mag er noch so friedlich sein:
Boulanger.* (. . .) Wer die Programme schafft, die Hindenburg als Präsident
bekämpfen muß, (. . .) führt Krieg gegen Deutschland. (CA XI, 1030 f.)

Hindenburg, der ,Marschall von Deutschland', wurde gewählt — mit
14,6 Millionen Stimmen (Marx: 13,7 Millionen). Die Macht des Faktischen verscheuchte nunmehr Hauptmanns ,,bange Sorge". Hatte er vor
kurzem noch seinen Befürchtungen über das Schicksal Deutschlands unter
einem Reichspräsidenten Hindenburg und dessen mangelnder Widerstands-
kraft gegen mögliche Putschpläne von rechts Ausdruck gegeben, so hielt er
nun folgende feierliche Eloge auf das neue Staatsoberhaupt:

(1.10.1925)
Hindenburg ist Reichspräsident: das ist ein Segen für das Reich. Das Reich war
immer das Reich, auch als es Monarchen gab (. . .).
Hindenburg ist Reichspräsident: er steht an der Spitze des Reichsgemeinwesens. —
Er hat einen Eid auf die Verfassung dieses Reiches geleistet: leisten auch wir einen
Eid darauf. Seien wir Eidgenossen, dem ersten Eidgenossen Hindenburg nachei-
fernd. Schwören wir. *Nachlaß-Nr. 51, S. 33*

---

* Boulanger, französischer Kriegsminister (1886—1887) mit autoritären Herr-
schaftsplänen.

Der von rechts diffamierte Begriff Republik fiel in diesem Zusammenhang schon nicht mehr. Die Betonung der Reichsidee entsprang bei Hauptmann dem Wunsch nach innenpolitischer Einigkeit, die durch die antirepublikanisch-föderalistischen Bestrebungen der sog. nationalen Opposition torpediert wurde. Von der Reichsidee, die zudem Reminiszenzen an die alte deutsche Reichsherrlichkeit weckte, ging angesichts der Schwäche der Republik eine eigenartige Faszination aus. Daher spielte sie im antidemokratischen Lager der Weimarer Zeit —wie die Spekulationen Moeller van den Brucks über das „Dritte Reich" zeigen— eine zentrale Rolle.

Zwar bot sich weiten Kreisen der Bevölkerung durch die Loyalitäts-empfindungen gegenüber Hindenburg erstmals die Möglichkeit, sich stärker mit dem bestehenden Staat zu identifizieren, doch die Republik blieb ungeliebt. Hindenburg weckte darüber hinaus Erinnerungen an das Kaiserreich. Im krisenanfälligen Weimarer System stilisierte die Sehnsucht nach politischer Stabilität Hindenburg zum „Ersatzkaiser". Je mehr der General Ludendorff, Symbolfigur der Völkischen, durch seine ultrarechte Agitation an Ansehen verlor, desto heller erstrahlte Hindenburgs Glanz. (2) Auch Hauptmann zollte dem Hindenburg-Mythos seinen Tribut.

(nach dem 19.1.1928)
Was Hindenburg angeht, so ist meine Verehrung für ihn trotz „Vernagelungs"-Götzendienstes* alt. Ich hatte Vertrauen nur zu Hindenburg im Kriege — und auch jetzt habe ich es. — Was besagt „Vertrauen" — man rechnet auf Zuverlässigkeit. *Nachlaß-Nr. 51, S. 178 v*

Überhaupt begann sich für Hauptmann mit zunehmendem Alter das Kaiserreich zu verklären. In der zweiten Hälfte der 20er Jahre ist bei ihm zudem ein merklicher innerer Rückzug aus der politischen Sphäre festzustellen. Vor allem die nationalen Demütigungen der ersten Nachkriegsjahre durch die harte Politik der Siegermächte hatten ihn zu zahlreichen —teils unveröffentlichten— patriotischen Reden und Appellen veranlaßt. (3) Als nun durch einen Umschwung der alliierten Reparationspolitik (Dawesplan) die innenpolitischen Folgen der Reparationen vom deutschen Volk nicht mehr so schmerzlich wie etwa zur Zeit des

* Gemeint ist die sog. „Hindenburg-Spende" im 1. Weltkrieg: Einschlagen von Nägeln in hölzerne Hindenburg-Figuren.

Ruhrkampfes und der Inflation empfunden wurden, kehrte sich die Aufmerksamkeit der Öffentlichkeit von den außenpolitischen Fragen ab. So wandte sich auch Hauptmann in seinen publizistischen Äußerungen von nun an wieder stärker geistig-kulturellen Themen zu, wie die Redensammlung „Um Volk und Geist" (CA VI) und die Nachlese zur theoretischen Prosa (CA XI) zeigt.

Eine Phase der relativen wirtschaftlichen Stabilisierung erzeugte den Optimismus der „goldenen 20er Jahre":„Damals in diesen hoffnungsvollen Jahren zwischen 1925 und 1930 stand in den Kreisen eines wieder zu Wohlstand gelangenden Bürgertums die Politik weit hinten am Horizont. Man glaubte an Stresemann und Briand und war überzeugt, daß es zu einer einsichtsvollen Lösung der Schwierigkeiten, die für Deutschland aus dem Versailler Vertrag entstanden waren, kommen würde. Die Weimarer Verfassung hielt man für unerschütterlich und wollte nichts wissen von der Not der Inflationsgeschädigten und von den dunklen Mächten, die bereits am Werke waren" (G. Bermann Fischer) (4). Solche optimistische Sehweise bekundete Hauptmann in der Tat, wenn er dem Außenminister Stresemann zu seiner in Oslo gehaltenen Rede „Der Weg des neuen Deutschland" gratulierte (5):

(. . .) Ich greife ferner aus Ihrer Rede die Dominante heraus: Der Mensch lebt nicht vom Brot allein. Die wirtschaftlichen Verhältnisse und „Belange" in Ehren *(!)*, aber Ideen haben hungernde Völker zuweilen groß gemacht, und satte und übersättigte sind an Ideenlosigkeit zugrunde gegangen.

„Die Durchdringung des Volkes mit einem gesunden und selbstbewußten Egoismus scheint mir unter allen Umständen die wichtigste Aufgabe unseres neuen Staatswesens", schrieb Hauptmann 1926 an den ehemaligen Reichskanzler Wirth, als dieser ihn um publizistische Mitarbeit für sein Zeitschriftprojekt „Die Deutsche Republik" bat. (6). Er ignorierte das Problem des sozialen Ausgleichs, das gegen Ende der 20er Jahre die radikale Form des sozialen Klassenkampfes annahm und dessen Lösung für die innere Konsolidierung der Republik wichtiger als nationale Propaganda war. An die Bemerkung des Pan-Europäers Coudenhove-Kalergi*, die soziale Lage in Europa sei ein latenter Bürgerkrieg — was auch auf die innenpolitische Situation Deutschlands zutraf — knüpfte Hauptmann seine sozialromantische Idee der befriedeten Volksgemeinschaft:

---

* vgl. Hauptmanns Grußadresse „Paneuropa" (CA XI, 1041 f.)

(6.12.1928)
Sollte es aber vielleicht sein wie mit dem Meer: die obersten Schichten sind die bewegtesten (. . .). Zwischen den hochgehenden Wellen entstehen Hohlräume, Trennungen, Zerklüftungen (. . .). Weiter unten herrscht Einheit, Ruhe, und fruchtbare Finsternis. *Nachlaß-Nr. 234, S. 125*

Hauptmann war zu dieser Zeit weit davon entfernt, wie der ebenfalls bürgerlich-konservative Thomas Mann das „Politische und Soziale" als „Bereich des Humanen" ernst zu nehmen, geschweige sich für einen demokratischen Sozialismus einzusetzen. (7). Thomas Mann vertrat in seinem Essay „Kultur und Sozialismus" (1928) die Auffassung, daß es kein „dem Leben zugewandter Sinn" mehr mit der bürgerlich- völkischen Kulturpartei halten könne und daß der Sozialismus heute „weit freundlichere Beziehungen zum Geist" unterhalte als die „bürgerlich volksromantische Gegenseite". (8). Hauptmanns Desinteresse an der sozialen Frage entsprang immer noch der unpolitisch-kulturbetonten Haltung des Bürgertums vor 1914, das die sozialen Belange herablassend zum bloßen Materialismus und Eudämonismus abwertete.

2. Der Faschismus und die Südtirolfrage

Seit Mussolinis Marsch auf Rom 1922 zeichnete sich in Italien eine politische Entwicklung ab, auf die alle Konservativen Europas mit Interesse und Sympathie blickten: sie sahen in Mussolinis autoritärem Regime ein ‚Bollwerk' gegen den Kommunismus und ein probates Rezept gegen die Gebrechen der westlichen Kultur. (9) Anfang 1927 war die totalitäre Herrschaft der Faschisten durch die Auflösung aller Parteien und oppositionellen Presseorgane besiegelt. (10)
Hauptmann, der nahezu jeden Winter in Oberitalien verbrachte, hatte sich bereits ein Jahr zuvor genötigt gesehen, in der Südtirol-Frage Stellung zum italienischen Faschismus zu nehmen. Südtirol war einer der durch Versailles geschaffenen politischen Unruheherde Europas. Seit der „Große Faschistische Rat" 1923 die Italienisierung Südtirols beschlossen hatte, erfolgte die Durchführung des Programms mit teils brutalen Methoden. (11). Sprache, Schulwesen und Verwaltung wurden italienisiert, Ende 1926 die politischen Parteien und der „Deutsche Verband" in Südtirol aufgelöst.

Diese Unterdrückung einer nationalen Minderheit führte zu empörten Protesten in Österreich und Deutschland. Mussolini erklärte daraufhin am 6. Februar 1927 vor der italienischen Kammer in einer überaus scharfen Rede, daß Italien im „Alto Trentino" nicht Gewalt, sondern nur seine Gesetze anwende. Es handele sich dort um ein ethnisches Relikt: 80 000 seien germanisierte Italiener, der Rest Überbleibsel der Barbareninvasionen. Dieses Gebiet sei seiner Geschichte und Geographie nach italienisch, und man werde es wieder dazu machen. (12)

Diese Rede war nicht nur eine Herausforderung Österreichs, sondern auch Deutschlands, so daß der deutsche Außenminister Gustav Stresemann vor dem Reichstag Stellung nahm. (13). Er wies darauf hin, daß bei der Angliederung Südtirols von italienischer Seite eine liberale Politik zugesichert worden sei. Die Entrüstung über die italienische Südtirolpolitik in der deutschen Öffentlichkeit sei nicht von der Regierung gesteuert, da in Deutschland Pressefreiheit herrsche. Die Rede Mussolinis komme einer Kriegsdrohung an Österreich und Deutschland gleich —ein Grund für Deutschland, sich an den Völkerbund zu wenden, wenn es Mitglied wäre: Die Grenzfrage sei allerdings eine Angelegenheit zwischen Österreich und Italien. Stresemanns Antwort war bestimmt in der Sache, doch im Vergleich zu Mussolinis Rede zurückhaltend im Ton. Auch Mussolini mäßigte sich in seiner Erwiderung, betonte jedoch, Italien betrachte Südtirol nicht als Minderheit im Sinne der internationalen Abmachungen und werde keine Einmischung in seine inneren Angelegenheiten dulden.

Hauptmann hielt sich zu dieser Zeit in Rapallo auf. Aus Deutschland erreichte ihn der Brief eines Freundes, des Rechtsanwalts und Justizrats Dr. Bruno Ablaß, der ihm eine „freundschaftliche Anregung" zukommen lassen wollte:

> (8.2.1926)
> Die Rede Mussolinis hat in Deutschland eingeschlagen wie eine Bombe (...) Man würde es in Deutschland nicht verstehen, wenn Sie weiter in Italien „Gastfreundschaft" in Anspruch nehmen würden in einer Zeit, in der *(...?)* Unterdrückungswut gegen alles Deutsche das Zeichen der italienischen Regierungspolitik ist. Dagegen würde es im Vaterlande Ihrem Ansehen von höchstem Nutzen sein, wenn Sie als Protest gegen die Gewalttaten dem feindlichen Bruder den Rücken zukehren.
> *Briefnachlaß II, B 585*

Hauptmanns Antwort an Ablaß ist in mehreren Entwürfen überliefert. (14) „Naturgemäß" habe er den Beschluß zur Abreise gefaßt, als die Rede Mussolinis bekannt wurde. Inzwischen sei jedoch die Krise auf absehbare Zeit beigelegt durch die „bewunderungswürdige, staatsmännisch und national gleich starke Rede Stresemanns" und die Antwort Mussolinis. Eine demonstrative Abreise aus Italien hätte nun „töricht und zweckwidrig" erscheinen müssen. Hauptmann scheute zweifelsohne einen solchen aufsehenerregenden Schriftt. Er befand sich in einem Loyalitätskonflikt: einerseits weckte das Problem der deutschen Minderheiten seinen Patriotismus, andererseits gebot ihm seine in Jahrzehnten gewachsene Anhänglichkeit an Italien Zurückhaltung. In dieser Gewissensnot wurde ihm Stresemann zu Autorität. Der Rechtfertigungsbrief an Ablaß stützt sich großenteils auf die Reichstagsrede des Außenministers. Stresemann hatte sich unter anderem gegen einen Aufruf von Privatleuten zum Boykott italienischer Waren gewandt, weil Mussolini dies seinerseits zum Vorwand für einen Gegenboykott zu nehmen drohte. Boykottmaßnahmen seien – so Stresemann – keine Methode für die Lösung außenpolitischer Fragen. Diesen offiziellen Regierungsstandpunkt machte Hauptmann zum Präzedenz seiner privaten Entscheidung:

Abreisen, in das Horn der Boykott-Agentur blasen, die sowohl Stresemann als *(der bayerische Ministerpräsident)* Held energisch von seinen Rockschößen geschüttelt hatte, wäre unter diesen Umständen persönlich wie politisch die allergrößte Torheit gewesen. (ibd.)

Hauptmann hätte sich freilich ebensogut an die Bemerkung Stresemanns halten können, daß es „in erster Linie die Folge der Rede des Herrn Mussolini" sei, wenn in Zukunft sich die Zahl der deutschen Italien-Touristen verringere. (15) –Für die italienische Südtirol-Politik fand er fast entschuldigende Worte: „Der Chauvinismus der Grenzgebiete ist überall leider als Erscheinung gleichsam gesetztmäßig". Die eigentliche Schuld am Südtirol-Problem treffe Clemenceau, dessen „macchiavellistisches Raffinement" diesen Zündstoff zwischen Deutschland und Italien ersonnen habe –ein Gedanke, den er von Manfredi Gravina übernommen hat. (16). Sodann äußerte Hauptmann staatsmännisch:

Diesen Schachzug muß aber meines Erachtens Deutschland parieren, indem es sich aus dem Bereich seiner rein begrenzten, ausschließlich reichsdeutschen Politik weder abdrängen noch herauslocken läßt.

Daß er in dieser Frage eigentlich ganz anders dachte, zeigte sich später in seiner enthusiastischen Zustimmung zur Außenpolitik Hitlers. Trotz der repressiven italienischen Südtirolpolitik war er überzeugt, daß bis zu den jüngsten Vorfällen, „abgesehen von den Tiroler Grenzfaschisten, der ganze Faschismus leidenschaftlich deutschfreundlich" sei, was er „in Gesprächen aller Art auf das allerunzweideutigste" habe feststellen können. So verteidigte Hauptmann den allgemeinen Ruf des italienischen Faschismus:

> Mussolini hat sich Potsdam zum Muster genommen. Ich lebe hier, und ich bin nicht blind. Aus zuverlässigen persönlichen Beziehungen und Beobachtungen ergibt sich mir: Italien ist ein rapide fortschreitendes Land, dessen Freundschaft hoch zu bewerten ist.

Dieser „Fortschritt" hatte seinen innenpolitischen Preis: terroristisches Vorgehen gegen die mit dem Sozialismus und Kommunismus sympathisierenden Schichten. Das wurde zwar in der großen Auslandspresse kaum erwähnt, (17) aber Hauptmann bekundete, die italienische Wirklichkeit besser als aus der Perspektive des reichsdeutschen Normaltouristen zu kennen. Seine Einstellung zum faschistischen Italien hat Modellcharakter für seinen ungebrochenen Patriotismus während des Dritten Reiches: In seiner Anhänglichkeit an beide Länder nahm er jede politische Entwicklung in Kauf: „Auf Italien lasse ich mich nicht ein! − Weil ich es zu sehr liebe", äußerte er 1927 in einer Betrachtung über die politischen Zeitläufte. (18)

Wenige Wochen nach der Affäre um die Mussolini-Rede nahm Hauptmann in einem Leserbrief an die „Times" Stellung zu der Falschmeldung, Graf Alessandro de Bosdari, der ehemalige italienische Botschafter in Berlin, habe ihm, einem ausgesprochenen Gegner des Faschismus, in Bayern einen Besuch abgestattet. Hauptmann dementierte beides mit der Feststellung, er habe niemals irgendeine Meinung für oder gegen den Faschismus zum Ausdruck gebracht: „(...) und ich wünsche nicht, daß irgendwelche Italiener auf die Vermutung kommen könnten, daß ich als Ausländer und Gast so töricht und schlecht erzogen sei, um mich in irgendeiner Weise in ihre Politik einzumischen." (19) Beruhte Hauptmanns Haltung auf Überzeugung oder Opportunismus? Die christlich-national eingestellte „Tägliche Rundschau", die den Leserbrief nachdruckte, beantwortete in ihrem Kommentar diese Frage für sich recht eindeutig (20):

> Gerhart Hauptmann ist kein Politiker, wenn er sich auch als Dichter der Republik vom Reichsbanner und ähnlichen Organisationen feiern läßt (...). Daß aber der d e u t s c h e Dichter Gerhart Hauptmann, der in Jugend und Alter so starke Töne

gegen die Unterdrücker der Freiheit fand, so „diplomatisch" kühl bleibt, wo die ganze Welt sich über die Untaten der Faschisten in Südtirol entrüstet, zeigt, daß ihm sein Wohlleben in Italien lieber zu sein scheint als sein Bekenntnis zum Deutschtum.

3. Audienz bei Mussolini

Im April 1929 hielt Hauptmann sich in Rom auf, um an der italienischen Uraufführung der Respighi-Oper „Campana Sommersa" – einer Vertonung seines Dramas „Die Versunkene Glocke" – teilzunehmen. In Rom traf er sich mit Manfredi Graf Gravina. Gravina, ehemaliger Seeoffizier und Flügeladjutant des Königs, war ein Faschist der ersten Stunde und stand in enger Beziehung zu Mussolini und d'Annunzio. Als Urenkel Cosima Wagners war ihm Bayreuth seine geistige Heimat. Mit Manfredis Mutter, Blandine Gräfin Gravina, verband Hauptmann eine „doch wohl lebhafte Beziehung, ja Freundschaft während einiger Jahrzehnte", und auch mit Manfredi Gravina fühlte er sich „durch eine Art Freundschaft verbunden" (CA XI, 591 f.). Während seines Rom-Aufenthalts legte ihm Gravina eine Audienz bei Mussolini nahe und betätigte sich als Vermittler. Er gab Hauptmann darüber hinaus Anregungen für das Gespräch mit Mussolini. So schrieb er in einem Brief vom 17.4.1929:

(17.4.1929)
Könnten Sie heute, im Laufe des Gespräches mit Mussolini, welcher Sie 6 Uhr 15 erwartet, vielleicht die Frage stellen: man habe im Auslande, um den Faschismus zu verleumden, die Kunde verbreitet, die Jesuiten würden Mussolini zwingen, das Giordano-Bruno-Denkmal vom Campo dei Fiori zu entfernen. Ob das wahr sei? *Briefnachlaß II, B.1215/1*

Überhaupt sollte Hauptmann das Thema „katholische Kirche" anschneiden —wie er sich in den „Annalen" von 1941 erinnert:

Als wir bei der Statue von Galilei vorüberfuhren, fragt' ich, wie lange sie noch stehen würde. Die klerikale Welle war damals nicht unbedeutend. „Ich würde mich nicht wundern", sagte ich, „wenn bald die Scheiterhaufen wieder in Gang kämen". – „Ich auch nicht", sagte er *(Gravina)* und regte mich an, mit Mussolini darüber zu sprechen. Ich aber habe es nicht getan. (CA XI, 592)

Die Aussöhnung der italienischen Regierung mit dem Vatikan (Lateran-verträge) hatte zwei Monate zuvor stattgefunden. Mussolinis Arrangement mit dem Katholizismus war in der faschistischen Bewegung nicht auf ungeteilte Zustimmung gestoßen. (21) Offensichtlich gehörte auch Gravina zu den Gegnern der Übereinkunft, wenn er bei dieser Gelegenheit auf Hauptmanns Aversion gegen den Ultramontanismus einging.

Audienzen bei Mussolini verliefen nach einem Zeremoniell, das seine Witwe, Rachele Mussolini, so beschreibt: „Wenn der Besucher Mussolinis Arbeitszimmer betrat, stand er auf und erwartete ihn entweder hinter seinem Schreibtisch oder ging ihm entgegen. Einige Sekundenlang wich sein Blick nicht vom Gesicht seines Gegenübers, der sofort unsicher wurde. Dann sagte Benito einige Worte der Begrüßung, und ohne weitere Zeit zu verlieren, ließ er seinen Besucher sprechen". (22) Vor der Audienz bei Mussolini notierte Hauptmann beklommen: „Veni creator spiritus" (23). Doch es wurde kein Gegenstück zu ‚Goethe vor Napoleon': „Gespräche ohne Belang. Eindruck um so belangvoller" (24). Diesen Eindruck faßte Hauptmann in einem Porträt Mussolinis zusammen, das eine glänzende Probe seiner Beobachtungsgabe liefert:

Begegnung durchaus konventionell: aber das ist und war das Gegebene. Zu Herzensausschüttungen war weder für ihn noch für mich Zeit und Möglichkeit. Und doch „Veni creator spiritus". — Hätte ich etwas davon verlauten lassen, so wäre ich einem höchsten Beamten gegenüber, einem Tätigen-Getätigten, ein läppischer Sonntagsnachmittagsprediger gewesen. — Diese Rolle liegt mir fern. Immer glaubt der Narr an Wunder! — Aber mir war alles im reinen, als ich ihn sah: Schaftstiefeln, etwas Erobererartiges! etwas Kondottierehaftes, also Napoleon: gut! von der gleichen Art! Nicht bismarckisch! obgleich seine Auswirkung heute zunächst bismarckisch ist. Nicht bismarckisch insofern, als er von einer Leibwache getragen ist. — Er ist wie ein Usurpator. — Es gibt drei Zentren in Rom: Papst, König, Mussolini. — Mussolini wirkt wie der Vertreter einer fremden Macht in Italien.
Er selbst: einfach, weich, unbrutal, ursprünglich, napoleonisch durchaus, Verfet-tungsgefahr — aber stiller, eiserner Wille. — Es genügt weniges! Untergang ist jedem bestimmt, warum darüber reden (. . . .).
Mussolini hat Ordnung geschafft, er ist ein ausgezeichneter Korporal. (. . .) Trotzdem M(ussolini) ein großer Bandenführer ist — (ich glaube, ich sah einen Colleoni* im Saal) —, hat er nicht die ganze Armee. Man braucht nur die Ruhe dieser Armee in ihren Offizieren etc. betrachten und dagegen die Ruhelosigkeit der Faschisten. Irgendwie etwas Erregtes und Gejagtes: das einer Truppe im Kriegszu-stand. Das Theater — Oper! (. . .) *Nachlaß-Nr. 7, S. 132–133 v*

---

* Colleoni, italienischer Kondottiere der Renaissancezeit.

Wo er jedoch die unmittelbare Anschauung verläßt und historische Bezüge herzustellen sucht, wird das Bild schief. Für die historische Einordnung Mussolinis als Prototyp des modernen Diktators fehlten damals noch die Kategorien —wie der bedingte Vergleich Mussolinis mit Bismarck zeigt. Charaktere und politischer Stil lassen sich gegensätzlicher kaum denken: auf der einen Seite Bismarck, der Diplomat und Kabinettspolitiker, dessen Außenpolitik nach der Reichsgründung auf die Erhaltung des Status quo zielte und der sich als treuer Diener der konstitutionellen Monarchie verstand — auf der anderen Seite Mussolini, der große Demagoge mit dem übersteigerten Machtwillen und dem ideologischen Fanatismus. An der Oberfläche haften bleibt auch der Zusammenhang, den Hauptmann zwischen preußischem Militarismus und faschistischer Miliz herstellte: „Was ist sie anders als früher Potsdam, die Garde und der schneidige Reserveoffizier, die Leibwache der preußischen Dynastie" (ibd., S. 169 v). Solche Vergleiche verfestigten sich dann zu skurrilen, die objektiven Unterschiede verwischenden Begriffsbildungen wie „Weltimperialismus bismarckisch- mussolinischer Art"(25). Darin kommt auch der ästhetische Anteil an der Geschichtsbetrachtung Hauptmanns zum Ausdruck: statt Analyse des historisch-politischen Zusammenhangs eine Wesenschau —durch Konstruieren einer architektonischen Einheit aus isolierten, scheinbar geschichtskonstanten Zügen: In Mussolini viel von Napoleon und Bismarck, ja sogar von Luther (s.u.). Das Extrem einer derart ästhetisierenden konservativen Ideologie findet sich in den geschichts- und wirklichkeitsfernen Vorstellungen eines Moeller van den Bruck, der an Bismarcks Politik eine „strategische Klassizität" bewunderte und in seinem Werk „sehr viel von Shakespeare und sehr viel von Beethoven" wiederzufinden glaubte. (26).

Für die im usurpatorischen Aufstieg Mussolinis steckende Dynamik hatte Hauptmann dagegen ein richtiges Gespür:

Prognose: Er müßte Frau und Kind abstoßen und eine Tochter des Königs oder des höchsten Adels heiraten: und was dann? Das große Fragezeichen der Weltgeschichte! Steigern (er ist ein Feldherr, bis ins höchste gesteigert!), steigern kann ihn nur noch ein Krieg. — Und allerdings: ich würde ihm Feldherrneigenschaften höchster Art zutrauen (der kleine Korporal!) — Und dann? — Der Schluß? — Das große Abenteuer! Der große, nicht bodenständige Abenteurer! Er wird vielleicht noch ein großes Schauspiel geben! *Nachlaß-Nr. 7, S. 133 v f.*

Daß Mussolini nicht ein „Friedlicher, bis ins höchste gesteigert" war, hatte er bereits während des 1. Weltkriegs gezeigt, als er sich neben d'Annunzio als Kriegspropagandist betätigte. (27). Daher meinte Hauptmann mit dieser Charakterisierung wohl kaum einen gesinnungsmäßigen Pazifismus, sondern eher den Elan vital Mussolinis, der – bis ins Abenteuerhafte gesteigert – ihm vor jeder inhaltlichen Bewertung als etwas Positives galt:

(...) die griechische Jugendlichkeit von Mussolini liebe ich, er bringt eine (...?) Rinascimento für dieses Land – kurz oder lang – es ist Leben! *Nachlaß-Nr. 12, S. 406*

Wie der NS kleidete der Faschismus die inhaltlich richtungslose Dynamik seines politisch-ideologischen Dezisionismus in das „Pathos der Jugendlichkeit" (E. Nolte). (28) Zu der Sympathie für dieses Pathos gesellte sich bei Hauptmann eine Disposition zum politischen Autoritarismus, die im alten wilhelminischen Obrigkeitsstaat geprägt worden war:

Mussolini.
Moralische Ordnung und deren Aufbau. Überflüssigmachung Polizeisystems. Autoritäre Demokratie. Habe ich nicht eigentlich tiefe Sympathie für Mussolini? *Nachlaß-Nr. 7, S. 169*

Hauptmann pries Mussolinis Aufbau-Programm, das in so populären Unternehmungen wie dem Bau von Autobahnen oder der Trockenlegung der Pontinischen Sümpfe gipfelte:

Was er über Neapel sagt: Pestilenzialischer Gestank, Ungeziefer, Dreck! ist das besser als Ordnung und Sauberkeit? Er baut auf mit Macht und Liebe und künstlerischem Gestaltungstrieb. Er arbeitet schnell, fast hastig, um das Gute durchzusetzen. (ibd.)

Die produktiven Möglichkeiten einer solchen ‚Entwicklungsdiktatur' hatte Hauptmann wohl im Auge, wenn er an anderer Stelle dekretierte: „(...) in Rußland wäre Mussolini das erdenklich größte Glück" (ibd., S. 306). Das vom Faschismus geführte Italien verglich Hauptmann mit der Weimarer Republik, die mit ihren politischen und sozialen Spannungen, mit den Regierungs- und Wirtschaftskrisen einer ähnlichen Stabilisierung zu bedürfen schien.

Beneide ich eigentlich Mussolini um sein Werk? Ja! Und hier liegt Zustimmung, wenn auch nur bedingte. Ich würde seine Methode modifiziert auf Deutschland anwenden. Vor allem die „moralische Ordnung", d.h. die moralische Einheit würde ich erstreben. (ibd., S. 169 v)

In der Sympathie mit der autoritären Staatsführung Mussolinis drückte sich freilich auch wieder Hauptmanns idealistische Verkennung der politischen Machtverhältnisse in Italien aus. Er vermeinte dort eine spontane Volkssolidarität zu erkennen, wo eine Nation mit den Mitteln des politischen Totalitarismus mobilisiert wurde und die „moralische Ordnung" nur mit der Unterdrückung großer Bevölkerungsgruppen zu erreichen war. Wenn Hauptmann insgesamt ein positives Bild vom Duce besaß, so hatte die Audienz dazu sicherlich entscheidend beigetragen. Mussolini hatte zwei Gesichter: zum einen war er der oberste, fleißigste Beamte seines Landes, gab ausländischen Agenturen besonnene Interviews, führte mit Emil Ludwig „europäische" Gespräche und galt so nicht zu Unrecht als „guter, ‚hausväterlicher', vernünftiger Diktator" (E. Nolte). (29) So sah ihn auch Hauptmann:

Hat man darüber nachgedacht, was es heißt, daß dieser Napoleon Mussolini täglich Menschen empfängt, die ihn sprechen können. (...) Das ist großartig demokratisch. Er arbeitet. Er ist öffentlich. Er ist zugänglich wie ein Despot in Tausendundeiner Nacht. *Nachlaß-Nr. 7, S. 171*

„Aber wer Mussolini so sah, mußte jene andere und nicht weniger echte Erscheinung übersehen oder verkleinern: den Mussolini, der (...) mit cäsarischem Blick die Parade abnahm oder vom Turm eines Panzerwagens zu seinen Schwarzhemden sprach, umtost vom tausendstimmigen Schrei ‚ Duce, Duce, Duce! '; den Mussolini, der das *Impero* über alles stellte und der schon damals keine Mitarbeiter mehr hatte, sondern nur Handlanger, denen er niemals einen Stuhl anbot" (E.Nolte). (30)

Hauptmanns Audienz bei Mussolini hatte zwei Wochen später in Deutschland noch ein parlamentarisches Nachspiel. Gegenstand war das Verhalten des deutschen Botschafters in Rom, Baron v. Neuraths, des späteren Außenministers unter Hitler. Der Botschafter hatte von dem Aufenthalt Gerhart Hauptmanns in Rom ebensowenig Notiz genommen wie zuvor von den Empfängen Emil Ludwigs bei Mussolini. Diese Nichtbeachtung von Kulturrepräsentanten der deutschen Republik wurde auf den Sitzungen des Reichstags-Haushaltsausschusses am 2. und 4.5.1929 von Vertretern des Zentrums und der Deutschen Demokraten kritisiert. Außenminister Stresemann stellte sich vor seinen Botschafter und erklärte, daß dem Diplomaten jegliche Tendenz fernläge, wenngleich er gegenüber Emil Ludwig und Gerhart Hauptmann „keine glückliche Hand" gehabt habe. (31). Dies kulturpolitische Skandalon glossierte Kurt Tucholsky bissig in der „Weltbühne" (32):

GUTER NEURATH IST TEUER

Ssiss kaum zu gloom:
Da haben wir einen in Rom,
(. . .)
Wenn die Republik Geburtstag hat —:
ist er nicht zu Hause;
besucht Gerhart Hauptmann die ewige Stadt —:
ist er nicht zu Hause.
(. . .)
Gut leben. Mit Cliquen intrigieren.
Die Republikaner sabotieren.
Uns überall schaden, daß es so knallt —:
das tut jener für sein Gehalt.

Auch dies eine der Paradoxien der Weimarer Republik: der „Vernunft-republikaner" Tucholsky verteidigt einen unsicheren Republikaner gegen einen diplomatischen Repräsentanten, der aus seiner antirepublikanischen Gesinnung keinen Hehl macht und dafür noch die Rückendeckung durch den Außenminister der Republik erhält.

XII DER NIEDERGANG DER REPUBLIK

1. Krise des Parteienstaates

Nicht nur der Niedergang des parlamentarischen Systems, der sich in dem Bruch der Großen Koalition am 27.3.1930 ankündigte, erzeugte politisches Unbehagen in weiten Kreisen der Gebildeten. Das gesellschaftspolitische Klima bewirkte ganz allgemein eine gewisse Republikmüdigkeit. „Die Republik hatte nicht die geringsten Absichten und Ambitionen, die Gesellschaft von sich aus zu ordnen. Sie verzichtete auf jede religiöse Grundlage oder areligiöse Weltanschauung, sie hatte keinen konfessionellen Ehrgeiz, sie entwickelte ein geradezu lächerliches Minimum an Machtmitteln. Vom Staatlichen her gesehen, ergab sich daraus die spezifische Farblosigkeit der Weimarer Republik, weil sie ein Ausmaß an Freiheit gewährte, das schwer zu überbieten war; wurde dem Bürger der Republik damit nichts gewährt, sondern ihm zuviel zugemutet? " (H. Diwald) (1). Die geistige Desorientierung nach dem 1. Weltkrieg gab zwar einem im Vergleich zur wilhelminischen Epoche ungewohnten Liberalismus Raum, erzeugte aber andererseits das Bedürfnis nach Führertum nicht nur auf politischem, sondern auch geistig-kulturellem Gebiet. (2) Die Weimarer Republik ist, was Lebensgefühl und Epochengeist betrifft, zum Mythos geworden, doch „die ,Helden' selbst fanden es kaum rühmenswert, Zeitgenossen dieser Epoche zu sein" (K. Sontheimer) (3). Auch Hauptmann sah Anlaß, über eine Kraft- und Richtungslosigkeit dieser Jahre zu klagen:

(nach dem 8.12.1931)
Wir wollen uns doch in Künsten, Wissenschaften und „Wahrheiten" nicht weiter von der erbärmlichsten aller politischen Epochen initiieren lassen. *Nachlaß-Nr. 14, S. 16*
So weit haben sie es gebracht: die Politiker sind heut die verachtetste und unbeachtetste Kaste. (ibd., S. 28)

Die Zersplitterung des Parteiwesens, die ständig wechselnden parlamentarischen Mehrheitsverhältnisse diskreditierten das demokratische System in den Augen der Bevölkerung. Hauptmann mag wohl an das englische Oberhaus gedacht haben, als er nach dem Bruch der Großen Koalition 1930 naiv äußerte:

(nach dem 29.5.1930)
Ich schlage vor, ein Einigungsparlament über einem Kampfparlament zu gründen. – Das Einigungsparlament ist ein vom Kampfparlament gewählter Ausschaß. – Im

Einigungsparlament werden nur Gedanken besprochen, in denen alle einig sind, im versöhnlichen Sinne. Grundlegend ist die gemeinsame Basis: Menschentum, Volkstum, guter Wille. *Nachlaß-Nr. 24, S. 88*

Die geringe ideelle Geltung des Parteiwesens am Ausgang des 19. Jahrhunderts hatte sich bis in die Weimarer Zeit vererbt. Es tat dem Ansehen der parlamentarischen Demokratie dazu schweren Abbruch, daß sich die opponierenden Parteien nicht zu einem Minimum an staatspolitischer Integration zusammenfinden konnten. Hauptmanns Wunsch nach Einigkeit und Volksgemeinschaft war der „Parteienhader" zutiefst zuwider. Zwar befürwortete er einen Parteienpluralismus, dieser sollte jedoch gleichsam in einer prästabilierten Ordnung dem großen Ganzen untergeordnet sein. An die Parteibezeichnung „Staatspartei"* knüpfte er die Überlegung:

Staatspartei, Vaterländische Partei. Sollen wir nicht vaterländisch sein? Das ist Unsinn. Jede Partei soll dessen eingedenk sein, was in ihr das Vaterland schädigen könnte: das Internationale, der Sozialism(us), das Römische des Katholizism(us), das Rücksichtslose der Juden: nichts davon (. . .) darf überwüchsig werden. (. . .) Viele Parteien? Warum nicht! Aber man muß sie subsumieren können. Nur zwei Parteien sind selbst in einer Indi*(vidual)*seele zu wenig, um wieviel mehr in einer Volksseele. *Nachlaß-Nr. 24, S. 107*

Hauptmann selbst mochte sich als Kulturrepräsentant nicht vor eine der politischen Parteien als „Karrengaul" spannen lassen:

(4.8.1925)
„Warum verstimmen Sie die Rechtsparteien? " sagt ein Herr zu mir. „Aus dem gleichen Grund", antworte ich, „aus dem ich die Kommunisten verstimmen muß. Es würde für die einen wie für die andern wertvoll sein, sich über die Bedingungen zu unterrichten, unter denen ein Dichter allein sich entwickeln und sich treu bleiben kann." *Nachlaß-Nr. 234, S. 92*

---

* 1930 schloß sich der Jungdeutsche Orden mit den Deutschen Demokraten zur Deutschen Staatspartei zusammen.

Angesichts der Parteienkorruption in der Weimarer Zeit galt parteipolitische Unabhängigkeit geradezu als Ausweis persönlicher Integrität. Hauptmanns Auffassung über das Verhältnis von Dichter und politischer Öffentlichkeit war zudem von den gleichen Argumenten bestimmt wie in der wilhelminischen Zeit: ein Dichter von Rang, der im Volke wurzele, werde dessen universeller Ausdruck sein. Politische und religiöse Parteiungen seien ihrem Wesen nach trennend: nicht der Mensch sei ihnen Hauptsache, sondern der Parteigänger. Der Dichter habe es jedoch gerade mit dem zu tun, was der Parteigänger vom Menschen übriglasse. Dieses unpolitische Selbstverständnis hatte in der wilhelminischen Zeit die Interessenidentität der herrschenden Schicht und des Bildungsbürgertums zur Voraussetzung. Doch nach 1918 war das Bürgertum im weitesten Sinne zur Partei geworden. (4). Das damit verbundene Legitimationsproblem erkannte Hauptmann erst, als es zu spät war (s.u.).

Bei Wahlen hat sich Hauptmann vermutlich für die Deutsche Demokratische Partei, die Nachfolgerin der alten Fortschrittspartei, entschieden. Dafür spricht die Einladung durch die Demokraten in Anhalt 1924 (vgl. CA XI, 1025 f.) und die im Nachlaß überlieferte Ansprache zu einer Parteineugründung vom August 1930, die sich höchstwahrscheinlich auf die Umwandlung der Deutschen Demokratischen Partei zur Deutschen Staatspartei bezieht. (5) Die unverbindliche Metaphorik dieser Ansprache zeigt, wie begrenzt sein politisches Begriffsarsenal war. Ausschlaggebend war für ihn die nationale Zuverlässigkeit. Diesbezügliche Zweifel dürften sein Verhältnis zur Sozialdemokratie in der wilhelminischen Ära gestört haben, wie eine Bemerkung über die SPD aus späterer Zeit nahelegt:

(nach dem 14.4.1933)
Das Klassenkampfprinzip ist eine scholastische Anwendung. Ist ein verrückter Professorenbegriff, der jede Familie und jedes Volk sprengen muß — aber die sozialdemokratisch(e), allzu gemütliche Partei schleppt sich mit diesem Begriff, den sie innerlich schon verworfen hatte. Sie fürchtete, etwas wegzuwerfen, was der internationalen Partei angehörte, obgleich sie, nämlich die Nachkriegs-S(ozialdemokratische) A(rbeiter-) P(artei), wie ich überzeugt bin, national war. *Nachlaß-Nr. 15, S. 60*

Ähnlich hatte er sich schon 1927 über die SPD geäußert. In dem bereits erwähnten Brief an Stresemann sprache er von Stresemanns „nicht hoch genug zu bewertender Feststellung ihrer Umwandlung in eine vaterländische und staatserhaltende Partei", ja sogar von „dieser natürlich gegebenen Partei". (6). Zu diesem Zeitpunkt war es freilich weniger die Frage, ob die SPD „vaterländisch" genug, sondern ob sie stark genug war, im Verein mit den gemäßigten bürgerlichen Parteien die bestehende Staatsverfassung gegen den rechten und linken Extremismus zu verteidigen.

Allerdings verharrte die SPD der Weimarer Zeit in einer ungeklärten theoretischen Position. Ebert hatte die Richtung der „staatspolitischen Verantwortung" gewiesen. (7). Doch mit der Zuspitzung der sozialen Gegensätze Ende der 20er Jahre und dem Anwachsen der linken Opposition innerhalb der SPD blieb ihre Entscheidung zwischen politischem Pragmatismus und revolutionärem Postulat in der Schwebe. (8)

Wenn Hauptmann 1933 im Rückblick die SPD eine „allzu gemütliche Partei" nannte, so kam darin nicht nur die ideologische und organisatorische Unbeweglichkeit der mittlerweile zur Traditionspartei verfestigten Sozialdemokratie, sondern auch eine Eigenart der politischen Szene in der Weimarer Republik zum Ausdruck: Das Festhalten an der bestehenden politischen Ordnung hatte den Anschein des Konservatismus und Inmobilismus. (9). Daher vermochte die nationalistisch-völkische Opposition gegen die Republik den Eindruck zu erwecken, als sei ein politischer Änderungswille nur bei ihr zu finden. Diesem Eindruck erlag auch Hauptmann, der in dem erstarkenden Nationalsozialismus vorwiegend ein Generationsphänomen erblickte.

2. Der Aufstieg des NS

Das Bündnis der Deutschnationalen mit den Nationalsozialisten beim Volksbegehren gegen den Young-Plan 1929 hatte den NS politisch aufgewertet. Bei den Septemberwahlen 1930 waren die Nationalsozialisten die eigentlichen Gewinner: Ihre Abgeordnetenzahl schnellte von 12 auf 107. Vor den Wahlen hatte Hauptmann ihnen noch zugerufen: „Nationalsozialisten, ihr seid zu jung, und eure Führer sind zu unerfahren" (Nachlaß-Nr. 24, S. 88). Doch der Wahlerfolg änderte seine Meinung: Hier war unübersehbar ein neuer Jugendtypus angetreten, der sich gegen das alte System wandte. Hauptmann, der dazu neigte, theoretische Positionen in der Identifikation mit ihren Vertretern zu personalisieren, trat zur intellektuellen Bewältigung des neuen Phänomens gleichsam in einen inneren Dialog mit einem Verfechter des ‚alten' liberal-demokratischen Systems – Theodor Wolff:

(Ende September 1930)
Man soll nicht Spielverderber sein: und wenn es ein blutiges Spiel wäre, wie es der Krieg war. – Und das war Theodor W(olff) (den ich im übrigen liebe und ehre).
Aber was hilft es: der Denker unterliegt seinem Denken.
Heut treten diese jungen Männer wieder in Reih und Glied zum verwegenen Jugendsein.
Ihr habt sie aufgerufen kraft der Republik und ihrer Verfassung – nicht gegen sie!
Nun sind sie da! – Und sie haben eine Idee: Das dritte Reich!
Es sind fröhlich alles mißverstandene, halbe Dinge, die (sie) vermischen und d(r) aus sie eine „Weltanschauung" backen, ungenießbar außer für sie selbst. Aber sie werden von dieser Speise gesund, kühn, wild! Sie werden gefährlich, wie die Amokläufer von ihrem Gift. *Nachlaß-Nr. 133, S. 33f.*

Als „vielleicht unkluge, aber im Innersten natürliche und durchaus zu bejahende Revolte der Jugend gegen die hohe Politik" faßte Stefan Zweig diesen politischen Erdrutsch auf. (10) In ähnlicher apolitischer Unterschätzung bewertete ihn Hauptmann als primär romantisch gesinnten Protest der Jugend:

(nach dem 3.11.1930)
Ihr macht zuviel in Prosa: das können diese Leute, nämlich diese Art Jugend wie die N(ational-)S(ozialisten), nicht vertragen. Sie wollen Dichtung, Romantik, Schwärmerei, Glauben mehr als Wissen, keine Knauserei des Herzens, nicht Wirtschaft, sondern was Ehre und Deutschsein etc. nicht erschöpft. *Nachlaß-Nr. 24, S. 122 v f.*

Auch diesen ‚Elementarvorgang' registrierte Hauptmann in eigentümlicher Unentschiedenheit zwischen Neugier und Skepsis. Wiederum wird in diesem Zusammenhang Theodor Wolff erwähnt (11), mit dessen aufgeklärtem politischen Denken Hauptmann offenbar nicht ins reine kommen konnte – wie bei Rathenau – und gegen das er nun die Bataillone der Jugend aufmarschieren ließ.

Für den Eindruck, daß der NS die politische Vorhut einer nachdrängenden jungen Generation bildete, mochte manches sprechen. Die starken Gewinne der Nationalsozialisten waren nicht zuletzt auf eine hohe Beteiligung von Erstwählern zurückzuführen. In der deutschen Studentenschaft spielte der 1926 gegründete NS-Studentenbund längst eine dominierende Rolle. Zudem war die weltanschauliche Affinität zwischen der bündischen Jugend und dem NS derart ausgeprägt, daß ein Theoretiker der

„konservativen Revolution", Hans Zehrer, den NS als den ersten Versuch der politischen Zusammenfassung und Zuspitzung der Jugendbewegung wertete. (12) Auch das jugendliche Funktionärskorps des NS trug zu diesem Eindruck bei. (13)

Hauptmann suchte sich ein persönliches Bild von dieser Generation zu machen. Im Juli 1930 hatte ihn in Dresden nach einer großen Hitler-Versammlung ein Fünfundzwanzigjähriger im Braunhemd auf der Straße angesprochen. Hauptmann bemerkte im Gespräch seine „Intelligenz" und „Wißbegier" und lud ihn zu sich nach Agnetendorf ein. Ein halbes Jahr später kam der Besuch zustande:

(14.12.1930)
Er hatte ein abgetragenes Jackett, ebensolche Hosen und schlechte Stiefel an. Von dem schneidigen Nationalsozialisten war nichts übriggeblieben. Aber er sprach nach Form und Inhalt wie ein gebildeter Mensch (. . .). Auf Hitler kam er sehr spät, er brachte sich selbst darauf. Der Führer habe einmal gesagt: dem Nationalsozialismus sei es zu danken, daß der Bolschewismus in Deutschland nicht herrschend geworden sei. (Er hat unrecht). Dann ausbrechend, habe er gerufen: Das feige und schlaffe Bürgertum, das alles mit sich machen lasse (richtig!), wäre dazu nicht imstande gewesen. Eigenes Denken, vielfältige Erfahrung ist bei H. *(sc. dem Besucher)* zu spüren. Entschlossene Treue, persönliche Hingabe wurde von ihm glaubhaft gemacht. Ebenso ein ideales Interesse am Nationalsozialismus ohne materielle Ziele. Er schien einigermaßen wißbegierig und belehrbar, was Juden und Hochfinanz anbelangt. *Nachlaß-Nr. 234, S. 157 f.*

Der Begriff „Nationalsozialismus" war Hauptmann zudem aus seiner Jugendzeit nicht unbekannt: „Wollt ihr nicht nachdenken? In meiner Jugend war ich Nationalsozialist" (Nachlaß Nr. 7, S. 252). Nach der Erinnerung Hermann Bahrs hat in den 1880er Jahren Wolfgang Heyne, Redakteur der „Kyffhäuser-Zeitung", diesen Ausdruck zuerst geprägt: „Gemeint war, die Hohenzollern zu sozialen Kaisern, das Deutschland Bismarcks auch für den Arbeiterstand bereit zu machen" (H. Bahr). „Nationalsozial" habe für jene Epoche den Übergang vom Nationalismus zum engagierten Sozialismus bedeutet. (14) Insofern sah Hauptmann in der Bewegung von 1930 einen legitimen Ausdruck jugendlichen Engagements.

3. Absage an die Brüder Mann

In den ersten Jahren der Republik hatte Hauptmann die „Putschereien der Heißsporne" (15) und politischen Attentate der nationalistischen Rechten verurteilt:*

(1923)
Wir machen im Nationalen durch das Nationale ungeheure Rückschritte und im Unternationalen *(= innenpolitisch)* durch das Nationale desgleichen: der Fanatismus im Bunde mit der Unbildung wollen uns hinabziehen. *Nachlaß-Nr. 26, S. 95*

Als nun 1930 derselbe politische Fanatismus sein Haupt erhob, erkannte Hauptmann ihn nicht wieder. Bei der verbreiteten Republikmüdigkeit war schon allein das „Faktum einer mächtig aufstrebenden Oppositionspartei" (K. Sontheimer) genug, um Interesse und Sympathie auszulösen. (16) Die Nationalsozialisten waren im Gegensatz zu den Deutschnationalen eine politisch noch nicht verbrauchte Kraft und drapierten sich gegenüber den angeblich abgewirtschafteten Parteien des ‚Systems' als „Bewegung".

Nach dem Wahlerfolg der Nationalsozialisten versuchten Heinrich und Thomas Mann sogleich eine Solidaritätsaktion bürgerlicher Geistesvertreter zur Verteidigung der Republik herbeizuführen. Heinrich Mann entwarf einen Aufruf, der in polemischer Schärfe ebenso Mißstände in der Republik – Ämterpatronage, Korruption, parteiische Justiz – anprangerte wie den kriminellen Charakter des NS und seiner Hintermänner geißelte:

(. . .) Wir wollen es denen sagen, die das Hinabgleiten in die Diktatur schon als unabwendbares Schicksal angesehen haben, daß sie sich irren und daß es nur ihre eigene Unentschlossenheit, ihre Schwäche oder törichte Angst ist (. . .). Wir wollen die Republik warnen, sich selbst aufzugeben. Was sie versäumt, vor allem in der Frage der Arbeitslosigkeit, täten nach ihrem Sturz in roher Art die Unsaubersten und spielten sich noch als Retter auf. (. . .)
Wenn man diese nationalsozialistische Massenpartei bei Licht besieht, bleibt von allen ihren Millionen keine halbe, keine achtel, die sachlich auch nur das Einfältigste aussagen könnte über Zweck und Ziel (. . .). Sie haben nie in ihrem Leben ernsthaft gearbeitet, es sind ausgehaltene, faule und verfettete Existenzen (. . .).

---

* Den Kapp-Putsch bezeichnete er nach dem Scheitern als „verbrecherischen Spuk". *Nachlaß-Nr. 6, S. 39*

Wir fordern die drakonische Republik. Wer Hochverrat begeht, soll ihn büßen, und keine nationalistische Redensart soll ihn länger decken. *Typoskriptabzug im Briefnachlaß I, s.v. Mann, Thomas*

Thomas Mann unternahm es, an Gerhart Hauptmann heranzutreten und ihn um seine Beteiligung an dem Vorhaben zu bitten. Er schrieb am 23.10.1930 an Hauptmann:

Die nächsten Monate werden vieles entscheiden, und es muß sich zeigen, ob es gelingt, die Schande der nationalsozialistischen Pöbelherrschaft von Deutschland abzuwenden. Die Sozialdemokratie scheint ja gewillt, der gefährlichen Aktivität der Gegenseite ein energisches Paroli zu bieten, aber Sie werden gewiß der Meinung zustimmen, die wir neulich in Berlin, mein Bruder und ich und ein paar andere Herren erörterten, daß es gut wäre, wenn die sozialistische Arbeit durch eine Aktion von bürgerlicher und intellektueller Seite wirksam unterstützt würde. Aus diesem Gefühl hat mein Bruder Heinrich den beifolgenden Aufruf entworfen und hat mich gebeten, Sie zu fragen, ob Sie sich entschließen könnten, ihn zusammen mit ihm, mir, Einstein, noch einigen namhaften Gelehrten und drei oder vier hervorragenden Wirtschaftsführern (. . .) zu unterzeichnen. *Briefnachlaß I, ibd.*

Thomas Mann erklärte, daß es sich um einen Entwurf handele, dessen Einzelheiten auf Wunsch geändert werden könnten. Geplant sei eine „Kampforganisation bürgerlich-geistiger Art", die aus Wirtschaftskreisen finanziert werden solle. Daß Thomas Mann in dieser Anfrage gleichzeitig für die Sache warb — was ja unter Gleichgesinnten überflüssig gewesen wäre — zeigt, daß er mit Zögern und Bedenklichkeiten Hauptmanns rechnete. Hauptmanns Antwort war überraschend knapp und abschlägig:

Ihr Aufruf hat mich ein bißchen erschreckt, Ich werde ihn keinesfalls unterzeichnen. Aber ich rate auch Ihnen freundschaftlich davon ab. Er wird nichts bessern, sondern die Lage verschlimmern, und Sie selbst ziehen durch eine so gnadenlose Erklärung einen nicht ungefährlichen Haß auf sich. — Übrigens hat der Wortlaut des Aufrufs im ganzen nach allen Seiten bedenkliche Punkte. Er riegelt Zustimmungen förmlich systematisch ab, also nochmals: ich glaube den besten Rat zu erteilen, wenn ich Ihnen davon abrate. *Nachlaß-Nr. 715, S. 101 f.*

Hauptmann ging selbst in diesem Stadium der Vertraulichkeit weder auf einzelne Punkte noch auf die Tendenz des Aufrufs in irgendeiner Weise ein. Zu erwarten gewesen wäre vielleicht die Versicherung, auch er selbst teile die Besorgnis über die politische Entwicklung, gehe aber demungeachtet nicht von seinem alten Standpunkt ab, sich nicht in die Partei- und Tagespolitik zu mischen. Doch er wollte mit jenen politisierenden Literaten nichts zu schaffen haben. Eine Tagebuchnotiz nach dem 12.10.1930, also wohl in einem Zusammenhang mit der Anfrage Thomas Manns, formulierte diese Distanz sehr polemisch: „Thomas Mann. Bürgerlicher Musterknabe, was gehst du mich an? aufgebauscht und davon nicht einmal berauscht"* (Nachlaß-Nr. 7, S. 263 v). Zwei Jahre später, als die innenpolitische Krise sich noch verschärft hatte, urteilte Hauptmann gerechter über Thomas Manns Engagement:

(vor dem 19.8.1932)
Lieber Thomas M(ann). Ich schätze Sie, ich verehre Sie. (. . .) Mut, Kraft, alles im Bezirk des starken einzelnen Menschen ist mit Ihnen verbunden, und Sie haben Recht. Trotzdem ist es vielleicht falsch, sich in gemeine Zänkereien einzulassen. — Sie sind zu journalistisch. Man soll die Objektivität großer Kunst nicht aufgeben, und wenn es zur Mönchszelle führt. *Nachlaß-Nr. 14, S. 130 f.*

Das bedeutete ein indirektes Eingeständnis der eigenen Schwäche und Unentschlossenheit. Freilich: wie konnte Hauptmann eine Sache wie den Aufruf Heinrich Manns vertreten, dessen Haß von der Schärfe intellektueller Klarsicht herrührte? Hauptmann war diese radikale Sehweise so fremd, daß er sich — auch bei inhaltlich konformer Meinung — nur unter Selbstverleugnung daran hätte beteiligen können. Auf eine Frage der Mentalität lief daher für ihn die Sache hinaus:

(vor dem 21.9.1930)
Es ist falsch, wenn die Intellektuellen in Berlin glauben, elementare Bewegungen wie die N(ational-)S(ozialisten) bedeuteten nichts. — Intellektualismus ist nie ein Volk. — Intellektualisten haben nur in ihren höchsten Ausmaßen die Kraft, ein Volk zu umfassen. Das Elementare (. . .) befaßt sich nicht mit Politik, es ist und bleibt! (. . .) — aber man muß auch die Nationalsozialistische Arbeiterpartei elementar begreifen und achten. *Nachlaß-Nr. 7, S. 246*

---

* vgl. Hauptmanns Bemerkung von 1929: „Wäre doch T(homas) M(ann) eines echten Affektes fähig. Siehe seine *(Nobelpreis-)*Rede in Stockholm. *Nachlaß-Nr. 227, S. 60*

Thomas Mann kam viele Jahre später — bei der Nachricht von Hauptmanns Tod — noch einmal auf diesen mißglückten Versuch zurück, Hauptmann für eine politische Mitarbeit zu gewinnen. Dabei spielte er auf Hauptmanns Urteil über den Aufruf („gnadenlose Erklärung") an: „Die Märtyrerrolle wies er ab. Den unbedingten Kampf gegen die heraufziehende Barbarei nannte er ‚gnadenlos', — ein sinnreich gewähltes Wort, das sowohl ‚ohne Gnade' wie ‚unbegnadet' meinte (. . .)" (17).

Dennoch ist die Beschwörung der drohenden politischen Gefahr in dem Brief Thomas Manns nicht ganz ohne Eindruck auf Hauptmann geblieben. Drei Wochen später — am 13.11.1930 — notierte er sich „Politische Gedanken". Es sind Reflexionen über die politische Szene, deren Grundtenor die Ermahnung zu Besonnenheit und Friedlichkeit in der politischen Auseinandersetzung ist. Hauptmann rief die Parteien zu einem „unverbrüchlichen Burgfrieden" auf und die Extremisten zu einer Entbrutalisierung des politischen Kampfes. Den NS beurteilte Hauptmann weiterhin mild:

> Jeder, auch der wildeste Nationalsozialist, will den Sieg, und das ist erhöhte Friedenssicherheit. (. . .) Ihr braucht keinen Knüppel, ihr braucht nur Gedanken und Erkenntniskraft.
> Auch einen Hitler braucht ihr nicht. Die Schweiz ist uns hoffentlich nicht mehr um hundert Jahre voraus: ein Hitler wäre dort lächerlich. (. . .)
> Das gleiche sage ich zu den Kommunisten. Laßt Rußland Rußland sein, macht euch frei (. . .) (CA XI, 1097).

Der sich bei den Septemberwahlen von 1930 erschreckend abzeichnende Zersetzungsprozeß der politischen Mitte machte die Lethargie des Bürgertums deutlich. Auch Hauptmann erkannte nun, daß diese Schicht eine ohnmächtige Rolle im politisch-öffentlichen Leben spielte:

> (Oktober 1930)
> Bürger, wo seid ihr? Ihr schlaft. (. . .) Bürgertum, woher kommt eure politische Armut. (. . .) Seid ihr zu mächtig? Nein! Seid ihr Schlafmützen? Nein! Und doch seid ihr, in gewisser Beziehung, taub und blind. Ihr seid einzig gedrängt zum Wohlstand — und dem, was mehr als Wohlstand ist. — Der Bürger *(Albert)* Einstein, der Bürger Marx — Engels — Kant — Humboldt — Goethe e tutti quanti. — Und doch ist euch das Klassenbewußtsein verlorengegangen. Wir sollen den Begriff Bürger wieder einführen und sagen: Bürger soundso. *Nachlaß-Nr. 7, S. 258 f.*

Diese Beschwörung des Bildungsbürgertums verdeutlicht, wie er durch seinen konservativen Kulturidealismus in Illusionen über die gesellschaftliche Entwicklung befangen war. Zwar kritisierte er den sozialen Opportunismus der bürgerlichen Schicht als materiellen Gruppenegoismus (Wohlstandsdenken), aber er setzte ihm die fragwürdige Alternative einer Wiederbelebung des bildungsbürgerlichen Kulturidealismus entgegen.* Er verurteilte sogar die „banale Spielzeugindustrie des Bürgertums (...), die den Arbeiter – der der einzig warme und menschliche, elementare und jugendlich genießende Typ, auch im Geistigen produktiv (junge) Typ ist – mit einer Roheit ohnegleichen zerstört (...): hier, in der Arbeiterschaft, müßte Leben, Geist, ‚Geistigkeit' unterstützt werden, denn sie ist schon da" (Nachlaß Nr. 12, S. 395). Doch er machte sich letztlich nicht klar, daß der bürgerliche Humanismus keine tragfähige Basis mehr war, wenn er sich nicht im Sinne Thomas Manns zum demokratischen Sozialismus weiterentwickelte – was konkret hieß: die SPD politisch zu unterstützen. (18)

Die politische Entwicklung unter der unpopulären Regierung Brünings war wenig dazu angetan, unschlüssige Geister wie Hauptmann zu einem Engagement für die Republik zu motivieren. Wurde schon seit je der Wahl- und Koalitionsmechanismus der Parteien als „volksfremd und unorganisch" (H. Plessner) empfunden, so steigerte sich jetzt die Entfremdung zwischen Regierung und Volk durch die bürokratische, auf Notverordnungen basierende Regierungsmethode Brünings. (19) – Hauptmann gab weitverbreiteten Empfindungen Ausdruck, wenn er sein Mißbehagen an der Regierung Brüning folgendermaßen artikulierte:

(nach dem 8.12.1931)
Was ich nicht billigen kann an dieser Regierung:
I Daß sie keine Ehrfurcht vor dem Volke hat.
II Daß sie einen dumpfen, unpersönlichen Zwang auszuüben versucht.
III Daß sie im Dienste der Auslandsschulden steht und doch, durch Zerdrückung des deutschen Handels- und Erwerbsgeistes, eine Befreiung von diesen Schulden unmöglich macht.
IV Daß sie weltfremd ist und Notverordnungen auf Notverordnungen in die Welt setzt. (...)
(...)

---

* Vgl. Hauptmanns Bemerkung von 1927: „Ich war der Vertreter des Bürgertums, das es nicht verdient, daß ich sein Vertreter bin" *Nachlaß E. Jungmann, B 1, S. 9*

VI Und die Gefahr dieser unpersönlich diktatorischen Pfuscherei ist unbegrenzt, nicht wie die persönliche, verantwortliche etwa eines Mussolini. Der nie so weit gegangen ist als unsere unpersönliche Regierung.
(. . .)
IX Es ist republikanische Selbstvernichtung. Es wuchert aus einem Paragraphen die Republik zu Tode, übt Verrat an ihr!
X Man sehnt sich nach einer konstitutionellen, liberalen Monarchie. *Nachlaß-Nr. 14, S. 14 f.*

Unumwunden hielt Hauptmann dieses System für ablösungsreif. Sein Realitätsssinn hatte längst akzeptiert, was der „abstrakte Republikanismus" des Radikaldemokraten Heinrich Mann nicht wahrhaben wollte: „Die Republik, die Thomas Mann zur Festigkeit gegenüber dem Faschismus ermahnte, deren ‚Geist' Heinrich Mann zu wiederholten Malen (. . .) so eindringlich beschwor, diese Republik, die beide meinten und retten wollten, sie existierte nicht und hatte in Deutschland nie existiert" (H.-A. Walter). (20)

XIII PREUSSENTUM UND PROTESTANTISMUS

Neben der Kritik an dem Notverordnungsregiment wirkte sich in Hauptmanns Ablehnung der Regierung Brüning auch seine alte Abneigung gegen den politischen Katholizismus aus.

Anfang 1931 würden in der deutschen Öffentlichkeit die konfessionellen Instinkte aufgepeitscht, als Reichskanzler Brüning auf einer Ostreise dem Kardinal, nicht aber dem Generalsuperintendenten von Breslau einen kurzen Staatsbesuch machte. In seinen Memoiren berichtet Brüning: „Ich ahnte nicht, daß sich aus dieser Etiketteangelegenheit ein gewaltiger Sturm ergäbe, der, mit Hilfe der deutschnationalen Presse geschürt, den furor protestanticus gegen mich mobilisierte." (1). Auch Hauptmann zeigte sich von diesem Furor infiziert.

(nach dem 8.12.1931)
Ich möchte den Herrn Kanzler Brüning fragen, ob er irgendwie, nicht mit der katholischen Religion, denn diese achte und verehre ich, sondern mit dem jesuitischen Klerus zusammenhängt, den ich in seiner Weise respektiere. Es gibt aber eine Wahrhaftigkeit, die für einen preußischen und deutschen Reichskanzler unumgänglich ist. – Ich fordere Sie auf, vor Gott, öffentlich zu bekennen, ob Sie die Weihen als Priester besitzen und ob Sie Jesuit sind. *Nachlaß-Nr. 155, S. 33 f.*

Einem Priester nämlich sprach Hauptmann von vornherein jegliche nationale Zuverlässigkeit ab.

(nach dem 19.3.1928)
Kein kat*(holischer)* Priester ist ein Deutscher noch beugt er sich unter die Glorie des vaterländischen Gedankens oder Gesetzes: er ist Werkzeug, Beauftragter einer fremden Regierung und verrät uns *(. . . ?)* so jeden Augenblick. *Nachlaß-Nr. 140, S. 35*

Einiges konnte, äußerlich gesehen, für diese Polemik gegen den „Jesuiten" Brüning sprechen: seine Zugehörigkeit zur Zentrumspartei, deren Vorsitzender Kaas römischer Prälat war; Brünings asketisch-gelehrtenhaft wirkende Erscheinung, sein diplomatisches Geschick – Eigenschaften, die ihn eher für ein hohes Amt der Kurie als der Politik zu prädestinieren schienen. Hätte Hauptmann Brüning näher gekannt − seine persönlich Integrität, sein ideelles politisches Ethos: Brüning wäre ihm als rühmliche Ausnahme der verachteten Berufspolitikerkaste erschienen. Doch Brüning verfügte nicht über die massenwirksamen Eigenschaften einer politischen Idolfigur.

Für Hauptmann war die ultramontane Rolle Brünings bei den Konkordatsverhandlungen in Preußen ausgemacht. (2)

(Ende 1927)
Unser „Mann" Brüning wirkt für Rom: vielleicht ist das auch für Deutschland wichtig. Es sind aber doch Krankhaftigkeiten. Internationales auf brüchiger Basis. Jemand sagte naiv, Brüning wird wohl bald Kardinal! Und das in Zeiten schwerer Bedrängung des Vatikans durch Mussolini. Brüning will vielleicht heiliggesprochen werden. *Nachlaß-Nr. 51, S. 225 v*

Wie Bismarck einst die Zentrumspartei als Verbündete des Revanchestrebens der katholischen Großmächte in Wien und Paris verdächtigte, so imaginierte Hauptmann nun eine internationale Verschwörung der Ultramontanen:

(Januar 1932)
Frankreich ist heut eine einzige Dummheit. − Dummheit oder römische Interessen verhindern, das zu sehen: Rom will ein ohnmächtiges Deutschland (Ketzerdominat) (...) − und es will kein deutsches (protestantisches) Kaisertum, darum unterstützt es die Deutschland bedrängenden Mächte. Auch Frankreich. Darum haben sie ihren B*(rüning?)* − der − vielleicht? − sich seiner Drahtzieher entledigt. *Nachlaß-Nr. 14, S. 28*

Der Antikatholizismus Hauptmanns war in der Tat ein Relikt aus der wilhelminischen Zeit. Als Schlesier und mithin Angehöriger eines katholischen Landesteils im protestantischen Preußen hatte sich Hauptmann die Erinnerung an den Kulturkampf bewahrt. Breslau war für ihn eine „Hochburg der italienischen Kirchenpartei in Deutschland" (CA XI, 838).

Infolge der kleindeutschen Lösung von 1871, aus der das „evangelische" Kaisertum der Hohenzollern entstanden war, hatte sich in der wilhelminischen Epoche der nationale Gedanke mit dem Protestantismus verschmolzen. Der Zentrumspartei, die sich politisch mit den katholischen polnischen und elsässischen Minderheiten verband, wurde von Bismarck die Rolle des Reichsfeindes zudiktiert. (3) In den verschiedenen „Volksparteien" des Zentrums auf Länderebene sammelten sich die Anhänger des Föderalismus in Opposition zum preußischen Zentralismus. So galt im Kaiserreich ein überzeugter Katholik als politisch unzuverlässig und wurde von hohen Ämtern ferngehalten (4). — An dieser Auffassung hielt Hauptmann, wie seine Verdächtigung Brünings zeigte, auch dann noch fest, als das Zentrum sich längst zu einer staatstragenden und an jeder Regierung der Weimarer Zeit beteiligten Partei entwickelt hatte.

Die antikatholische Stimmung im Protestantismus war seit dem Papstwechsel von 1903 gewachsen und erreichte einen Höhepunkt, als die römische Kurie den Geist des „Modernismus" zu bekämpfen suchte (Borromäus-Enzyklika von 1910). Der leidenschaftliche Nationalismus „benutzte die päpstlichen Kundgebungen, um die katholische Religion als undeutsch und vom Ausland bestimmt (. . .) zu bezeichnen" (K. Buchheim). (5) — Auch Hauptmann huldigte dieser Wiederauferstehung des Kulturkampfgeistes. In seinem Festspiel 1913 ließ er Friedrich den Großen Bosheiten über die ultramontanen „Gewissensknechter" sagen. (6) Franz Mehring spottete darüber, daß Hauptmann den Feind an der falschen Stelle suchte, wenn er als ein „zweiter Hutten" den „Vorkampf gegen die Dunkelmänner übernahm, die seinem geliebten Hohenzollernstaat an den Kragen wollten". (7)

In der Betrachtung „Der Katholizismus in Deutschland" (1914) beschwor Hauptmann allen Ernstes die Gefahr, eines Tages könnte der Papst den „kölnischen Erzdiözesanen empfehlen, das Holz unserer deutschen Wäldern zu jenen furchtbaren Kohlenmeilern zu verwenden, in denen man menschliche Brüder lebendig zu Asche verbrennt" (CA XI, 839). Daher forderte er die Loslösung der katholischen Kirche von Rom und die Begründung einer alle Konfessionen einschließenden, reformierten Nationalkirche. Er erhoffte von ihr über das Religiöse hinaus eine Zusammenfassung der deutschen Kultur, denn zu ihrer Begründung sollten die „katholischen Kirchenfürsten, mit den Spitzen aller Bekenntnisse, mit den Spitzen der Wissenschaft und Literatur zusammentreten" (ibd., 841). Diese Forderung einer Nationalkirche war im übrigen schon zur Zeit des preußischen Kulturkampfes vom liberalen Lager erhoben worden. (8)

Nach dem 1. Weltkrieg bestand bei den Protestanten das Verlangen, die Grenzen der Landeskirchen aufzuheben und eine allgemeine deutsche evangelische Kirche aufzubauen, mit einem neugestalteten Kultus und echter geistiger Autorität. (9) — Hauptmann, der 1922 eine ans Religiöse grenzende Verehrung erfahren hatte (10), spielte mit dem Gedanken, Gründer einer solchen Nationalkirche zu werden:

(nach dem 21.3.1923)
Die katholische Kirche hat schließlich doch überall den großen Stil. – Die
evangelische hat nicht den Mut zum Stil. Soll ich die englische Hochkirche in
Deutschland einführen und ihr erster Bischof werden? *Nachlaß-Nr. 26, S. 67*

Die Protestanten mußten anerkennen, daß sich die katholische Kirche
in dem Chaos der Nachkriegszeit wesentlich besser zu behaupten verstand
als die protestantische. Die evangelische Kirche war nach 1918 dem
Ausspruch eines ihrer Amtsträger zufolge in eine „ohnmächtige
Winkelstellung" geraten. (11) Denn anstelle des wilhelminischen Staatskir-
chentums sah die neue Verfassung eine grundsätzliche Trennung von Staat
und Kirche vor. In Preußen verfolgte die Sozialdemokratie darüberhinaus
eine kirchenfeindliche Bildungspolitik. (12) Auch fehlte dem Protestantismus die parteipolitische Brücke zur Staatsbejahung, wie sie der Katholizismus in der Zentrumspartei besaß. Die „bemerkenswerte Erhebung des
katholischen Sendungsbewußtseins" (K. Buchheim) nach 1918 führte zu
einem Gefühl des Unbehagens und der Defensive bei den Protestanten. (13) Was von katholischer Seite als Äußerung eines Befreiungsgefühls
in der republikanischen Ära gemeint war, verstand die Gegenseite als
Bedrohung. Als die preußische Regierung mit dem päpstlichen Nuntius in
Konkordatsverhandlungen eintrat, geriet der evangelische Volksteil in
Erregung. Hauptmann schien sich in den Wahn einer drohenden Gegenre-
formation hineinzusteigern:

(nach dem 5.2.1928)
Eure Tage sind gezählt, Protestanten in Deutschland, freie Seelen, Gottsucher,
Waldenser Hugenotten etc. Das ist auch die ausgesprochene Meinung der führenden
Katholiken. *Nachlaß-Nr. 140, S. 36*

Immer wieder beschwor Hauptmann in diesen Jahren die Gefahr eines
klerikalen Rückschlags. An Wilhelm Bölsche schrieb er im Februar
1929:„Ich sehe immer Möglichkeiten für Rückfälle schwärzester Art,
sowohl was unser Deutschland, seine politische und geistige Freiheit
betrifft als überhaupt seine geistige Existenz. Da warten Mächte vor den
Toren (...). Es wird uns dann, wie man es bei den katholischen Pfaffen so
schön durchgeführt hat, anstelle des selbstleuchtenden Punktes im Gehirn
(...) eine geweihte Rosine eingesetzt (...)" (14).

Daß Hauptmann damit vor allem eine neue Kircheninquisition und nicht so sehr eine politische Barbarei im Auge hatte, bezeugt sein wenig später entstandener Brief an den „Kampfausschuß gegen Zensur". (CA XI, 1076 f.). Darin wurden von ihm „beschränkter Fanatismus, gnadenlose Intoleranz, vernichtender Meinungshaß, ruchlose Scheiterhaufenmoral", der „Rauch eines immerwährenden Autodafes" und die Möglichkeit, „in den finstersten Teil des freilich nicht durchweg finsteren Mittelalters zurückzufallen", für die Zukunft nicht ausgeschlossen. In solchen Gedankengängen konnte Hauptmann sich durch Stefan Großmann bestärkt fühlen, der nach Lektüre des noch unveröffentlichten Dramas „Magnus Garbe" an ihn geschrieben hatte:

(15.3.1927)
Dann las ich das Stück als homo politicus noch einmal und sagte mir: Wenn Deutschland , wie es den Anschein hat, vom katholischen Zentrum für Jahre hinaus regiert wird, dann sind Schmutz- und Schundgesetze bloß ein Anfang, dann kommt morgen ein pfäffisches Schulgesetz und übermorgen das Konkordat (...).
Briefnachlaß II, B 803/1

Hauptmann, der sich gelegentlich zu einer rein privaten Religiosität ohne Vermittlung durch kirchliche Institutionen bekannte (15), brachte der protestantischen Kirche nur insofern Interesse entgegen, als sie aufgrund ihrer geschichtlichen Tradition eine Klammer des geistig-kulturellen Lebens der Nation darstellte. Die Integrationskraft, welche er an der Institution der katholischen Kirche bewunderte, vermißte er bei dem in Orthodoxie und Pietismus innerlich zerstrittenen Protestantismus: „ Die heutige Kirche ist eben sophistisch zerstört und wirkt sophistisch zerstörend" (Nachlaß Nr. 7, S. 184).

Hauptmann ist ein Beispiel für viele Lutheraner, die noch glaubten, „protestantische Interessen wahrzunehmen, wenn sie in Wirklichkeit nur idealistische Pantheisten und Nationalisten waren" (K. Buchheim). (16) Der Protestantismus der gebildeten Schichten war im Laufe des 19. Jahrhunderts seiner religiösen Substanz nahezu entleert und mit dem Erbe des deutschen Idealismus zu einer spezifischen Kulturfrömmigkeit verschmolzen worden. Auch die Gestalt des Reformators wurde ihres religionsgeschichtlichen Zusammenhangs entkleidet: Luther galt vor allem als Ahnherr der deutschen Kultur. „Bis zum 1. Weltkrieg war es gang und gäbe, in Lessing, Kant, Fichte und Hegel authentische Nachfahren Luthers zu sehen" (J. Neurohr). (17) Mit Luther verband sich die Vorstellung des Individualismus, der geistigen Emanzipation und des liberalen Fortschritts. Die politische Nationalbewegung zur Zeit der Reichsgründung stellte ein heroisch-idealisierendes Lutherbild auf, um die Linie „ von Luther zu Bismarck" als eine „providentielle Entwicklung des deutschen Volkes" (K. Kupisch) hinzustellen. (18) Wie dieses Lutherbild weiter im Bewußtsein des national eingestellten deutschen Bürgertums lebte, bezeugt folgende Stimme zum Reformationsjubiläum 1917: „Protestantismus und Preußen-Deutschland sind in ihrer Geschichte unlöslich miteinander verbunden" (19).

Angesichts des Zusammenbruchs der alten Wertvorstellungen durch den Krieg gewann die Gestalt des Reformators erhöhten Autoritätswert, so daß Hauptmann während des Umsturzes 1918 ausrief: „Gott gebe uns einen Mann wie Luther, eine Geißel und einen Erwecker der Geister, einen Mann, der dasteht in dem rückflutenden Trümmerstrom des Deutschen Reiches und ruft und weckt (. . .)" (CA XI, 924).

In den Aufzeichnungen Hauptmanns aus der Zeit nach 1918 finden sich zahllose Anrufungen Luthers und Beschwörungen der preußisch-protestantischen Tradition. Der nach 1918 wieder stärker gefühlte Mangel einer nationalstaatlichen Tradition führte zu einer emphatischen Verwendung der Begriffe Preußentum und Protestantismus:

(nach dem 12.2.1928)
Es hilft nichts: wir sind geistige Leiter des Staates. Wir wollen, indem wir preußische Tradition pflegen, wahrhaft deutsche und wahrhaft menschliche Tradition pflegen (. . .). Wir sind die ewigen Protestanten, wir Preußen — die freien Protestler. — Ich verstehe in das Preußentum einbegriffen alle deutschsprachigen Menschen! *Nachlaß-Nr. 138, S. 15—16 v*

Beide Begriffe werden hier zu Synonymen, in ihrer Verbindung drückt sich die innerlich widersprüchliche Position eines „protestantischen Konservatismus" (J. Neurohr) aus. (20) Das protestantische Prinzip wurde von Hauptmann in der Folgezeit zu einer reinen Figur des Elans formalisiert — etwa in diesem vom „trotzig-protestantischen Geschichtsbild der Völkisch-Nationalen" (S. Saenger) geprägten Ruf nach dem „starken Mann" (21):

(Juli 1930)

Heut ist Deutschland eine einzige Schlappheit – eine Schlaffheit! – eine Lächerlichkeit! – Ein Luther! wo ist er? – nicht religiös, sondern n a t i o n a l.

Nachlaß-Nr. 7, S. 205

208

XIV ENTSCHEIDUNGSJAHR 1932

1. Die Ära Papen

Am 10.4.1932 wurde Hindenburg als Reichspräsident wiedergewählt. Die Fronten von 1925 hatten sich verkehrt. War er damals von der nationalen Rechten aufgestellt und gewählt worden, so blieb er 1932 durch die Unterstützung der demokratisch-republikanischen Parteien im Amt. Hitler errang als zweiter Kandidat 11,3 Millionen Stimmen — ein Fanal für die kommende Entwicklung. Hauptmann resümierte:

> (15.4.1932)
> Ich vermute, Wendung und Sieg sind vorhanden. Und diese „Bewegung" — wohin mit ihr, wenn s i e gesiegt hätte. U n n a t u r in Deutschland ist jeder Faschismus. Bei M(ussolini) in I(talien) g e w o r d e n, hier leer, „farcenhaft" imitiert — trotz aller sogenannten „Erfolge". *Nachlaß-Nr. 14, S. 82*

> (9.6.1932)
> Der NS ist eine große Kinderei. (S.102)

In der politischen Fanatisierung sah Hauptmann eine weltanschauliche Schizophrenie walten. Es gebe nicht mehr den „Nurkatholiken" oder „Nurprotestanten": „Er ist in zahllosen Fällen zugleich Nationalsozialist, d.h. Antisemit, also „Wodan-Thor-Freund", Bibelfeind hierin, jedenfalls Bibelabtrünniger als Politiker" (ibd., S. 91). — Weil Hauptmann zu den Parteien und ihren Programmen theoretisch nur schwer Zugang finden konnte, bemühte er sich, ein Bild von ihnen aus dem persönlichen Eindruck ihrer Vertreter zu gewinnen:

> Ihr Nationalsozialisten. Ich möchte euch einzeln sprechen und ich habe euch einzeln gesprochen: und ich habe gewiß nichts gegen eure Jugend und Kraft. Ebenso euch Kommuniste(n) (ibd., S. 104 v)

Nicht immer verliefen solche Begegnungen so ergiebig wie der Besuch jenes jungen Nationalsozialisten von 1930. So berichtet Hauptmann über ein Zusammentreffen mit Hanns Heinz Ewers, der zu jener Zeit — auf Anregung Hitlers mit Unterstützung von Goebbels — an dem biographischen Roman „Horst Wessel. Ein deutsches Schicksal" arbeitete. (1)

Bad Eilsen, 19. Mai 1932. Hotel Fürstenhof.
Wir fanden G*(raf)* W*(iser)** und Familie S. leicht aufgeregt über die Eskapaden von H*(anns)* H*(einz)* E*(wers)*. Er hatte sie mit dem bekannten „Köpferollen" der Hitler-Partei** weniger geängstigt als geärgert. (. . .) Bei Gesprächen am Abend wollte er entschieden aufreizen: „Die einzigen anständigen Leute in Deutschland seien die Fememörder", „Frauen seien keine Menschen, nur der Mann verdiene diese Bezeichnung" (. . .). Hat der Nationalsozialismus inneren Wert, so wünsche ich ihm andere Verteidiger. Wir würden alle kleine Pöstchen erhalten, hieß es, was zweifellos humoristisch sein sollte. Ich versuchte abzulenken (. . .). Zuweilen suchte ich H.H.E. zu stellen, etwas Informierendes zu erfahren über Hitler, den er kennt und den ich nicht kenne, vom Ernst seiner Ideen über die mir bekannten unzuverlässigen Programmschriften hinaus. Nicht das geringste war zu ermitteln. *Nachlaß-Nr. 234, S. 209*

Ende Mai 1932 stürzte Brüning durch eine ‚Hofintrige' beim Reichspräsidenten. Hauptmann äußerte sich zwar abfällig über das politische Kulissenspiel und den „Putsch" Schleichers, aber er ließ zugleich erkennen, daß er das Ende der Ära Brüning nicht allzu sehr bedauerte, denn: „das Kabinett Brüning liebe ich nicht. Auch Hindenburg?? – Generalfeldmarschall. – Ich wußte und weiß Bescheid" (Nachlaß Nr. 14, S. 103). Dennoch wird er Hindenburg 1934 in einem Grabspruch als „mächtige und schweigsame Säule" rühmen.

Die neue Regierung Franz v. Papens fand keine Mehrheit im Reichstag, es wurden Neuwahlen ausgeschrieben. Als Papen Mitte Juni das von Brüning verhängte SA-Verbot aufhob, ging eine Welle politischen Terrors durch das Reich. Blutige Zusammenstöße zwischen Kommunisten und Nationalsozialisten waren an der Tagesordnung. Hauptmann äußerte Fassungslosigkeit:

(8.7.1932)
Wo soll ich hinblicken? Auf die Rasereien meiner Landsleute? auf die haßblinden Parteimassen? die anstatt sich zu verstehen und zu einen, einander zerreißen, wie Gladiatoren und Tiger einander anfallen, untereinander verknotet ringen (. . .). Deutschland, ein Kolosseum für blutdürstig blasierte Zuschauer einer verruchten Welt? *Nachlaß-Nr. 14, S. 120*

---

* Augenarzt, in dessen ständiger Behandlung sich Margarete Hauptmann befand.

** Hitler hatte bei seinem Zeugenauftritt im Ulmer Reichswehrprozeß gedroht: Wenn er legal an die Macht gekommen sein werde, würden „möglicherweise legal einige Köpfe rollen". (2)

Die metaphorische Umschreibung politisch-sozialer Konflikte entsprach der weltanschaulichen Grundhaltung Hauptmann, überall den ewigen Vernichtungskampf aller gegen alle zu erblicken. So malte er zwar degoutiert die politische Szene als blutrünstiges Bestiarium aus, beruhigte sich jedoch mit dem Argument, daß die politische Geschichte schon immer nichts anderes gewesen sei. In anscheinend ungebrochenem Vertrauen auf das Funktionieren der verfassungsmäßigen Institutionen fragte er sich, wie die Staatsspitze eine solche bürgerkriegsähnliche Anarchie zulassen konnte. Von ihr mußte doch endlich das klärende Wort, die rettende Tat kommen. Ihm war nicht klar, daß es bereits die Krise des Hindenburgschen Präsidialsystems selbst war:

(15.7.1932)
Eine abermalige Entfesselung des Wahlkampfes ist von leitender Stelle beliebt worden mit Zielen, die vernebelt sind. In Neudeck sitzt der Präsident, empfängt die Regierung, sie kommt von Lausanne*, heißt gut, was sie tut und zuläßt, und man hat den Eindruck, er und die Herren wüßten nicht, welch gefährliche Anarchie im Reiche tobt. *Nachlaß-Nr. 234, S. 220*

Als mögliche Folge der politischen Verwirrung prognostizierte Hauptmann:„Revolution, und zwar eine blutige ist die eine Form, Diktatur, und zwar eine blutige, die andere" (ibd.). Aber auch der „starke Mann", stünde er wirklich schon „vor den Toren"**, sei bei diesem politischen Zustand zur Ohnmacht verdammt.

In dem wüst einsetzenden Wahlkampf wurde das brutale, opportunistische Machtstreben des NS vollends offenbar. Hauptmann erkannte nun, daß der NS nicht nur aus jungen Idealisten bestand:

(nach dem 8.7.1932)
Strasser.
Diese Menschen sind einem Machttaumel *(verfallen)*. Inmitten des machtlosen und gequälten Deutschland haben und huldigen sie einem Machttaumel. – Wie ist das zu verstehen? – Vielleicht parasitisch. – Armes Deutschland. *Nachlaß-Nr. 14, S. 127*

---

* Auf der Konferenz von Lausanne im Juli 1932 wurde das Reparationsproblem gelöst.

** „Hitler vor den Toren" war der Straßenruf der SA.

Zwei Tage vor den Reichstagswahlen hörte Hauptmann eine Rundfunkrede eben dieses Gregor Strasser. Strasser gehörte dem linken Flügel der NSDAP an, dessen Propagandajargon dem Agitationsstil der KPD angenähert war. Strassers nüchterner Pragmatismus sprach Hauptmann wenig an:

(29.7.1932)
Seine Worte glichen den Hölzern und Klötzen eines Baukastens. (. . .) Was Strasser sagte, hatte überall den naiven, ich möchte sagen: bäurischen Zug. Lassen wir einmal beiseite die Drohung der willensstarken Bautätigkeit. Er sprach über Deutschland wie über ein Pferd. *Nachlaß-Nr. 234, S. 223*

Strasser ging in seiner Rundfunkansprache detailliert auf die geplanten Maßnahmen zur Beseitigung der Arbeitslosigkeit ein. (3). Bei der einseitigen Betonung des wirtschaftlichen Aufbaus blieb das kulturpolitische Programm nur eine vage umrissene ideologische Zutat. Gerade diese Frage war jedoch für Hauptmann die entscheidende:

In Strasser, nach dieser Rede zu urteilen, inkarniert sich wenig Geist. Der vorhandene scheint unrettbar verengt. Wo er auf die Kunst übergeht, spürt man sogleich das Fehlen jedes Organs für sie. (. . .) Kunst und Erziehung will er soviel wie möglich verengen zum Nutzen des Staates. (ibd.)

Strasser war hierin von zynischer Offenheit: mit allen Mitteln des Staatsapparates würde der NS jenes neue Denken im deutschen Volke durchsetzen. Als einziger Maßstab gelte die Überlegung:,,Was nützt der Nation". Die Wirkung dieser Rede auf Hauptmann war wohl allenfalls eine Impression von Stil und Persönlichkeit des Redners, nicht jedoch ein Eindruck, der ihm die grundsätzliche Bedrohlichkeit der NS-Ideologie vermittelte. Ihre Aggressivität verharmloste sich für Hauptmann hier zu einem individuellen Fall von Banausentum.

2. Hauptmann als Festredner

In den Reichstagswahlen vom 30. Juli 1932 konnten die Nationalsozialisten ihre Sitze mehr als verdoppeln (230 statt 107). Dadurch bestand keine Möglichkeit mehr, eine Regierung auf der Basis der Großen

Koalition oder einer bürgerlichen Rechtskoalition zu bilden. So blieb es bei dem Präsidialregime Papens. Die bedrohliche politische Entwicklung rief nun auch konservative Geister auf den Plan. Eine Woche nach den Reichstagswahlen schrieb Hermann Graf Keyserling an Hauptmann und fügte einen von ihm für die „Kölnische Zeitung" verfaßten Artikel bei (4):

> (8.8.1932)
> Mir liegt daran, daß Sie anliegende „Sinngebung" der Konflikte der Generationen und Parteien in Deutschland läsen: wo der Deutsche Geist gefährdet erscheint, wie nie *(. . . ?)*, müßten, dächte ich, alle echten Vertreter des Geistes* sich die Hände reichen. *Briefnachlaß I*

Offenbar rechnete Hauptmann den Grafen Keyserling eher zu den „echten Vertretern des Geistes" als die Brüder Mann, für deren Appell er sich nicht hatte erwärmen können. Denn er ließ sich nun mit größerer Bereitwilligkeit auf das unverbindlich-vage Ansinnen Keyserlings ein (5):

> (16.8.1932)
> Die Gefahren des deutschen Geistes haben auch mir in den letzten Monaten manchen Alpdruck verursacht. Neulich sprach ich einen „Kulturfachmann"**, der mit einer gewissen Überzeugungskraft meine Sorge zu zerstreuen suchte. Ich hungre nach solchen Tröstungen. Der Verteidungsplan des deutsches Geistes sähe etwa folgende Grade vor: geistige Gegenwehr in der Öffentlichkeit, festerer Zusammen-schluß echter Geister, wie Sie ihn vorschlagen, und wenn auch dies vergeblich sein sollte, entweder das Igel- oder das Mönchszellenprinzip. Zu letzterem neige ich von Natur (. . .).

Seine Neigung, sich von den Meinungen und Überzeugungen anderer beeinflussen zu lassen, hat er einmal offen ausgesprochen: „Ich bitte mich zu beeinflussen (. . .). Ich brauche Beeinflussung, denn das ist geistige Zeugung." (7) So ließ er sich in diesem Fall von dem optimistischen Zeitungsaufsatz Keyserlings bestimmen. Keyserling sah ähnlich wie Haupt-mann das Aufkommen des Nationalsozialismus als ein Generationsphäno-men an. Zwar machte er sich über den Charakter dieser an die Macht strebenden Generation anscheinend keine Illusionen: Sie sei „soziali-

---

* Auch Thomas Mann erhielt den Zeitungsbeitrag von Keyserling zugesandt. (6)

** Gemeint ist der preußische Kultusminister Adolf Grimme.

stisch", autoritätsfreudig, revolutionär, militärfreudig-kriegerisch, auch wohl gar geistfeindlich, barbarisch. „Deswegen wäre es ein furchtbares Unglück, wenn sie einen vollen Sieg davontrüge." Illusionär nimmt sich dagegen die Hoffnung Keyserlings aus, daß die ältere Generation gegenüber der Geistfeindschaft, dem Kollektivismus, Materialismus und Rassenkult dieser Bewegung die Kulturwerte der abendländischen Tradition in eine „Synthese" einzubringen haben. Diesem Beschwichtigungsoptimismus, der den NS ohne tiefere Analyse der historisch-sozialen Bedingungen als kulturphilosophisches Problem behandeln zu können glaubte, schloß sich Hauptmann in seinem Antwortbrief an:

> Für Ihren Aufsatz in der Kölnischen Zeitung besonderen Dank! Ich verfolge Frobenius ebenfalls, stehe zum Nationalsozialismus ungefähr so wie Sie und finde, daß die gesamte Situation in einem unvoreingenommenen, ruhigen Sinne gesehen ist: das wollte ich nicht vergessen zu sagen . . .

Von Frobenius (auf dessen „Schicksalskunde" sich Keyserling in seinem Artikel bezogen hatte*) und anderen völkischen Kulturpropheten wie Arthur Moeller van den Bruck distanzierte sich Hauptmann gleichwohl privatim:

> (8.7.1932)
> Welche belastende und das Leben erschwerende, welche verdüsternde Schriftstellerei dieser großspurigen Kulturquacksalber: wieviel Verwirrung, wieviel geistiges Unheil richten sie an: „Schicksalskunde", nichts Geringeres will Frobenius bieten. Und das „Dritte Reich" von Moeller van den Bruck – welch verantwortungsvolles und endlich doch unverantwortliches, dogmatisches Diktat. (. . .)
> Das Buch ist sehr schlimm, weil *(es)* diesen Schein für Wirklichkeit gibt und seichten Köpfen die Möglichkeit, sich auf diese „Wirklichkeit" zu stützen. (. . .) Soviele bestechende Irrtümer sind selten in einem Buch vereinigt worden. *Nachlaß-Nr. 14, S. 119, 116*

Wenn Hauptmann damit auch die Gefährlichkeit mancher geistigen Wegbereiter des NS erkannte, so tat er selbst nichts zur Bekämpfung dieser gegenaufklärerischen Publizistik. Ende 1930 hatte er in einem Brief geäußert: „Ich halte eine selbstauferlegte Schweigepflicht. In die Politik

---

* Keyserling zog zur Deutung des krisenhaften politischen Generationswechsels 1930 den Vergleich heran, den Frobenius zwischen historischen Katastrophen und Naturvorgängen (z.B. dem radikalen Generationswechsel bei den Termiten) zog.

einzugreifen, nur um den allgemeinen Wirrwarr zu vermehren, lehne ich ab. Und wenn Sie vermuten, ich spräche vielleicht mit einem Höheren: ‚Meine Stunde ist noch nicht gekommen‘, so haben Sie in diesem Sinne ganz recht" (Nachlaß Nr.715, S. 143). Jetzt war eigentlich diese Stunde gekommen. Wie kein Geistesvertreter sonst hätte Hauptmann zu dieser Zeit — im Jubiläumsjahr seines 70. Geburtstags — die Möglichkeit gehabt, öffentlich gegen die heraufziehende Barbarei Stellung zu nehmen. Zahlreiche Gelegenheiten dazu boten die bereits im August einsetzenden Ehrungen und Feiern zu dem Geburtstagsjubiläum.

Welche Zurückhaltung Hauptmann sich jedoch in dieser Beziehung auferlegte, lehrt etwa der Vergleich zwischen Entwurf und endgültiger Fassung der Rede, die er bei der Verleihung des Goethe-Preises der Stadt Frankfurt am 28.8.1932 hielt. In dem Entwurf legte er ein klares Bekenntnis zur Weimarer Republik und dem Geist ihrer Verfassung ab:

> Es war zugleich rührend, groß und echt gefühlt, daß man gerade an diesem klassischen Ort *(sc. Weimar)* das Fundament für den Aufbau eines neuen anstatt des zusammengestürzten Deutschland legen wollte. (. . .) Sei diese Verfassung meinethalben in manchen Punkten reformbedürftig: Nur Blinde können bezweifeln, daß sie unsere Rettung vor Anarchie und endgültigem Zerfall gewesen ist. Was nun auch immerhin kommen mag (. . .) — wehe, wenn wir dabei den Geist von Weimar über Bord werfen! Es könnte diesen Verlust kein Gewinst je ausgleichen. *Nachlaß-Nr. 325, Fasz. III C (1)*

Von dieser Mahnung blieb in der Endfassung nur der etwas bläßliche Versuch übrig, das „heute diffamierte Wort Pazifist" zu rehabilitieren. Statt dessen beschwor Hauptmann „Kultur, Geist, Humanität, verstehende Liebe" (CA VI, 867). Für den politischen Gegner war dies nur noch ein Zeichen der Ohnmacht: Hauptmann wurde von rechts und links totgesagt. Der „Völkische Beobachter" sah in Hauptmanns Rede den Abgesang der bürgerlichen Kultur: „So stand Gerhart Hauptmann in der Frankfurter Paulskirche als Sprecher aus dem Grabe für eine überlebte Welt (...) Gerhart Hauptmann ist tot". (8) Ähnlich schrieb der Chefredakteur der kommunistischen „Welt am Abend", Paul Friedländer, in einem offenen Brief zum 70. Geburtstag des Dichters: „(...) den Gerhart Hauptmann von heute zählen wir den Toten gleich". (9)

Nur andeutungsweise ließ sich Hauptmann zu den politischen Zeitläuften vernehmen, so in einer Rede vor dem Arbeiter-Bildungsausschuß Breslau. Gewiß konnte nicht jede seiner vielen Ansprachen in diesen Jubiläumswochen ein geistig-rhetorischer Höhepunkt sein. Doch Hauptmanns Worten zu dieser „Feier der Gewerkschaften" in Breslau ist allzu deutlich anzumerken, daß er der Arbeiterschaft kaum etwas zu sagen hatte:

> Nicht nur empfindsame, weltfremde Geister sprechen von der Menge oder Masse mit Geringschätzung: das tun selbst anerkannte, praktische Volksführer. Ich sehe darin je nachdem nur Äußerungen von Dünkel oder Gedankenlosigkeit. So gesehen, nämlich aus weiter Ferne gesehen, (. . .) würde sie Menge und Masse sein, ob auch jedes ihrer Mitglieder ein Immanuel Kant (. . .) wäre. Nichts Höheres kann der Mensch erreichen, als daß er vom Vertrauen der Menge, vom Vertrauen der Masse getragen wird (. . .). (CA XI, 1115 f.)

Thomas Mann schien nachgerade schmerzlich zu wünschen, der Poeta laureatus der Republik möge ein Wort für die bedrohte Demokratie einlegen. Er registrierte Hauptmanns Breslauer Rede mit Dankbarkeit — freilich nicht ohne ein wenig in sie hineinzuinterpretieren, was er hören wollte. So schrieb er in seinem Glückwunsch für Hauptmann in der „Neuen Rundschau" November 1932: „Sie haben, vor einem Arbeiterpublikum, dem zynischen Führertum abgesagt, das sich der Masse bediene, mit schlechter und frecher Kunst auf ihr spiele und sie zugleich verachte (. . .). Sie haben Ihren Ruhm, Ihr weißes Haupt, die festlich gesteigerte Reichweite Ihres Wortes eingesetzt für die Sache der sozialen Demokratie (. . .). Das soll, das wird Ihnen nicht vergessen sein". (10) Hatte Hauptmann mit den „anerkannten, praktischen Volksführern" wirklich die braunen Demagogen gemeint? Thomas Mann bemühte sich jedenfalls, Einfluß auf den Unentschiedenen auszuüben. Andere bestärkten ihn dagegen in seiner unpolitischen Haltung. Alfred Kerr etwa verteidigte Hauptmanns politische Abstinenz in einem zeitsatirischen Gedicht zu Hauptmanns 70. Geburtstag (11):

> Darum hieltest du dich ganz gern
> in den Läuften, die schwül und verschwommen,
> von dem Kuddelmuddel fern;
> Kämpfende haben's dir übelgenommen
> du aber hast nach dem eignen Prinzip
> Kämpfe geführt mit dem eignen Mittel (. . .).

Bereitwillig griff Hauptmann diese Verse auf, als er in dem Entwurf einer Rede vor dem Berliner Pen-Club Rechenschaft über das problematische Verhältnis von Kunst und Politik ablegen wollte. Er wiederholte die alten Argumente für seine unpolitische Haltung: ein parteipolitisches Engagement führe zu Verfeindungen, welche den unbesehenen Boykott seiner Kunst nach sich ziehen würden.

In der Tat, lieber Kerr, beschränke ich mich außerhalb der Kunst auf meinen Wahlzettel. Ein politischer Mitläufer könnte ich begreiflicherweise nicht sein. Ich müßte Politik als Beruf wählen. *Nachlaß-Nr. 596a, Fasz. 13a*

Ein Jahr später gehörte Kerr zu den „Kämpfenden", die ihm politisches Mitläufertum vorwarfen.

Für den 18. November war eine Hauptmann-Feier in der Berliner Universität vorgesehen. Als Veranstalter fungierte die Deutsche Studentenschaft, die vom Nationalsozialistischen Studentenbund beherrscht war. Daher überkamen Hauptmann plötzlich Bedenken, daß hier eine parteipolitische Gruppe die Gelegenheit nutzen könnte, ihn für sich zu beanspruchen. So fragte er kurzerhand telefonisch bei jenem „Kulturfachmann" um Rat, dessen „Tröstungen" er schon dem Grafen Keyserling gegenüber erwähnt hatte. Es war der Kultusminister der abgesetzten preußischen Regierung, Adolf Grimme (SPD) — eine, wie Alfred Döblin geurteilt hat, „gutmütig schwache Person" (12). Grimme hatte sich während seiner Amtszeit des öfteren mit der hochschulpolitischen Agitation des NS-Studentenbundes auseinandersetzen müssen. (13) Dennoch war ein längeres Schreiben Grimmes an Hauptmann vom 17.11. im Tone der Beschwichtigung gehalten. (14) Grimme suchte Hauptmanns Befürchtung zu zerstreuen, daß von irgendeiner Seite her ein „Monopolanspruch" auf ihn erhoben werden sollte. Auch wenn die Berliner „Allgemeine Studentenschaft" vom „Braunen Haus" in München gesteuert sei: Mit der Einladung bekenne sich zwar die Gruppe in einem gewissen Sinne zum Eingeladenen, nicht jedoch der Eingeladene zu allen Zielen dieser Gruppe. Der „Repräsentant des Geistes" bilde augenblicklich den fast einzigen „Überbrückungs-Kredit" für die „Gesamtheit des Volkes", und der Künstler könne seinem Wesen nach radikaler sein als alle Politik, da er an die tiefere Gesinnung rühre:

Aus dieser hohen, ja heiligen Verantwortung heraus, die Ihnen Ihr Amt als deutscher Dichter auferlegt, hätten Sie, wenn anders meine Auffassung von der nationalpolitischen Mission des Dichters in dieser Welt der Unergiebigkeiten und des Haders richtig ist, gar nicht anders als zusagen können, auch wenn Sie sofort gewußt hätten, daß die „Allgemeine Studentenschaft" nur den rechtsradikalen Teil der akademischen Jugend umfaßt. *Briefnachlaß I*

Diese von Grimme beschworene kulturelle Integrationskraft stellte Hauptmann bei der Feier am 18.11. wiederum unter Beweis – trotz eines „Universitäts-Skandals", wie die Überschrift des „12-Uhr-Blatts" vom Folgetag lautete. Der Grund war nicht ein Boykott der Studentenschaft wie zehn Jahre zuvor, sondern ein Überandrang. Das Gros der Studenten hatte vor der viel zu kleinen Neuen Aula draußen bleiben müssen (15):

> Als Gerhart Hauptmann erschien, wurde er ohne jeden Applaus empfangen. Er richtete auf Ersuchen des Rektors an die in der Vorhalle dichtgedrängten Studenten einige Worte (. . .).
> Da er jedoch ebensowenig wie der darauf sprechende Rektor auf die Abhaltung der neuen *(versprochenen)* Feier einging und auch die diesbezüglichen Zurufe überhörte, wuchs erneut die Unruhe unter der Studentenschaft. Schließlich endete jedoch das äußerst unerfreuliche Intermezzo mit lauten Ovationen für den Jubilar.

Auf dem äußeren Höhepunkt der Geburtstagsfeiern, bei denen Hauptmann sich politisch so wenig wie möglich exponieren wollte, war er in eine schwierige Situation geraten. Ihm wurde zweimal die Preußische Goldene Staatsmedaille überreicht: sowohl von der rechtmäßigen preußischen Regierung als auch der kommissarischen Regierung, die im Besitz des Preußischen Staatssiegels war. Als Reichskommissar Bracht ihm die Staatsmedaille mit Siegel überreichte, antwortete Hauptmann „taktvoll und diplomatisch" (H. Graf Kessler), paßte sich gleichwohl der Situation übermäßig an, indem er den Reichskommissar * mit „Herr Reichsminister" titulierte (CA XI, 1123). Dennoch unternahm zwei Tage später die verfassungsmäßige preußische Regierung einen politischen Vorstoß bei Hauptmann. Grimme ließ Hauptmann um die „große Freundlichkeit bitten, Herrn Ministerialdirektor Dr. Badt in einer wichtigen Angelegenheit an deren Klärung nicht nur mir, sondern der ganzen rechtmäßigen Preußenregierung liegt, zu empfangen". (17) Harry Graf Kessler berichtet in seinem Tagebuch, daß – der Erzählung des Hauptmann-Sohnes Ivo zufolge – Badt den Jubilar in ziemlich zudringlicher Weise bestürmt hätte, öffentlich für die rechtmäßige preußische Regierung einzutreten. Gerhart Hauptmann habe abgelehnt, weil er sich prinzipiell nicht in die Tagespolitik einmischen wolle". (18) Zudem konnte sich Hauptmann anscheinend nicht allzusehr für den preußischen Ministerpräsidenten Otto Braun

---

*Franz Bracht, Essener Oberbürgermeister, Stellvertreter Papens als Reichskommissar für Preußen.

erwärmen. Wie er einmal im Gespräch mit ihm Mussolini gegen Brüning ausgespielt hatte (19), so sprach er auch Otto Braun selbst politische Größe ab:

(nach dem 31.9.1931)
Die Speisekarte der Ideen wird vorgelegt, jeden Tag. Aber die Brauns und Genossen sind vollkommen ideenlos (oder nicht? Tut man Braun in seinem Kampf unrecht?) Den Apparat kennt er. *Nachlaß-Nr. 235, S. 22 v*

Allerdings stellte die Haltung der SPD-Führung selbst kein ermutigendes Beispiel dar. Blieb die Diskussion über Hitler auf seiten der Mittelparteien schon allgemein durch eine „abwartende Resignation" (K. Sontheimer) gekennzeichnet, so war das Rückgrat der SPD durch den preußischen Staatsstreich Papens vom 20. Juli 1932 vollends gebrochen worden. (20)

Nur im privaten Gespräch gab sich Hauptmann kämpferisch bei der Beurteilung der politischen Lage. Loerke berichtet in seinem Tagebuch von einer solchen Unterredung (21):

(11.11.1932)
(. . .) abends rief mich Hauptmann an, ich möge kommen. (. . .) Wunderbare Gespräche. Die alte Herzlichkeit und Einfachheit. (. . .) Über das „Blecherne" des Herrn von Papen. Gegen die Ultramontanen in furchtbarer Schärfe. Gegen den nur in Worten schwelgenden Nationalismus. Über das Versagen der Sozialdemokratie.

Während sich zu den Geburtstagsfeiern für Hauptmann in Berlin die geistige Elite Deutschlands noch einmal wie zu einer Abschiedsvorstellung zusammenfand, versank die Republik in politische Agonie. Bei den Reichstagswahlen vom 6.11.1932 erlitten die Nationalsozialisten zwar zum erstenmal Einbußen, aber die parlamentarischen Mehrheitsverhältnisse änderten sich kaum. Daher wurde nach dem Rücktritt Papens vom 17.11. das Präsidialregime unter General v. Schleicher fortgesetzt.

Nach den letzten Geburtstagsehrungen in München war Hauptmann zu seinem Winteraufenthalt nach Italien abgereist. Man hatte ihm vorher anscheinend geraten, Deutschland in dieser politisch so düsteren Zeit nicht zu verlassen. Im Tagebuch erwähnt Hauptmann eine derartige Anregung des Vizekonsuls Paul Schwarz, den er auf seiner Amerika-Reise im Frühjahr 1932 kennengelernt hatte:

(nach dem 20.12.1932)

„Wenn Sie aber ja- oder nein-schlüssig geworden sind", sagte Schwarz, „ und beim Ja gelandet: Gehen Sie nach Berlin. Leben Sie einige Monate im ‚Kaiserhof' etc. Sie besitzen die Volksgunst. Sie besitzen die Volksliebe . . . Man hat gestaunt in Amerika über die Einigkeit, mit der das zerklüftete Deutschland Ihnen grade in diesem Augenblick gehuldigt hat, und die einmütige Begeisterung, mit der es geschehen ist". *Nachlaß-Nr. 15, S. 7*

„Bin ich durch und durch Tribun? " hatte Hauptmann sich nach der Breslauer Festwoche 1922 gefragt — angesichts des „Rausches dieser Festspiele, die auch nationale Politik sind" (Nachlaß Nr. 6, S. 133 ff.). Sollte er jetzt noch einmal bei dem Verfall der politischen Autorität sein Ansehen in die Waagschale werfen, die „festlich gesteigerte Reichweite" (Thomas Mann) seines Wortes einsetzen? Im „Kaiserhof", wo zu residieren dem Dichter nahegelegt worden war, entfalteten inzwischen die nationalsozialistischen Größen eine hektische Geschäftigkeit und warteten auf ihre Stunde.

XV 1933

1. Die Machtergreifung des NS

Ludwig Marcuse gibt in seiner Autobiographie „Mein 20. Jahrhundert"
auf ironisch zugespitzte Weise der Überzeugung Ausdruck, die große
Politik und der private Erfahrungsbereich seien völlig inkompatibel. (1)
An dieser Überzeugung hielt Marcuse trotz seines Emigrationsschicksals
fest. Wenn auch der prononcierte Individualismus Marcuses das Problem
von Zeitgeschichte und Bewußtsein vereinfacht, so weist er doch auf eine
Gefahr hin, welche der historische Rückblick in sich birgt: die geschicht-
liche Entwicklung teleologisch zu interpretieren. Insonderheit der Bio-
graph ist der Versuchung ausgesetzt, die kognitiven Möglichkeiten des
Geschichte erlebenden Subjekts zu überschätzen, seinen Erfahrungs- und
Erwartungshorizont zu überdehnen. Dies gilt besonders für die Betrachtung von Geschichtsereignissen wie 1933, bei denen sich die Frage nach
Notwendigkeit oder Zufall des Geschehens besonders dringlich stellt.
Selbst eine Vielzahl von Befufspolitikern täuschte sich 1933 in der
Unterschätzung des NS. (2) Daß selbst unmittelbar Betroffene, die wegen
ihrer jüdischen Abstammung oder ihrer politischen Überzeugung längst auf
den Proskriptionslisten des NS standen, kaum größere Weitsicht bewiesen,
hat H.-A. Walter eindrucksvoll dokumentiert (3).
Die Vorgänge um die Machtergreifung der Nationalsozialisten verfolgte
Hauptmann von Italien aus, angewiesen auf Informationen durch die
Presse oder persönliche Korrespondenz. Ob seine Einstellung zum NS-
Staat von Anfang an kritischer gewesen wäre, wenn er die Vorgänge des
Frühjahrs 1933 in Berlin erlebt hätte, bleibt fraglich. Als er dann Mitte
Mai nach Deutschland zurückkehrte, war der Terror der ersten Stunde
schon vorbei.
Hauptmann hatte nach dem 30. Januar 1933 zunächst den Eindruck,
als ginge die alte innenpolitische Misere der ständigen Reichstagsauflösun-
gen weiter. Hitler hatte noch vor seiner Vereidigung als Reichskanzler
Neuwahlen verlangt, da die Koalition von Nationalsozialisten und
Deutschnationalen nur über 42 Prozent der Sitze verfügte.

(4.2.1933)
Heut käme in Deutschland auf Einheitlichkeit alles an. (...) Aber Hitler? —
Reichstagsauflösung? Die gleiche Methode, die Brüning gegen ihn anwandte? —

Nein. – Ich fürchte, dieser Enttäuschung wird keine Enttäuschung. *Nachlaß-Nr. 15, S. 34.*

Alte Methoden. Reichstagsauflösung. Hinken auf beiden Seiten. *Nachlaß- Nr. 234, S. 243*

Von Neuwahlen versprachen sich die Deutschnationalen zwar nichts, aber sie wollten die Koalition nicht gefährden und stimmten zu. Damit zeigte sich schon zu diesem Zeitpunkt, daß die Deutschnationalen nicht das Maß an Kontrolle über Hitler in der Koalitionsregierung auszuüben vermochten, wie sie es ihrem politischen Bändigungskonzept zugrunde gelegt hatten. – Hauptmann richtete seine Skepsis an die Adresse des deutschnationalen Vizekanzlers Papen:

Papen.
Wenn ihr etwas schon am Anfang nicht in der Gewalt habt, wie wollt ihr seine Zukunft bestimmen? *Nachlaß-Nr. 141, S. 86*

Die es gänzlich verkennt und verkannt hat, ist die Konservative Partei. Sie glaubt die Arbeit des Alten zu tun und tut sie für das radikalste Neue, das Deutschland je gesehen hat. Wie wird das Erwachen sein? *Nachlaß-Nr. 234, S. 246*

(nach dem 1.3.1933)
Heute wieder kriecht alles Konservative vor H*(itler)* – während das Rote sich austobt und nicht kriecht. (ibd., S. 252)

Hauptmann erlag offensichtlich schon der NS-Propaganda. Denn was die nach dem Reichstagsbrand verbotene KPD bei ihrem Rückzug in den Untergrund noch an Abwehrkampf zustandebrachte, war schwächlicher Terror, der um so härteren Gegenterror der Nationalsozialisten provozierte – kaum vergleichbar mit den Straßenkämpfen von 1932 oder gar den kommunistischen Aufständen der Nachkriegszeit.

Hauptmanns Reaktion auf die umwälzenden Ereignisse verlief zweigleisig. Einerseits verfolgte er die politischen Ereignisse mit der ihm eigenen Mischung von Skepsis, Gutgläubigkeit und Neugier. Andererseits empfand er den geschichtlichen Umbruch in einer tieferen Gefühlsschicht auch als Zäsur seines persönlichen Lebenszyklus:

(Rapallo, 19.2.1933)
Stimmung vor Sonnenuntergang. Das Stück ist inzwischen geschrieben. Der Zustand scheint sich erst jetzt zu vollenden. Die Vergangenheit kapselt sich ab. Eine Masche

der Geistesgeschichte Deutschlands schließt sich. Neue, völlig unberechenbare Ereignisse scheinen ein neues großes Ereignis einzuleiten. Das Geistige steht nicht mehr im Vordergrund. Es ist in Gefahr zu verschwinden.

Orlik, Slevogt und andere haben ihre Koffer zur rechten Zeit gepackt und sind davongegangen *(=gestorben)*. Es ist für uns nichts mehr zu tun. Vom Jahre 1871 angefangen bis heut gehört alles zusammen. Der Überblick zeigt eine Trilogie: Vorkriegszeit, Krieg, Nachkriegszeit bis heut. Heute aber hat zugleich das Neue begonnen. (...)

Eine Eremitage für stille Arbeit ist heute mein einziges Ziel. (...) Alle, aber auch fast alle Ereignisse (...) des politischen Kampfes der Völker im Innern und nach außen stoßen mich ab. *Nachlaß-Nr. 234, S. 246*

Zu der politischen Apathie Hauptmanns gesellte sich nun Altersresignation. Oft ist nicht entscheidbar, inwieweit Hauptmanns Klagen über die Zeit nach 1933 aus dem kritischen Urteil oder einer allgemeinen Depression seines Lebensgefühls resultieren. Meist eingegeben von Stimmungen, lassen sich Hauptmanns private Äußerungen über das Dritte Reich schwer auf einen Nenner bringen. Eine einseitig referierende Auswahl könnte Hauptmann jeweils zum schweigenden Märtyrer, zum mehr oder minder ahnungslosen Mitläufer oder zum sympathisierenden Opportunisten stilisieren. Der Biograph Hans v. Hülsen, der mit Hauptmann während des Dritten Reichs häufigen Kontakt hatte, gesteht, daß ihm Hauptmanns Stellung zum NS ein Geheimnis „mit sieben Schlössern" geblieben ist, von denen er höchstens das eine oder andere zu öffnen imstande sei. (4) Die Selbstzeugnisse Hauptmanns vermitteln den Eindruck, als sei er selbst sich nicht restlos klar über seine Einstellung gewesen. In den überlieferten Tagebüchern und Notizheften dieser Zeit entdeckt sich nicht ein Geist in der Verborgenheit. Den Aufzeichnungen eignet vielmehr weithin der Charakter einer Selbstmanipulation des Bewußtseins.

Anfangs überwog bei ihm die Skepsis in der Empfindung einer Zeitenwende.

(1.3.1933)

Mit dem Brande des Reichstagsgebäudes, in der Nacht vom 26. zum 27. Februar, schließt das Deutschland ab, in dem ich seit 1862 gelebt habe, oder sagen wir: geistig bewußt gelebt habe seit 1870, wo mein nationales deutsches Bewußtsein geweckt wurde. Wie ich zum dem Kommenden stehe? Sechzig Jahre bewußtgebliebenen deutschen Schicksals, 70 Jahre eigenen Schicksals mit seinem Tun und Erdulden, seinem Gelingen und Fehlschlägen (...) lassen einen belasteten Mann zurück, der nicht mit dem für das Neue notwendigen illusionsfähigen Kinder-, Knaben- und Jünglingsverstand wieder beginnen kann. *Nachlaß-Nr. 234, S. 251*

Zum guten Teil wurde freilich von Hauptmann die Altersmüdigkeit vorgeschoben, um seine Ratlosigkeit in der Beurteilung des Neuen zu bemänteln. Nach wie vor konnte er keinen festen Standpunkt gewinnen:

(vor dem 17.3.1933)
Die Relativität aller Verhältnisse muß erkannt werden. Daher urteile nie in der Meinung, absolut Richtiges zu sagen: weder über Personen noch Handlungen noch Ereignisse. (. . .) Ein frischer Wind — der Wind der politischen Arbeit. *Nachlaß — Nr. 141, S. 86,93*

2. Die „Neuordnung" der Preußischen Akademie der Künste

Der „frische Wind" war daran, sich zu einem bedrohlichen Sturm zu entwickeln. Noch ehe die Nationalsozialisten daran gingen, die oppositionellen politischen Kräfte auszuschalten, zeichnete sich der Umschwung im kulturellen Leben ab. Ein Fanal waren die Vorgänge in der Sektion für Dichtkunst der Preußischen Akademie der Künste um den Ausschluß Heinrich Manns. Heinrich Mann, derzeit Vorsitzender der Sektion für Dichtkunst, hatte einen „Dringenden Appell" des Internationalen Sozialistischen Kampfbundes unterzeichnet, in dem KPD und SPD zu einer Einheitsfront gegen den NS aufgerufen wurden. Daraufhin drohte der nationalsozialistische Reichskommissar für Preußen, Rust, in seiner Eigenschaft als Kurator der Akademie: er werde die Institution auflösen, falls sie sich nicht von ihren Mitgliedern Heinrich Mann und Käthe Kollwitz (die ebenfalls den Aufruf unterzeichnet hatte) trennte. Dem Ausschluß durch Akademie-Entscheid kam Heinrich Mann auf Zureden des Präsidenten Max v. Schillings durch Erklärung seines freiwilligen Austritts zuvor. Innerhalb der Sektion für Dichtkunst konnte man sich nicht zu einer Solidaritätshandlung durchringen, sondern erklärte lediglich sein Bedauern über den Austritt Heinrich Manns. (5) Die Meinungen über die Berechtigung des politischen Verhaltens Heinrich Manns und über die Aufgabe der Akademie waren kontrovers. Einzig Alfons Paquet trat für einen aktiven Protest gegen diesen Präzedenzfall einer Beeinträchtigung der politischen Meinungsfreiheit ein. — Auch Hauptmann in Italien konnte sich nicht zu einer stillen Parteinahme für den „Gemaßregelten" verstehen. Vier Tage nach dem Ausscheiden des Sektionsvorsitzenden notierte er als Kommentar zu den Ereignissen:

(19.2.1933)
Die furchtbarste Tatsache ist die Blindheit (...) selbst unter den Menschen, die auf Geist pochen. Sie dünken sich große Moralisten und sind nichts als Gewalttäter und Kriegsknechte. Sie machen Volksgenossen zu Feinden, nur um sich im Vaterlande gebärden zu können wie in Feindesland. *Nachlaß-Nr. 234, S. 246*

Die auswärtigen Mitglieder der Sektion für Dichtkunst wurden über die Vorgänge unterrichtet und um eine Stellungnahme gebeten. Auch Hauptmann wurde um eine Erklärung ersucht − nicht nur von seiten der Sektion. Rene Schickele berichtet in seinem Tagebuch (6):

(17.3.1933)
Meier-Graefe hat vor etlichen Wochen an Gerhart Hauptmann nach Rapallo geschrieben und ihm nahegelegt, öffentlich gegen die Disziplinierung Heinrich Manns (...) aufzutreten. Hauptmann hat nicht einmal geantwortet. Er wird Meier-Graefes Brief, wie Thomas Mann diesem gegenüber vermutete, als Belästigung aufgefaßt haben.

Meier-Graefe hatte Hauptmann in zwei lapidaren Sätzen zu einem Protest aufgerufen:

(24.2.1933)
Viele von uns warten auf das Wort des größten deutschen Repräsentanten zu dem Unheil in der Heimat. Sie allein haben die Stimme. *Briefnachlaß I*

Der solchermaßen Titulierte bekannte in seiner Antwort, die er Schickele zufolge nicht abgeschickt hatte, seine Ohnmacht in dieser Frage:

(26.2.1933)
Sie überschätzen mich. Ich könnte im Augenblick nur zu ohnmächtigen Behelfen greifen und etwa einige der zehn Gebote ins Feld führen (...). Wer würde mich hören? Keine Laus. Es ist eine Art Kirmesprügelei im Gange (...). Die wahren Nutznießer eines Wahnsinns, wie ihn Deutschland noch nicht gesehen hat, stehen lauernd außerhalb der Grenzpfähle. Nur die Erschöpfung und die traurige Folge kann zur Besinnung rufen, dann hoffentlich nicht zu spät. Gott sei uns armen Deutschen gnädig! (ibd.)

Offiziell – an die Adresse der Sektion – äußerte sich Hauptmann erst, als ihm wie den anderen Sektionsmitgliedern ein Revers zugeschickt wurde. Es war von Gottfried Benn entworfen und auf einer Sektionssitzung am 13.3.1933 von den anwesenden Mitgliedern gebilligt worden. Dies Revers sollte der „Reorganisation" sowie „einer eindeutigen und zuverlässigen Arbeit der Abteilung dienen", d.h. ein Arrangement mit der durch die Wahlen vom 5. März bestätigten nationalsozialistischen Regierung herbeiführen (7):

Vertraulich!
Sind Sie bereit, unter Anerkennung der veränderten geschichtlichen Lage weiter Ihre Person der Preußischen Akademie der Künste zur Verfügung zu stellen? Eine Bejahung dieser Frage schließt die öffentliche politische Betätigung gegen die Regierung aus und verpflichtet Sie zu einer loyalen Mitarbeit an den satzungsgemäß der Akademie zufallenden nationalen kulturellen Aufgaben im Sinne der veränderten geschichtlichen Lage.

Ein Begleitschreiben des Akademiepräsidenten Max v. Schillings, datiert vom 14.3.1933, setzte eine Antwortfrist bis zum 21.3. fest.
Unmittelbar darauf, am 15.3.1933, schrieb Rudolf G. Binding an Hauptmann, um ihm den Hintergrund der Vorgänge zu erläutern und ihn zur Loyalitätsbekundung zu bewegen (8). Die schwierige Lage der Akademie bestehe darin, daß sie „von augenblicklichen revolutionsartigen Erschütterungen heimgesucht werden kann (...), die dann später auf beiden Seiten bereut werden (...) können". Der Präsident der Akademie habe der Sektion geraten, „schnell und aus uns selbst zu handeln". Am 13. März sei die Sektion zusammengetreten, um sich „so zu reorganisieren und zugleich so zu erhalten – unter möglichst geringem Verlust an künstlerischen Werten –, daß sich die augenblickliche Regierung damit beruhigen könne und zugleich wertvolle Mitglieder des deutschen Geisteslebens nicht den Platz ohne weiteres an weniger wertvolle, lediglich neue, Elemente abgeben müssen (...)". Die Frage: Anpassung oder Widerstand umging Binding:

Denn ich bekenne mich zu dem Standpunkt, daß wir nicht einer bestimmten Regierung dienen und auch nicht einer bestimmten Regierung weichen; daß wir vielmehr unser eigentliches Amt von der Nation erhalten und von der Verpflichtung, die wir in unserem Dichtertum für sie empfinden. (ibd.)

Freilich deutete Binding auch an, wie er zur veränderten Lage der Nation stand:

> Ich glaube, daß Dichtung der Ausdruck der Nation (. . .) ist und daß also dieser Ausdruck je nach den inneren Wahrheiten, aus denen eine Nation und wir selber in ihr leben, sich im Laufe der Zeit (. . .) manchmal merklich, manchmal unmerklich (. . .) verschiebt. (ibd.)

Binding schloß seinen Brief mit dem für Hauptmann richtig gewählten Ton der Beschwichtigung: in vier Wochen werde man alles schon viel ruhiger ansehen, es werde zwar Verluste geben, aber einige „große stehende Persönlichkeiten", zu denen Hauptmann gehöre, könnten und sollten sich nicht umreißen lassen. Dieser Brief Bindings bewog Hauptmann anscheinend sogleich zur Unterzeichnung des Revers am 16.3.1933. Eine Begründung seines Standpunkts gab er in einem Antwortbrief an Binding (9):

> (17.3.1933)
> Ich habe ein eigentliches Verhältnis zur Abteilung für Dichtung offengestanden nie gehabt und bin schließlich nur nach anfänglicher entschiedener Weigerung aus dem Geiste einer gewissen Kameradschaftlichkeit heraus ihr beigetreten. Oft habe ich daran gedacht, mich aus dem Verbande zu lösen, heut, wo er Schwierigkeiten hat, wie Sie sagen, verwirft diesen Gedanken wiederum meine Kameradschaftlichkeit.
> Daß wir, soweit wir Akademiker sind, gegen die Regierung, der wir unterstehen, nicht frondieren dürfen, ist eine Selbstverständlichkeit. Übrigens habe ich das auch als freier Schriftsteller, niemals irgendeiner Regierung gegenüber getan. Dazu ist mein Wesen viel zu positiv eingestellt. Nicht im Gegenwirken sieht es das Heil, sondern im Mitwirken. ⟨Überhaupt: wenn ich die gewaltige Schicksalsstunde, in der wir stehen, mit dem Verstande auch nicht allenthalben zu durchdringen vermag, so bin ich auch hierin Deutscher genug, um mich in einem gewissen Sinne auf Gedeih und Verderb mit meinem Volke zu identifizieren.⟩ Übrigens ist ein Präsident und Senator ein noch viel enger verpflichteter Staatsbeamter *(!)* als der bloße Akademiker. *Briefnachlaß I, s.v. Binding, Rudolf G.*

Dieses Bekenntnis besaß über den konkreten Anlaß hinaus gleichsam programmatischen Aussagewert über die künftige Haltung Hauptmanns zu dem neuen Staat in Deutschland.

3. Im neuen Führerstaat

Im August 1932 bemerkte Hauptmann gegenüber C.F.W. Behl, er werde, „wenn sich die Zustände in Deutschland zurückbilden sollten, gerne noch einmal nach Zürich und nach Rom heimkehren (...)" (10). Doch im Frühjahr 1933 schien er keinen Augenblick an eine Emigration zu denken. „Es wurde allgemein erwartet, Hauptmann werde im Ausland bleiben, zumindest nach Regelung seiner Verhältnisse wieder ins Ausland gegen". Für diese Behauptung bleibt der Hauptmann-Biograph Hans Daiber jeden Nachweis schuldig (11). Daß Hauptmann nach Deutschland zurückkehrte — mit allen sich daraus ergebenden Konsequenzen — dürfte zu einem nicht unerheblichen Teil dem Einfluß seiner Frau zuzuschreiben sein. Margarete Hauptmanns Aufzeichnungen, die Aufschluß über diesen und manche anderen Punkte geben könnten, sind allerdings nicht zugänglich (12).
Wie auch immer — Hauptmanns Entschluß zur Rückkehr nach Deutschland Mitte Mai bedeutete noch keine grundsätzliche Option für das neue Regime; dafür war er sich zu unklar über die neuen Verhältnisse:

(Lugano, 6.5.1933)
Man hört zuviel Verschiedenartiges über die neue Bewegung, man muß die tieferen Gründe suchen. Und horche du auf alles, aber spare dein Urteil (Polonius zu Laertes). *Nachlaß-Nr. 15, S. 68*

Ein Menetekel der „verschiedenartigen" Vorgänge war der einsetzende Exodus der politisch oder „rassisch" unerwünschten Intelligenz. Hauptmann beklagte diesen Aderlaß für Wissenschaft, Kunst und Literatur in Deutschland und kleidete seine Sorge über den neuen kulturpolitischen Kurs in ein vitalmetaphorisches Gleichnis:

(nach dem 12.4.1933)
Rede.
Geht der deutsche Geist unter, dann war er nie da. — Wenn ein neuer Besitzer ein Gut kauft, fängt er nicht damit an, die Saat zu zertrampeln. — Gut, er jätet. Er wird aber mit Vorsicht jäten und nicht den Weizen mit dem Unkraut entfernen. — Ein Volk muß blühen, es braucht Heiterkeit. *Nachlaß-Nr. 141, S. 101*

(26.4.1933)
Man hat, ohne jedes Verständnis für die Seelenbedürfnisse eines Volkes, deprimiert und deprimiert. Nun verfalle man nicht in das Gegenteil! (ibd., S. 106) Liebe zur Kunst, Feinheit des Eingehens zeichnet die Juden aus. (S. 108).

Hauptmann scheint gemeint zu haben: Die Nationalsozialisten, deren Propaganda sich so nachdrücklich gegen die Knechtung Deutschlands durch Versailles gerichtet hatte, sollten nun nicht ihrerseits in nationale Überheblichkeit gegenüber den Juden verfallen.

Unter den jüdischen Intellektuellen, die von den Nationalsozialisten ausgeschaltet wurden, befanden sich auch enge Freunde Hauptmanns. Alfred Kerr, seit langem auf den Proskriptionslisten der Nationalsozialisten, war einer der ersten Emigranten. Arthur Eloesser wurde im Frühjahr „von der Vossischen Zeitung ziemlich unsanft und ohne alle Entschädigung ausgeschaltet", wie er später an Hauptmann schrieb (13). Hauptmann bekundete Betroffenheit über das Schicksal seiner jüdischen Freunde:

Was kann man tun für: Kerr und Eloesser. (. . .) Deutsches und jüdisches Wesen sind verwandt in der produktiven Unruhe. (. . .)
Liebe ist Mitleid, sagt Schopenhauer. (. . .)
Und so lebe ich in Liebe zu den betroffenen Freunden — aber Kerr war ein Kämpfer, ein Polemiker von Anfang an — und, wenn ein Kämpfer fällt, darf er sich über den Gegner nicht beklagen. *Nachlaß-Nr. 15, S. 100 v—102 v*

In einer eigentümlichen Verkennung der Lage setzte er Unvergleichbares zueinander in Beziehung: Kerrs kritisch-kämpferisches Temperament und den politischen Fanatismus eines rassistischen Verfolgungswahns. Hauptmanns Einstellung zur Judenverfolgung wirft vielleicht die meisten Fragen zu seiner Haltung im Dritten Reich auf (vgl. Kap. XXII). Der Schwiegersohn S. Fischers, Gottfried Bermann Fischer, berichtet von einem Zusammensein mit Hauptmann im April 1933 (14):

(Rapallo)
Und Gerhart Hauptmann ging mir mit seiner Verkennung der Situation völlig auf die Nerven. Als ich (. . .) eine vom Spumante beschwingte Rede auf die Rolle der Juden in Deutschland hielt, sagte Hauptmann in den allgemeinen Beifall hinein:„Ja, mein lieber Bermann, ich bin nun einmal kein Jude." (. . .) Gerhart Hauptmann war gewiß kein Antisemit im landläufigen Sinn. Diese Bemerkung zu vorgeschrittener Stunde zeigt aber, daß auch er bereits begonnen hatte, Abstand zu nehmen — ein gewissermaßen animalisches Verhalten wie das eines Menschen, der die Not eines anderen scheut wie eine ansteckende Krankheit.

Für Hauptmann waren die Umwälzungen im Reich „unbegreifliche Erscheinungen": „Ich gebe mir Mühe, sie zu verstehen, ihnen herzlich und voll zuzustimmen, im Interesse meines Vaterlandes" (Nachlaß Nr. 15, S. 55). Hauptmann war der halbherzigen Loyalität zur Weimarer Republik am Ende überdrüssig gewesen. Er wollte jetzt vorbehaltlos zustimmen können — wie einst bei der nationalen Erhebung 1914. Psychische Muster wiederholten sich: Hatte er 1914 aus patriotischer Begeisterung seine privaten Gefühle als Familienvater unterdrückt, so sah er jetzt die Notwendigkeit eines ähnlichen Opfers:

> Der große liebende (. . .) Politiker hat eine furchtbare Zäsur zu machen, nämlich vom Individuellen abzusehen: und seien es nächste Freunde (. . .). Wir wollen den Hellblick unserer Jugend nicht unterschätzen. *Nachlaß-Nr. 15, S. 130*

Daß diese „Zäsur" auch die vorsätzliche Vernichtung einer ganzen Geschichtsepoche bürgerlicher Demokratie bedeutete, faßte Hauptmann geschichtsfatalistisch auf. Die Vorgänge von 1933 fügten sich aus seiner Sicht dem Rhythmus eines gleichsam geschichtslosen „Stirb und Werde":

> Deutschland hat ein eigentümliches Leben. Es führt sein Leben nicht so wie andre Nationen, sondern ganz anders. Es ist vielmehr ein dauerndes Sterben, das irgendwie das höchste grenzenlose Leben in sich schließt. Was für Kräfte sind heut wiederum weggeworfen: tretet an, ihr Neuen! (ibd.,S. 129 v)

Gutgläubig ließ sich Hauptmann von dem allenthalben propagierten Aufbaupathos anstecken, ohne sich bei dem Widerspruch aufzuhalten, daß erst einmal das Alte zerstört werden mußte, um Platz für das „Neue" zu schaffen: „Das neue Reich muß aufgebaut werden: wie wird das geschehen? — dazu sind nicht nur soldatische Kräfte nötig, sondern die freien, heiteren, ernsten, abgebauten" (ibd., S. 88 v).

Einen entscheidenden Eindruck von dem neuen Kurs empfing Hauptmann sogleich durch die große Friedensrede Hitlers vor dem Reichstag am 17.5.1933. Als erster deutscher Kanzler forderte Hitler die Revision des Versailler Vertrags, wies auf die Gefahren der durch ihn geschaffenen Unruheherde hin und erklärte, die Reichsregierung sei zu jeder Rüstungsbeschränkung bereit unter der Voraussetzung der internationalen Gleichberechtigung Deutschlands. Die Rede Hitlers war von bewußt staatsmännischem Zuschnitt, um im Ausland Deutschlands Debüt als wiederstehende Großmacht vorzubereiten. Auch die Sozialdemokraten stellten sich im Reichstag hinter diese Erklärung des Friedenswillens. Hitlers Forderung nach Revision des Versailler Vertrages ignorierte, daß schon vor 1933 die alliierte Politik gegen Deutschland konzessionsbereiter geworden war: die Franzosen hatten 1930 vorzeitig die letzte rheinische Besatzungszone geräumt und im Sommer 1932 war auf der Konferenz von Lausanne die Einstellung der Reparationen beschlossen worden. Wenn Hitler im Mai 1933 nach wie vor von der „Disqualifizierung eines großen Volkes zu einer Nation zweiten Ranges und zweiter Klasse" sprach, so entsprach dies dem Ziel der NS-Propaganda, das Gefühl einer angeblich nationalen Minderwertigkeit bis zur Unerträglichkeit aufzupeitschen (15). In Wirklichkeit waren seit 1929 die Massen weniger von einem solchen nationalen Minderwertigkeitsgefühl bedrückt als von der sozialen Not (Arbeitslosigkeit) (16). Diese wirtschaftliche Existenzangst der Bevölkerung suchte der NS durch die Projektion auf das Nationalempfinden auszubeuten und dadurch die Nation für sein Programm politisch zu mobilisieren. – Auch Hauptmann ließ sich noch 1932 von der Rechtspropaganda das Kriegsschuldproblem suggerieren: „Kriegsschuld* . Nehmt diesen Wespenstachel aus dem Leibe des deutschen Volkes" (Nachlaß-Nr. 14, S. 118 v). Daher begrüßte er überschwenglich Hitlers Forderung, die durch Versailles gedemütigte deutsche Nation müsse politisch rehabilitiert werden:

(18.5.1933)
Die gestern gehaltene Rede des deutschen Reichskanzlers wird man noch nach einigen hundert Jahren hören! Diese Rede müßte man in ganz Deutschland anschlagen. *Nachlaß-Nr. 15, S. 72*

Seit der Reichstagsrede vom 17.5.1933 war Hauptmann für Hitler eingenommen. Bis in die letzten Jahre des Dritten Reiches hielt sich Hauptmanns Zustimmung zu Hitler unter dem Eindruck der „Führer"-Reden:

(11.11.1941) Große Rede Hitlers gelesen (. . .) die *(Ansicht)* über Hitler die gleiche seit seinen ersten verantwortlichen Reden: er ist tatsächlich seit Menschengedenken das größte politische Ereignis Deutschlands. *Nachlaß-Nr. 3, S. 71 f*

---

* Artikel 231 des Versailler Vertrags über die Kriegsschuldfrage.

Vergessen hatte Hauptmann seine Warnung von 1930, als er in den „Politischen Gedanken" äußerte: „Hütet euch vor den Rednern. Rhetorik ist eine gefährliche Kunst. Ihr Triumph ist, das Falsche wahr zu machen". (CA XI, 1099). Bisweilen war er jedoch nahe daran, den demagogischen Betrug zu durchschauen (17):

(23.2.1936)
Wahn! – ein modernes, hochgeachtetes Wort. – Ich meine den Wahnsinn, er ist aktiv! – Er beherrscht Völker durch Suggestion! – Der einzelne ist als Wahnsinniger leicht festgestellt. Der völkische *(= Völker-)*Wahnsinn widerstrebt dem durchaus, vor allem sein Hypnotiseur. Ein solcher H*(ypnotiseur)* ist allmächtig.

(nach dem 13.3.1938)
Die Exaltationen, deren Führer*(n)* ganze Völker und diese *(Führer)* selbst unterliegen, speziell in Europa, sind eine Nachkriegspsychose, es ginge auch ohne das, mit neuer Tatkraft. *Nachlaß–Nr. 262 A, S. 67 v*

Ein Hauptmerkmal der nationalsozialistischen Machtergreifung war die nahezu kampflose Überrumpelung des Gegners. „Wenn das, verglichen mit einem echten ehrlichen Bürgerkrieg, seine Vorzüge hatte, so lag auch wieder etwas ungewöhnlich Widerliches in diesem schwelgenden, unbarmherzig ausgenutzten, aber kampflosen Siege eines Teils der Nation über den anderen" (G. Mann) (18). Hauptmann wunderte sich zwar über das Ausbleiben einer offenen Auseinandersetzung angesichts der Proklamierung einer „nationalen Revolution", aber er deutete dies fälschlich als Schwäche der Usurpatoren:

Ihr *(sc. politischen Gegner)* werdet euch nicht treffen, das wäre Irrsinn, aber ich fürchte, ihr könnt euch nicht treffen. Weder Ideale noch Energien, wahre brutale Energien sind vorhanden. Würde es ein großer ehrlicher Bürgerkrieg! – Das kann es nicht werden! – Ihr seid nur wieder geführte, geleitete, genasführte Untertanen – Herr Hitler! – Herr Goering *(?)*. *Nachlaß-Nr. 240, S. 9*

Wieder glaubte Hauptmann, die Regierenden seien nur ohnmächtige „Figuranten" eines von ihnen nicht beherrschbaren Elementarprozesses. Die trügerische Ruhe, unter der sich die fast reibungslose „Gleichschaltung" des öffentlichen Bereichs vollzog, erzeugte in ihm ein beklemmendes Gefühl. Fragend blickte er auf die einstigen Autoritäten der Weimarer Republik:

(Juni 1933)

Das schwere Schweigen regiert heut. Hindenburg sitzt in *(Neudeck)* etc.. Die Presse wird beherrscht von ... Die Reichswehr schweigt. – Meißner? * – Wer weiß? Vielleicht! Ich weiß nicht. (...) Die unendliche Schwäche des verflossenen Systems zeigt sich in dem jetzigen. *(Nachlaß–Nr. 15, S. 90 v, 93)*

Mit zahllosen Aufmärschen, Feiern und Umzügen suchten die National-sozialisten, revolutionären Elan zu demonstrieren. Das propagandistische Gepränge, das die Installierung ihrer Macht begleitete, empfand Haupt-mann als theatralisch:

(Juni 1933)

Heut: ich fürchte, wir sind verlassen! Das bezieht sich nicht auf das Ausland und wohl einigermaßen auf das Inland. – Wir brillieren in Äußerlichkeiten, in Oberflächlichkeiten, in Leerheiten. *ibd., S. 90*

Nach der Machtübernahme entlarvte sich der nackte Interessencharak-ter der NS-Bewegung auch personalpolitisch. Seit je mißtrauisch gegenüber dem Partikularismus der politischen Parteien, kritisierte Hauptmann den sich abzeichnenden Monopolcharakter der NSDAP:

Hitler sagt und lehnt ab, daß „bei Besetzung von Ämtern und Posten ausschließlich die Parteizugehörigkeit" maßgebender gewesen sei! – und er selbst und alle Beteiligten werden heut nicht zu bezweifeln wagen dürfen, daß d i e Partei heut alles ist. Hitlers Ernst möge d u r c h wirken. *ibd., S. 95 v f.*

4. Lektüre von „Mein Kampf"

Am 15.6.1933 notierte Oskar Loerke in sein Tagebuch: „Besuch Saen-ger**. Er hatte seine Enttäuschung über Hauptmann zu klagen, in Hiddensee" (19). Die Enttäuschung könnte politischer Art gewesen sein, denn Hauptmann war im Begriff, seinen Frieden mit den neuen Machthabern zu machen. Ein Symptom dafür war die Lektüre von Adolf Hitlers „Mein Kampf":

---

*Otto Meißner, Staatssekretär im Reichspräsidialamt, ab 1934 Chef der Präsidial-kanzlei des Führers.

** Samuel Saenger, Mitarbeiter der „Neuen Rundschau".

(Ende Juni 1933)
Ich habe die in der Tat sehr bedeutsame Hitler–Bibel in der Hand. *Nachlaß–Nr. 15, S. 95*

Hauptmanns Handexemplar zeugt von dieser Lektüre, da er als sehr temperamentvoller Leser ausgiebig Randnotizen und Unterstreichungen anzubringen pflegte. Etwa hundert von 781 Seiten in „Mein Kampf" weisen Lesespuren auf – am dichtesten in den Anfangskapiteln. Die im folgenden vorgeführten Zitate aus „Mein Kampf" (Abkürzungszeichen: MK) sind in den Partien, die Originalunterstreichungen Hauptmanns im Handexemplar aufweisen, kursiv gesetzt. Ob den Unterstreichungen jeweils ein kritischer oder affirmativer Akzent zugrunde liegt, läßt sich nur annähernd anhand der zusätzlichen Randbemerkungen (Floskeln wie „gut", „sic", Frage- und Ausrufezeichen) bestimmen.

Das Handexemplar ist über den Rahmen der persönlichen Biographie des Dichters hinaus ein aufschlußreiches zeitgeschichtliches Dokument. Es liefert Anschauungsmaterial für die Wirkungsgeschichte von „Mein Kampf". In einer Studie über die „Nichtbeachtung des Kampfbuches durch die Gegner des Nationalsozialismus" spricht Karl Lange von dem Mangel an Unterlagen für eine statistische Erfassung des Leserkreises, des Zeitpunktes der Lektüre und der individuellen Bewertung des Buches (20). In der von Lange aufgestellten Lesertypologie ließe sich Hauptmann bedingt der Gruppe der „Nichtnationalsozialisten oder ausgesprochenen Gegner vor 1933" zurechnen, die am 5.3.1933 wahlberechtigt waren und ein „überdurchschnittliches politisches und literarisches Interesse" besaßen (21). Wie die Mehrzahl dieser Gruppe las Hauptmann das Buch erst nach der Machtergreifung.

Daß Hauptmann sich überhaupt nach einem ersten Lektüre-Eindruck weiter in das schwer lesbare Buch vertiefte, wird dem Interesse zuzuschreiben sein, das er offensichtlich an dem anfangs geschilderten Werdegang Hitlers nahm. Hauptmann achtete als Dramatiker allgemein bei seiner Lektüre auf Lebensläufe und Personen und pflegte solche Partien mit P (=Person) anzumerken. So versah er in „Mein Kampf" jene Textstellen mit Unterstreichungen, die auffällige biographische Parallelen zu seiner eigenen Jugendzeit aufweisen: etwa die Bildung „erster Ideale" beim jungen Hitler, die Entwicklung eines „rednerischen Talents" oder die Skepsis des Vaters gegenüber den Fähigkeiten des Sohnes (MK, S. 3). Ähnliches kann man beim jungen Hauptmann finden – so die frühe erzählerische Begabung des Knaben (CA VII,490). Der zeitweilige Wunsch des jungen

Hitler, Abt zu werden, mag Hauptmann an die religiöse Phase seiner Gutselevenzeit erinnert haben. Auch die Einstellung des strengen Vaters zur Frage der Berufswahl drängte sich Hauptmann wohl zum Vergleich auf:

Endlich wäre es seiner in dem bitteren Existenzkampf eines ganzen Lebens herrisch gewordenen Natur aber auch ganz unerträglich vorgekommen, in solchen Dingen etwa die letzte Entscheidung dem in seinen Augen unerfahrenen Jungen selber zu überlassen. (MK, S. 5)
Zum ersten Male in meinem Leben wurde ich, *als damals noch kaum Elfjähriger, in Opposition gedrängt.* (MK, S. 6)

Auch Hauptmann hatte sich mit seinem „proletarischen Ressentiment" in jugendlicher Opposition zum Elternhaus gesehen. Das „schwere Lungenleiden" (MK, S. 16) Hitlers erinnerte Hauptmann an ähnliche Gesundheitskrisen seiner Frühzeit. Vor allem der Kunsteleve Hitler forderte die biographische Identifizierung bei Hauptmann heraus:

Wie es nun kam, weiß ich heute selber nicht, aber eines Tages *war es mir klar, daß ich Maler werden würde, Kunstmaler.* (MK, S. 7)
Eigentümlich war es nur, *daß mit steigenden Jahren sich immer mehr Interesse für Baukunst einstellte.* (MK, S. 15)

Auch Hauptmann kannte dieses Schwanken zwischen verschiedenen Disziplinen (Bildhauerei — Dichtkunst) bei der Suche nach der eigentlichen Bestimmung. Hitlers Schilderung seiner „Wiener Lehr- und Leidensjahre" ist oberflächlich vergleichbar mit Hauptmanns Breslauer Zeit. Als Hitler sich um Aufnahme in die Malerschule der Wiener Akademie bewarb, wurde er wegen mangelnder Eignung abgewiesen:

Geschlagen verließ ich den Hansenschen Prachtbau am Schillerplatz (. . .).
In wenigen Tagen wußte ich nun auch selber, daß ich einst Baumeister werden würde. (MK, S. 19)

Hauptmann ließ sich in Breslau durch den vorübergehenden Ausschluß aus der Kunstschule ebenfalls nicht entmutigen (CA VII, 807 ff.). Hitler wie Hauptmann hatten das Handikap einer mangelhaften Schulbildung. Diesem Umstand sowie einer allgemeinen Depression schreibt Hitler sein Scheitern in Wien zu:

Daß ich mittellos und arm war, schien mir noch das am leichtesten zu Ertragende zu sein, aber schwerer war es, daß ich nun einmal zu den Namenlosen zählte, einer von den Millionen war, die der Zufall eben leben läßt (. . .). Dazu kam noch die Schwierigkeit, die sich aus meinem Mangel an Schulen ergeben mußte. (MK, S. 243)

„Das hat mich nie beunruhigt", notierte Hauptmann am Rand mit dem Stolz des Autodidakten, der im — retrospektiv gesehen — sicheren Vorgefühl seiner Begabung und unter glückhaften Umständen erfolgreicher als der Kunsteleve Hitler war. Auch die sozialen Erfahrungen Hitlers in Wien und Hauptmanns in Breslau lassen sich vergleichen. Hitler berichtet über die „traurigste Zeit meines Lebens":

(. . .) mein wahrhaft kärglich Brot, das doch nie *langte, um auch nur den gewöhnlichen Hunger zu stillen.* (MK, S. 20)
Ich glaube, meine Umgebung von damals hielt mich wohl für einen Sonderling. (MK, S. 35)
(. . .) *die Welt des Elends und der Armut* (. . .), *für die er später kämpfen sollte.* (MK, S. 20)

Auch Hauptmann lernte in Breslau den Hunger kennen, spielte zeitweise ebenfalls die Rolle des sonderlingshaften Desperados und erlebte ein soziales Milieu, für das er später auf seine Weise eintrat — nicht wie Hitler, „hart" (MK, S. 20) geworden in zynischer Desillusion, sondern „erweicht" durch Mitleid.

Diese biographische Teilidentifikation hatte bei Hauptmann die Wirkung einer captatio benevolentiae, von der seine weitere Lektüre beeinflußt wurde. Das angestrebte, wenngleich gescheiterte Künstlertum verlieh Hitler in der Sicht Hauptmanns den vertrauenswürdigen Nimbus eines „Idealisten". Nur so läßt sich Hauptmanns verhältnismäßig wohlwollendunkritische Rezeption horrender Passagen aus „Mein Kampf" erklären.

Zur Rhetorik Hitlers gehört es, durch eine Anhäufung von Allgemeinplätzen zwischen Redner und Zuhörer einen scheinbaren Konsensus herzustellen, der die Radikalität und Aggressivität seiner Ideen überdeckte, verharmloste und ihnen dadurch ungehinderten Zugang beim Hörer verschaffte. Hitler sprach im Stil ungenierter Alltagssprache die Vorurteile der Massen an, formulierte sie eigentlich erst und erhielt damit ein Vehikel für seine demagogische Beeinflussung.

Es frappiert, wie wenig Hauptmann anscheinend die prätentiösen Banalitäten, das Unechte und Gespreizte des Stils in „Mein Kampf" zu

236

Bewußtsein kamen. Er unterstrich allerlei nichtssagende Phrasen Hitlers, beispielsweise die folgende:

Ich unterscheide zwischen der Weisheit des Alters, die nur in einer größeren Gründlichkeit und Vorsicht als Ergebnis der Erfahrungen eines langen Lebens gelten kann, und der Genialität der Jugend, die in unerschöpflicher Fruchtbarkeit Gedanken und Ideen ausschüttet (. . .). (MK, S. 21)

Die Ungeheuerlichkeiten, die Hitler über die Juden und die Marxisten in „Mein Kampf" sagt, ließ Hauptmann großenteils durchgehen (s.u.), weil er von der suggestiven und simplifizierenden Suada dieses Buches eingefangen wurde. An der markigen Rhetorik von „Mein Kampf" finden Ressentiments leicht ihre Bestätigung. Insbesondere Vorbehalte Hauptmanns gegen den politischen Sozialismus konnten sich hier neu beleben. Was Hitler über seine Erfahrungen mit der Sozialdemokratie in Wien schreibt, strich Hauptmann ohne ersichtliche Distanzierung an:

Es bedurfte auch hier erst der Faust des Schicksals, um mir das Auge über diesen unerhörtesten Völkerbetrug zu öffnen.
(. . .) *eine unter der Larve sozialer Tugend und Nächstenliebe wandelnde Pestilenz* (. . .). (MK, S. 40)

Ein großes Ausrufezeichen erhielt gar Hitlers Schilderung von Gesprächen mit Gewerkschaftlern:

Man lehnte da alles ab: die Nation, als eine Erfindung der „kapitalistischen" – wie oft mußte ich nur allein dieses Wort hören – Klassen; das Vaterland, als Instrument der Bourgeoisie zur Ausbeutung der Arbeiterschaft; die Autorität des Gesetzes, als Mittel zur Unterdrückung des Proletariats; die Schule, als Institut zur Züchtung des Sklavenmaterials, aber auch der Sklavenhalter; die Religion, als Mittel der Verblödung des zur Ausbeutung bestimmten Volkes; die Moral, als Zeichen dummer Schafsgeduld usw. Es gab da aber rein gar nichts, was so nicht in den Kot einer entsetzlichen Tiefe gezogen wurde. (MK, S. 41 f.)

Das entsprach zu genau dem Schreckensgemälde, das Hauptmann selbst 1919 von dem zu erwartenden geistigen Terror des Bolschewismus entworfen hatte. Doch Hauptmann setzte auch Fragezeichen hinter allzu grobe Behauptungen Hitlers:

Daß sie *(die Sozialdemokratie)* endlich, wie mein damaliges harmloses Gemüt noch *dumm genug war zu glauben,* die Lebensbedingungen des Arbeiters zu heben trachtete, *schien mir ebenfalls eher für sie als gegen sie zu* sprechen. (MK, S. 39).

Hitler warf dem Bürgertum vor, daß seine Passivität in der sozialen Frage zum Erstarken der Sozialdemokratie beigetragen habe:

Die einfach bornierte Ablehnung aller Versuche einer Besserung der Arbeitsverhält-nisse (. . .) half mit, der Sozialdemokratie, die *dankbar jeden solchen Fall erbärm-licher Gesinnung aufgriff,* die Massen in das Netz zu treiben. (MK, S. 48)

„Nun, ist das nicht zu loben", fragte Hauptmann, wobei er nicht zu bemerken schien, daß Hitler die Sozialdemokratie pauschal denunzieren wollte. Mit einem skeptischen „Hört, hört" registrierte Hauptmann die folgende Unterstellung gegenüber der Sozialdemokratie:

Die Vertretung aller wirklichen Bedürfnisse der Arbeiterschaft kam damit immer weniger in Frage, *bis die politische Klugheit es endlich überhaupt nicht mehr als wünschenswert erscheinen ließ, die sozialen und gar kulturellen Nöte der breiten Masse zu beheben,* da man sonst ja Gefahr lief, diese (. . .) nicht mehr als willenlose Kampftruppe ewig weiter benutzen zu können. (MK, S. 52)

Den Behauptungen Hitlers von der „ungeheuren Vergiftungsarbeit", der „brutalen Forderung, nur rote Zeitungen, nur rote Versammlungen zu besuchen", von dem „infamen geistigen Terror" und der „Bedeutung des körperlichen Terrors" (MK, S. 44/46) setzte Hauptmann zwar entgegen: „Heut, Nationalsozialisten, ist es anders". Ihm kam dabei jedoch nicht zu Bewußtsein, daß er als Argument gegen den Hitlerschen Antikommunismus gerade dessen Umsetzung in die Praxis (politische Liquidierung der Kommunisten) anführte.

Auch den antijüdischen Tiraden Hitlers widersprach Hauptmann kaum. Hitler nennt als Gründe für seine Wandlung zum Antisemiten in Wien: das ihm Abscheu erregende Milieu des östlichen Kaftanjudentums, die Verbindung von Judentum und Prostitution, die seichte jüdische Kulturin-dustrie und das Judentum als Drahtzieher des Marxismus.

Als ich zum ersten *Male den Juden in solcher Weise als den ebenso eisig kalten* wie schamlos geschäftstüchtigen Dirigenten dieses empörenden Lasterbetriebs des Aus-

wurfs der Großstadt erkannte, lief mir ein leichtes Frösteln über den Rücken.
(MK, S. 64)

Über die angebliche Verworfenheit gerade des Wiener Judentums hatte
Hauptmann seine eigenen Ansichten. Er hat sich andernorts darüber
einmal so ausgelassen:

(vor dem 8.12.1928)
In Wien sind selbst die Ermordungen „Mehlspeis". — Die „Witze" sind nicht
berlinisch—geistig, sondern sexuell anrüchig. — Das gibt es auch in Berlin — aber die
Schweinerei kommt nicht zutage.
Wir sollen uns erfreuen an der Tatsache, daß das Judentum sich am Deutschtum
wahrhaft aufgerichtet hat. *Nachlaß–Nr. 21, S. 74*

„Böse Fassung" schrieb Hauptmann zwar dort an den Rand, wo Hitler
die kulturelle Rolle der jüdischen Intelligenz in ein widerwärtiges Bild
faßt:

Sowie man nur vorsichtig in eine solche *Geschwulst hineinschnitt, fand man, wie
die Made im faulenden Leibe, oft ganz geblendet vom plötzlichen Lichte, ein Jüd-
lein.* (MK, S. 61)

Das hinderte ihn andererseits nicht, dort, wo Hitler pauschal, ohne
konkrete Beispiele, polemisierte, mit Namensnennungen aufzuwarten:

Die liberale Gesinnung dieser Presse (. . .) enthüllte sich mir jetzt als ebenso kluger
wie niederträchtiger Trick; ihre verklärt geschriebenen Theater*kritiken galten immer
dem jüdischen Verfasser, und nie traf ihre Ablehnung jemand anderen als den
Deutschen.* (MK, S. 63)

Hauptmann schrieb an den Rand: „Kerr; Werfel, Hofmannsthal und
viele andere". Unbegreiflich bleibt, weshalb Hauptmann gerade diese
Namen erwähnt — etwa Kerr, der sein großer Förderer gewesen war und
zu dieser Zeit noch nicht mit ihm gebrochen hatte. — Zu Hitlers
Theorie von der Weltverschwörung des Judentums gegen die Nationalstaaten gehört die These, das Judentum bediene sich des internationalistischen
Marxismus zur Zersetzung der Nationen. Tatsächlich befanden sich unter
den Theoretikern des Marxismus viele Juden. Sie stießen deshalb zur
Sozialdemokratie, „weil sie nur innerhalb der Arbeiterbewegung auf

Anerkennung und Durchsetzung ihrer politischen und sozialen Emanzipation rechnen konnten" (H. Grebing) (22). Für Hitler war die Sozialdemokratie jedoch eine nahezu rein jüdische Angelegenheit: „Ich merkte mir die Namen fast aller Führer; es waren zum weitaus größten Teil ebenfalls Angehörige des ‚auserwählten Volkes'" (MK, S. 65). Hauptmann monierte diese Übertreibung zwar mit der Randglosse „Bebel? etc.". Aber die Gleichsetzung von Sozialist und Jude war ihm insofern plausibel, als das Bindeglied für ihn der Typus des Intellektuellen war. Das erhellt aus seiner Marginalie zu Hitlers Bemerkung über die angebliche Unbelehrbarkeit der Marxisten:

> Traf man aber später den vermeintlichen Bekehrten, dann war er wieder der alte geworden.
> Die *Unnatur* hatte ihn wieder in ihrem Besitze. (MK, S. 65)

Zum unterstrichenen Begriff „Unnatur" merkte Hauptmann an: „Scholastik der Belehrer". Die Begriffe „Scholastik" und „Sophistik" sind kennzeichnend für seine Äußerungen über den dogmatischen Marxismus (23). Nimmt man noch Hauptmanns Vorbehalte gegen den (jüdischen) Intellektuellen hinzu, so hat man den Resonanzboden für Hitlers Ausführungen. Nur wo es um Hitlers persönliches Bekenntnis zum Antisemitismus ging („Ich begann sie *(die Juden)* allmählich zu hassen"), erhob Hauptmann Einspruch: „Das ist nicht gut in Bausch und Bogen". Der pauschalen Diffamierung des Judentums als Urhebers der marxistischen „Völkerkrankheit" schloß er sich dagegen an (Randbemerkung: „ja"; MK, S. 68). Auch die Polemik Hitlers gegen die bürgerlich-liberale Presse und ihren demokratischen Pazifismus stieß bei ihm nicht auf Widerspruch:

> *Solange noch Millionen von Bürgern jeden Morgen andächtig ihre jüdische Demokratenpresse anbeten, steht es den Herrschaften sehr schlecht an, über die Dummheit des „Genossen" zu witzeln* (...). (MK, S. 191)

Hauptmann selbst trauerte ja der bürgerlichen Presse und ihrem republikanischen Geist nicht allzu sehr nach, als 1933 ihre Stunde schlug:

> Mein Kosmos war nie das „Berliner Tageblatt" oder der „Leipziger Anzeiger", selbst nicht die „Frankfurter Zeitung" (...), sondern – alles andre außer dem.
> *Nachlaß–Nr. 15, S. 229 v*

Auch das war ein Akt der Undankbarkeit, hatte diese Presse doch – voran das „Berliner Tageblatt" – entschieden Partei im Meinungskampf um Hauptmann ergriffen und sehr zur Festigung seines Ansehens beigetragen. (24)

Kritischer begleitete Hauptmann Hitlers Ausführungen über das Thema „Völkischer Staat und Rassenhygiene" (II, 2. Kap.). „Daß zu allererst die Aufmerksamkeit der gesamten Nation auf diese entsetzliche Gefahr *(syphilitische Zerstörung des Volkskörpers)* zu konzentrieren" sei (MK, S. 272), kommentierte Hauptmann: „Oh, die ganze Nation kann sich nicht Tag und Nacht mit Syphilis beschäftigen. Damit, lieber H*(itler)*, weiß ich trotz usw. nichts anzufangen, ich möchte gern". An dieser grotesken Forderung Hitlers erkannte Hauptmann freilich nicht das Exemplarische: den Willen zur totalitären Indoktrination und Manipulation der Massen. Denn Hitler weitet die Propagierung seiner Sexualpolitik zu einer Reflexion über die Technik der Massenpropaganda aus:

Es muß in allen Fällen, in denen es sich um die Erfüllung scheinbar unmöglicher Forderungen oder Aufgaben handelt, die gesamte Aufmerksamkeit eines Volkes nur auf diese eine Frage geschlossen vereinigt werden, so als ob von ihrer Lösung tatsächlich Sein oder Nichtsein abhänge. (MK, S. 273)

Dieses mit zynischer Offenheit vorgetragene Prinzip einer erfolgreichen Demagogie Hitlers glossierte Hauptmann:„ Das ist ein grandioser Gedanke".

Vergleichsweise kritisch nahm Hauptmann Hitlers Geschichtsklitterungen im Kapitel „Der Föderalismus als Maske" auf. Hier war es dem zeitgenössischen Leser am ehesten möglich, die Theorie mit der Praxis von 1933 zu vergleichen. Manchen Verdikten Hitlers über die „Systemzeit" konnte Hauptmann das fragende „Und heut? " entgegensetzen:

Das alte Reich gab im Innern Freiheit und bewies nach außen Stärke, während die Republik nach außen Schwäche zeigt und im Innern die Bürger unterdrückt. (Randbemerkung: heut?). (MK, S. 640)

Auch der Widerspruch zwischen Hitlers „Mein Kampf"-Attacken gegen den Zentralismus der Weimarer Republik* und der im Frühjahr 1933 von ihm praktizierten „Gleichschaltung" der Länder ging Hauptmann auf.

---

* Der Föderalismus diente als Vorwand für eine Opposition gegen die Reichspolitik.

Aber auch hier ließ Hauptmann einige antirepublikanische Tiraden Hitlers durchgehen, ohne dahinter ein Fragezeichen zu setzen; so Hitlers Behauptung von der „verruchten Innen- und Außenpolitik" der Republik und ihrer „verbrecherischen Vertretung deutscher Interessen nach außen" (MK, S. 639 f.). 1923 hatte Hauptmann die „Putschereien der Heißsporne" noch verurteilt. Nun ließ er sich durch die scheinheilige Apologie Hitlers umstimmen:

> Ja, wenn wirklich es einer wagte, gegen dieses irrsinnige System ernstlich Front zu machen, dann wurde der „als nicht auf dem Boden des heutigen Staates stehend" (. . .) so lange verfolgt, *bis man ihn entweder durch das Gefängnis oder ein gesetzwidriges Redeverbot mundtot gemacht hatte.* (MK, S. 642)

Über den Hochverrat Hitlers von 1923 äußerte Hauptmann jetzt: „Ich erkenne die Schuld nicht an, sogar nicht bei H*(itler)*." (ibd.) Insgesamt hatte Hauptmann wohl einen zwiespältigen Eindruck von der „sehr bedeutsamen Hitler-Bibel". Wie er den NS insgesamt als ein Generationsphänomen wertete, so beurteilte er auch Hitlers „Mein Kampf" als ein Produkt jugendlichen „Sturm und Drangs":

> A. Hitler hat ein Buch geschrieben. Es ist wild und jugendlich. Er würde wünschen heut, wo er ruhig gestalten könnte, wünschen, es nicht geschrieben zu haben. Alles, was er wünscht, haben wir ersehnt, die Einheit Deutschlands etc. *Nachlaß–Nr. 15, S. 228*

5. Die Anpassung

> (vor dem 6.5.1933)
> Parteibücher sind mir keine Begriffe. – Ich habe kaum von ihrem Dasein gewußt. – Ich, für mich, möchte den Begriff „der semper Freie"* in Anspruch nehmen. Und ich werde ihn auch im Rest meines Lebens durchsetzen. *Nachlaß–Nr. 15, S. 61*

Als Hauptmann dies schrieb, existierten mit Ausnahme der verbotenen KPD noch die Weimarer Parteien. Wenige Wochen später war die Alleinherrschaft der NSDAP hergestellt, Partei und Staat waren identisch

---

*semperfrei (ma.) = vom höchsten Stand der Freien.

242

geworden. War diese Gleichsetzung von Partei und Nation für Hauptmann nun doch ein Grund, Parteimitglied zu werden. Harry Graf Kessler referiert in seinem Tagebuch einen Bericht Hermann Graf Keyserlings über die allgemeine politische Anpassung in Deutschland (25):

(Paris, 20.10.1933)
Gerhart Hauptmann habe sich diesen Sommer bei Keyserlings Schwager Gottfried Bismarck, der der ‚Tyrann von Rügen' sei, gemeldet und um Aufnahme in die Nationalsozialistische Partei gebeten. Bismarck habe ihm das abgeschlagen, aber ihm anheimgestellt, in irgendeine der Nazi—Partei angeschlossene Organisation einzutreten, an die er einen monatlichen Beitrag von hundert Mark zu zahlen habe. Hauptmann habe das angenommen!!

Zwar ist Vorsicht gegenüber Gerüchten geboten, die in deutschen Emigrantenkreisen kursierten — vor allem in der zu jener Zeit sehr erregten Atmosphäre unter den Emigranten in Paris. Es ist freilich nicht anzunehmen, daß Keyserling, der Hauptmann freundschaftlich verbunden war, leichtfertig kolportierte. In dem Tagebuch des brititschen Diplomaten und Schriftstellers Harold Nicolson findet sich eine Eintragung, welche eine gewisse Wahrscheinlichkeit der Angaben erhärtet; denn zumindest der Kontakt Hauptmanns mit Gottfried v. Bismarck wird darin bestätigt (26):

Hauptmann sagt, Deutschland werde sich wahrscheinlich liberalisieren, wie sich der italienische Faschismus liberalisiert habe. Ich bin da nicht so sicher. Er sagte, was sie brauchten, sei D e r g r o ß e M a n n . Wäre Gottfried Bismarck älter, so könnte der vielleicht dieser Mann sein.

Daß Gottfried v. Bismarck das Aufnahmegesuch Hauptmanns abgeschlagen haben soll, berechtigt allerdings zu Zweifeln an dem Bericht. Zur Ablehnung wäre v. Bismarck nicht befugt gewesen, da Aufnahmeanträge an die Parteizentrale weiterzuleiten waren und von dort entschieden wurden. Möglicherweise hat Gottfried v. Bismarck selbst eine Halbwahrheit in Umlauf gesetzt — in einer Mischung von Renommisterei und Schadenfreude, die auch anderen nationalsozialistischen Echo-Reaktionen auf die Anpassungsbereitschaft Hauptmanns eignete (s.u.). Es gibt zwei spätere Tagebucheintragungen Hauptmanns, die zwar das Thema der Parteimitgliedschaft berühren, aber nicht den Sachverhalt des Sommers 1933 aufklären. Februar 1936, in Rapallo, schrieb er:

Ich wünsche nicht, indem ich irgendeiner Partei beitrete, mich vom Ganzen des Volkes abzutrennen, und ich möchte den Lohn für Dogmentreue, als Parteigesinnung, nicht anstelle spontanen, echten, allgemeinen, einfachen Dankes entgegennehmen. Den besagten Lohn verdienen Millionen Menschen: ich bin ein Einzelner, Einmaliger (. . .). *NachlaßNr. 119, S. 23*

Was mag der Anlaß zu dieser Überlegung gewesen sein? Hat man ihm geraten, doch endlich in die Partei einzutreten, um dadurch etwa seine kulturpolitische Situation zu bessern? Wie auch immer – die Weigerung Hauptmanns beruhte nicht auf einer politischen Entscheidung, sondern auf seinem altgewohnten individualistischen Standpunkt. Eine weitere Tagebuchstelle macht deutlich, daß es ihm nicht primär darum ging, für welches politische Programm er sich durch einen Beitritt einspannen lassen würde, sondern daß er jede Parteizugehörigkeit als ein seinem Selbstgefühl widersprechendes Ausgenutztwerden empfand:

(Ende 1938)
Wir sind zwar bereit, summarisch zu empfinden, wenn wir jung genug dazu sind, in Parteiangelegenheiten, besonders wenn wir sie haben mit bilden helfen, aber bleiben individuell ganz unbereit, wenn wir sicher wissen, daß wir nur verbraucht werden sollen. *Nachlaß–Nr. 13, S. 36 v*

Zumindest an Äußerlichkeiten aber ließ sich Hauptmanns Anpassungswille ablesen. Der Inselpastor von Hiddensee, Arnold Gustavs, berichtet, Hauptmann habe einem Nachbarn, der gelegentlich nach dem Haus Seedorn in Kloster sah, anläßlich eines „patriotischen Festes" geschrieben: „Setzen Sie bitte die Flagge, die jetzt üblich ist" (27). Die Nachricht vom Flaggensetzen löste Betroffenheit in Emigrantenkreisen aus. Die in Jerusalem lebende Tochter Otto Brahms, Gertrud Brahm, hatte darüber in den „hiesigen Zeitungen" gelesen und schrieb am 27.9.1933 an Hauptmann von einem „Stich ins Herz":

Sie haben gute und anhängliche Freunde unter den Juden gehabt (. . .). Aber ich möchte Ihnen sagen, daß wir Juden von Ihnen eher erwarten durften, daß Sie uns hilfsbereit entgegenkommen (. . .) als eine Hakenkreuzfahne auf Ihrem Dache zu hissen, was heißen soll: „Ich schließe meine Türe vor Euch zu!". *Briefnachlaß I*

Ein im „Völkischen Beobachter" am 16.11.1933 veröffentlichter Artikel, „Berliner Boheme im Fegefeuer", wußte von einer weiteren Übereifrigkeit Hauptmanns zu berichten. Während eines „Deutschen

Abends" — „streng genommen (...) sogar ein eigens nationalsozialistischer Abend" (mit SA-Kapelle und Hakenkreuz) — im „Dornbusch" auf Hiddensee habe der Dichter wie die anderen Teilnehmer, stehend und die Hand zum „deutschen Gruß" erhoben, das Horst-Wessel-Lied mitgesungen. Der in nationalem Ton gehaltene Vorspruch des Abends sei von ihm verfaßt worden. Der Artikel schloß mit leichtem Spott über soviel Anpassungsfähigkeit.

Daß Hauptmann den „deutschen Gruß" im Dritten Reich anwandte, bezeugt er selbst in seinen Aufzeichnungen:

(nach dem 10.10.1937)
Das Handerheben ist ein altrömischer, nicht deutscher Gruß! So sind wir Nationalsozialisten wieder einmal ein Kind von Rom. *Nachlaß—Nr. 262 A, S. 4 v*
(1939)
Handaufheben ist der schönste Gruß, den es gibt, ich wende ihn an — bei Lebenden selbstverständlich — unwillkürlich bei Goethes Haupt (. . .) Es ist ein naturgemäßer Gruß, mag er römisch sein (. . .) oder nicht. Wir leben (. . .) in unsichtbarer *(Herrschaft)* des in Europa unsterblichen alten römischen Reichs, wovon Göring, als ein später Kaiser, ein Redivivus ist. *Nachlaß—Nr. 229, S. 52*

Auch wenn der Sachverhalt im „Völkischen Beobachter" entstellt geschildert sein sollte — öffentlich dementieren ließ sich ein solcher Artikel unter den Umständen von 1933 nicht. Er tat prompt seine wohl beabsichtigte Wirkung: Hauptmann in den Augen seiner alten, großenteils emigrierten Freunde zu diskreditieren. Für Alfred Kerr war der Artikel endgültiger Anlaß, mit Hauptmann zu brechen. Hauptmann selbst sprach in einem Rechtfertigungsbrief an J. Chapiro von einem „Schmutzartikel, der eine einzige Lüge darstellt", ohne näher auf Einzelheiten einzugehen (28).

Sein Arrangement mit dem neuen Staat war begleitet von einer bei ihm ungewöhnlichen Intoleranz gegenüber Andersdenkenden, einer Unempfindlichkeit gegen das Schicksal der Emigranten. Welche harten Worte muß Hauptmann über sie gebraucht haben, wenn ihm der ehrerbietige Herbert Eulenberg zu diesem Zeitpunkt in einem Brief sanft widersprach:

(3.8.1933)
Daß man sein Volk und Vaterland vor allen andern liebhat, ist ganz klar. Und ich glaube auch darin wieder mit Dir übereinzustimmen, daß mir wie Dir die jetzigen Flüchtlinge aus Deutschland wie aus der Gegenwart recht unleidlich sind. Aber man

fühlt als Dichter und Künstler noch immer über sein Deutschtum hinaus (...). Und dies Erkennen und Empfinden setzt einen mit manchen heutigen Erscheinungen in Widerspruch. *Briefnachlaß II, B 1614/3*

In seiner Loyalität zum neuen Staat ließ sich Hauptmann auch nicht durch seine kulturpolitische Isolierung beirren. Mit Rudolf Bindung erörterte er die Rolle des Dichters in der veränderten kulturpolitischen Szene. Binding, der ja den Kurswechsel prinzipiell begrüßte, wiederholte die Auffassung, die er Hauptmann bereits gelegentlich der Neuordnung der Sektion für Dichtkunst entwickelt hatte: „Der ‚Dichter' müsse hervortreten und verantwortlich zeichnen, sozusagen als Nationalfunktionär" (Nachlaß-Nr. 15, S. 109). Hauptmann war anderer Meinung:

(Juni 1933)
Dienst am Vaterlande: leicht gesagt, schwer getan. – Dichtung ist heut mehr wie je D(ienst) a(m) V(aterlande). Edle, veredelnde, wahre, politikferne Dichtung. *Nachlaß–Nr. 15, S. 81*

Wäre dies auch seine Meinung gewesen, wenn er im vollen Rampenlicht der neuen Szene gestanden hätte? Die neue Kunstpolitik der Nationalsozialisten bestärkte ihn zunächst darin, sich in den Elfenbeinturm zurückzuziehen:

(Herbst 1933)
Unter welchen Zeitumständen hat Goethe sein Werk aufgebaut. Um so zäher muß man das Boot mit dem Gral der Dichtung rudern und lenken, je wilder die See tobt. *Nachlaß–Nr. 15, S. 159*

Dieses Bild spiegelt exemplarisch sein Selbstverständnis während des Dritten Reichs wider: die Kunst in politisch bewegter Zeit rein zu bewahren. Die bei ihm schon früh zu beobachtende Werkfrömmigkeit wurde jetzt zum moralischen Alibi dafür, daß er zwischen 1933 und 1945 in Deutschland blieb und schwieg. Er bemühte dafür ein Pflichtbewußtsein, das nach weiteren Zusammenhängen nicht fragte:

(13.1.1935)
„Schuster, bleib bei deinem Leisten". Wendet es auf mich an: es ist mein Grundsatz.
Jeder Fabrikarbeiter muß an der Stelle bleiben, an die er gestellt ist, komme, was da wolle, weil er nur so nützt. Ebenso geht es mit mir. Ich habe meine Pflicht zu tun und mein irdisches Werk zu vollenden: so nur nütze ich der Nation. *Nachlaß–Nr. 104, S. 14*

Doch ehe Hauptmann eine Art „innere Emigration" antrat, geriet er noch einmal voll ins Licht der Öffentlichkeit. Die NS-Propaganda benötigte vorübergehend Namen und Ansehen Hauptmanns, um von den Geburtswehen einer neuen Kunst im neuen Staat abzulenken. Im Herbst 1933 zeichnete sich ein Ende des Hauptmann-Boykotts ab. Jetzt wurde die Frage aktuell, die Hauptmann sich im Juni 1933 vorgelegt hatte:

> Kann es einen Dichter befriedigen, aufgrund des Winkes etwa eines allmächtigen Mannes, von vielen Millionen Menschen gefeiert zu werden. *Nachlaß–Nr. 15, S. 83*

Der Wink des Mächtigen erfolgte. In der Presse wurde die Uraufführung der Romanze „Die goldene Harfe" auf diese Weise angekündigt (29): „Reichskanzler Adolf Hitler hat verfügt, daß die Welturaufführung der ‚Goldenen Harfe' von Gerhart Hauptmann am 15. d.M., dem ‚Tag der deutschen Kunst', in den Münchener Kammerspielen (. . .) stattfindet." In der „B.Z. am Mittag" vom Vortag der Premiere erschien ein Foto: der Dichter auf der Probe. Unmittelbar darunter kündete eine Balkenüberschrift von einer Kundgebung des Münchener Kampfbundes* mit Alfred Rosenberg: „Münchens Tag der deutschen Kunst – Weltanschauung im neuen Staat". Wieder spielte Hauptmann den kulturellen Repräsentanten, doch tat er dies nicht aus eigenem Antrieb – wie die Vorgeschichte der Uraufführung erkennen läßt.

Bereits am 1.6.1933 erkundigte sich der Direktor der Münchener Kammerspiele, Otto Falckenberg, bei Hauptmann nach dem neuen Dramenprojekt und meldete sein grundsätzliches Interesse an (30). Dies war zunächst, nach der Korrespondenz zu urteilen, rein künstlerischer Natur. Als das Stück von Hauptmann dann im August abgeschlossen worden war, schrieb Falckenberg an den zuständigen Bühnenverlag Felix Bloch Erben: sein Dramaturg sei nach Nürnberg abgereist, „um persönlich mit Minister Goebbels über die Vergebung der Uraufführung zu sprechen, da dieser, soviel wir gehört haben, selbst mitzuentscheiden gedenkt, wo in Deutschland das Werk zur Uraufführung gelangen soll". Als Termin käme die zweite Oktoberhälfte in Frage, da Hauptmann für die endgültige Überarbeitung noch einen Monat benötige (31). Ähnliches teilte Falckenberg dem Autor Anfang September mit (32). Am 22.9. bedankte er sich bei Hauptmann für die Übertragung des ausschließlichen Uraufführungsrechts an die Kammerspiele und erklärte:

---

*„Kampfbund für deutsche Kultur", 1929 gegründet und geleitet von Alfred Rosenberg.

Der zeitliche Anlaß des „Tages der Deutschen Kunst", der sich der Uraufführung bietet, bedeutet ein selten glückliches Zusammentreffen und ist geeignet, die Aufführung zu einer Kundgebung zu machen, die über den Rahmen des rein theatralischen Ereignisses weit hinausreicht. *Briefnachlaß I*

Spätestens zu diesem Zeitpunkt also war Hauptmann darüber informiert, daß die Premiere einen besonderen kulturpolitischen Akzent erhalten würde. Er scheint daraufhin postwendend um eine persönliche Besprechung gebeten zu haben. Denn am 24.9. telegrafierte Falckenberg, daß er augenblicklich unabkömmlich sei, dafür jedoch seinen Mitarbeiter Dr. Glock nach Agnetendorf schicken werde (33). Dies geschah – wie der seinerzeit an den Kammerspielen tätige Dramaturg Wolfgang Petzet berichtet –, um mit dem hin und her schwankenden Dichter Vertrag abzuschließen" (34). Nach Petzets Darstellung war Falckenberg auf der Suche nach einem Festbeitrag zum „Tag der Deutschen Kunst" jeder Anregung seitens der Partei durch den Vorschlag des Hauptmann-Stücks zuvorgekommen (35). Bedeutet die frühzeitige Einschaltung von Goebbels im August, daß der Aufführungszweck und -termin bereits wesentlich früher feststand, bevor er dem Autor eher beiläufig mitgeteilt wurde? Hauptmann scheint jedenfalls eingesehen zu haben, daß die Sache inzwischen zu weit gediehen war, um sich wieder rückgängig machen zu lassen. Wahrscheinlich hat er von dem Mitarbeiter Falckenbergs auch erfahren, daß das Uraufführungsprojekt politisch keineswegs unumstritten war; denn die Münchner NSDAP-Stellen zeigten sich der von Falckenberg getroffenen Stückwahl für den „Tag der Deutschen Kunst" völlig abgeneigt. Am 5. Oktober schrieb Falckenberg an Hauptmann, ihm erscheine „in der Erwartung des Besuches der höchsten politischen Persönlichkeiten von entscheidender Wichtigkeit, daß Sie der *(Ur)*-Aufführung beiwohnen" (Briefnachlaß I). Zugleich lud er Hauptmann zum Besuch der letzten Proben ein. Ins Tagebuch notierte sich Hauptmann – offenbar in Anspielung auf die Querelen in den Parteistellen –:

⟨Ich bin ein Feind von Unsachlichkeiten. Ich komme nur, wenn ich v*(on)* H*(itler?)* eingeladen werde, sonst nicht. Sonst macht ihr die deutsche Kunst. Aber die Einladung *(Falckenbergs?)*⟩ *Nachlaß-Nr. 15, S. 151 v*

Als er dann schließlich doch nach München reiste, kam es in letzter Minute fast zu einem Eklat: wenige Tage vor der Premiere wurde die Uraufführung durch ein Telegramm aus dem Propagandaministerium verboten. „Falckenberg probte weiter und schickte den damaligen geschäftlichen Leiter Ewald Bartsch nach Berlin. Zwei Tage vor der Premiere trafen dann gleich drei Telegramme von drei verschiedenen Stellen mit dem gleichen Wortlaut ein: ‚Auf Befehl des Führers wird die Uraufführung von Hauptmanns ⟩Die Goldene Harfe⟨ zum Tag der Deutschen Kunst gewünscht‘. Ob dies dem bald darauf fortgejagten Bartsch oder, wie Falckenberg meinte, einer Intervention Mussolinis zu verdanken war, ist heute (. . .) nicht mehr zu klären" (W. Petzet) (36). Die Chronologie der Darstellung scheint nicht exakt zu sein (37): nach Angaben Petzets wäre das Verbot des Propagandaministeriums erst am 12. Oktober eingegangen. Doch dasselbe Datum trägt ein Brief Falckenbergs an Hauptmann, in dem er den Dichter zu seiner Ankunft in München begrüßt und davon spricht, daß „ja der Herr Reichskanzler gestern in offizieller Form seinen Wunsch dokumentiert, daß die Uraufführung am Tag der *(Deutschen)* Kunst stattzufinden habe" (Briefnachlaß I).

Drei Wochen nach der Uraufführung erhielt Hauptmann von Hans Kyser zusätzliche Informationen über die Hintergründe der parteiinternen Kontroverse. Die entscheidende Rolle habe Ministerialrat Otto Laubinger, Referent im Propagandaministerium, aufgrund seiner „unerschütterlich positiven Stellung" gegenüber Hauptmann gespielt. Kyser schrieb:

(5.11.1933)
(. . .) daß allein auf seine Energie und seine Initiative die Dir in München gewordene Anerkennung zurückzuführen ist. Er hat sowohl (. . .) den Minister Dr. Goebbels wie auch den Führer mit der klugen Entschiedenheit, die sein Wesen ist, für Dich gewonnen, und ist auch heute noch Angriffen Deinetwegen ausgesetzt. (. . .) Du wirst in allen kommenden Fällen nie fehlgehen, wenn Du vermutest, daß Laubinger hinter allem Positiven steht, das Dich angeht. *Briefnachlaß II, B 1664/6*

Offensichtlich hatte Hauptmann inzwischen den Vorwurf zu hören bekommen, daß die Uraufführung eine Propagandaaktion und seine offizielle Teilnahme ein opportunistisches Bekenntnis zum neuen Staat gewesen sei. Denn in seiner Antwort an Hans Kyser stellte er jedes berechnende Kalkül auf seiner Seite in Abrede. Nach der Versicherung, daß er die „sympathische Wendung von seiten der nationalen Führung dankbar begrüße", erklärte er zu seiner Rechtfertigung:

(8.11.1933)
Wenn Leute glauben sollten, ich triebe Suppentopf–Politik (. . .), die täuschen sich. (. . .) Sosehr ich mich jetzt freue, meiner Trägheit und meiner Furcht vor der Öffentlichkeit nicht nachgegeben zu haben, sondern dem Drängen Falckenbergs

und anderer Freunde gefolgt zu sein, war ich doch nahe daran, mein entschiedenes Nein zu sagen. Ich wußte von dem „Tage der deutschen Kunst" anfänglich nichts. Und wie hätte ich bei meiner Natur wohl den Gedanken fassen sollen, mich unaufgefordert dort einzudrängen. Ich nahm eine Erstaufführung an, wie sie üblich sind, die an Interesse und Festivitas nicht mehr verlangen, als eben ein freiwillig zusammengetretenes Publikum geben will und kann. Was sich ereignet hat, ist eben (. . .) schicksalhaft. *Briefnachlaß II, B 1664/9*

Eine Woche später tagte aus Anlaß der „Reichsobmänner-Konferenz der Genossenschaft Deutscher Bühnenangehöriger" eine Versammlung der Berliner Schauspielerschaft im Sitzungssaal des Preußischen Landtags. Das „Berliner Tageblatt" berichtet: „Zur größten Überraschung erschienen, als das Präsidium den Saal betrat, Gerhart Hauptmann und Werner Krauss (. . .). Präsident Laubinger feierte die Ehrengäste unter jubelnder Begeisterung der Anwesenden. Als er sich an Gerhart Hauptmann wandte, erhob sich die Versammlung und brachte dem Dichter stürmische Ovationen" (37). Das Erscheinen Hauptmanns war wohl auch eine Geste gegenüber dem Präsidenten der Reichstheaterkammer, Otto Laubinger.

Aus der Herausstellung seines neuen Werkes schöpfte Hauptmann im übrigen frische Zuversicht. Er wertete als gutes Omen, was im Konzept der nationalsozialistischen Kulturpolitik allenfalls ein kurzfristiger Propagandatrick war. In dem Entwurf eines Briefes an den nach Spanien emigrierten Joseph Chapiro gab Hauptmann eine optimistische Deutung des kulturellen Lebens:

(12.11.1933)
Die Verhältnisse in Deutschland fangen sich an zu setzen, und allerhand Zeichen deuten auf gute Absichten hin, den neuen Geist zu weiten, Übertreibungen rückzubilden und sozusagen die Revolution zu reformieren. Es wäre Torheit, wollte man nicht, wo die Gelegenheit ist, in diesem Sinne mitwirken. Das lebendige Element, das in Literatur, Theater und bildenden Künsten so tragend mitwirkte, wird freilich nicht ohne Schaden vermißt. Aber was kann man tun gegen den Ratschluß der Planeten. Man kann nur sagen: hoffen wir! *Briefnachlaß II, B 1601/1*

6. „Ich sage ‚Ja' "

Als Hauptmann im Spätherbst 1933 eine Wendung zum Besseren zu erkennen glaubte, ließ er sich wiederum wie bei den geschichtlichen

Umbrüchen von 1914 und 1918 dazu bewegen, den Herrschenden seine Stimme zu leihen. Es ging um die nachträglich angesetzte Volksabstimmung über den von Hitler am 19.10.1933 verfügten Austritt Deutschlands aus dem Völkerbund. Auf der Genfer Abrüstungskonferenz hatte Frankreich eine unnachgiebige Haltung gegenüber Deutschlands Wunsch nach Gleichberechtigung in Rüstungsfragen gezeigt. In einer großangelegten, propagandistisch geschickten Rundfunkrede Hitlers am 14.10. war die deutsche Öffentlichkeit über die Austrittsentscheidung vorbereitet worden. Vor der Abstimmung erschien in der Tagespresse eine Stellungnahme Gerhart Hauptmanns: „Ich sage ‚Ja' ". Sie beginnt (38):

> Der Austritt aus dem sogenannten *(!)* Völkerbund, den unser leitender Staatsmann für Deutschland verfügt hat, ist nur in Einheit mit seiner fast gleichzeitigen großen Rede zu betrachten. Der entschlossene, ernste und ehrliche Wille zur Befriedung Europas ist in ihr zum überzeugenden Ausdruck gebracht. In ihrem Lichte erscheint der Austritt aus dem Völkerbund als eine unumgängliche Maßnahme, wenn dieses hohe Ziel erreicht werden soll. *CA XI, 1133*

Hitlers Rede variierte das alte Argument, daß die Rüstung der anderen die Kriegsgefahr steigere und nur die eigene Aufrüstung der Erhaltung des Friedens diene. Durch Wilson und Versailles waren moralische Kategorien in die internationale Politik eingeführt worden, mit denen Hitler virtuos zu spielen verstand: er beschwor in seinen Friedensbeteuerungen und Appellen an die Siegermächte die nationale Ehre. Die jetzige Führung Deutschlands habe nichts gemein mit den „besoldeten Landesverrätern des November 1918" (39):

> Die Welt kann aber nur ein Interesse besitzen, mit den *Ehrenmännern* und nicht mit den Strafwürdigen eines Volkes zu verhandeln (. . .), sie muß dann aber auch ihrerseits dem *Ehrgefühl* und Empfinden eines solchen Regiments Rechnung tragen, so wie auch wir dankbar sind, mit *Ehrenmännern* verkehren zu können. (. . .) Möge es dieser gewaltigen Friedens- und *Ehrbekundung* unseres Volkes gelingen, *(. . .) die Voraussetzung für Frieden in Europa zu schaffen:)* Erkenntnis einer höheren gemeinsamen Pflicht aus gemeinsamen, *gleichen Rechten. (kursiv gesetzt vom Verf.)*

Diesem biedermännisch vorgetragenen Pathos konnte sich Hauptmann in seiner Empfänglichkeit für die Betonung des nationalen Ehrbegriffs nicht entziehen. In seiner Stellungnahme übernahm er Hitlers Insistieren auf dem Prinzip der Honorigkeit in den zwischenstaatlichen Beziehungen:

Worin besteht die Gleichberechtigung? Jugoslawien, Polen, Tschechoslowakei, Italien, Frankreich und England, als einzelne Individuen aufgefaßt, dazu Deutschland, verstehen sich alle gleichermaßen als *Bürger* und als *Gentlemen: Bürger* und *Gentlemen* im Besitz *gleicher* bürgerlicher *Rechte* und völliger Gleichheit vor dem Gesetz *(kursiv gesetzt vom Verf.).* (CA XI, 1134)

Es ist das gleiche Nachsprechen der propagandistischen Phrase wie 1914. – Erich Ebermayer zufolge ist Hauptmann vom Propagandaministerium zu dieser Stellungnahme aufgefordert worden (40). Für Ebermayer als Gewährsmann spricht, daß er gute Beziehungen zu NS-Funktionären, z.B. dem Reichsdramaturgen Schlösser, unterhielt. (41) Zudem enthält die Stellungnahme Hauptmanns den aufschlußreichen Satz: ,, Nach der Rede des Reichskanzlers Adolf Hitler in dieser Sache das Wort zu ergreifen, ist vollkommen überflüssig". Jemand, der es für überflüssig hält, das Wort zu ergreifen, wird sich kaum aus eigenem Antrieb dazu melden. Ebermayers Version wirft auch Licht auf die umstrittene Herkunft des Titels:,,Ich sage ,Ja' ". Fälschlicherweise wird diese Überschrift der Redaktion des ,,Berliner Tageblatts" zugeschrieben (42). Bereits die ,,Leipziger Neuesten Nachrichten" brachten am 9.11.1933 Hauptmanns Erklärung unter diesem Titel. Die in allen drei Zeitungsabdrucken gleichlautende Überschrift deutet auf eine ,,Sprachregelung" des Propagandaministeriums hin, wie auch Ebermayer behauptet (43). Aus einer punktuellen gutgläubigen Zustimmung Hauptmanns war durch die raffinierte Pointierung der Überschrift ein allgemeines Bekenntnis zum Regime gemacht worden. Daß diese auch im ,,Berliner Tageblatt" erschienene Erklärung ein ,,hundertprozentiger Betrug" gewesen sei, den er unmöglich öffentlich enthüllen konnte, ließ Hauptmann J. Chapiro in Spanien ausrichten (44). Damit wird er wohl die verfälschende Tendenz der Überschrift gemeint haben.

Auch diese manipulierte Zustimmung Hauptmanns änderte nichts daran, daß er weiterhin offiziell nur ,,geduldet" war. Wenige Tage nach dem Erscheinen des Artikels kam Hauptmann nach Berlin, um der Eröffnung der Reichskulturkammer am 15.11. in der Berliner Philharmonie beizuwohnen. In Anwesenheit von Hitler hielt Goebbels die Festrede über den ,,neuen Anfang der deutschen Kultur" (45). Bei dem Defile vor dem Reichskanzler war auch Hauptmann gezwungen, in den ,,stupiden Basiliskenblick" (Thomas Mann) zu schauen. (46) ,,Ich glaube, dieser Mann ist wahnsinnig", soll Hauptmann nach dieser Begegnung zu seinem Sohn Ivo gesagt haben (48). Anderntags erwähnte der ,,Völkische Beobachter" in seinem Bericht prominente Teilnehmer des Festakts, darunter

Hans Grimm, H.F. Blunck und Hanns Johst. Hauptmann, der genau ein Jahr zuvor von den Spitzen der Republik gefeiert worden war, wurde nicht erwähnt (48).

XVI KERRS BRUCH MIT HAUPTMANN

„Ich kann es dem alten Hauptmann nicht übelnehmen, daß er schweigt. Was soll er sich um Habe und Vaterland reden? " Thomas Mann schrieb dies am 12.3.1933 (1). Alfred Kerr war weniger nachsichtig. Im Juli 1933 ließ er in dem Pamphlet „Die Diktatur des Hausknechts" Hauptmann eine Warnung zukommen (2):

> Dieser gar edle Dichter des Altruismus kriecht vor den Machthabern . . . und vergißt die Opfer. (. . .) Ich will nächstens mit ihm abrechnen. Er, er, er hatte die Pflicht, anders zu sein; auch wenn halb Deutschland etho–skrofulös ist.

Als Hauptmann nicht nur schwieg, sondern, den Schein der Übereinstimmung nicht meidend, sich in den Kulturbetrieb der Nationalsozialisten einspannen ließ, war für Kerr das Maß voll. Nach der Teilnahme Hauptmanns an der Eröffnung der Reichskulturkammer publizierte er seine Abrechnung „Gerhart Hauptmanns Schande". Darin heißt es (3):

> Der diese Zeilen schrieb, war Hauptmanns Freund – ein Leben hindurch (. . .) Ich war der Wächter seines Werts in Deutschland. Ich schritt und ritt mit ihm durch Dick und Dünn (auch durch Dünn). (. . .)
> Es gibt seit gestern keine Gemeinschaft zwischen mir und ihm (. . .). Ich kenne diesen Feigling nicht. (. . .)
> Hauptmann schmeichelt dem Raubgesindel. (. . .) Er fand . . . nicht nur kein Wort des Einspruchs gegen die dreckigste der Barbareien. Er will seine Wirtschaftsexistenz nicht aufs Spiel setzen. (. . .) Seine nächsten Freunde waren Opfer. Er schwieg. So private Dinge zählen kaum. (. . .) Doch er konnte bei dem Ansehn, das er in der Welt genoß, dem Ansehn der Mörder einen Schlag versetzen (. . .).
> (. . .) Er wußte genau, daß es ihr Trick ist, jede begangene Gemeinheit gleichzusetzen mit dem feierlichen Begriff „Deutschland"! (. . .) Er hat aber mit dem letzten bißchen Kraft den Hakenkreuzlappen gehißt auf seinem Haus; aus Furcht, aus Vorteilssucht, aus schmieriger Schwäche (. . .).
> (. . .)
> Hauptmanns Lebensform war auf alle diese Erbärmlichkeiten von Einfluß (. . .). Hauptmanns Geldbedarf ließ ihn Stücke, die nicht gar gewesen sind, in aller Unfertigkeit auf den Markt werfen . . . und Romane schmieren, darin sein Genie nur kennbar blieb unter dem Schutt. Geld kosten seine drei Wohnsitze (. . .). Geld kostet der ganze snobistische Train dieses Weberenkels.
> Der weltberühmte Dichter eines antikapitalistischen Dramas wurde durch Geld zur Strecke gebracht.

Kerr schloß mit der alttestamentarischen Verfluchung:„Sein Andenken soll verscharrt sein unter Disteln; sein Bild begraben in Staub". Dieser Angriff mußte Hauptmann tief treffen, denn der ehemalige Freund konnte aus intimer Kenntnis der Mentalität Hauptmanns schöpfen. Das Verletzende dieses Angriffs wurde durch Kerrs saloppen Stil gesteigert. Zudem verhängte Kerr nicht nur ein politisch-moralisches Verdikt über Hauptmann, sondern sprach ihm auch künstlerische Gewissenhaftigkeit ab — ein Punkt, in dem Hauptmann wohl am empfindlichsten war. Anfangs suchte Hauptmann diesen Bannspruch zu bagatellisieren und als einen von vielen seit langem gewohnten Angriffen hinzunehmen:

(23.11.1933)
Beinahe fünf Jahrzehnte hindurch hatte man auf einen Popanz, der mich vorstellen sollte, herumgeschlagen. (. . .)
Eben in diesen Tagen fiel mich wieder ein Bravo* an, der noch im vorigen Jahr unter meiner Leibwache stand. *Nachlaß–Nr. 230, S. 7 f.*

Er fühlte sich als ahnungslos-überraschtes Opfer eines „unerwarteten meuchlerischen Überfalls", „und zwar während ich, einem unbewußten Schlafe hingegeben, bewußtlos gewesen bin" (ibd., S. 8 v, 10). Viele Male kam Hauptmann in seinen Aufzeichnungen auf den Angriff Kerrs zu sprechen. Dabei setzte er sich jedoch kaum inhaltlich mit dem Angriff auseinander, sondern ging sogleich dazu über, die Person des Angreifers herabzusetzen und sein Verhalten als einen Akt der Perfidie hinzustellen:

A. K(errs) sittliche Häßlichkeit. Er ist sittlich abstoßend. Er ist Sadist. Grausam durchaus. Der Mann, der meine Menschlichkeit pries und förderte, war selbst in seiner Schriftstellerei wesentlich unmenschlich. Das An-den-Tag-Zerren und die satanische Freude daran.
Kleinheitspein, die sich täglich durch Überheblichkeit selbst erlöst. (. . .)
Eine Schmeißfliege durchaus nur auf einem Papierblock. *Nachlaß–Nr. 15, S. 182 v – 184*

Er suchte sich damit zu trösten, daß Kerr ja schon „durch vier Jahrzehnte ein im allgemeinen gnadenloses Richteramt ausgeübt" hatte:

---

*italien. Bezeichnung für Räuber, Meuchelmörder.

(29.11.1933)
Was mich betrifft, so stand ich mit wenigen andern im Licht seiner Gnade. Ohne Schwielen und Striemen seiner Bojaren–Karbatsche geblieben bin ich trotzdem nicht. Und es hat zuweilen meiner ganzen Selbstbeherrschung bedurft, um die unverschämten Roheiten seines Tons nicht gebührend zurückzuweisen. *Nachlaß– Nr. 230, S. 9 v*

Nur dem Tagebuch vertraute er solche Zurückweisung an. So hatte er Kerr schon 1912 – gelegentlich seiner Besprechung von „Gabriel Schillings Flucht" – „unklare Banalität", „plumpe Roheit", „Eitelkeit", „Effekthascherei" bescheinigt und beschlossen, „von diesem einst so geschlossenen und geradegewachsenen Geiste Abschied zu nehmen (CA XI, 818 f.). In der Beleuchtung des Kerrschen Bannstrahls von 1933 erschien ihm die Freundschaft mit Kerr als von je fragwürdig:

Ich suchte ihm nahezukommen, innerlich, nicht äußerlich, und ich konnte es nur äußerlich.
Er war ein schlesischer Ghettospießer. Noch durchaus Ghetto. Die Welt war sein Ghetto. Dieser Mensch war nicht frei. (. . .) Er war ohne Europabildung, sondern nur ein Ghettojude (. . .) mit journalistischem Leerlauf. *Nachlaß–Nr. 15, S. 181 f.*

In seiner Empörung verstieg sich Hauptmann dazu, das, was ihm von Kerr jetzt widerfahren war, mit dem antisemitischen Verfolgungswahn Richard Wagners in Verbindung zu bringen (4): „Wagner hatte zu kämpfen, und die jüdische Kritik mochte ihn nicht. – Das war es, und als Gegenkritiker hatte er recht, tausendmal recht" (ibd., S. 187). Bei anderer Gelegenheit wußte er freilich distanzierter über Wagners Antisemitismus zu urteilen (5). Seine momentane Erregung ließ ihn jedoch nach Kronzeugen für die Verwerflichkeit Alfred Kerrs suchen:

Wenn die aufstünden gegen dich, die du mit deinem Stachel vernichtet. Es sind nicht wenige, ja hauptsächlich Juden darunter. (ibd., S. 180)
Wer hat seine jüdischen Kollegen heftiger bekämpft? *ibd., S. 180 v*

Kerr, abgesehen von dem Geist auf Papier, ein peinlicher Bursche. Alle seine jüdischen Mitbürger, die er haßte, wissen das. (. . .) Wer, etwa M*(onty)* Jacobs? *, liebte ihn – wer beachtete ihn? Rathenau? – Frau Andreae? ** – Nicht mit einem Blick. – Ich tat es und hatte Grund. *S. 181*

---

*Monty Jacobs, Feuilletonredakteur bei der „Vossischen Zeitung".
**Edith Andreae, Schwester Walther Rathenaus.

Angesichts der ihm widerfahrenen schwersten Beleidigung setzte Hauptmanns psychologisches Gespür für die Situation Alfred Kerrs aus. Er verkannte Kerrs gespanntes Verhältnis zu anderen Juden als menschlich-moralische Isolierung. Dieser ‚jüdische Antisemitismus' Kerrs, die schroffe Hervorkehrung seines eigenen Wesens gegenüber anderen Juden, läßt sich dem Phänomen des „jüdischen Selbsthasses" zuordnen, das Theodor Lessing bei hervorragenden Vertretern des „assimilierten" Judentums analysiert hat (6).

In Kerrs Freundschaft zu Hauptmann dürfte eine ähnlich „sentimentalische" Hingezogenheit zum „Naiven" wirksam gewesen sein wie in Rathenaus germanophiler Verehrung für Hauptmann. So stellte Kerrs Bruch mit Hauptmann den totalen Umschlag dieser sentimentalischen Beziehung dar. Bei aller Anerkennung des künstlerischen Vermögens hatte Kerr ja nie die Schwächen Hauptmanns übersehen. Seine Verehrung für den Freund war nicht möglich ohne ein gewisses Sacrificium intellectus des Publizisten, der „die Kritik in den ‚Kampf um eine kühne, vernünftigere Menschenordnung' einspannen möchte, der allem Chaotischen mit leiser Skepsis begegnet", der sich ein „kühles, ja polemisches Verhältnis zum Tragischen" (Karl S. Guthke) bewahrte (7). Durch die schmerzlichen Erfahrungen des Jahres 1933 wurde sich Kerr des Abstandes zu einem Deutschtum bewußt, das Hauptmann für ihn zwar in positiver Form verkörpert hat, dessen für Tiefgründigkeit ausgegebener Irrationalismus jedoch nun seine ganze Anfälligkeit für einen politischen Mißbrauch bewies. Auf das Sacrificium intellectus spielte Kerr in seiner Abrechnung mit Hauptmann selbst an, wenn er über die Feier von 1922 urteilte: „Ich Esel hielt noch die Festrede" (8).

Dem schonungslosen Vorgehen Kerrs kann die Verbitterung durch die Emigration zugute gehalten werden. Gerade die Pariser Emigrantenkreise steigerten sich in einen solchen Grad von Erregung, daß daran sogar einige nichtjüdische Leidensgefährten in Südfrankreich Anstoß nahmen. Als beispielsweise der nach Paris emigrierte Hugo Simon Rene Schickele seinen Plan mitteilte, um den noch unschlüssigen Thomas Mann zu werben, ihn aber gegebenenfalls an den Pranger zu stellen, antwortete Schickele: „(. . .) wir Nichtjuden, einschließlich Heinrich Manns, lehnten diese alljüdische Emigrantenmentalität ab, (. . .) die Menschen in Deutschland (. . .) spielten in seinen und seiner Freunde Erwägungen entweder überhaupt keine Rolle oder die von Trotteln und Verrätern, und von den deutschen Arbeitern sei überhaupt nicht die Rede (. . .)" (9).

Hauptmann, der von Kerr derart an den Pranger gestellt worden war, stellte wohl auch beiläufig die Schwere des Emigrationsschicksals in Rechnung, vermißte bei Kerr jedoch die Würde im Leid:

Es traf dich ein gallenbittres Los,
trage es schweigend, trage es groß.
(...)
Du besudelst deinen und meinen Namen,
schnellwütiger Kerr: Gott helfe dir, Amen.
CA XI, 692

Auf die inhaltlichen Argumente von Kerrs Abrechnung ging Hauptmann nur beiläufig ein. Den Vorwurf, daß Geld seine künstlerische Gewissenhaftigkeit korrumpiert habe, tat Hauptmann kurz ab: „Meint man Geld – dann gibt es Juden, die mit weniger Mühe unendlich reicher geworden sind als ich" (ibd., S. 184). Das ‚offizielle‘ Tagebuch hielt den Ansatz eines Rechtfertigungsversuches fest:

(29.11.1933)
Soll ich von einer Substanz reden, die dem Überfall etwas wie eine Berechtigung zu geben herhalten mußte? Ich unterlasse es, da eine solche Substanz nicht vorhanden und von dem erbärmlichen Übeltäter aus den Fingern gesogen ist: Ehescheidungen*, Weinflaschen**, Ebert, der ehemalige Reichspräsident. Weiß er nicht, daß dieser Reichspräsident sein, des Übeltäters, hohes politisches Ideal, den Münchner Putschisten und Kommunisten Landauer durch Reichswehr samt seinem Putsch blutig erledigt hat? Im Grunde genommen ist es gleichgültig. Ich selber habe mich lebenslang ferngehalten von Politik, um so inniger bin ich dem Menschlichen nachgegangen (...). *Nachlaß–Nr. 230, S. 10 v*

„Im Grunde genommen ist es gleichgültig": Damit bestätigte Hauptmann unwillentlich den Vorwurf der Gesinnungslosigkeit, die für Kerr darin bestand, sich von der Republik feiern zu lassen und sich zugleich ihrem politischen Schicksal gegenüber gleichgültig zu verhalten. Doch Hauptmann sah – wie stets bei politischen Anfeindungen – wenig Sinn darin, sich auf diese Diskussionsebene einzulassen. Er gestand sich zudem selbst die Unzulänglichkeit seines politischen Bewußtseins ein:

---

*In Kerrs Abrechnung heißt es: „Geld kostet der Sohn, der mit dreißig Jahren die dritte Frau hat".
**Kerr: „Ich bin kein Unmensch und glaube nicht, daß nur der Wein die Schuld trug; seit Jahren ist ihm das Dasein unmöglich ohne zwei Flaschen am Tag als Minimum".

Ich überblicke weder die Partitur der Gegenwart noch die der nächsten Vergangenheit: und darauf, das zu überblicken, kommt es an, wenn man wissend mitschweigen will — mitzureden, aus solchen Erkenntnissen, ist fast unmöglich. *Nachlaß—Nr. 15, S. 227 v*

So war es denn wohl auch ein Ausdruck von Wirklichkeitsfremdheit, wenn Hauptmann Kerrs Vorwurf der Gesinnungslosigkeit und Feigheit umkehrte und angesichts der Erfahrungen des Jahres 1933 die Frage stellte:

Ist es denn ein Zeichen von Mut und Charakter, den Kampfplatz zu fliehen, wie A. K*(err)* und ist es ein Zeichen von Feigheit und Charakterlosigkeit, a*(uf)* d*(em)* Kampfplatz auszuhalten? *ibd., S. 195 v*

A. K*(err)*.
(. . .) Ich war einigermaßen erschüttert von Ihrer Unsicherheit. Warum sind Sie eigentlich aus Berlin fortgegangen? Sie hätten aushalten können, wie mir scheint. *S. 120*

Auch daraus spricht eine Beeinflussung durch die NS-Propaganda, die mit Polemik und Drohungen gegen die Emigranten das Ziel verfolgte, den „Akt der Emigration unter keinen Umständen als Protest gegen den Nationalsozialismus (. . .), sondern als ein durch Feigheit motiviertes Versagen vor der ‚neuen nationalen Wirlichkeit‘ " (K. G. Just) erscheinen zu lassen. (10) Daß es außerdem draußen leichter als im Reich zu leben sei, war eine schon früh verbreitete Vorstellung, die nach 1945 dann die Kontroverse um die „äußere" und „innere" Emigration auslöste. Hauptmann beruhigte sich in dieser Affäre schließlich, wie so häufig, mit dem Verweis aufs große Ganze:

(2.1.1934)
Diese winzigen Journal—Emigranten. Sie wissen nicht, wie unwesentlich ihr und mein Schicksal ist, in einer Zeit, wo es um ganz andre Dinge geht, Schicksale von Völkern auf dem Spiele stehen, Sein oder Nichtsein Europas (. . .). *Nachlaß—Nr. 15, S. 203*

Doch in einer Art intellektuellem Vexierspiel variierte er wenig später diesen Gedanken in einer Form, die fast dem Eingeständnis einer Ausflucht gleichkam: „Wenn man sich heut in die Politik nicht einmischt, kann man sich nur mit der eignen Kleinheit und Unbedeutendheit entschuldigen" (ibd., S. 219 v).

Hauptmann suchte auch den Zuspruch seiner Freunde. Er unternahm brieflich eine regelrechte Sondierungsaktion, um die Meinung der Freunde zu erkunden und sie zu einer Stellungnahme zu bewegen. An Rudolf G. Binding schrieb er am 8.12.1933 in einer — wie es Binding in seinem Antwortbrief charakterisierte — „vorsichtigen Dunkelheit und Rückhaltung". Binding spendete vergleichsweise schwachen Trost. Er versicherte, von den Angreifern nie etwas gehalten zu haben und verwies auf den „nicht einfachen Weg" Hauptmanns: „Er war zu sichtbar", um nicht Angriffen ausgesetzt zu werden. (11) — Auch Hauptmanns Brief an den emigrierten Franz Werfel enthielt in „vorsichtiger Dunkelheit und Rückhaltung" die Versicherung nach wie vor bestehender Verbundenheit:

(19.12.1933)
Es ist schlechthin eine Dreistigkeit, wenn Leute *(wie Alfred Kerr)*, die nie anders als über eine papierene Brücke mit uns verkehrt haben, sich eine Verbundenheit anmaßen, die nie vorhanden war, um sie dann auf effektvolle Weise papieren auf offenem Markt zu kündigen. (. . .) Einigermaßen, wie ich denke, wissen wir über das Leben und seine Abgründe besser als andere Bescheid. *Briefnachlaß II, B 1731/2*

Am 27.11.1933 ging an einen alten Verbündeten, den nach Frankreich emigrierten Theodor Wolff, ein Schreiben hinaus, in dem Hauptmann sein politisches Verhalten als Altersresignation darstellte:

Was sich im übrigen in der Welt begibt, hat wohl elementaren Charakter. Ich will nicht sagen, daß ich müde bin, auch fehlt es mir durchaus nicht an Mut. Aber mehr als das, nämlich Übermut, gehört zum tatkräftigen Leben, das auszuüben Jugend genug vorhanden ist. *Briefnachlaß II, B 1736/1*

Theodor Wolff, der seit je Hauptmann in seiner politischen Zurückhaltung bestärkte, unterstützte auch diesmal seine Auffassung:

(4.12.1933)
Daß Sie (. . .) sich nicht in eine politische Aktivität hineinbegeben sollten, habe ich, wie Sie wissen, immer gewünscht, und auch dann, wenn Sie sich mit solchen Gedanken trugen. *Briefnachlaß I*

An Chapiro in Spanien schrieb Hauptmann, daß Alfred Kerr nach seinem „grundlosen Angriff" für ihn nun „zu den Toten" gehöre und seine Wirksamkeit ihm nur bis dahin gelten solle, „als er sein Menschentum noch nicht zerbrochen hat". (12) Chapiro antwortete mit einem, wie Hauptmann sich notierte, „bedeutenden Freundschaftsbrief". (13) Er suchte darin das Verhalten Kerrs psychologisch zu erklären: „Was er schrieb, ist ein einziger Aufschrei, stellt die ehrliche, furchtbare Enttäuschung eines lebenslangen Freundes dar. Aber auch den Schrei eines gequälten Mannes, dem größte Ungerechtigkeit widerfuhr und der seit Monaten mit seiner Frau und seinen Kindern einer Not ausgesetzt ist, die mit jedem Tag zunimmt. (...) Kerr ist Opfer einer gegen Sie gerichteten Hetze, aber keinesfalls ihr Erzeuger". (14) Diesen Vermittlungsversuch nahm Hauptmann sehr unwillig auf:

Ich kann Ihnen nicht helfen, verehrter Herr Ch*(apiro)* – wenn Sie für einen solchen Lumpenhund, noch etwas andres übrig haben als vernichtendes Mitleid, so verleugne ich alle Beziehungen zu Ihnen. *Nachlaß–Nr. 15, S. 214*

Noch einmal spürte er das Bedürfnis, sich gegen den Angriff Kerrs zu verteidigen. In dem Entwurf zu einer Antwort an Chapiro griff er dessen Mitteilung auf, daß der „Schuft *(Stefan)* Großmann" das „Trommelfeuer" der Verleumdung gegen ihn bereits im Frühjahr 1933 eröffnet habe:

(15.1.1934)
Daß man der törichten Meinung war, ich, ein stillumrissener Dichter ohne jede journalistische Neigung und Fähigkeit, könnte das Rad der Weltgeschichte aufhalten und habe es nicht; der Umstand in der Tat kann kein vernünftiges Thema, sondern nur das einer Verleumdungskampagne sein.
Es ist nichtswürdig von K*(err)*, vor einer Welt, die mich gar nicht kennt *(!)*, sich dadurch groß machen zu wollen, daß er mich allgemein zu erniedrigen sucht (...).
Warum ist übrigens K*(err)* heut so aus nach Märtyrern? Hat er doch vor Jahren einmal das Wort „lieber tot als Sklav' ", ich glaube im „*(Berliner)* Tageblatt" (...) abgelehnt und ganz ausdrücklich dafür gesetzt: „lieber Sklav' als tot". *Briefnachlaß I, s.v. Chapiro, Joseph*

Doch schließlich hatte er sich so weit über die Angelegenheit beruhigt, daß er sich in seiner endgültigen Antwort gelassen geben konnte (15):

(21.1.1934)
Aber Sie müssen es mir erlassen, auf den Hauptgegenstand (...) irgendwie
einzugehen. Ich habe ihn gründlich durchdacht und mich, wie schon mit manchem
im Leben, ebenso glücklich abgefunden.

Ein halbes Jahr später notierte C.F.W. Behl in seinen Erinnerungen
„Zwiesprache mit Gerhart Hauptmann": „Bemerkenswert ruhig und leidenschaftslos äußerte er sich über den heftigen Angriff Alfred Kerrs in der
ausländischen Presse, und mit menschlicher Anteilnahme sprach er über
dessen Person und die Erinnerungen, die ihn mit Kerr verbinden." (16)
Der Bruch mit Kerr hatte ihm jedoch seine isolierte Situation vor
Augen geführt. In Johannes R. Bechers Bericht von einer Reise durch die
Emigranten-Metropolen Prag, Zürich und Paris im Spätherbst 1934 findet
sich die aufschlußreiche Erwähnung: „Interessant war die Nachricht, daß
sich G(erhart) H(auptmann) in der Schweiz befindet und versucht, alle
Verbindungen, die er bisher sorgfältig gemieden hat, wieder anzuknüpfen.
Ich hielt es aber nicht für richtig, daß wir direkt mit ihm zusammenkom-
men. Wir haben aber einen Mann beauftragt, bei ihm zu sondieren". (17)

XVII DER HALBVERFEMTE

Die Repräsentationsrolle Hauptmanns im kulturellen Leben der Weimarer Zeit hatte seinen ideologischen Standort innerhalb der verschiedenen literaturpolitischen Strömungen verdeckt. Die völkischen Autoren zählten ihn beispielsweise zu ihrem Lager, wie ein Brief E.G. Kolbenheyers vom 8.12.1927 an die Sektion für Dichtkunst zur Frage der Zuwahl neuer Mitglieder bezeugt. Kolbenheyer setzte sich für eine „repräsentative" Dichterakademie ein (1):

> Ich meine nicht im Sinne eines äußerlichen Gepränges, aber in dem eindeutigen Sinne, daß die vom Volke als spezifisch deutsch empfundene Kunst in unserem Kreise ebenso stark vertreten sei, wie die Kunst internationalen Typs schon vertreten ist. (. . .)
> Meine Vorschläge sind außer der Gewinnung Hauptmanns: Freiherr v. Münchhausen, Jakob Schaffner, Paul Ernst, Hans Friedr. Blunck, Hans Grimm.

Vor wie nach 1933 setzte die NS-Polemik gegen Hauptmann nicht primär bei seiner Weltanschauung und dem Werk an, sondern bei seiner offiziellen Verbindung mit dem „System". Bezeichnend dafür ist der Skandal bei der Premiere von „Dorothea Angermann" am 20. November 1926 in München. Das Lager der Opposition führten Leute an, die „offenkundig mehr gegen die Person Hauptmanns und seine weltanschaulichen und politischen Ansichten demonstrierten als gegen sein dichterisches Werk. Man sah in den Reihen der Opposition nicht wenige Braunhemden von Hitler-Anhängern (. . .)". (2) Der schärfste Gegner Hauptmanns unter den Nationalsozialisten, Alfred Rosenberg, gab in seinem „Mythus des 20. Jahrhunderts" (1930) die Parole aus, wie der NS zu Gerhart Hauptmann stehe (3):

> Ein Gerhart Hauptmann nagte doch bloß an den morschen Wurzeln des Bürgertums des 19. Jahrhunderts, konstruierte Theaterstücke nach Zeitungsmeldungen, „bildete" sich dann, verließ die ringende soziale Bewegung, ästhetisierte sich im galizischen Dunstkreis des „Berliner Tageblatts" (. . .) und ließ sich dann 1918 nach dem Siege der Börse von ihrer Presse dem deutschen Volk als dessen „größter Dichter" vorsetzen. Innerlich wertlos, sind Hauptmann und sein Kreis unfruchtbare Zersetzer einer Zeit, zu der sie selbst innerlich gehören.

Daß Hauptmann nach seiner oppositionellen Frühzeit in den Schoß der Bourgeoisie zurückgekehrt sei, war ein seit je von der Linken erhobener Vorwurf. Aus Mangel an ideologischer Substanz speiste sich die Polemik Rosenbergs hauptsächlich aus dem antisemitischen Ressentiment des Außenseiters, das allgemein in der völkischen Kritik an der sog. dekadenten Großstadtliteratur zum Ausdruck kam. Bei Rosenberg steigerte sich der „Neid der Zukurzgekommenen bis zum Verfolgungswahn" (R. Geißler): Im „Mythus des 20. Jahrhunderts" werden der künstlerische Erfolg und die kulturpolitische Solidarität der bürgerlich-liberalen Autoren als das Ergebnis eines internationalen jüdischen Komplotts gegen die wahre „deutsche Literatur" hingestellt. (4)

Hauptmann bot mit dem volkstümlichen Realismus vieler seiner Werke eigentlich wenig weltanschaulich-künstlerische Angriffsflächen für den NS. Seine irrationale Kunstauffassung und sein mystischer Kulturpatriotismus hatten eine gewisse Affinität zur verschwommenen völkisch-nationalsozialistischen Kunstideologie. Den Charakter einer angestrengten Bemühung zeigt der Abgrenzungsversuch, den der „Völkische Beobachter" in seiner ‚Würdigung‘ zum 70. Geburtstag Hauptmanns unternahm. (5) Der Artikel stammt von Rudolf Erckmann, einem späteren Mitarbeiter der Abteilung Schrifttum im Propagandaministerium. Erckmann attackierte Hauptmann an einer Stelle, wo er eigentlich am wenigsten angreifbar war − in seiner nationalen Gesinnung:

> Wer erinnert sich nicht des fatalen Eindrucks jener Hauptmannschen Kriegslyrik, die gekennzeichnet ist durch das hohle und phrasenhafte „Wenn ich nicht durchlöchert bin, kann der Feldzug nicht gedeihn".* Hier ist der Revolutionär von einst in peinlicher Bürgerlichkeit gelandet, die den heiligen Ernst der Stunde zur Seichtheit verwässert hat.

Immerhin attestierte er dem frühen Hauptmann „heißes Mitgefühl für die Not der Volksgenossen in den handarbeitenden Schichten", das „vom deutschen Sozialismus des kommenden Deutschlands aus anerkannt werden soll". Hauptmann sei gleichwohl im materialistisch-deterministischen Bild vom Menschen befangen geblieben. Daher zeigten auch die „Weber" statt eines für die Idee kämpfenden Unterganges in „heldischer Tragik" lediglich das „bloße Aufbäumen der gepeinigten Menschennatur".

---

* Es heißt richtig: „eh’ ich nicht durchlöchert bin,
    kann der Feldzug nicht geraten"
  (CA XI, 663).

Seinem Werk fehle der innere Zusammenhang mit einer heroischen Idee: dem „schöpferischen Idealismus im Erlebnis des Volkstums, der Wille und Tat entfesselt".

Die völkisch-nationalsozialistische Literaturkritik ging in der „Kampfzeit" nach 1930 dazu über, den Gegner pauschal und in drastischem Jargon zu diffamieren, ohne nach ästhetisch-literarischer Qualität zu fragen. (6) Erckmanns Hauptmann-Kritik hob sich insofern von diesem Stil ab, als sie auch auf die nicht nur von politischen Gegnern konstatierte künstlerische Krise des „gehaltlosen und geschwätzigen Nachkriegs-Hauptmann" zielte und damit einen Mangel an einschlägigen ideologischen Argumenten anzeigte.

Weniger rigoros als die politisch-weltanschauliche Ablehnung erwies sich die Praxis der nationalsozialistischen Kulturpolitik gegenüber Hauptmann. Das lag einerseits an der Unentbehrlichkeit seines kulturellen Prestigewerts, zum anderen an der Struktur der nationalsozialistischen Lenkungsapparate. Durch eine Vielzahl von nur formal getrennten staatlichen und parteiamtlichen Kontrollinstanzen kam es zu Kompetenzstreitigkeiten und Rivalitäten der Parteifunktionäre: so 1933/34 zwischen Goebbels und Rosenberg auf dem Gebiet der kulturellen Lenkung. Rosenberg, der vor der Machtergreifung mit seinem „Kampfbund für deutsche Kultur" die kulturpolitische Öffentlichkeitsarbeit des NS geleistet hatte, sah sich 1933 von Goebbels überflügelt. Goebbels erhielt nicht nur das Reichsministerium für Volksaufklärung und Propaganda, sondern sicherte sich durch die Schaffung der dem Ministerium unterstellten Reichskulturkammer den entscheidenden Einfluß auf das kulturelle Leben. Nicht nur diese ungleiche Machtverteilung machte Rosenberg zu einem argwöhnischen Kritiker der Reichskulturkammer. Hinzu kam sein ideologischer Rigorismus: Er war darauf fixiert, die „NS-Linie reinzuhalten", die negative Auslese war das einzige Prinzip seiner Kunstpolitik. (7) Goebbels war aus taktischen Gründen flexibler und betrieb anfangs eine großzügigere Personalpolitik. So bemühte er sich darum, potentielle Emigranten in Deutschland zu halten oder prominente Flüchtlinge – zum Teil mit Erfolg – zurückzuholen. (8) Auch im Falle Hauptmanns gab es zwischen Goebbels und Rosenberg Meinungsdifferenzen über die Schärfe des Vorgehens. Über die Hintergründe des Boykotts gegen Hauptmann 1934 – auf dem Höhepunkt des Rivalitätskampfes Rosenberg–Goebbels – unterrichtet das Tagebuch Erich Ebermayers, der zu jener Zeit Dramaturg am Alten Theater in Leip-

zig war. Durch seinen Vorgänger Scherler, Mitarbeiter des „Reichsdramaturgen" Rainer Schlösser, wurde Ebermayer über die Vorgänge im Propagandaministerium informiert (9):

> Das Volk sollte urteilen über den umstrittenen, von einflußreichen Kreisen der
> Partei, vor allem von der Rosenberg-Gruppe, so erbittert bekämpften Dichter.
> (. . .) das Halbverfemtsein geschieht Gerhart Hauptmann jetzt im Großen. Sein
> ganzes Werk steht für Deutschland auf dem Spiel. Goebbels will ihm nicht wohl,
> aber er würde ihn, wie ich höre, unangetastet auf kaltem Wege langsam absterben
> lassen. Die Rosenberg-Leute dagegen wünschen schärfere Mittel: Verbot seiner
> Werke und Zwang zur Emigration. – Kein Berliner Theater hat in diesem Herbst
> und zu seinem Geburtstag ein Hauptmann-Werk gespielt – ein einmaliger Vorgang
> seit fünf Jahrzehnten. Nur Scherler, selbst im Propagandaministerium und ein
> persönlicher Verehrer Hauptmanns, hat diese *(Florian-)*Geyer-Premiere *(im Rose-
> Theater)* in der Vorstadt durchgesetzt. Mit dem Urteil des Volkes, das sich heute
> abend wieder leidenschaftlich zu dem greisen Dichter bekennt, hofft man nun einen
> Druck auf die gegnerischen Kräfte in der Partei auszuüben.

Für diesen ‚Test' am 21.11.1934 sollte im Programmheft die politische
Zuverlässigkeit Hauptmanns unterstrichen werden – mit Zitaten aus
einem Werk, das schon bei verschiedenen Gelegenheiten seine Gesinnung
hatte dokumentieren müssen: dem „Festspiel in deutschen Reimen" von
1913. Hauptmann hatte bereits eine entsprechende Anregung gegeben
oder zumindest sein Einverständnis erklärt, als ihm plötzlich Bedenken
kamen. Er bat Scherler, von dem geplanten Zitatauszug abzusehen und
statt dessen eine Passage aus der Rede „Deutschland–Vaterland" von
1922 zu bringen. (10) Einer der ursprünglich vorgesehenen Reime aus dem
Festspiel lautet (11):

> Auch Lothringen und Elsaß
> ist Wein aus dem alten Mutterfaß.

In dem Diktatentwurf eines Schreibens an Scherler heißt es: „Herr Dr.
Hauptmann ist der Ansicht, daß die beiden Zeilen (. . .) im Augenblick
inopportun hinsichtlich der Saarabstimmung* sein könnten. Man könnte
sie weglassen. Überhaupt bittet er, durchaus frei zu erwägen, ob sich die
gesamten Zitate in Ihrem Sinne zur Veröffentlichung eignen" (Nachlaß
–Nr. 632, Fasz. I b, 52 d).

---

* 13.1.1935: Abstimmung im Saargebiet über Rückgliederung an das Deutsche
Reich.

Die umstrittene Behandlung Hauptmanns, an der niedere Chargen wie Scherler und Laubinger nichts zu ändern vermochten, spiegelte sich nicht nur in der kulturpolitischen Kontroverse auf höchster Ebene, sondern auch im kommunalen Parteibereich wider. So scheiterte eine für den Herbst 1934 geplante Vortragsreise Hauptmanns zu Dichterlesungen in vier westdeutschen Städten — einem Brief des Organisators R. Wylach zufolge — unter anderem an „einigen maßgebenden Leuten *(in Dortmund)*, die nicht ohne weiteres gewillt sind, meine Pläne zu fördern." (12)

Auch in den Folgejahren hielt die kulturpolitische Isolierung Hauptmanns an. In der Schule wurden seine Werke nicht mehr gelesen, die Jugend wurde ihm „systematisch entfremdet" (J. Seyppel). (13) „Solange Schlesien Männern wie *(den NS-Führern)* Brückner und Heines ausgeliefert war, tat jedenfalls Gerhart Hauptmann als der große geistige und künstlerische Repräsentant dieses Landes gut daran, seine (...) Verbindung mit der Hauptstadt seiner Heimat zu lösen, und es nicht anders mit Städten und Gemeinden im Riesengebirge zu tun, die ihn eben noch zum Ehrenbürger ernannt hatten, um wenige Monate später die nach ihm benannten Straßen und Schulen umzubenennen" (G. Grundmann). (14) Symptomatisch für den Boykott war, daß auf Weisung der Partei jede offizielle Feier zum 75. Geburtstag Hauptmanns 1937 verboten war. (15) Dennoch ließ Hauptmann sich zu diesem Zeitpunkt wieder für die staatliche Kulturpolitik einspannen. Anfang 1937 erkundete die Auslandsorganisation der NSDAP über einen Mittelsmann bei dem Sekretär Hauptmanns, ob der Dichter unter Umständen bereit sein würde, an der „Woche des Deutschen Buches" in Paris im Herbst 1937 teilzunehmen. (16) Die Anfrage war mit der Bitte um Diskretion verbunden, offenbar ebensosehr mit Rücksicht auf die Initiatoren selbst als auf Hauptmann. Dieser lehnte zwar eine Auslandsreise ab, erklärte sich jedoch auf Anfragen seitens der Reichskulturkammer bereit, eine längere Ansprache an die Deutschen im Ausland auszuarbeiten, und akzeptierte einen Vorschlag der NSDAP—Auslandsorganisation, den Text auf Wachsplatten aufnehmen und senden zu lassen. (17) So war Hauptmann an seinem 75. Geburtstag, der im Inland mit offiziellem Schweigen bedacht wurde, über den Äther mit seiner Rede „An die Deutschen in Übersee" zu vernehmen. In ihr beschwor er den kulturellen Zusammenhalt des Deutschtums und die Bereitschaft, „mit Mut, Gut und Blut jederzeit zu seiner Verteidigung bereit zu sein" (CA VI, 889). Der mehrfache Hinweis auf die Gestalt des Florian Geyer illustriert zugleich Hauptmanns

Bestreben, seine ‚deutsche' Gesinnung zu unterstreichen und sich von ihr nichts „abmarkten" zu lassen, wie es in einem der Entwürfe heißt. (18)

Eine Anfrage Scherlers im Jahr zuvor, ob Hauptmann bereit sei, anläßlich der Inszenierung seines Dramas „Vor Sonnenuntergang" nach Bukarest zu reisen — was eine „ausgezeichnete Bekundung für das Deutschtum" darstellen würde —, war von ihm abschlägig beschieden worden. (19) Wenn Hauptmann solchen Inopportunitäten aus dem Wege gehen wollte, pflegte er die Rücksichtnahme auf Alter und Gesundheit anzuführen. Daß er sich in diesen Jahren einer nach wie vor ungebrochenen Rüstigkeit erfreute, dokumentiert seine Antwort auf eine Anfrage des „Emerson—Büro Chicago" vom Dezember 1937, wie er zu dem Gedanken einer Vorlesungstournee durch die Vereinigten Staaten stünde: „Ich bin grundsätzlich nicht abgeneigt und bitte um Ihre Vorschläge". (20)

Auch die 1933 umbenannte „Deutsche Akademie der Dichtung", Nachfolgerin der Sektion für Dichtkunst, der Hauptmann mittlerweile als Senator angehörte (21), scheint zu dieser Zeit mit einem ähnlichen Projekt an ihn herangetreten zu sein. Die Dichterakademie fristete, seit ihre offiziellen Aufgaben von der Reichskulturkammer übernommen worden waren, ein Schattendasein. Ihre Mitglieder suchten die Funktionslosigkeit der Institution mit illusionären Projekten zu kompensieren. Man plante zeremonielle Repräsentationsveranstaltungen, in denen unbekannte oder weniger bekannte Dichter feierlich „erwählt" werden sollten. (22) Offenbar wurde auch Hauptmann in Überlegungen einbezogen, die der Dichterakademie neuen Glanz bescheren sollten:

> (1936)
> ⟨Ich fühle mich sehr geehrt, daß⟩. Es würde mich lebhaft interessieren zu erfahren, aus welchen Quellen die verehrliche Akademie der Künste zu Berlin von meiner angeblichen Absicht unterrichtet worden ist, im Inland Vorträge zu halten. Ich erfahre dadurch vielleicht etwas über Pläne von inländischer oder deutscher Seite mit mir, das mir bis jetzt verborgen geblieben ist. Eigne Pläne in Ihrer Richtung habe ich nicht. Ich hatte zwar . . .

> Erst werden wir gepäppelt, dann werden wir ermordet, sagte der Hahn: und wie steht es mit dem Menschen? *Nachlaß-Nr. 119, S. 42 v, 43*

Seine offizielle Nichtbeachtung konstatierte Hauptmann in diesen Jahren ohne viel Aufhebens, aber auch mit einer gewissen Hilflosigkeit — zumal, wenn er um Unterstützung für gefährdete Autoren angegangen wurde. (23) Nach kulturpolitischem Einfluß hatte er unter den so gearteten Zeitumständen auch gar kein Verlangen: „Ich wünsche nicht, etwas zu berühren, was mit Macht zusammenhängt, meine Herren, deshalb gehöre ich auch nicht in die Kulturkammer. Ich wünsche nur meiner Seele und Kunst die Beziehung zu den ewig Rechtlosen" (Nachlaß–Nr. 262 A, S. 87). – Wie er sich selbst mit seiner halb geduldeten, halb verfemten Stellung abfand, hatte er schon 1934 in einem Brief an Änne Wolff angedeutet: „Freilich bleibe ich in die Sache verwickelt, aber die neuen Kolonnen treten zum Abmarsch in eigene Fernen an, wohin wir sie zu begleiten nicht hoffen können" (Briefnachlaß I, s.v. Wolff, Theodor).

XVIII DIE NS-KULTURPOLITIK IM URTEIL HAUPTMANNS

Trotz des halboffiziell über ihn verhängten Banns war Hauptmann nicht zu einer illusionslosen Einschätzung der nationalsozialistischen Kulturpolitik fähig. Zu den Bücherverbrennungen vom Mai 1933 hatte er geschwiegen, gab es bei ihm doch manche Übereinstimmung mit den Parolen der völkischen Opposition:

(1926)
Eine Stadt wie Berlin — sie wird international ruiniert. *Nachlaß-Nr. 51, S. 76*

(1928)
Respektlosigkeit. Achtung durchaus geboten. Verlorengegangen, seit „Vossische Zeitung" nicht mehr in christlichen Händen ist*: denn die Juden sind unverantwortlich machtbetrunken. (ibd., S. 208)

Wer so dachte, mußte bis zu einem gewissen Grad empfänglich sein für die „starke, große und symbolische Handlung" des Autodafes, das nach den Worten Goebbels' dem „jüdischen Intellektualismus" und der „geistigen Grundlage der Novemberrepublik" galt. (1) Erst geraume Zeit später findet sich im Tagebuch ein mattes Echo. Hauptmann tat den Fall als Kapitel einer vielhundertjährigen Inquisitionsgeschichte ab:

(nach dem 9.9.1933)
„Bücherverbrennungen", in diesem Jahr geschehen zu Berlin etc. — Gott sei Dank! nur Bücher! Im Anfang des dreizehnten Jahrhunderts wurden die Bücher für rein erklärt, die unversehrt gen Himmel flogen, nämlich aus dem Feuer (...). Die Kurzlebigkeit der Zeit, verbunden mit Albernheit, heut — nicht im dreizehnten, sondern im neunzehnten *(sc. zwanzigsten Jahrhundert)*. Neues Erlebnis, das heut doch wohl als reine Albernheit oder nur als brenzlicher G*(eruch)* zu bewerten ist. *Nachlaß-Nr. 15, S. 145 v*

Aus diesem Urteil spricht nicht nur die Teilnahmslosigkeit eines nicht unmittelbar Betroffenen. Die Unklarheit seiner Vorstellungen zum Problem der Zensur war bereits 1925 zum Vorschein gekommen, als er anläßlich der öffentlichen Diskussion über das geplante Zensurgesetz gegen „Schmutz und Schund" äußerte:

---

* 1914 übernahm der Verlag Ullstein die „Vossische Zeitung". 1920 wurde Georg Bernhard ihr Chefredakteur.

Man sollte, wenn man kulturell mitsprechen will, in bezug auf Bücherverurteilungen (Verbrennungen gleichzuachten) vorsichtig sein. – Vielleicht ist etwas Ähnliches für Zeit nötig. Vielleicht nicht? *Nachlaß-Nr. 51, S. 29*

Zur Vermeidung irreparabler Schäden durch eine falsch geübte Zensur schlug er vor: man solle von dem „mißbilligen" Buch Belegexemplare in geringer Anzahl sekretieren, dem Autor jedoch volle Entschädigung gewähren. Als Nachtrag zu dieser Überlegung schrieb Hauptmann 1935: „Obiges gibt zu schwereren Bedenken Anlaß: es ist Unsinn! Die Dinge regulieren sich selbst! Vielleicht steckt ein Korn Wahrheit darin!" (ibd.). Für ihn bedeuteten also die zwischenzeitlich gemachten Erfahrungen mit der NS–Kulturpolitik nicht eine Bestätigung dafür, daß jeder staatliche Eingriff problematisch ist, sondern daß Zensur angesichts einer „Selbstregulierung" nicht notwendig sei. In seiner Obrigkeitsgläubigkeit nahm er das Resultat einer diktatorisch gesteuerten Kulturpolitik um ihrer staatlichen Autorität willen als eine von Willkür freie, sozusagen natürliche Gegebenheit hin.

Gleichwohl wandte sich Hauptmann noch am ehesten auf kulturellem Gebiet kritisch gegen die neue Ära. Als im Sommer 1933 – nach den Säuberungen des Frühjahrs – die erste Welle der NS–Literatur einsetzte und die ,Deutsch–Schaffenden' ins Geschäft kamen (2), spottete Hauptmann über die neue Weltanschauungskonjunktur: „Wollt ihr nordisch sein, dann setzt auch eigenwillige Nordländer, nicht Spießbürger, devotive *(= devote)* Untertanen voraus" (Nachlaß-Nr. 15, S. 176 v). Selbst innerhalb der NSDAP regte sich Kritik an der neuen kulturellen Entwicklung („Gefahr eines geistigen Primitivismus"). (3) Die Ausschaltung der sog. dekadenten Intelligenz machte sich jetzt allenthalben bemerkbar. Um so mehr wurde der Aufbau der kulturellen Lenkungsapparate forciert.

Hauptmann wohnte, wie schon erwähnt, dem Festakt zur Eröffnung der Reichskulturkammer bei. Goebbels als Präsident der neuen Institution hielt die Festrede. Sie „schwankte auffallend zwischen emphatischen Ausblicken auf die ,große Zukunft der Künste in Deutschland' und dem Bemühen, gewisse Vorurteile und Befürchtungen unter den Künstlern auszuräumen" (H. Brenner). (4) Hauptmanns Bedenklichkeit blieb:

Wo der Spießbürger ihre Grenzen bestimmt, wenn auch nach seinen Begriffen die weitesten, da muß die Kunst ersticken. Was schwebt ihnen vor, wenn sie eine Kunst des Dritten Reiches fordern? und nur eine nationale: nicht, was bei unsren Herren als groß und deutsch galt: nämlich Allverstehen, Allbegreifen: sondern eine Monotonie, die etwa eine Paraphrase von „Deutschland, Deutschland über alles" sein würde. Und das wäre zu wenig für jede, auch für eine nationale Kunst. (...) Muß und soll im Augenblick Kunst überhaupt zurücktreten? *Nachlaß-Nr. 15, S. 199 f.*

Zu dieser Zeit wurde Hauptmann von seinem Verleger Gottfried Bermann Fischer gefragt, wie er zu der augenblicklich herrschenden Kunstpolitik stehe. (5) Bermann mochte seine Gründe für die Anfrage haben. An dem im Oktober 1933 vom Reichsverband Deutscher Schriftsteller in die Wege geleiteten Treuegelöbnis von 88 deutschen Schriftstellern gegenüber dem „Reichskanzler Adolf Hitler" hatte sich Hauptmann nicht beteiligt – trotz des Interesses, das der von Bermann und Suhrkamp geleitete S. Fischer–Verlag an einer möglichst hohen Beteiligung seiner Autoren bekundete. (6) Denn die Verlagsleitung hatte zu diesem Zeitpunkt optimistische Vorstellungen über ihre Beziehungen zum Propagandaministerium und die sich daraus ergebenden Möglichkeiten. (7) Hauptmann wird aus seiner Abneigung gegen kollektive Kundgebungen abgelehnt haben, aber auch – wie er Ende 1933 aus einem anderen Anlaß an Keyserling schrieb –, weil gerade das laufende Jahr gezeigt habe, „wie irgendeine gedankenlos gegebene Unterschrift sich rächen kann". (8)

Bermanns Frage nach seiner Einstellung zur NS–Kulturpolitik war für ihn dagegen ein Anlaß, sich mit diesem Problem einmal grundsätzlicher als in den sporadischen Tagebuchnotizen zu beschäftigen. Freilich ist bei dieser Darlegung wiederum der Unterschied zwischen ‚offizieller' und privater Äußerung zu beachten. Hauptmann hat zweifelsohne eine gewisse Erwartungshaltung Bermann Fischers berücksichtigt: Das schloß den unverantwortlichen, gleichsam ‚unerlaubten' Charakter seiner privaten Aufzeichnungen aus. Hauptmann leitete seine Stellungnahme mit einer Distanzierung vom Antisemitismus der NS–Kulturpolitik ein:

(14.12.1933)
Sie wünschen zu wissen, welchen Standpunkt ich (...) einnehme. Zunächst den, welchen Furtwängler in seinem ersten Briefe an Minister Goebbels vertreten hat: daß nämlich in der Kunst allein die Begnadung von oben und das Können entscheidet. (...)
Im polemischen Teil seines Wirkens hat Richard Wagner (Judentum in der Musik etc.) meiner Ansicht nach viel Unheil angerichtet. Ich möchte den sehen, der, ohne

den Namen des Komponisten zu kennen, Mendelssohns „Sommernachtstraum"-Musik (. . .) anders bewerten könnte als eben eine schlechthin hohe Inspiration. (. . .)

Wir hatten die Bücherverbrennungen und heut haben wir eine vielköpfige, mit Machtbefugnissen ausgestattete Zensur. Daß Zensur jemals in der Kunst produktiv werden könnte, wird niemand glauben. (. . .) Der Sieg einer solchen Zensur würde den Tod der Kunst bedeuten. *Nachlaß-Nr. 632, Fasz. I b 44*

Im weiteren äußerte Hauptmann die Hoffnung, daß die gegenwärtige Zensur nicht zu einem „Elementarereignis ausarten" möge. Aus dem geschichtlichen Rückblick schöpfte er Zuversicht: „Was hat sich nicht alles gegen die Zensur der letzten dreihundert Jahre durchgesetzt." — „Vielen erscheint die Nachkriegsepoche der Kunst gegenüber zu weitherzig. Für die Kunst, wie ich glaube, liegt kein allzu großer Nachteil darin, ebensowenig für Volk und Staat". Wollte Hauptmann mit dem Hinweis auf die „vielen" nicht andeuten, daß auch er ähnlich dachte? Es war zumindest eine Eigenart Hauptmanns, Vorbehalte auf solche versteckte Art auszudrücken. Die Mobilisierung des ‚gesunden Volksempfindens' gegen eine allzu große Kulturlibertinage war ja schon ein wenig in Hauptmanns Betrachtung „Kunst und Volk" von 1912 angeklungen, in der es über eine gewisse ‚Verfallskunst' heißt: „(. . .) was sollte das Volk mit einer Kunst anfangen, die nur für Bankrotteure des Lebens verständlich ist, und wie soll man wünschen, es damit bekannt zu machen, weil man ja doch nur die Kenntnis betrügender Perversionen seuchenartig verbreiten würde" (CA XI, 826).

In seiner Stellungnahme zur nationalsozialistischen Kulturpolitik wandte sich Hauptmann ferner gegen eine Kunst der „groben Tendenz" — womit offenbar die neue NS–Kunst gemeint war:

Nur das ihm Gemäße kann das Volk im Kunstwerk aufnehmen. Es wird durch echte Kunst entpolitisiert, da meiner Ansicht nach echte Kunst und grobe Tendenz, echte Kunst und Partei einander ausschließen. Der Kunstfreund im Volk wird gegen Parteiprogramme und Dogmen unempfindlich und dadurch dem Staate gegenüber bildsam verstehend und staatserhaltend sein. *Nachlaß-Nr. 632, ibd.*

Zugespitzt interpretiert: Hauptmann bestritt die Notwendigkeit von Tendenzkunst und Zensurmaßnahmen im neuen Staat, da die „echte" Kunst ohnehin einen Effekt bewirke, der dem kulturpolitischen Ziel der

„groben Tendenz" gleichkomme: den der staatsbürgerlichen Fügsamkeit. Ob es wünschenswert war, der herrschenden politischen Ordnung gegenüber „bildsam verstehend und staatserhaltend" zu sein, war eine Frage, die sich für ihn von vornherein nicht stellte. Insgesamt war diese Antwort an Bermann Fischer gemischt aus gebotener Bedenklichkeit, unbegründetem Optimismus und dem obligaten Bekenntnis zur Freiheit der Kunst, die doch für beide in Wahrheit nicht zur Debatte stand. Daß die Antwort im ganzen Hauptmann selbst nicht zufriedenstellte, wird ersichtlich aus der Notiz: „fortgelegt" (ibd).

Wie Hauptmann die Bücherverbrennungen als „Albernheit" zu bagatellisieren suchte, so sah er auch sonst an den Mißlichkeiten der NS–Kunstbürokratie angestrengt vorbei:

(nach dem 4.4.1935)
Die Kunst ist und bleibe frei, trotz Kulturkammer. Nicht der Broterwerb, aber die Kunst. – Größtes ist in Armut geschaffen. – Und die d e u t s c h e n Verleger – besonders die 60 Jahre zurückliegenden – haben dafür gesorgt, daß ein Schriftsteller aus der „Dachkammer" nicht herausfand. *Nachlaß-Nr. 52, S. 69*

Die Reichskulturkammer lediglich als Interessenverband zu kritisieren zeigt, wie wenig Hauptmann entweder die Entwicklung seit 1933 wahrhaben wollte oder begriff. Die Reichskulturkammer war nicht den früheren berufsschützenden Verbänden vergleichbar, sondern in erster Linie staatliche Zwangsorganisation: Juden, „jüdisch Versippte" und politisch Unerwünschte wurden von vornherein ausgeschlossen. Eine Mitgliedschaft in der Reichskulturkammer war jedoch Voraussetzung für die Ausübung einer künstlerischen Tätigkeit. Dieselbe Verkennung der politisch–weltanschaulichen Disziplinierung des künstlerischen Schaffens durch die NS–Kulturpolitik macht die folgende Betrachtung deutlich:

(Mitte 1935)
Welches Erstaunen: Euch wird Kunst verboten! Das ist doch eine alte Geschichte in Deutschland: Kleist, Otto Ludwig, Hebbel – was noch sonst. Der Geschäftsbetrieb mag für unbeugsame Begabungen bedeutungslos sein, selbst wenn er erfolgreich ist. – Aber auch das andre ist wichtig. (ibd., S 117)

Wenn im Dritten Reich Schreibverbot verhängt wurde, war nicht nur der „Geschäftsbetrieb" gestört, sondern die Existenz gefährdet – mochte man auch über eine noch so „unbeugsame Begabung" verfügen. Die

Gedankenlosigkeit solcher Äußerungen ist um so verwunderlicher, als Hauptmann verschiedentlich um Hilfe für beruflich gefährdete Autoren angegangen wurde, etwa im Falle Ernst Hardts, Julius Babs oder Rudolf Goldschmit—Jentners. (9)

Indifferent wie seinerzeit bei den Bücherverbrennungen reagierte Hauptmann auch auf die Kampagne gegen die „Entartete Kunst" 1937. Durch einen Erlaß Hitlers war der Reichskunstkammerpräsident Adolf Ziegler ermächtigt worden, die im öffentlichen Besitz befindliche „Verfallskunst" zu einer Ausstellung zusammentragen zu lassen. Mitte Juli 1937 fand in München das „öffentliche Femegericht" (H. Brenner) statt. (10) Die an den Besucherzahlen abzulesende Resonanz übertraf die Erwartung der Initiatoren. Einige wenige waren vielleicht gekommen, um Abschied von diesen Kunstwerken zu nehmen, die Mehrzahl reagierte nach Zeugenberichten mit Ablehnung (11). Höhepunkt dieses geschickt inszenierten Plebiszits, mit dem der deutsche Philister über die Kunst der Moderne zu Gericht saß, war der Sonntag des 2. August mit angeblich nahezu 36 000 Besuchern. Auch bei dieser ‚Säuberung' regte sich bei Hauptmann kein Protest. Für ihn schien die ganze Angelegenheit eher ein bajuwarischer Provinzialismus zu sein:

(vor dem 4.8. 1937)

Münchner Gescharr
ist, was es war.

Aber Münchner Kraft
bleibt voll im Saft.

Nachlaß-Nr. 11a, S. 106 v

Ein Jahr später hat er sich noch einmal — in ähnlicher Unentschiedenheit — über dieses Ereignis geäußert:

(nach dem 16.11.1938)
Ihr armen Meisterwerke jüngstvergangener großer Epoche, ihr habt es schwer: ihr werdet abgehängt, nicht vom Diktator, aber von seinen Eunuchen. — Das ist es. Und der Diktator, wenn er auch solche wie das tägliche Sein notwendig hat, lehnt sie im Grunde ab, ja verachtet sie, wie sie es verdienen.

Aber das Volk, vom redlichen Tagarbeiter (. . .) bis zum großen Meister der Gestaltung aus Farbe, Metall und Stein bekommt sie zu spüren. Der „Dichter": er ist nicht; darum ist er unangreifbar *(!).*
Eines ist gut: das Meistersingerprinzip in Stadt und Land (Hirschberg)* kommt wieder zu Ehren. *Nachlaß-Nr. 13, S. 25*

Dem „Diktator" tat Hauptmann mit der Exkulpation für diese kulturpolitische Praxis seiner „Eunuchen" zuviel Ehre an. Die programmatischen Kulturreden Hitlers ließen keinen Zweifel an seiner Urheberschaft für diese Aktionen aufkommen. Auf dem Reichsparteitag von 1934 griff er die Künstler der Moderne als „Kunstverderber" an und nannte ihr Schaffen eine „kulturelle Ergänzung der politischen Destruktion". (12) 1936 kündigte er — „in hysterischem Redefluß" (H. Brenner) — einen „unerbittlichen Säuberungskrieg" gegen die „letzten Elemente" der „überwundenen Vergangenheit" an. (13) Doch Hauptmann schien sich mehr an die erbaulichen Tiraden in Hitlers kunstpolitischen Reden zu halten. So notierte er sich den folgenden Gemeinplatz aus der Hitler-Rede vom 11.9.1935 auf der Nürnberger Kulturtagung (14):

Denn durch nichts wird einem Volke dann besser zu Bewußtsein gebracht, daß das menschliche und politische Leid des Augenblicks ein vergängliches ist, gegenüber der unvergänglichen, schöpferischen Kraft, und damit der Größe und Bedeutung einer Nation. Sie *(die Kunst)* kann einem Volke dann den schönsten Trost geben, indem sie es über die Kleinheit des Augenblicks genauso wie über den Unwert seiner Peiniger erhebt. *Nachlaß-Nr. 230, S. 41 v*

Die rhetorische Pathetik dieses philiströsen Kunstidealismus war für Hauptmann über jeden Verdacht erhaben. Und noch 1941 lobte er: „Große Rede Hitlers gelesen. Es ist nicht zu ändern, seine Reden von letzter Gründlichkeit und überragen den faulen Sumpf unberechtigter Politik" (Nachlaß–Nr. 3, S. 71) Der „Führer" wurde idealisiert, die Schuld am „faulen Sumpf" der Alltagspolitik der Unfähigkeit des Unterführerkorps zugeschrieben — getreu der Devise „Wenn das der Führer wüßte!".
In Hauptmanns Heimatland Schlesien war als Gauleiter der Prototyp des brutal–rücksichtslosen „braunen Amtswalters" (J.C. Fest) eingesetzt:

---

*Kreisstadt in Schlesien.

Josef Wagner. (15) Er war gleichzeitig Gauleiter von Westfalen-Süd und zählte — ehe er 1941 bei der Partei in Ungnade fiel — zu den einflußreichsten und mächtigsten Gauleitern. Leute seines Schlages, unbeliebt oder verhaßt bei der Bevölkerung, genossen das besondere Vertrauen Hitlers. Von 1935 bis 1941 hatten die Schlesier an der „Herabsetzung ihrer geistigen und menschlichen Qualitäten" (G. Grundmann) durch diesen Führungsfunktionär zu leiden. (16) Trotz solcher deprimierenden Erfahrungen schien Hauptmann das nationalsozialistische Führerprinzip keineswegs in Frage zu stellen, sondern fand sogar noch entschuldigende Worte für diesen „Terror der Minderbemittelten" (K.G. Just) (17):

(1938)
Wenn diese Derben unter den Gauleitern den Intellekt verwerfen, so verwerfen sie die Führung und den Führer, welcher der verantwortliche Intellekt des Volkes ist. — Aber sie sollen sich trösten, die Gauleiter dieser Art, der Intellekt hat leider nie allgemein geführt (. . .). Das ehrliche Nichtwissen und Nichtdenken (. . .) ist tief berechtigt. Literatur macht keinen Bauern. *Nachlaß-Nr. 13, S. 31 v*

Im ganzen blieben Hauptmanns Klagen über die kulturelle Entwicklung im Dritten Reich sehr allgemein. Ohne Namen zu nennen, beklagte er litaneihaft das Banausentum der NS—Ära und die kulturelle Verödung:

(August 1933)
Theater, Kino, Radio: ich fürchte, die Quellen werden versiegen. *Nachlaß-Nr. 15, S. 135 v*

Zeitungslappen, heut mehr entwertet als je. (ibd., S. 162)

(Anfang 1934)
Deutschland, geistig genommen — Plebs. Gut! aber sie soll nicht regieren, sondern regiert werden. (ibd., S. 225)

Wenn eine Partei gesiegt hat und allein ist, darf sie nicht verrohen. (. . .) Verrohung liegt in der Verurteilung des gesunden Menschenverstandes — (Intellektualismus, wenn man durchaus journalistischen meint, gut) — aber Geist ist auch das, wovon sie zu zehren angewiesen sind. (ibd., S. 228)

(Oktober 1935)
Diese Leiter arbeiten zu wenig. Arbeiten heißt sich bilden. Sie wissen zuwenig von Deutschland. *Nachlaß-Nr. 11 a, S. 96*

(vor dem 25.10.1936)
Es ist sehr schade: die lustigen Herren, die den „jüdisch-deutschen" Geist ablehnen, haben nicht durchaus die Fähigkeit, einen rein deutschen „Geist" dafür einzusetzen wären sie doch dazu fähig! *Nachlaß-Nr. 52, S. 249 v*

(23.4.1937)
Und heut hätschelt man das durch und durch Mittelmäßige in der Kunst. (ibd., S. 332)

(Januar 1938)
Ihr vom heutigen Deutschland werdet bald für eure Romane keine Stoffe mehr finden. *Nachlaß-Nr. 262 A, S 40*

(4.2.1938)
Es gibt ja heut keine durchdenkende Zeitschrift und kaum einen solchen Kopf. (ibd., S. 49)

Es gibt keine öffentliche Stimme mehr. Nicht weil sie verboten ist, sondern weil sie nicht ist *(existiert)*: sonst müßten heut „Witzblätter" Menschenmassen darstellen, die sich vor die Maschinen werfen. (. . .) (ibd., S. 54)

Die Abschnürung Deutschlands vom europäisch-internationalen Geistesleben durch das nahezu lückenlose Überwachungssystem tadelte Hauptmann als „Autarkie", mit der „die berühmte kühne deutsche Geistigkeit verloren" sei (Nachlaß-Nr. 13, S. 37 v). Er mißbilligte, daß der NS einen viel zu engen Begriff des Völkisch-Nationalen praktizierte:

(7.12.1935)
Wir Deutschen sind immer noch stümperhaft, allzu stümperhaft, in der Vertretung unserer Art und Nation: wenn wir nicht Europa sind, so sind wir nichts. Wir werfen das Erreichte primanerhaft fort und ahnen nicht, wie wir uns entmachten. Man darf nichts wegwerfen, was errungen ist: alles ist Stufe. Stolpern im Nationalen führt zum Tode der Nation. Stolpert nicht zu viel! Die Tradition ist die Trägerin (. . .) Wurzeln abgraben führt zur Entwurzelung. Nur politisch sein ist nicht völkisch sein. Mein Wesen und das Wesen jedes Engländers ist grundvölkisch. *Nachlaß-Nr. 230, S. 48 v*

Einzig in der Plastik des Dritten Reiches glaubte er eine positive Tendenz erkennen zu können: „Die einzige Kunst, die heut in Deutschland einen großen Aufschwung zu haben scheint, ist die Bildhauerei (. . .)"

(Nachlaß-Nr. 235, S. 94 v). Er sah in ihr einen Ausdruck der „neuklassizistischen Bewegung", mit der er seine eigene „sich im verborgenen fortsetzende Geistigkeit" in Verbindung brachte. (18) Inwieweit sein Aufgreifen klassizistisch–antiker Stoffe (Winckelmann, Atridentetralogie) in Zusammenhang damit gesehen werden kann, muß hier offengelassen werden. Jedenfalls finden sich in den Aufzeichnungen schon früh Spuren seiner Überzeugung, daß sich mit dem italienischen und deutschen Faschismus eine Wiedergeburt des antiken Typus anbahne — eine neue Totalität des Menschen, durch die die Einseitigkeit des modernen Intellektualismus überwunden werde. Von einem Gespräch über die neue Generation heißt es Ende 1933 im Tagebuch:

Ich dachte an griechische Epheben und äußerte das. Reine Bildwerke, etwa des Praxiteles, schwebten mir vor, Einheit und Harmonie von Geist und Körper. Einfalt und hohe Form.
Dagegen fielen mir ein: die ekelhafte Seite des verkommenen letzten Journalismus (. . .). Die krebsartigen Wucherungen des Geistes, der sich mit solchen Geschwülsten für souverän und als Selbstzweck erklärte. *Nachlaß-Nr. 234, S. 17 v*

Solche Gedankengänge werfen auch Licht auf Äußerungen Hauptmanns während des Dritten Reiches, daß Deutschlands Berufung die eines „Neugriechenlands" sei. (19)

Sosehr Hauptmann auf der einen Seite die geistige Verarmung des kulturellen Lebens nach 1933 beklagte, registrierte er doch andrerseits mit einer gewissen Genugtuung die Zurücksetzung des herkömmlichen Universitätswesens, die sich aus dem Mißtrauen des NS–Regimes gegen die akademische Wissenschaft ergab: „Indem die Universitäten ihr autoritatives Moment verlieren, verliert es auch der deutsche Professor, Hegel und sein Diktat, dem Marx und Engels hörig gewesen sind (. . .)" (Nachlaß–Nr. 13, S. 22 v). Aus seiner Abneigung gegen den Akademikerstand hatte Hauptmann seit je keinen Hehl gemacht. Nun spottete er über die Anpassungsfähigkeit der deutschen Professoren. Dreihundert Hochschullehrer aller Fachrichtungen hatten sich am 3. März 1933 in einem Wahlaufruf für Hitler erklärt. Im Mai war ein weiteres Kollektivbekenntnis der Professorenschaft zur neuen Regierung erfolgt (20):

(Juni 1933)
Worum, o Gott, machen wir uns Sorgen.
Der Professor ist kraftvoll naiv.
Er weiß nicht, mit wem er gestern schlief,
und schläft gewiß mit der andren morgen.
Das ist das Würdelose der Zeit,
nein, das Würdelose der Ewigkeit,
Das ist das Würdelose der Ewigkeit,
daß der Professor das deutsche Geschick
nimmt und vergißt wie den Augenblick.

Nachlaß-Nr. 15, S. 132

Dieser Vorwurf der Gesinnungslosigkeit war allerdings merkwürdig schief. Zwar ließ sich die Hochschullehrerschaft im Frühjahr 1933 schnell und nahezu widerstandslos „gleichschalten", zwar gab es Fälle „beflissener Anbiederung an das Regime" (K.D. Erdmann), doch entbehrte dies alles ja nicht einer gewissen Konsequenz: die Hochschulen waren bereits vor 1933 in ihrer politischen Einstellung überwiegend konservativ–autoritär und nationalistisch, ein Teil ihrer Mitglieder auch schon nationalsozialistisch eingestellt. (21) Die dem ehemals monarchischen Beamtentum, einer „gestürzten Klasse" (Fr. Meinecke), entstammenden Akademiker standen meist in Opposition zur Republik, sie waren keine Konjunkturdemokraten gewesen. (22) Auch in bezug auf die angebliche Gleichgültigkeit der Professorenschaft gegenüber dem nationalen Schicksal trifft, historisch gesehen, eher das Gegenteil zu. Im 19. Jahrhundert waren die Universitäten, nicht immer ohne Gefahr, für die Einigung Deutschlands eingetreten. Die Bewegung von 1848 wurde wesentlich von Akademikern mitgetragen. Während des ersten Weltkrieges standen die deutschen Professoren an vorderster Front der Propaganda. Die damit verbundene Ideologisierung beeinflußte das politische Klima an den Universitäten noch während der Weimarer Republik derart, daß das Ressentiment sowohl über den Willen als die Fähigkeit zu vernünftiger politischer Meinungsbildung dominierte. (23)

Für Hauptmann verband sich jedoch nun einmal mit dem Begriff der zünftigen Wissenschaft die Verständnislosigkeit gegenüber dem Mythos und damit auch gegenüber der tieferen Bedeutung geschichtlicher Umwälzungen. Nach seiner Meinung schlugen der „Atavismus" und die „Fremdheit des heutigen Geschehens" den Geschichtsphilosophen bürgerlicher Aufklärung wie Hegel, Schelling, Ranke „ins Gesicht". (24) Wenngleich

Hauptmann damit zwar die Abdankung der traditionellen Wissenschaft im neuen Staat unterstrich, so redete er doch nicht dem irrationalistischen Ansatz einer auf die neue Weltanschauung verpflichteten Wissenschaft das Wort. Über Vertreter einer völkisch orientierten Germanistik hatte er schon vor 1933 sein Urteil gefällt:

(nach dem 10.10.1930)
Wie gründlich und bescheiden waren diese Eichhorns* und wie windig sind unsere Literaturgeschichtspanscher (Koch** *(und)* jener Weimaraner (. . .) Bartels.). — Sie schämen sich nicht einmal — in der Stadt, wo Wieland Ciceros Briefe schrieb und seine Vorrede. *Nachlaß-Nr. 7, S. 256*

Aus diesem Urteil spricht freilich kaum eine Einsicht in die fatale Ideologisierung der völkischen Literaturkritik. Wesentlich deutlicher dagegen hatte Hauptmann schon früher seinen Abscheu vor der literarischen Rassenhetze in den Schriften des Adolf Bartels artikuliert:

(25.7.1922)
Die ungeheure Roheit, die von sich selbst nichts weiß, wie sie z.B. der „Christ" Bartels den Juden gegenüber an den Tag legt, indem er jedem Tropfen jüdischen Blutes, den er irgendwie feststellen kann, nachhetzt, um ihn festzustellen, unte(r) seinem Finger zu vernichten. *Nachlaß-Nr. 26, S. 1*

Nicht über den Antisemitismus, sondern die Überheblichkeit von Bartels äußerte Hauptmann sich noch einmal 1936: „Viele ‚kritische‘ Naturen, Professoren nach Art hochmütiger Dümmlinge, wie es Bartels war*(!)*, stören die Kunst" (Nachlaß-Nr. 52, S. 335). Er hatte bereits sehr früh Bekanntschaft mit dem völkischen Literaturkritiker gemacht: war Bartels doch als erster 1897 mit einer Hauptmann—Monographie hervorgetreten, in der die „pathologische ‚Gespenster‘-Dramatik" des „Friedensfestes" und die „rettungslose Dekadence" im Drama „Einsame Menschen" kritisiert wurde. (25) Hauptmann notierte sich über den Verfasser ins Tagebuch: „Adolf Bartels, ein Sperling, der sich auf meinen Nacken gesetzt hat. Nehm' er sich in Obacht vor dem Falken". (26) Darüberhinaus

---

* Eichhorn, Johann Gottfried, Orientalist und Historiker (1752–1827).
** Koch, Franz, österr. Literarhistoriker (1888-1969), von 1935–45 in Berlin.

verband beide ein kurioser Umstand: sie hatten dasselbe Geburtsdatum, den 15.11.1862. So stand Hauptmann nach 1933 jedesmal im Schatten des gefeierten NS—Germanisten, wenn ein Geburtstagsjubiläum in den Zeitungsfeuilletons zu begehen war.

Mehr als den Geisteswissenschaften hat Hauptmann jedoch in den dreißiger Jahren einer naturwissenschaftlichen Disziplin Aufmerksamkeit entgegengebracht: der Vererbungs— und Rassenforschung. Hier ging Hauptmann auch am deutlichsten die Problematik einer Wissenschaft auf, die sich einer inhumanen, totalitären Weltanschauung zur Verfügung stellte. Sein Interesse an der Vererbungsforschung datierte aus seiner Frühzeit, als er mit dem späteren Sozialdarwinisten und Rassenhygieniker Alfred Ploetz befreundet war. In einer Betrachtung über sein Erstlingsdrama „Vor Sonnenaufgang" (ursprünglicher Titel: „Der Säemann") schlug Hauptmann selbst die Verbindung von dem damals herrschenden Geist des materialistischen Determinismus zur Rassenanthropologie des NS:

Wenn diese Person *(sc. Alfred Loth)* ein Urbild *(= Alfred Ploetz)* hat, so würde vielleicht heute, wo ich dies niederschreibe, im 1937. Jahr, jemand, der ihm nachforschte, finden, daß eine ähnliche Saat wie die meines Säemanns wirklich aufgegangen ist. *Nachlaß-Nr. 391, Fasz. a, S. 4*

Zwar wandte sich Hauptmann in diesen Jahren des öfteren gegen die nationalsozialistische Rassenpolitik: „Fort mit der Wirtschaft artlicher Spießer" — „Die Bullenzüchter von heut sind nicht als Anwärter des ‚Übermenschen' gemeint! Gott ist Geist" — „Die Rassengesetze. (...) Die platte Rinder—, Pferde—, Hunde—, Menschenzüchterei". (27) Seine Ablehnung der NS—Rassenideologie war jedoch genaugenommen nur eine Wiederholung seiner früheren idealistischen Kritik am materialistischen Monismus. Dies zeigt sich in einer kurz nach dem Erlaß der „Nürnberger Gesetze"* festgehaltenen Betrachtung zur NS—Rassenkunde, die er mit dem Positivismus des 19. Jahrhunderts, etwa der ihm bekannten Forel-schen Psychiatrie, verglich:

---

* Am 15.9.1935 wurde das „Gesetz zum Schutz des deutschen Blutes und der deutschen Ehre" erlassen, das Ehen mit Juden verbot.

282

(5.10.1935)
Einiges zum heutigen neuen Glauben, Rasse und Vererbung betreffend.
Er ist materialistisch. Er hat seine wissenschaftlichen Grundlagen erhalten aus dem Studium der Tierheit und der Pflanze. Die Forschungen sind im vollen Gange und ihr Abschluß vorläufig unsichtlich. Die hauptsächlichsten Dienste dabei leistet der Beobachtung nicht das Makroskop des Geistes, sondern die Linse des Mikroskops. Und dieses (. . .) sieht nur Zellen oder Mikroben, aber niemals den Menschen.
Die Rassenforschung ergänzt sich nach dieser Richtung hin unter anderem durch das Irrenhaus. Viele Beobachtungen mit freiem Auge (. . .) werden dort gesammelt. (. . .) Die Psychiatrie ist aus verschiedenen Ursachen heute noch keine vollwertige Wissenschaft. Sie (. . .) verlangt (. . .) den ganzen Menschen als Forscher (. . .).
In Wissenschaft, Philosophie, Kunst und Religion ist Täter allein der Geist. Es kann Krüppel geben, die der Menschheit hohe Dichtungen, höchste musikalische Emanationen (. . .) schenken (. . .). *Nachlaß-Nr. 230, S. 44 f.*

Hauptmann behandelte diese Frage sozusagen rein akademisch. Dabei übersah er den prinzipiellen Unterschied zwischen einem wertfrei operierenden Positivismus und einer sich normativ gebenden Rassenlehre, die im Mißbrauch scheinbarer Wissenschaftlichkeit von „höheren" und „niederen" menschlichen Rassen ausging. Hauptmann erkannte nicht das spezifisch Neue der NS–Rassenpolitik: die Umsetzung der von der früheren Forschung bereitgestellten biologischen und eugenischen Erkenntnisse in eine Praxis, die sich an einem regressiven anthropologischen Typus orientierte und mit den Machtmitteln und der Willkür des totalitären Staats betrieben wurde. (28) Schon bei der Lektüre des Kapitels „Völkischer Staat und Lebenshygiene" in „Mein Kampf" hatte Hauptmann die politische Gefahr dieses barbarischen Manipulationswillens unterschätzt, ebenso wie er den letzten Ernst des NS–Judenprogramms nicht wahrhaben wollte.

XIX DIE POLITISCHE ENTWICKLUNG NACH 1933

1. Hindenburgs Tod

Als Hindenburg am 2.8.1934 starb, wurde die letzte Verbindung zur Weimarer Verfassung zerrissen. Tags darauf ernannte sich Hitler als „Führer und Reichskanzler" selbst zum Oberhaupt des Reiches und ließ die Reichswehr auf seine Person vereidigen. Wie wenig der greise Reichspräsident zuletzt noch Einfluß auf das politische Geschehen besaß, hatte sich im Sommer 1934 gezeigt, als er zusammen mit dem Vizekanzler Franz Papen Hitler zu seinem Vorgehen in der Röhm—Affäre gratulierte.

Hauptmann, für den Hindenburg längst eine verklärte Figur geworden war, empfand den Tod Hindenburgs als weltgeschichtlichen Augenblick. Im Tagebuch stimmte er einen Hymnus an, der noch am selben Tag — telefonisch in geringfügig abgeänderter Form durchgegeben — als monumentaler „Grabspruch für Hindenburg" im „Berliner Tageblatt" erschien:

> Soeben um 9 Uhr, verschied Reichspräsident von Hindenburg. Über Deutschland liegt eine atemlose Stille. Die Weltuhr tickt vernehmlich (. . .)
> Ein mächtiger Felsen, der die Burg auf hohem Berge unbeweglich, naturhaft unterbaute, ist zur Tiefe gerollt. (. . .) Herbei, ihr tätigen Hände, ihr Werkleute! Schweigend tut euer heiligstes Werk: stützt, schweißt zusammen, untermauert den Grund (. . .).
> In diesem Manne war Gott. Mit diesem Gefäß hatten die ewigen Mächte das deutsche Schicksal vereint. Diese mächtige, schweigsame Säule stand und trug, trug und stand über das Ende des Krieges hinaus, und darum war äußrer Niederbruch kein innrer Niederbruch. (. . .) Erkenne dich ganz in ihr, deutsches Volk, das sie heut überlebt! Nimm ein Beispiel an ihr und wie sie beinah durch ein Jahrhundert nicht wich, treu, fest in granitner Natur und Pflicht: so stehe du aufrecht durch die Jahrtausende! (CA XI, 1136 f.)

Daß dieser „mächtige Felsen" sich in den letzten Jahren nicht mehr als tragfest erwiesen hatte, wußte Hauptmann eigentlich besser, als es der Grabspruch vermuten ließ. 1929 notierte er über ein Gespräch mit dem Prinzen Joachim Albrecht:

> (26.4.1929)
> Hindenburg war 1 1/2 Stunde beim Kronprinzen: dieser gewann den Eindruck, daß der Reichspräsident keine Ahnung habe von dem, was um ihn her in der Regierung vorgeht. *Nachlaß-Nr. 122, S. 27*

Nachdem Hindenburg Ende Januar 1933 Hitler mit der Regierungsbildung beauftragt hatte, erinnerte sich Hauptmann an seine düstere Prognose vor der Wahl Hindenburgs von 1925:

(19.2.1933)
Der alte Hindenburg ist zu bedauern. Sein Schicksal, wie es sich jetzt bitter abrundet, habe ich vor acht Jahren in die Feder diktiert. Oft seitdem habe ich mein Vorausdenken als voreilig kritisiert. Nun setzt es sich wiederum durch. *(Nachsatz: oder nicht?) Nachlaß-Nr. 234. S. 246*

Aus der „Vossischen Zeitung" vom 21.3.1933 schnitt er sich einen Artikel über einen offenen Brief des Sohnes von Friedrich Ebert an Hindenburg heraus. Ebert jun. fragte Hindenburg, weshalb er „nichts zur Ehrenrettung seines Vaters tue und warum auch seine verstorbenen Mitarbeiter Stresemann und Hermann Müller schutzlos geblieben seien, vor denen Hindenburg in Ehrfurcht sein greises Haupt geneigt habe". (1)
Das Schweigen, das Hauptmann ein Jahr später an Hindenburg so rühmte („schweigsame Säule"), war ihm im Sommer 1933 Anlaß beunruhigten Fragens gewesen:

(nach dem 9.9.1933)
Hindenburg ist von Göring ein neues Gut von 4 000 Morgen geschenkt worden.

H*(ochverehrter)* Herr Staatspräsident – (...) Sie sind so vielfach im In- und Ausland in schmachvoller Weise angegriffen worden, daß ich Ihr Schweigen nicht begreife. Ich bitte Sie, zu reden – im Interesse unsres geliebten, uralten leidenden deutschen Vaterlandes. Ich bitte Sie, die gemeinen und niederträchtigen Anschuldigungen persönlich zu entkräften, die gegen Sie gerichtet sind.* *Nachlaß-Nr. 15, S. 142,155*

Doch all dies hinderte ihn beim Abtreten dieser mythischen Gestalt nicht, in feierlicher Ergriffenheit alle Bedenklichkeiten beiseite zu schieben. Der Nachruf im Tagebuch schließt:

Keine kleinliche Splitterrichterei berühre mir diesen Mann, der dem Deutschtum wie keiner bewiesen hat, daß es ist: hier steh' ich, ich kann nicht anders, in Ewigkeit, Amen! *Nachlaß-Nr. 230, S. 22 v*

---

* Bei der Übertragung des Hindenburg von der Industrie geschenkten Guts Neudeck war es im Hause Hindenburg zu einer skandalösen Steuerhinterziehung gekommen.(2)

In der Exilzeitschrift „Neue Deutsche Blätter" spottete man, Hauptmann habe sich bei der Abfassung dieses Nekrologs „von einer zweifellos im ‚BDM' (Bund Deutscher Mädel) organisierten Trauermuse küssen" lassen; „auch in dem Gefäß Gerhart Hauptmann wohnt ein Gott: der Gott Konjunktur". (3) Wohl auch aus dem Gefühl einer gewissen Wahlverwandtschaft mit diesem ‚bis zur Erschöpfung loyalen' Repräsentanten hat sich Hauptmann zu dieser vorbehaltlosen Zustimmung hinreißen lassen. Das pflichtgemäße Ausharren Hindenburgs in einer vorgeschriebenen Rolle mochte ihn an seine eigene Situation erinnern. Sehr treffend hat ja Klaus Mann 1933 Hauptmann den „Hindenburg der deutschen Literatur" genannt (3a).

Die Emphase, mit der Hauptmann diesen Verlust für das Reich beklagte, enthielt eigentlich das Eingeständnis, daß er in die neuen Herren weniger Vertrauen setzte. Aber dieser Grabspruch ist doch wohl zu naiv—feierlich, um als Dokument eines verhüllten ‚Widerstandes' gelten zu können. Er dürfte vielmehr ein Zeugnis für Hauptmanns zunehmend verklärte Sicht der wilhelminischen Zeit sein.

2. „Achse Berlin—Rom" und Aufrüstung

Den Winter 1934/35 verbrachte Hauptmann wie gewohnt in Italien. Dort befand sich der Faschismus in der Phase imperialistischer Expansion: nach der innenpolitischen Konsolidierung wollte Mussolini nun außenpolitische Erfolge erringen. Mit dem Griff nach Äthiopien suchte er den alten Traum der italienischen Nationalisten von einem Kolonialreich zu verwirklichen. — Hauptmann empfand die Erregung der Kriegsvorbereitung:

(nach dem 9.2.1935)
Jetzt, wo die Italiener hier wiederum an Abessinien denken (Mobilisierung von einer Million Mann) und mich Abenteuerlust anspringt: begreife ich zum ersten Male, daß der echte Soldat parteilos sein kann: den das Abenteuer lockt. Ich habe nichts gegen die Abessinier, sie mögen leben! Auch nichts gegen die Italiener, die ich innig liebe als Volk, und alles nur für das Abenteuer! — Auf das Abenteuer läuft im Grunde alles hinaus. — Das Leben ist Leben nur als Abenteuer.
Die jämmerliche Sekundanerhaftigkeit der Gegenwart (. . .). Sie sucht nicht den großen feuerwerkhaften Untergang, sondern die Pfründe! *Nachlaß-Nr. 52, S. 34 f.*

Kurz vor dem italienischen Überfall auf Abessinien äußerte Hauptmann: „Tiefer begreifen können, wie Mussolinis Fiasko durchaus nicht zu
wünschen! Er ist Protestant" (Nachlaß–Nr. 7, S. 352). Nicht etwa wegen
seiner Vatikan–Politik war Mussolini für ihn „Protestant", sondern weil er
in ihm die Verkörperung ideellen nationalen Antriebs erblickte. Diese
Begeisterung über den ‚heroischen' Elan des italienischen Faschismus
verweist auf den Augenblick, in dem Hauptmanns politisch–patriotisches
Gefühl aufgebrochen war: 1914. Gefühlsaufschwung, Opferbereitschaft
und Einigkeitsgefühl des deutschen Volkes beim Ausbruch des 1.
Weltkrieges blieben für Hauptmann späterhin das Ideal nationalen Lebens.
Daran gemessen mußten Phasen politischer Normalisierung den Charakter
des Langweilig–Platten annehmen. Häufig gingen Zeitklagen Hauptmanns
in diese Richtung:

(Mitte 1930)
Heut ist Deutschland eine einzige Schlappheit – eine Schlaffheit! - eine Lächerlichkeit. *Nachlaß-Nr. 7, S. 205*

Ende August in einer erregungslosen Zeit 1937. *Nachlaß-Nr. 52, S. 102 v*

(28.2.1940)
Werden wir in Deutschland an der fürchterlichen Langeweile sterben? Selbst der
furchtbare Krieg ist heut langweilig. *Nachlaß-Nr. 235, S. 60*

Nur im affektiven Erlebnis fand Hauptmann Möglichkeiten der
Identifizierung mit Vorgängen des öffentlich–staatlichen Lebens. Die
Wertschätzung der Affekte ist ein Ingredienz der Melancholie–Neigung.
Erlebnisdrang deutet auch im politischen Bereich auf eine „im tiefsten
passive, intransitive Haltung" (R. Smend) hin. (4) Hauptmanns politisches
‚Sensationsbedürfnis' entsprang der Grundstimmung apathischer Resignation. Über diese melancholische Attitüde hinaus war Hauptmann in seinem
politischen Verhalten von einem Charakterzug des deutschen Mittelstan-
des vor 1914 geprägt: dem „Verlangen nach Aufgehen des eigenen Selbst
in einer überwältigenden Machtfülle und damit auch einer Teilhaberschaft
an deren Stärke und Glorie" (E. Fromm), die die eigene Ohnmacht
vergessen ließ. (5) Diese Unterwerfung unter die Macht war zugleich
lustvoll, weil sie die Chance der Entlastung bot, d.h. „sich selbst ohne
schlechtes Gewissen den Forderungen der Politik entziehen zu könne" (H.
Grebing). (6) In diesem Zusammenhang wird auch verständlich, wie

Hauptmann sich von der späteren Machtentfaltung des deutschen und italienischen Imperialismus so widerstandslos und rauschhaft überwältigen ließ.

Die in Italien als abenteuerhaft erlebte politische Dynamik vermißte Hauptmann zunächst in Deutschland. Hitler galt vor der Machtergreifung lange Zeit als Schüler, ja Imitator des Duce. Noch Anfang 1934 hatte Hauptmann den Eindruck einer entschiedenen Schwäche der politischen Führung in Deutschland:

Deutschland, ich fürchte, heut Zustand nach Dreißigjährigem *(Krieg)* trotz Übervölkerung. Leitungslosigkeit – trotz Führer. *Nachlaß-Nr. 15, S. 213*

Die bis zur Röhm–Affäre ungeklärten Machtverhältnisse, der Terror und die Drohungen der SA, die mit der Reichswehr konkurrierte, erzeugten in der Öffentlichkeit ein „eigenartiges Gefühl der Lähmung und Niedergeschlagenheit" (J.C. Fest). (7) Doch schon Ende 1934 – Hitler war inzwischen zum Oberhaupt des Reiches und Oberbefehlshaber der Wehrmacht avanciert – konnte Hauptmann anders urteilen:

(6.11.1934)
M(ussolinis) wildrasende Raserei der Eitelkeit.
Es geht alles auf Krieg: es ist und wird werden ein Zweikampf zwischen M(ussolini) und H(itler). *Nachlaß-Nr. 52, S. 9 v*

Hitler begann nun seine Politik der Stärke. Am 16.3.1935 wurde in Deutschland wieder die allgemeine Wehrpflicht eingeführt. Ein Jahr später – am 7.3.1936 – ließ Hitler das entmilitarisierte Rheinland entgegen dem Vertrag von Locarno besetzen. Das riskante Unternehmen gelang, Frankreich und die Garantiemächte beließen es bei Protesten. – Hauptmann verkündete öffentlich seine Zustimmung zu diesem Schritt Hitlers – anläßlich der für den 29.3.1936 angesetzten Reichstagswahlen. Er übermittelte aus Rapallo dem „Berliner Tageblatt" telefonisch eine kurze Stellungnahme des Inhalts, daß er sich „in diesem weltgeschichtlichen Augenblick mit dem geschlossenen Willen von Führer und Volk durchaus einig fühle" (CA XI, 1145). Auch diese Erklärung läßt sich als Reaktion auf eine von anderer Seite an ihn ergangene Aufforderung verstehen. Am 20.3.1936 verschickte die „Deutsche Akademie der Dichtung" den Entwurf eines Aufrufs an ihre Mitglieder, in dem es heißt: „In dieser geschichtlichen Stunde ist es den deutschen Dichtern selbstverständliche Pflicht, sich rückhaltlos zu Adolf Hitler zu bekennen! Der 29. März wird der Welt beweisen, daß das geistige Deutschland unbeirrbar zu *Führer*, *Volk* und Partei steht" (kursiv gesetzt vom Verf.). Von daher hat Hauptmann wohl die Formel „Führer und Volk" übernommen. Binding und Grimm hatten immerhin mit philologischem Scharfblick die „Unsinnigkeit" gerügt, „sich zum Volk zu bekennen", da sie selbst „Teil des Volkes" seien (8).

Hauptmann bekundete außerdem seine Freude über den außenpolitischen Erfolg Hitlers durch Distichen auf den „Führer":

(24.3.1936)
⟨Was der Führer verfügt, war rechtens in jedem Betrachte.
Denn wo wäre ein Volk Herr nicht im eigenen Haus?
Was der Führer verfügt', es vernarbte die brennende Wunde,
die am Körper des Reichs, immer noch offen, gezehrt.
Was der Führer verfügte, war besonnene Tat, ihm dankt es gewißlich der Deutsche:
(...) was der Führer besonnenen Schritts und mit markiger Rechter durchgeführt.
Darum freuen wir uns des besonnenen Willens, der, markig,
mit dem Willen des Volkes so sich zur Einheit verband.⟩
Nachlaß-Nr. 23, S. 53

Hauptmann hat diese Entwurfsnotizen durchgestrichen und darüber geschrieben: „Blödsinn, vom Untertan aus gesehen", sowie: „Mitgehen ist nicht mitsehen". Er schränkte also selbst seine emotionelle Zustimmung mit dem Hinweis auf das Unvermögen ein, aus der Untertanenperspektive die Richtigkeit von Beschlüssen und ihre politische Verantwortlichkeit beurteilen zu können. Diese Einsicht müsse dem Mächtigen selbst überlassen bleiben:

(Ende 1938)
Die am schwersten in ihren zwingenden Bedingungen und ihren umrissenen Aufgaben von den Beherrschten zu Verstehenden, zu Begreifenden und gerecht zu Beurteilenden sind die Herrschenden: die vom Schicksal plötzlich (. . .) Berufenen. (. . .) Sie können falsch disponieren oder richtig (. . .). Darüber hinaus, nämlich als daß sie ev(entuell) falsch disponiert haben, ist ihnen kein Vorwurf zu machen.
Nachlaß-Nr. 13, S. 74 v

Überhaupt begann Hauptmann die Macht zu dämonisieren, sie — und dies war ein Vermächtnis des deutschen Idealismus (9) — als tragisches Phänomen aufzufassen. Für ihn bestand die Tragik der Macht in ihrer Einsamkeit, ‚jenseits von Gut und Böse', und der Dialektik von Herrschaft und Knechtschaft, von absoluter Willkür und zugleich Unfreiheit:

(nach dem 6.8.1935)
Übernahme der Macht stellt heimliche Bedingungen, die d e r meist nicht ahnt, der
die Macht gewinnt: sie trennt ab vom gewöhnlichen Leben und stellt auf eine andre
Ebene schicksalsmäßiger Verküpfung. Sie spannt ein mit ganz neuen Spannungen
und Gefahren, zwingt zum Handeln in Form eines verschärften Kampfes überall um
Leben und Tod! Sie scheint zu befreien, nimmt aber in Wahrheit gefangen, und
knechtet ihren scheinbaren Besieger weit mehr als irgend jemand der von der
Machtausübung betroffenen Masse. *Nachlaß-Nr. 182, S. 60 f.*

Dieses Bild schicksalhafter Einsamkeit entsprach auch dem Selbstverständnis des ‚Führers'. Als im September 1937 Mussolini zur Bekräfti-
gung der „Achse Berlin–Rom" eine triumphale Deutschland–Reise
absolvierte, apostrophierte Hitler in einer Ansprache zur „Völkerkundge-
bung der 115 Millionen" auf dem Tempelhofer Feld in Berlin Mussolini
und zugleich sich selbst in diesem Sinne: „Was uns alle in diesem
Augenblick zuerst bewegt, ist die große Freude, in unserer Mitte als Gast
einen jener einsamen Männer der Zeiten zu wissen, an denen sich nicht die
Geschichte erprobt, sondern die selbst Geschichte machen!" (10) In
Hauptmanns Aufzeichnungen findet sich ein Nachklang dieses Hitlerwor-
tes von „jenen einsamen Männern der Zeiten". Er hatte offenbar die
grandios inszenierte Zusammenkunft von ‚Führer' und ‚Duce' in einer
Filmwochenschau gesehen:

(13.10.1937)
Im Film die Mussolini-Tage. – (...) die Massen schienen (...) durchweg
organisiert. Aber der Eindruck der beiden Führer des Antibolschewismus war
einfach, untheatralisch und gewissermaßen machtvoll und schwer.
Man lernt daraus, und das Persönliche fordert immer Achtung: ja mehr als das. –
Auf preußischem Boden die Erneuerung preußischer Gedanken, die auch M(ussolini) übernommen hat.*
Und das Wort Hitlers von dem großen Einsamen hat mich, im Sinne Hitlers, tiefst
berührt. *Nachlaß-Nr. 262 A, S. 7 v*

Noch befand sich Hitler im Schatten Mussolinis, der vor seinem Volk
und der Weltöffentlichkeit als Sieger dastand, nachdem der Völkerbund
die Sanktionen gegen Italien trotz der Annexion Abessiniens aufgehoben
hatte. „Allgemeine Freude über die Initiative Mussolinis" hatte Hauptmann 1935 konstatiert und in diesem Kolonialfeldzug das „Drama, das

* Symbolisch dafür: die Einführung des „passo romano" nach dem Vorbild des
preußischen Paradeschritts.

ewige Drama", „Bewegung und Leben" entdeckt (Nachlaß-Nr. 52, S. 158). Der 1936 ausgebrochene spanische Bürgerkrieg hingegen löste in ihm keine erkennbare Parteinahme aus: „Dieser verfluchte spanische Unsinn hinter den Pyrenäen wird wiederum ganz Europa entzünden und nur die Bauern werden bleiben, in ihrer baumhaften Verwurzelung und Bodenstandskraft (...)" (ibd., S. 337 v). Auf die deutsche Intervention in Spanien zugunsten der Franco-Truppen scheint die folgende Bemerkung Hauptmanns zu zielen:

(18.3.1937)
Uns Deutschen: Für große Politik fehlt uns das Klavier. Der sog. Weltkrieg hat es uns einmal geliefert, aber wir haben es in der Tat nicht zu spielen vermocht, der weltgeschichtliche Augenblick ist zunächst einmal vorüber: trotz aller begeisterten jungen Kräfte. *Nachlaß-Nr. 117, S. 47*

Das Instrumentarium für die „große Politik" wollte Hitler sich durch den Ende 1936 proklamierten Vierjahresplan schaffen, der einer forcierten Aufrüstung dienen sollte – insbesondere durch den Aufbau einer großen Rohstoffindustrie. Die Umbildung des alten 100 000–Mann–Heeres zu einer Millionenarmee erinnerte Hauptmann an das verhängnisvolle Wettrüsten vor 1914:

(Ende August 1937)

Ich glaube, ich könnte allerlei sinnieren –
aber es ist vorbei:
wieder fängt es an mit Offizieren
und Kriegsgeschrei:
ein ewiges Einerlei.
Wir wollen es nicht verzieren.
(CA XI, 704)

Hauptmann erblickte in der Aufrüstung zudem das Menetekel des heraufziehenden Maschinenzeitalters. Er teilte das Unbehagen völkischkonservativer Geister an der technisch-industriellen Entwicklung und machte sie für die moderne Kulturkrise mitverantwortlich. In zahllosen Aufzeichnungen geißelte er die ,Errungenschaften' der technischen Zivilisation und steigerte sich in eine regressive Fortschrittsfeindlichkeit: „Auf ein Rückbildungsmoment kommt alles an. Die blödsinnigen Motoren müssen verschwinden – und nur der außermechanische, persönliche Betrieb muß wiederhergestellt werden (...)" (Nachlaß–Nr. 13, S. 79).

Das technische Zeitalter machte auch der romantischen Auffassung vom Krieg ein Ende. Der in den Materialschlachten des 1. Weltkrieges bereits fragwürdig gewordene Heroismus des einzelnen hatte nicht mehr Platz in einem total durchtechnisierten Militärapparat. So empfand Hauptmann einen Widerspruch zwischen dem vom NS proklamierten Heroismus und dem Gegenwartssignum der Mechanisierung:

Heut sind die maschinellen Kriegsköpfe ausschlaggebend.*Nachlaß-Nr. 13, S. 30 v*
Der Maschinenkrieg.
Hirnlose Menschen, die Ingenieure anstellen, die Maschinen bedienen. Ingenieure und alle, welche Maschinen „bedienen", sind für den Krieg gleichgiltige Ameisen. (ibd., S. 105 v)
(...) der heutige Schlachtenmut (...): er läuft auf Fatalismus, auf reine Passivität hinaus (...) der Held von heut, in seinem ungeheuer überlegenen passiven Mut, ist und bleibt ⟨wie er auch sei, eine maschinelle Null⟩. *(Späterer Zusatz, vermutlich nach Kriegsausbruch: Nein, Nein, Nein!) Nachlaß-Nr. 133, S. 42 v*

Den „überall durchdringenden Heroismus" empfand Hauptmann als etwas Fremdes. Die Empfindung dafür sei verloren gegangen. Was in dieser Beziehung aufzubauen wäre, käme nur „potsdamisch", also militärisch in Betracht. In diesem Punkt stand Hauptmann, dessen Werk ja mit der Leidensverfallenheit seiner Gestalten weitgehend durch Absenz des heroischen Menschen gekennzeichnet ist, diametral zum herrschenden Zeitgeist. Diesem setzte er einen verinnerlichten Begriff von Heroismus entgegen: „Das Größengefühl des Menschen noch bei J(ean) Paul ist eine Selbstverständlichkeit. Die Reste davon schlägt man in Deutschland augenblicklich tot, indem man dem Individuum sein Lebensrecht abstreitet. (...) Heroismus ist eine Einzelangelegenheit" (Nachlaß–Nr. 13, S. 12 v f.). In diesem Festhalten am bürgerlichen Individualismus artikulierte sich ansatzweise ein Widerspruch gegen den totalitären Anspruch des NS–Staates, der mit der Parole „Für Führer, Volk und Vaterland" die Selbstaufgabe zugunsten des Kollektivs forderte.

3. Der Anschluß Österreichs und der Sudetendeutschen

Das Prinzip der nationalen Selbstbestimmung, das der amerikanische Präsident Wilson für die Herstellung einer dauerhaften Friedensordnung proklamiert hatte, war den Deutschen von der Pariser Friedenskonferenz 1919 vorenthalten worden. So durften die Deutsch–Österreicher nicht über einen Anschluß an das Deutsche Reich selbst entscheiden. – Der Forderung „Heim ins Reich" hatte Hauptmann schon 1920 öffentlich seine Stimme geliehen:

> Der weltgeschichtliche Augenblick ist da, wo die Einigung des widernatürlich so lange Getrennten endlich erfolgen muß: Selbst nach dem Grundsatz unserer äußeren Gegner, die aber geneigt sind, ihn zu verraten. Auch sie jedoch könnten im schlimmsten Falle unsere Vereinigung, die innerlich längst besteht, nur verzögern, nicht aufhalten. (CA XI, 949)

1922, im Jubiläumsjahr seines 60. Geburtstages, erlebte Hauptmann in Reichenberg, Gablonz und Prag die begeisterte Zustimmung des ansässigen Deutschtums zu ihm als dem Repräsentanten des geistigen Deutschland. Diese tiefe Verbundenheit der deutschen Minderheiten mit dem Mutterland war für Hauptmann ein nationales ,Urerlebnis': „So muß ich notwendigerweise zu einer Art Akkumulator der Nöte, Hoffnungen, Wünsche der Menschheit und insbesondere des deutschen Volkes werden, gleichsam geladen von seiner leidenden, hoffenden (...) Kraft" (Nachlaß–Nr. 234, S. 59). Auf einer Reise nach Graz 1929 überfiel ihn blitzartig die Empfindung der landsmannschaftlichen Verwandtheit von Teilen Schlesiens mit der Steiermark: „Ich werde fortan ein irrationales Heimweh nach dieser Steiermark und diesem Graz mit mir tragen (...) wie einen Besitz, dessen problematische Wesensart mich tiefer als bisher in das Wesen des Deutschtums hinabführen kann" (CA VI, 808).

Als die Nationalsozialisten, auf deren Programm von Anfang an der Anschluß Österreichs stand, an die Macht kamen, lebten die Hoffnungen der Grenzlanddeutschen auf. Hauptmann fühlte mit ihnen:

(9.12.1933)
Es ist eine der schwersten Situationen, den inneren und äußeren Anforderungen verschiedener Schicksale gewachsen zu sein. Das leidende Deutschtum in Österreich und sein tiefes Gefühl (...)
Es gibt Deutschtum, das in ewigem Kampfe steht wie das Judentum. Die deutschen Minderheiten der Fremde meine ich. Unter anderm auch die Grenzlanddeutschen in Graz. Aus dem tiefen qualvollen Ringen um sein Selbst ist wohl doch die augenblickliche nationale Überflutung im Reich hervorgegangen. *Nachlaß-Nr. 230, S. 11 v*

Hauptmann sah sich wieder in der Rolle des „Akkumulators" dieser Nöte und Hoffnungen, denn eine „Stimme aus Graz" (ibd.) offenbarte sich ihm: „Ein gequältes Herz spricht aus tiefster Qual zu Ihnen. Unterrichten Sie die Brüder im Reich und besonders den, an den wir anschauend denken." Hauptmann merkte dazu an:

Das ist tiefste Messias-Sehnsucht und erschließt den Ernst der Verehrung H(itlers). Die seelischen Abgrundsbrunnen einer Bewegung tun sich auf, die so viele für Willkür und Spielerei halten. (ibd., S. 12)

1938 hielt Hitler die Situation für gekommen, die österreichische Frage zu lösen. Mussolini, der noch 1934 Hitler drohend davon abgehalten hatte, zugunsten des nationalsozialistischen Putschversuches in Österreich einzugreifen, war durch die „Achse" gebunden. England zeigte 1937 keine Bereitschaft zu einer Garantieerklärung für die Integrität Österreichs. Hitler setzte den österreichischen Bundeskanzler Schuschnigg unter Druck, eine Amnestie für die 1934 verurteilten österreichischen Nationalsozialisten zu erlassen und ihnen stärkeren Einfluß in der Regierung einzuräumen. Er hoffte, daß dadurch die Nationalsozialisten ähnlich wie 1933 in Deutschland an die Macht gelangen würden.

Hauptmann begrüßte zwar in seiner großdeutschen Einstellung die Vorgänge, empfand es jedoch offenbar als störend, daß die Entwicklung nicht nur „elementar" verlief, sondern daß ihr machtpolitisch von Berlin aus nachgeholfen wurde:

(21.2.1938)
Das Impero von England anerkannt. Kundgebungen der befreiten Nationalsozialisten in Österreich.
Ich denke, man muß dem grade und gerecht aufschießenden Zuge der Sache recht geben: Begeisterung und Zustimmung gelten diesem Elementaren, nicht aller seiner individuellen Gestaltung. *Nachlaß-Nr. 262 A, S. 57*

Trotz der Ablösung des österreichischen Bundeskanzler Schuschnigg durch den Nationalsozialisten Seiß—Inquart ließ Hitler deutsche Truppen in Österreich einmarschieren. Die nationale Begeisterung in Deutschland und Österreich bewog Hitler, statt einer ursprünglich vorgesehenen lockeren Union gleich den völligen Anschluß Österreichs herzustellen. Am 10.4.1938 fand in beiden Ländern eine Volksabstimmung statt, die den Anschluß mit 99,7 Prozent Ja—Stimmen billigte. Auch jetzt äußerte Hauptmann wieder öffentlich seine Zustimmung. Das „Berliner Tageblatt"

bat um ein „kurzes Leitwort". (11) Hauptmann brauchte nur zu wieder-
holen, was er 1920 über die „Vereinigung, die längst besteht", geäußert
hatte: „Es war ein Sohn Deutsch–Österreichs, dessen eisernen Willen die
Mächte hinter den Sternen ausersahen, um ihr längst gefallenes Verdikt
über Nacht zu verwirklichen" (CA XI, 1158 f.). Seine Begeisterung über
den Anschluß schien keine Grenzen zu kennen. Gottfried Bermann
Fischer, der beim Einmarsch der deutschen Truppen aus Wien nach Italien
flüchtete, berichtet von einer Begegnung mit Gerhart Hauptmann im
„Excelsior" in Rapallo (12):

> Wir eilten auf ihn zu, er aber strahlend, beide Arme erhoben, rief uns entgegen:
> „Der Traum von Heinrich Heine ist in Erfüllung gegangen" . . . In seinem
> patriotischen Hochgefühl war ihm wohl nicht bewußt, woher wir gerade mit Mühe
> und Not entkommen waren. Aber wie kam er nur auf die vertrackte Idee, gerade in
> diesem Augenblick den Juden Heinrich Heine zu zitieren und ihm Anschlußträume
> zu unterschieben? Er war jedenfalls sehr glücklich über die neueste politische Tat
> Hitlers, und als wir uns wenige Tage später von ihm verabschiedeten – ich hatte
> eine neuerliche Begegnung vermieden – sprach er die unvergeßlichen und von tiefer
> Erkenntnis der Lage zeugenden prophetischen Worte: „Mein liiiiiiber Bermann –
> Sie werden sehen . . . Wien wird wieder die Hauptstadt Europas."

In dieser für Bermann Fischer befremdlichen Prophezeiung spiegelte
sich ein alter Wunschtraum Hauptmanns: die endgültige Überwindung des
alten preußisch–österreichischen Dualismus durch Wiedererstehung des
Heiligen Römischen Reiches Deutscher Nation, dessen Tradition Berlin,
die Hauptstadt der „kleindeutschen" Lösung, nicht übernehmen konnte.
Daß Hitler als ‚Habsburger' und Katholik eigentlich ein Fremdling im
Preußen-Deutschland war, hatte Hauptmann schon vor 1933 gespürt:

> (nach dem 13.6.1932)
> Ehrlicher Propagandagedanke.
> Hitler ist unpreußisch. Die Hitlerbewegung ist eine gegen den Europäer Friedrich II.
> und seinen Geist. Dessen Geist war europäisch. – Der H(itler-)Geist ist
> österreichisch-katholisch. – Welchen „Stab" hat er? Den „Stab" würde ich gern
> kennenlernen: auf ihn kommt doch wohl alles an. – Friedrich II. war der ärgste
> Gegner Österreichs, wie es das fortgeschrittene Frankreich (Napoleon) später war.
> ⟨Er wäre auch Hitler-Feind gewesen.⟩ *Nachlaß-Nr. 14, S. 109*

Hauptmann verdächtigte in seinem Affekt gegen den Ultramontanismus Hitler, Handlanger eines Krumm„stabs", also Diener der katholischen
Kirche zu sein. Was von Hauptmann 1932 noch denunziatorisch gemeint

war, begriff er einige Jahre später als eine positive Möglichkeit, wobei er
an das katholische Reichsdenken vor 1933 gedacht haben mag:

(nach dem 21.3.1936)
Wo haben wir eine Basis? – H(itler) sollte sich heut und müßte sich heut mit dem
Vatikan einigen und ein Römisches Reich Deutscher Nation aufrichten. – Das
müßte er! aber keine Kirchturmpolitik machen. – Einigung mit dem Vatikan wie
K(arl) d(er) G(roße). *Nachlaß-Nr. 119, S. 35*

Auch daraus sprach wieder Hauptmanns altgewohnte Überschätzung
der Rolle des Vatikans in der internationalen Politik. Nicht Hitler war auf
die Gunst des Vatikans angewiesen, sondern der Vatikan auf die
Bereitschaft des NS, den Katholiken in Deutschland einen Modus vivendi
zu gewähren, der durch das Reichskonkordat von 1933 noch keineswegs
gesichert war. Der ideologische Kampf des NS gegen die Kirche erreichte
gerade in den Jahren 1936–37 seinen Höhepunkt. (13)

Nach dem Anschluß Österreichs war Hitlers nächstes Ziel die Eingliede-
rung der Sudetendeutschen, die sich von der Zentralregierung des
tschechischen Nationalitätenstaates unterdrückt fühlten und nach Autonomie strebten. England, das die Notwendigkeit der Lösung dieser Frage
anerkannte, ermöglichte durch seine „Appeasement"–Politik Hitler den
Triumph des Münchener Abkommens, worin die Abtretung der deutsch
besiedelten Randgebiete Böhmens, Mährens und Schlesiens an Deutschland beschlossen wurde. Als am 1.10.1938 der Einmarsch der deutschen
Truppen begann, begrüßte Hauptmann freudig dies Ereignis:

(1.10.1938)
Wir sind eine Familie: der heutige Abend, es ist gegen 12 Uhr, bringt Deutschland
zu Deutschland. Der Besetzungseinmarsch in Sudetendeutschland beginnt heute 12
Uhr. Ich fühle das Ereignis im Blut. – Und das Sonderbare, das sich daran knüpft:
Hitlers ⟨Kraft⟩ Kriegs- und Friedensliebe. Und sein Stern: die Münchener „Befrie-
dung"? ! Europas. *Nachlaß-Nr. 117, S. 149*

Das Wort „Kraft" hat Hauptmann nachträglich durchgestrichen und
durch „Krieg" ersetzt. Hitlers Sudetenpolitik ließ sich noch als Revision
des Versailler Vertrags durch das Prinzip der Selbstbestimmung rechtfertigen. So sah es auch Hauptmann: „Wir zahlen es den Albernheiten des
letzten Versaill.*(es)* reinlich heim – nur den Albernheiten. Denn die
Gegenaktion ist Kraft" (Nachlaß–Nr. 13, S. 30).

Die Friedenshoffnungen, die Europa an das Münchener Abkommen geknüpft hatte, schwanden bald. Schon wenig später prahlte Hitler, daß das Münchener Abkommen durch „unsere eigene Kraft" zustande gekommen und Deutschland bereit gewesen sei, das inzwischen abgetretene Gebiet „mit dem letzten Einsatz" freizumachen. (14) — Hauptmann spürte, daß die Zeichen der Zeit auf Krieg deuteten. Er schrieb das jedoch weniger der „Kraft" bzw. „Kriegsliebe" des ‚Führers' zu, sondern dem Wiederaufleben der Tradition des preußischen Militarismus und wilhelminischen Imperialismus:

(6.11.1938)
Wir einstigen Europäer hatten uns vom Krieg abgewandt, nachdem wir ihn (71) gewonnen und 1918 verloren hatten; da tauchten die Kriegsleute auf, die man ignoriert hatte (. . .), und diese setzten ohne Zwischenrufe die Kriegsgesinnung (Mentalität) fort. — Also der Krieg ist im Gange (. . .). Das Kriegserlebnis setzt sich fort (.. . .). In und außerhalb des Landes: Macht! — also Krieg: die Exponenten von Preußen. *Nachlaß-Nr. 13. S. 14 v*

Das Auftauchen der „Kriegsleute", den Einbruch des Neonationalismus der Kriegsgeneration in die Politik hatte Hauptmann ja schon 1930 als elementaren Vorgang bewertet. In der von Hitler 1938 offen eingeschlagenen Großmachtpolitik entdeckte er jetzt dieselbe Dynamik, die er des öfteren an Mussolini gerühmt hatte. Wieder empfand er den rauschhaften Zug zum Abenteuer:

(Ende 1938)
Leben ist Leben! Es ist unaufhaltsam. Und die Folgen sprechen in der sogenannten Geschichte. Geschichte, was ist sie ander*(e)*s als gleichsam (geistige?) Erbschaft. Und vielleicht wird a(uf) d(en) Namen Hitler, wie Mohamed, allerlei in dem nächsten Jahrtausend zurückgeführt werden. (. . .)
Zum ersten Mal ein unjüdischer Mohamedanismus? Es hinge von Kriegen und Siegen ab, wie bei Mohamed. — Ich möchte von höchster Warte zusehen. *Nachlaß-Nr. 13, S. 42 f.*

In dieser Spekulation über den religiösen Imperialismus des ‚Tausendjährigen Reiches' spukten wohl ein wenig die Ideen Hermann Graf Keyserlings über den NS. Harry Graf Kessler erwähnt in seinem Tagebuch die Einschätzung des NS durch Keyserling im Sommer 1933: „Es sei in Wirklichkeit eine religiöse Erhebung, wie die Mahomeds, allerdings mit betont lokalem Charakter". (15) Keyserlings „Terminologie der Lebensphilosophie und des Vitalismus" (H. Dyserinck) kam den Anschauungen

Hauptmanns entgegen. Vermutlich übernahm Hauptmann auch andere Gedankengänge Keyserlings: etwa die These von der Macht der Idee bei Mussolini, seinen auffälligen Zukunftsglauben an Europa unter dem Leitbild der griechisch–römischen Antike oder die Interpretation des NS als eines „tellurischen" Phänomens. (16) Auch in den Jahren nach 1933 stand Hauptmann in Kontakt mit Keyserling, der sich häufig im europäischen Ausland aufhielt. In einer Tagebuch–Notiz wies ihm Hauptmann regelrecht die Rolle eines politischen Mentors zu:

(1938)
K(eyserling) macht einem vieles klar, was im vollsten Gange ist und was in Prag wie in Paris etc. (geschieht) – vielleicht nicht so sehr in London. – Und wenn es in Berl(in) auch so ist, ist es nicht durchaus neu. *Nachlaß-Nr. 13, S. 23 v*

XX AUSBRUCH DES 2. WELTKRIEGES

Mit der vertragsbrüchigen Besetzung des tschechischen Reststaates und der Errichtung des Protektorats Böhmen und Mähren im Frühjahr 1939 verließ Hitler die bisher verfolgte Bahn der territorialen Wiederherstellung des Deutschen Reiches und begann seine imperialistische „Lebensraum"-Politik. Das deutsche Volk, das die Außenpolitik Hitlers bis jetzt als „Erfüllung seiner Geschichte" (K.D. Erdmann) gebilligt hatte, nahm den Beginn des Polenfeldzuges in gedrückter Stimmung hin (1).

Von dem Redakteur der „Deutschen Neuen Rundschau", Karl Korn, erhielt Hauptmann einen Brief mit der Bitte um eine Stellungnahme zum Kriegsausbruch. Karl Korn wußte anscheinend um die Mentalität Hauptmanns recht gut Bescheid und suchte ihm mit dem Aufzeigen von drei Möglichkeiten eine Äußerung zu entlocken*:

1. eine Erinnerung an Schlesien, „auf das ja der Pole einen historisch gegründeten Anspruch erheben zu müssen glaubt".
2. „eine Darstellung der näheren Umstände, unter denen Sie die Artikel des Versailler Vertrages zum ersten Mal erfuhren und wie Sie darauf reagierten. Die reine Aussage über Ihre damalige Ablehnung und Verbitterung ist gegenwärtig von höchstem Wert.
3. „zu sagen, daß der gegenwärtige Krieg, ganz gleich, mit wem (!) er zu führen sein wird, insbesondere auch diejenigen aufruft, die die deutsche Kultur und den deutschen Geist tragen (. . .)." *Nachlaß-Nr. 632, Fasz. I b 75*

Aber 1939 war nicht 1914, und Hauptmann fühlte sich nicht motiviert, mit einer zustimmenden Erklärung hervorzutreten. Wie sie ausgesehen hätte, geht aus den drei Entwürfen zu einer Antwort hervor. Es heißt dort unter anderem:

Und glauben Sie mir, mein Herzschlag geht mit dem Marschschritt deutscher Väter und Söhne, die nur ein heldenhafter Wille beseelt, dem Deutschen das Deutschtum zu erhalten. (. . .) wie ich seinerzeit den Versailler Vertrag aufgenommen hätte: nun, wie den höllischen Mordversuch, wie die versuchte Vernichtung unseres gesamten deutschen Volkes. Aber (. . .) man hat Drachenzähne gesät und die Saat ist zum Schrecken des Sämanns aufgegangen. (ibd.)

---

* Die Numerierung stammt vom Verfasser.

Das wird zwar den Erwartungen des Adressaten entsprochen haben, aber Hauptmann bestimmte das Schreiben nur zur persönlichen Verwendung (Vermerk auf den Textzeugen: „nicht abgesandt").

Trotz des erfolgreichen Blitzfeldzuges gegen Polen stellte sich in der Öffentlichkeit keine Kriegsbegeisterung ein; man hoffte auf ein schnelles Kriegsende (2). Hauptmann zog am Jahresende eine düstere Bilanz dieses Krieges, der nicht ‚heilig' und ‚gerecht' wie der von 1914 war:

(30.12.1939)
Nach dem Aufwachen drückten die Schrecken des Krieges auf meine Brust: Polen! Wieviel Haß hat er dort entfesselt. Wie ungeheuer wird der Deutsche dort gehaßt. Wir haben Polen vernichtet, zur Hälfte den Russen ausgeliefert, alle Rachegeister darin gegen uns aufgerufen für ein Jahrhundert. Warum ist überall und allenthalben in der Welt dieser gnadenlose Nationalismus erwacht? (. . .) Nur wenn wir uns von früh bis spät (. . .) belügen, könnten wir von Menschenwürde reden und *(sie)* für etwas andres ansehen als giftiges Unkraut. Heut sind wir hinter das Mittelalter zurückverfallen. *Nachlaß-Nr. 235, S. 46 v*

Aber wieder blieb die Gewissensforschung aus, wieder wurde das politische Geschehen zur Naturkatastrophe umgedeutet: „Kulturen, die höchsten, können leider plötzlich abreißen: sie haben keinen sicheren Zugang und Halt" (ibd., S. 47).

Hauptmann verfolgte die Kriegsereignisse mit ähnlichen Gefühlsreaktionen wie 1914. Wieder war in der propagandistisch geschürten öffentlichen Meinung England der Hauptfeind, der Verräter an Europa (3):

(3.2.1940)
Der Seekrieg ist eine schale, nichtsnützige Piraterie*. Es ist eine alte, verruchte Barbarei, die wesentlich schmachvoll europäisch von England betrieben wird. *Nachlaß-Nr. 156, S. 1*

(Mai 1940)
Sollte Europa zugrunde gehen, so hat es in England seinen stupiden Totengräber. *Nachlaß-Nr. 149, S. 13 v*

---

* England hatte den deutschen Überfall auf Polen mit einer vor allem gegen den deutschen Erznachschub aus Skandinavien gerichteten Blockade beantwortet.

Die Zeitspanne der stagnierenden Kampfhandlungen bis zum deutschen Überfall auf Norwegen im April 1940 galt bei den Franzosen als „drole de guerre". Noch war Hauptmanns Einstellung zum Krieg unschlüssig-abwartend. Auch die raschen Erfolge des am 10. Mai 1940 begonnenen Westfeldzuges registrierte er zunächst noch mit gemischten Gefühlen. Als deutsche Panzertruppen am 20. Mai die Sommemündung erreichten, notierte er:

Wieder ergeben sich furchtbare Blätter der deutschen Geschichte. Furchtbares und Großes sind beinah synchron. *Nachlaß-Nr. 133, S. 51 v*

Und schließlich:

(14.6.1940)
Das Ungeheure ist Tatsache: Die deutschen Truppen marschieren in Paris ein. *Nachlaß-Nr. 156, S. 4*

Inzwischen war bei ihm ein entscheidender Stimmungsumschwung durch den Kriegseintritt Italiens erfolgt. Mussolini hatte angesichts der deutschen Siege seine anfängliche Zurückhaltung aufgegeben und sah nun den Augenblick gekommen, seiner Forderungen auf Korsika und französischen Kolonialbesitz in Nordafrika verwirklichen zu können. – Daß für Mussolini die Kriegsbeute im Vordergrund stand, lag außerhalb der Vorstellungswelt Hauptmanns. Aus seiner Sicht erhielt der Krieg durch die Beteiligung Mussolinis eine Art moralische Basis, einen Schimmer von Weihe und Rechtfertigung, denn er war nun Ausdruck der ,Nibelungentreue': der „Gemeinschaft von Italien und Deutschland auf Leben und Tod". Die Überwältigung durch dieses schicksalhaft empfundene Ereignis geht aus einer Tagebuchaufzeichnung hervor, die in ihrer Unmittelbarkeit reportagehaft anmutet:

Salzbrunn, 10.6.1940.
An meinem Geburtsort (. . .) erlebe den allergrößten Augenblick der neueren Weltgeschichte – welche Phantasie kann es ausdenken – (. . .), so erhebt sich vor der einstigen Elisenhalle, auf dem Platz der Kuchenfrau, die wahrhaft rasende Stimme Mussolinis *(aus dem Lautsprecher)*! Hat er je so gerast? – und erklärt Frankreich und England den Krieg. – (. . .) Und nun ist etwas da zwischen *Deutschland und Italien, das mein ganzes Fühlen um diesen Krieg steigert (von G. Hauptmann unterstrichen)*. (. . .) die Gemeinschaft von Italien und Deutschland

auf Leben und Tod. – Die Gemeinschaft im Kulturellen war zwischen Kulturvölkern nie größer. Frankreich und Deutschland sind nie über eine Urfremdheit hinausgekommen, diese beiden Völker nie über eine Urfreundschaft. *Nachlaß-Nr. 235, S. 72*

Vergessen war im „allergrößten Augenblick der neueren Weltgeschichte" – ein Ausdruck, der peinlich an den Superlativstil der ‚Führer'-Reden gemahnt – der Bruch der „Urfreundschaft" von 1915, zu dem auch Mussolinis Agitation ihren Teil beigetragen hatte. Als schließlich am 22.6.1940 der Waffenstillstand mit Frankreich in Compiegne, dem einstigen Schauplatz der deutschen ‚Schmach', unterzeichnet wurde, stand Hitler auf dem Höhepunkt seiner Erfolge. Hauptmann rang um Fassung, hingerissen von den Ereignissen:

(28.6.1940)
Welche ungeheure Entwicklung seit 11. November 1918: wie Phantasien eines rasenden Dichters, der in Nationalismus rast. – Aber nun: seine Träume würden hinter den Tatsachen zurückbleiben. Deutschland steht vor der Weltherrschaft, jedenfalls von Europa unter deutscher Führung. – Ich, damals mit zertreten, mehr als ich Wort haben wollte, sehe die Häfen von Narvik, die des Kanals und an Frankreichs atlantischer Küste bis zur Grenze Spaniens in deutscher Hand, und ein einziger, übermenschlicher Wille, der Wille Hitlers, hat es bewirkt. Was ist geschehen? Dieser Mann erkannte in dem angeblich Zertretenen den Giganten und im „Sieger" den innerlich Morbiden und Schwachen, Frankreich wie vor allem England. (ibd., S. 78)

Am selben Tag schrieb er an Hans von Hülsen: „Ja, es beglückt, endlich einmal nicht mehr aus innerster Überzeugung Nein sagen zu müssen, weil das Verneinte sich so über alle Dinge glänzend rechtfertigt" (Briefnachlaß I, s.v. Hülsen, Hans v.). Wenn man nicht schon längst in Opposition zum Regime stand, so war es wohl zu diesem Zeitpunkt am wenigsten möglich, ein Gegner des Nationalsozialismus zu sein. Der große Triumph des Westfeldzuges ließ auch bei den Widerstandskräften im Offizierkorps die Putsch-Pläne zurücktreten. (4) – Hauptmann ließ sich zwar von dem Rausch nationaler Allmacht hinreißen, aber er wünschte dem äußeren Machtzuwachs ein Komplement der inneren Läuterung:

Und nun möchte man miterleben, was sich weiter aufbaut, im Frieden, in diesem ungeheuren deutschen Volk: in einem reichen, endlich vernünftigen europäischen Familiengeist: Schönes, unendlich Reiches, Heiteres, Starkes, Schönes und allenthalben Großes.

Das deutlich spürbare Chaos, das Ende, bildet sich sichtbar zu dem gesuchten neuen Anfang um: die Übergangsepoche geht in neue Gestaltung über. Dazu bedurfte die Geschichte Adolph Hittlers *(sic!)* Weltgenie. *Nachlaß-Nr. 235, S. 78*

Diese Beschwörung einer „Pax Hitleriana" stand ganz im Banne der Reichsidee des nationalkonservativen Denkens, für dessen Vorstellungen nun die Stunde der Erfüllung bevorzustehen schien: „Das Reich als Ziel deutscher Politik, das Reich als Bestimmung des deutschen Weges, das Reich als friedensstiftende Ordnungsmacht Europas, das Reich als Inbegriff einer neuen politischen Großraumordnung, die den nationalistischen Staatsbegriff a la francaise transzendieren würde zu einer neuen politischen Gestaltungsformel" (K. Sontheimer) (5).

Der Kriegsverlauf bot zunächst weiterhin Grund zur Euphorie. Nach der siegreichen Beendigung des Doppelfeldzuges gegen Griechenland und Jugoslawien war die strategische Position der Achsenmächte gegenüber England im Mittelmeerraum und gegenüber Rußland außerordentlich günstig. Die deutsche Wehrmacht stand auf dem Gipfel ihrer Ausrüstung und numerischen Stärke. – Hauptmanns Gedanken bewegten sich in dieselbe Richtung wie einst 1915, als bei einer ähnlichen Ausgangsposition der Mittelmächte die ostpolitischen Visionen der Alldeutschen Nahrung erhielten:

(25.4.1941)
Deutschlands größte Machtentfaltung. Seid nicht so ungeduldig, ihr „Kultur- und Literaturjäger": erst A, dann B und hernach das ganze Alphabet.(...)
Landhunger. Rußland. Das Spiel ist ungeheuer. Die herrlichen Gegenden im Kaukasus: die Glückseligkeit neuer deutscher Besiedlung. Völkerwanderung nach Südost. Ukraine. *Nachlaß-Nr. 3, S. 17 v f.* *

---

* Man wird solche Äußerungen nicht als unmittelbaren Ausdruck einer Beeinflussung durch die nationalsozialistische ‚Lebensraum'-Ideologie werten dürfen.C.F.W. Behl berichtet von der tief in Hauptmann schlummernden, „aber immer nur spielerisch in Erscheinung tretenden Europamüdigkeit, die (...) alle seine Insel-Utopien erzeugt haben mag". Hauptmann habe sich an der Idee vergnügt, „nach seinem 80. Geburtstag aus Europa und in eine neue Daseinsform zu verschwinden." (6) – Vgl. auch Hauptmanns Tagebucheintragung vom 10.7.1941:„. . . überall lockende landschaftliche Paradiese. Nun gut, es besteht die Sehnsucht danach. Sie ist allumfassend. Ich hatte von je stärkste Kolonistenneigungen". *Nachlaß-Nr. 3, S. 39 v*

(27.4.1941)
Nationalsozialismus hat Deutschland gezeigt, welche Kraft es besitzt, nämlich eine
gigantische, und hat die Schmach vernichtet, die Gegner innen und außen über es
gehängt haben, indem sie ihm einen erbärmlichen Schwächlingscharakter aufzu-
zwingen versuchten, um es nach Herzenslust auszubeuten. Diese Tatsache wird nie
mehr hinwegzuleugnen sein. (ibd., S. 20 v)

Deutschlands „größte Machtentfaltung" rief mittlerweile die USA auf
den Plan, die sich zunehmend von der Ausbreitung der totalitären Systeme
in Europa bedroht fühlten. Präsident Roosevelt war entschlossen, gegen
starke isolationistische Strömungen in seinem Land eine Intervention in
den europäischen Krieg zugunsten der Demokratien Englands und
Frankreichs durchzusetzen. Seit dem Westfeldzug Hitlers klang diese
Entschlossenheit Roosevelts in seinen Reden an, mit denen er die
amerikanische Nation auf die zu erwartenden Belastungen durch einen
Kriegseintritt vorbereiten wollte. Ende Mai 1941 zeichnete Roosevelt in
seiner Rundfunkrede „Wir sind für die Freiheit des Menschen" ein düsteres
Bild von dem aggressiven, nach Weltherrschaft strebenden „Hitlerismus"
und betonte den entschiedenen Willen der USA, seine weitere Ausbreitung
zu verhindern (7). – Hauptmann skizzierte einen „Offenen Brief an den
Präsidenten Rosefeld":

(nach dem 25.4.1941)
Ich müßte eine Reservation, die Juden betreffend, einfügen dürfen.* Die V(ereinig-
ten) S(taaten) sind augenblicklich das mächtigste Land der Erde. Wer wollte wagen,
es anzugreifen. Gegenteilige Meinungen sind schülerhaft. Ich liebe die Vereinigten
Staaten. Dort gibt es intern großartig zu Gestaltendes wie nirgend sonst (. . .).
Die Art, wie Sie im Innern vorgehen, Herr Präsident, kenne ich nicht. Dagegen
wissen Sie ebensowenig, was eigentlich in Europa innen vor sich geht. Kehre jeder
vor seiner Tür. Schlagworte sind Unsinn: was heißt Demokratie? Demos das Volk!
Auch wir sind Demokraten, mehr wie Sie: denn wir suchen zunächst ein Volk zu
schaffen, eine Einheit, die des Namens wert ist. *Nachlaß-Nr. 3, S. 22*

Demokratie war für Hauptmann weniger ein Begriff des aufgeklärten
politischen Humanismus als die fetischartige Vorstellung von Volksgemeinschaft. Ein Völkerkonglomerat wie die USA hatte nach seiner
Ansicht nicht das Recht, sich in die inneren Angelegenheiten der Alten
Welt einzumischen.

---

*Worauf sich diese Bemerkung bezieht, ließ sich nicht ermitteln: in den Reden des
1. Halbjahres 1941 hat Roosevelt die Lage der deutschen Juden nicht berührt.(8)

Was wollen Sie von uns: Sie wissen, daß Sie Europas Schüler sind in allem und allem
(. . .).
Ihre Aufgabe ist im eignen Reich wie in der Welt Rassenpolitik und -versöhnung.
(. . .) Sie sollten nicht gegen ein Volk hetzen, von dem Ihr eigener Name
abstammt, und nicht nur Ihr Name.
So furchtbar und großartig das ist, was sich zwischen England und Europa abspielt
(die Engländer verstehen sich selbst nicht als Europäer). Sie sollten nicht für
England Partei nehmen, denn ein Engländer sind Sie nicht, obgleich Sie im
Augenblick englische Verzweiflungsmoden sklavisch nachahmen.
Der Schwächling Wilson besaß in Europa eine große Popularität: es gibt auch eine
andre. (ibd.)

Manches kam wohl zusammen, um diese Trübung des Blicks zu
bewirken: die ständige Infiltration durch die NS-Propaganda, die damit
verbundene mangelnde Information und ein psychischer Reflex der
Abwehrhaltung gegen jeden Angriff von außen auf das eigene Volk.
Hauptmanns alte verhängnisvolle Neigung, das jeweilige Regime mit der
deutschen Nation zu identifizieren, ließ ihm nicht zu Bewußtsein
kommen, daß eine amerikanische Intervention sich nicht primär gegen das
deutsche Volk, sondern die nationalsozialistische Machtclique richtete.
– Die NS-Propaganda gegen die ‚jüdisch-plutokratischen Kriegsverbrecher'
hatte zudem dafür gesorgt, ein amerikanisches Eingreifen, das längst in
Form einer massiven Wirtschafts- und Rüstungshilfe für England erfolgte,
nicht allzu hoch zu veranschlagen:

(21.4.1941)
Die Wälzungen der Riesengeldsäcke machen in Europa das Rennen nicht!
Sie wissen nichts von der durchgreifenden, nackten Kraft einer Idee und den
deutschen ⟨Männern⟩ Soldaten. *Nachlaß-Nr. 3, S. 16 v*

Auch das war eine Neuauflage der Kriegsmentalität von 1914 und ihrer
Parole „Helden und Händler" (9), der zufolge der heroische Idealismus des
Deutschtums gegen die niedrigen Machenschaften englischen Krämergei-
stets angetreten war. Die Lehre von 1918, daß sich die „Wälzungen" der
amerikanischen „Riesengeldsäcke", d.h. der Einsatz überlegenen Wirtschaftspotentials, als kriegsentscheidend erwiesen hatten, schien vergessen
zu sein.

XXI LOCKERUNG DES HAUPTMANN-BOYKOTTS

„Mit Beginn des Zweiten Weltkrieges ließ der Kampf des Propagandaministeriums gegen Hauptmann nach. Man hatte nun Wichtigeres zu tun" (E. Ebermayer) (1). Der Dichter wurde jetzt wieder an der ‚Heimatfront' eingesetzt. Nach sechsjähriger Pause — nur unterbrochen durch die Uraufführung von „Hamlet in Wittenberg" in der Provinz* — trat Hauptmann gleich mit zwei neuen Werken an die Öffentlichkeit. Das Staatliche Schauspielhaus Berlin, dessen Protektor Göring als Betreuer der Preußischen Staatstheater in Feindschaft zu Goebbels stand (2), nahm „Die Tochter der Kathedrale" an. Wenige Wochen später erfolgte die Uraufführung von „Ulrich von Lichtenstein" am Burgtheater in Wien. Damit war der Bann gebrochen, und auch andere staaatliche und kommunale Bühnen spielten jetzt häufiger wieder Hauptmann-Stücke (3).

Hauptmann hatte seit je nicht verstehen können, weshalb man diejenigen seiner Dramen nicht spielte, die seiner Ansicht nach dem Zeitgeist besonders gemäß waren, etwa die Tragödie „Veland". Schon 1934 hatte er sie als das Werk bezeichnet, „welches, bei aller Überzeitlichkeit, unserer Zeitwendung einen tieferen Ausdruck geben könnte, als sie bisher gefunden hat" (4). In einem Brief an Rudolf K. Goldschmit schrieb er 1941:

> Mit Ihnen ist mir das Ignorieren eines Dramas wie „Veland" in unserer Zeit unverständlich. „Veland" ist ja doch das auf elementare Weise Kultur gleichsam eruptiv, unter tragischen Umständen hervorschleudernde Volk. *Briefnachlaß I, s.v. Goldschmit, Rudolf K.*

In der Tat weist die Gestaltung einer absoluten Rebellion im „Veland" einen für Hauptmanns Werk ausnahmeartigen ‚heroischen' Charakter auf. Nimmt man noch das Jahr des Werkabschlusses — 1923 — hinzu, in dem Hauptmann nicht müde wurde, gegen die Versklavung Deutschlands durch Versailles zu protestieren, so mochte er mit einem gewissen Recht das rasende Aufbegehren des gedemütigten, erniedrigten Veland als ein ins Mythologische gewendetes Sinnbild des nationalen Schicksals interpretieren.

---

* 1935 gleichzeitig in Leipzig, Hamburg-Altona und Osnabrück.

Auch sonst suchte Hauptmann gelegentlich das Zeitgemäße seines Werkes zu unterstreichen. Dem ihm gegenüber erhobenen „absurden" Vorwurf angeblicher Volksfremdheit (5) hielt er in einém Brief an F.A. Voigt entgegen:

(10.7.1940)
Wenn meine Bauern-, Weber- und Dialektdramen volksfremd sind, wer ist dann volksverbunden? Mit „Vor Sonnenaufgang" begonnen, habe ich die ersten sozialen Dramen in Deutschland geschrieben und so eine national-soziale Epoche vorbereitet (. . .). Auch einen „Florian Geyer" habe ich geschrieben, der als erster den Kampf um die großdeutsche Einheit kämpft. *Briefnachlaß I, s.v. Voigt, F.A.*

Bei Verfilmungen seiner Werke während des Dritten Reiches nahm er nolens volens eine tendenziöse Adaption hin. Über die Premiere der „Biberpelz"-Verfilmung im Breslauer UFA-Palast 1937 berichtet der schlesische Landeskonservator Günther Grundmann (6):

Als wir nach dem Film ins Hotel „Vier Jahreszeiten" gingen, nahm Gerhart Hauptmann den Arm meiner Frau und sagte zu ihr: „Gut, daß ich diesen Film nicht geschrieben habe." Er hatte mehr als recht, denn sein köstlicher echter Biberpelz war in einen Kaninchenpelz verwandelt worden und auch die prächtige Ida Wüst als Mutter Wolffen hatte den unmöglichen Schluß nicht glaubhaft machen können, in dem aus volkserzieherischen Gründen ihr Wechsel zu einem ehrlichen Lebenswandel angedeutet worden war.

Zwar soll Hauptmann die Bedingung einer sofortigen Dreherlaubnis für die „Weber" abgelehnt haben: die Zustimmung zu einem Schlußbild, das zeige, wie gut es heute den Webern gehe. „Für dergleichen", sagte er 1943 zu C.F.W. Behl, „bin ich nicht zu haben" (7). Bei dem Projekt einer Verfilmung von „Rose Bernd" war er jedoch zu vergleichbaren Konzessionen bereit. Ende Januar 1940 teilte der Schriftsteller Erich Ebermayer Hauptmann mit, ihm sei es gelungen, die „TOBIS"-Filmgesellschaft erneut für „Rose Bernd" zu interessieren. Eine „glatte Verfilmung" des Dramas sei „aus vielen Gründen heute nicht möglich". Es komme also nur darauf an, die notwendige „Operation und Amputation voll Ehrfurcht und Takt" durchzuführen (8). Am 7.2.1940 konnte Ebermayer gute Fortschritte des Projekts melden:

Es wird Sie doch interessieren, zu hören, daß der Minister *(Goebbels)* zunächst dem Plan ganz ablehnend gegenüberstand, da er die alte Ansicht teilte, das Drama ließe sich heute nicht verfilmen. Am Freitag mittag gab der Reichsfilmdramaturg v. Reichmeister dem Minister meinen kurzen Aufriß, den auch Sie kennen, und ein paar Stunden später lag die Genehmigung wunderbarerweise vor. *Briefnachlaß I*

Dieser „Aufriß" für die vorgesehene Bearbeitung des Dramas, das „bisher bei allen Plänen einer Verfilmung auf Widerspruch" gestoßen sei, war Hauptmann von Ebermayer zugeschickt worden (9). Zu Beginn des Aufrisses konzediert Ebermayer die untragbare Wirkung einer „völligen Depression", die der „Schicksalsweg dieser Dorfmagd" bei vielen Millionen „z.T. primitiver, kunstferner Menschen" hinterlassen würde. Damit nun aber die Zuschauer aller Gaue und Stände „nicht nur erschüttert und erhoben, sondern sogleich auf eine unaufdringliche Art geführt und erzogen werden", solle dem Drama ein „versöhnender, hoffnungsfroher Ausklang" gegeben werden. Er schlage daher folgende größere Änderungen vor:

1. Rose Bernd soll nicht ihr Kind töten. Das Kind soll auch nicht — wie schon einmal von anderer Seite erwogen — tot zur Welt kommen, sondern es soll l e b e n.
2. Rose Bernd soll keinen Meineid vor Gericht schwören. (. . .)
3. Rose Bernd braucht also (. . .) am Schluß nicht in die Arme der Justiz zu fallen (. . .).
4. Streckmann, der Wüstling und Erpresser, soll am Ende entweder sterben oder verhaftet werden. (. . .)
5. Rose Bernd soll am Ende des Dramas heimfinden zu dem Mann, der sie w i r k l i c h liebt. (. . .) Das frische, gesunde, warme Blut der Bauernmagd paßt nicht zu dem lungenkranken, bigotten Kleinhändler *(August Keil)* (. . .). Eine Lösung dieses Bundes hat ja auch Hauptmann bereits in seinem Werk angedeutet. (. . .) Rose soll also (. . .) Christoph Flamm bekommen (. . .), wie ein gesunder Mann eben ein gesundes Mädchen, sei es ohne Ehe oder mit Ehe, zu sich nimmt. (. . .)
6. Frau Flamm, die Kranke auf dem Rollstuhl, soll nicht, wie in der Dichtung, die Gattin des so viel jüngeren Christoph Flamm sein, zu der er kein gesundes, sinnliches Verhältnis mehr haben kann (weswegen er sich ja die Rose nimmt!), sondern sie soll Christoph Flamms M u t t e r sein. Es blieben dann die herrlichen Szenen des Dramas erhalten, in denen die alte Frau mit Verständnis, Sorge und Liebe Roses Irrwegen folgt. (. . .) *Briefnachlaß I*

Dieses Expose entstellte Hauptmanns Drama bis zur Unkenntlichkeit und paßte es der neuen Weltanschauung an: Wegfall bzw. Bestrafung der Kriminalität, Erbgesundheit gegen Degeneration, Ehe als Institut für die ‚Aufzucht'.

Hauptmann war offenbar — möglicherweise vorbehaltlich — mit diesem Bearbeitungsplan einverstanden, denn Ebermayer machte sich an die Ausarbeitung eines „Treatments", eines provisorischen Drehbuchs. Dieses wurde Hauptmann am 8.3.1940 zugeschickt, ist im Briefnachlaß jedoch nicht überliefert. Am 22.4.1940 teilte Ebermayer dem Dichter mit, daß das — anscheinend inzwischen von Hauptmann gebilligte — „Treatment" von der Schauspielerin Brigitte Horney mit Zustimmung gelesen worden sei: „Jedenfalls ist jetzt die Besetzungsfrage damit so gut wie geklärt. Jetzt muß nur noch der Minister den letzten Segen geben " (10). Hauptmann antwortete am 24.4.1940 an Ebermayer: „Bin sehr erfreut über gute Wendung (...). Ihr Brief, lieber Freund Ebermayer, ist in jeder Beziehung ein Kabinettstück" (ibd.). Das Projekt scheiterte dann doch an dem Verbot durch Minister Goebbels, der nach Aussage Ebermayers über das Drama geurteilt hatte:„Deutsche Mütter haben freudig zu gebären" (11). Bei Hauptmanns Verhalten in dieser Angelegenheit ist in Rechnung zu stellen, daß er dem Medium Film eine Geringschätzung entgegenbrachte, die von Ebermayer in einem Brief sogar als „geschworene Feindschaft" apostrophiert wurde (12). Hauptmann war bei den Verfilmungen einzig an Tantiemen interessiert So hatte Ebermayer sein Einverständnis mit dem „Rose Bernd"-Projekt dadurch zu ködern versucht, daß er bei den Verhandlungen mit der „TOBIS" den Betrag bis auf „fünfundzwanzig *(Tausend Mark)* hinaufdrückte" (13) — eine enorme Summe im Verhältnis zu dem von Hauptmann bei der Reichskulturkammer angegebenen Jahreseinkommen 1940 von 72.097 Mark. (14)

Mit diesem Verbot waren von der maßgeblichen Seite noch einmal die Grenzen einer Hauptmann-Rezeption im Dritten Reich gezogen worden. Dennoch bahnte sich ein Jahr später eine entschieden günstige Wendung für Hauptmann an. Im Februar 1941 wurde Karl Hanke als neuer Gauleiter in Schlesien* eingesetzt. Hanke, jung und ehrgeizig, hatte große Pläne mit Schlesien vor. Er wollte vor allem die kulturelle Bedeutung dieses Landes herausstellen und benötigte dafür die Unterstützung schlesischer Gelehrter und Künstler — auch Gerhart Hauptmanns. Als früherer Staatssekretär im Propagandaministerium kannte Hanke die offizielle Ablehnung Hauptmanns. Dennoch war er entschlossen, Hauptmann in sein kulturpolitisches Programm einzuspannen. Obwohl wegen

---

* 1940 wurde Schlesien wieder in die Gaue Oberschlesien und Niederschlesien (Gauleiter: Karl Hanke) geteilt.

Privatkonflikten mit dem Propagandaminister auf dessen Veranlassung hin dienstlich nach Schlesien versetzt worden, war Hanke in seiner Eigenschaft als SS-Obersturmführer so gut wie unantastbar für Goebbels und bewahrte ihm gegenüber eine eigenständige Position (15). Aus Verehrung für Hauptmann wollte er zudem die dem Dichter widerfahrenen Kränkungen persönlich wiedergutmachen helfen.

Mit seinem ideellen Elan hatte der neue Gauleiter Erfolg: nach den unerfreulichen Erfahrungen mit seinem Vorgänger Josef Wagner gewährten ihm die „meisten Schlesier freudig ihre Sympathien" (G. Grundmann) (16). Nach einem Besuch Hankes auf dem „Wiesenstein" äußerte Hauptmann seine angenehme Überraschung durch das „lebhafte kulturelle Interesse des Gauleiters, das sich besonders in seinen Plänen zur Förderung der Breslauer Bühnen ausgedrückt habe" (17). Es kam in der Folgezeit zu geradezu freundschaftlichen Beziehungen zwischen Hauptmann und Hanke.*

Auch andere höhere NS-Funktionäre ließen sich nun auf dem „Wiesenstein" sehen, so die Oberbürgermeister von Erfurt und von Prag. (18) Als ranghöchster Besucher stellte sich auf dem „Wiesenstein" der Generalgouverneur von Polen, Hans Frank, ein. Der auf der Krakauer Burg residierende NS-Führer war in seinem „verstiegenen Repräsentationsdrang" und der „Rolle des Mäzenaten, die er sehr liebte" (C. Kleßmann), stets um Kontakt zu Künstlern bemüht (19). Er korrespondierte unter anderem mit Oswald Spengler, Richard Strauss, Winifred Wagner und Gerhart Hauptmann. Seine Briefe, meist in persönlich-liebenswürdigem Ton gehalten, waren stets mit Einladungen ins Generalgouvernement verbunden. So bat er Ende 1941 als „Fürsprecher der immerhin ansehnlichen deutschen Kulturgemeinde in Krakau" Hauptmann inständig um einen Besuch in der alten Königsstadt (20). Wenig später beschwor er Hauptmann erneut, die „doch wirklich nicht sehr weite Reise" von Agnetendorf nach Krakau anzutreten und im „Institut für Deutsche Ostarbeit" einen Vortrag „über irgendein Thema" zu halten (21):

(23.1.1942)
Unser Führer kämpft einen furchtbar schweren Kampf um die endliche Freiheit des deutschen Ostens. Ich glaube, daß jenseits des Sieges Adolf Hitlers ein gewaltiges

---

* In einem Brief vom 14.6.1944 an Margarete Hauptmann spricht der Inselpastor von Hiddensee, Arnold Gustavs, von dem „mit Herrn Dr. Hauptmann so befreundeten Gauleiter von Schlesien". *Briefnachlaß I, s.v. Gustavs, A.*

Neuerblühen der deutschen Kultur sich entwickeln wird. Sie sind der deutschen Osterde verbunden. (...) Ich gehöre zu jenem Kreis der treuen Anhänger des Führers, die Hoffnung haben, daß die beste Tradition des Volkes sich mit der besten stürmischen Kraft unserer Bewegung zu einem großen ewigen Deutschland vereinigen wird. Auch dazu bitte ich Sie, mir durch eine kurze Reise nach Krakau zu helfen.

Hauptmann entschuldigte sich mit dem Hinweis auf Alter und Gesundheitszustand und stellte die „Möglichkeit einer persönlichen Begegnung im Reich" für den Frühsommer 1942 anheim. Sein Brief schloß mit dem Gruß „Heil Hitler!" (22). Am 4.1.1944 sagte sich Generalgouverneur Frank telefonisch aus Krakau zu einem viertägigen Besuch auf dem „Wiesenstein" an. Er kam in Begleitung seiner Gattin und eines offiziellen Gefolges, das außerhalb des „Wiesenstein" einquartiert wurde. Aufgrund einer Unpäßlichkeit Hauptmanns übernahm Margarete Hauptmann die Niederschrift von Notizen über diese Tage (23). Ihnen zufolge hielt sich der Gast fast ständig im Archiv des Dichters auf. Frank, der eine „geistreiche oder auch geistreichelnde, mit französischen Floskeln durchsetzte Konversation" (C. Kleßmann) beherrschte, verfehlte nicht seinen Eindruck auf Hauptmann (24). Als er abreiste, notierte der Gastgeber: „Diesen Morgen verließ uns der Herr Generalgouverneur H(ans) Frank. Es liegen bewegte Tage hinter uns, die unser*(n)* geistigen *(Zustand)* in Wellen setzen" (Nachlaß-Nr. 5. S. 22 v). Welchen Eindruck der Besucher von dieser Begegnung mit sich nahm, ist nicht überliefert. Das offiziell geführte Diensttagebuch des Generalgouverneurs vermerkt lediglich: „Mittwoch, den 5.1.1944 10 Uhr Fahrt des Herrn Generalgouverneurs nach Breslau und Agnetendorf i/Rie" (25). Der nächste Eintrag vom 10.1.1944 hält die Teilnahme Franks an einer Tagung der Oberpräsidenten und Regierungspräsidenten in Breslau fest (26). In zwei überlieferten Heften eines persönlichen Tagebuchs sind nur Eintragungen bis 1942 enthalten. – Nach diesem Besuch hat Frank den Dichter offenbar erneut nach Krakau eingeladen, aber Hauptmann sagte aus den bekannten Gründen ab, revanchierte sich jedoch mit der Einladung zu einem zweiten Aufenthalt auf dem „Wiesenstein" (27).

Von den Besuchen der NS-Funktionäre hat der Malerfreund Hauptmanns, Johannes M. Avenarius, in seinen gereimten Erinnerungen „Sang an den Wiesenstein" ein bezeichnendes Bild geliefert (28):

Nazi—Gäste

Ach, du hehrer Wiesenstein,
Schändung hast auch du erfahren:
Damals in den Nazijahren
drang bei dir der Ungeist ein!

Wie hat Hauptmann tief erlitten
dieses Frevels Gönnertum —
Der Humanitas zum Ruhm
Lüge und Gewalt bestritten!*

Hat sich zeitig stets empfohlen.
Und die Gäste — nun alleine —
holten frech im Keller Weine.
Zechten fort bei Lieder—Johlen!

Bis der Hausverwalter Stief,
zu bereinigen die Lage,
den Bezechten früh am Tage
die mißbrauchten Fahrer rief!

Schon in der Weimarer Republik stach das „auffällig Wahllose von
Hauptmanns persönlichem Umgang" (J. Amery) in seinem Verkehr mit
gesellschaftlich-staatlicher Prominenz hervor (29). Dies hatte Thomas
Mann 1932 veranlaßt, mit Bedauern die mangelnde geistpolitische Kontur
dieses Verhaltens festzustellen:„Die Reden, die Hauptmann zugunsten der
Freiheit und des Volkes gehalten hat, muß man ihm hoch anrechnen,
finde ich; aber er sitzt dann freilich immer gleich wieder mit allen
möglichen Aristokraten und Generälen zusammen" (30). So verkehrte
Hauptmann unter anderem mit dem General v. Seeckt, der auf republikanische Staatsmänner wie Ebert und Löbe, die sich dem Umgang mit dem
Dichter zur Ehre anrechneten, geringschätzig herabblickte. Gewiß hielt
sich der Verkehr mit Seeckt und seinem späteren Nachfolger, dem

---

*Walter Thomas berichtet in seinen Erinnerungen an Hauptmann von einer
Diskussion des Dichters mit dem nationalsozialistischen Oberbürgermeister von
Prag.(31) — Vgl. auch Kap. XXII der vorliegenden Untersuchung.

Reichswehrminister Groener, in gesellschaftlich konventionellen Bahnen — ohne tiefere persönlich-geistige Berührung. So sprach Hauptmann später einmal von „meinem Fr(eund) Seeckt, den ich nie durchgreifend gesprochen habe" (Nachlaß-Nr. 13, S. 30 v). Und auch der Kontakt mit Groener hatte unverbindlichen Charakter:

(Januar 1944)

Es gab einen Augenblick, wo er (Groener) das Schicksal Deutschlands durch sein Auftreten gegenüber dem Nationalsozialismus maßgebend hätte beeinflussen können. Diese Bewegung war damals durch ihn in die schwerste Krise versetzt. Um diese Zeit herum (1931/32) brachte mich der Zufall mehrmals mit ihm gesellig zusammen (...). Seine stille, breite Genußfreudigkeit hatte ihn merkwürdig gleichgültig gemacht gegen die Schicksale der Nation (...). Sein Umgang, von Politik sprachen wir niemals, war in den Zusammenkünften nach Premieren etc. warm und angenehm. (CA XI, 584)

Diesem Kontakt mit den unterschiedlichsten gesellschaftlichen Repräsentanten lag wohl auch das Motiv zugrunde, als Dramatiker und Gesellschaftsporträtist vorurteilsfrei Menschen und Physiognomien in allen sozialen Schichten zu studieren. Dieselbe Offenheit, diese „nahezu bedenkliche menschliche All-Sympathie" (J. Amery), bewies der Dichter dann auch im Umgang mit führenden Vertretern des Dritten Reiches (32). So fand er — wie erwähnt — zu einer wohlwollenden Einstellung gegenüber dem schlesischen Gauleiter Karl Hanke; dem Generalgouverneur von Polen, Hans Frank oder dem Reichsstatthalter in Wien, Baldur v. Schirach. Über den Deutschnationalen Alfred Hugenberg, einen der Totengräber der Republik, äußerte er gelegentlich sibyllinisch: „(27.5.1936, Bad Eilsen, ‚Fürstenhof') Hugenberg ist im Haus, welche Jugend und welche Späte!" (Nachlaß-Nr. 23, S. 56 v). Hugenberg war ein früher literarischer Weggefährte zur Zeit des Naturalismus gewesen — mit Proben seiner Lyrik vertreten in der von Hauptmann 1885 freudig begrüßten Anthologie „Moderne Dichter-Charaktere". Doch was bedeutete ihm Hugenbergs „Späte"?

Im März 1943 notierte Hauptmann zum Tod des Reichssportführers Hans v. Tschammer und Osten: „Habe tief zu bedauern, ihm nicht näher getreten zu sein. Ich vermute, wir wären in gewisser Sympathie übereingekommen" (Nachlaß-Nr. 173, S. 60 v). Auch hier gab es einen biographischen Berührungspunkt.* Wenn auch all diese Beispiele von

---

*Das Rittergut Lohnig, auf dem Hauptmann 1878 als Landwirtschaftseleve arbeitete, war einem Freiherrn von Tschammer abgepachtet.

privat-persönlicher Unvoreingenommenheit zeugen, so sind sie doch nicht gerade ein Beweis für prinzipienfeste Gesinnung, wie sie der Hauptmann-Biograph Eberhard Hilscher für diese Zeit geltend machen will: „Bezeichnender- und auffälligerweise begegnete man damals *(nach 1933)* in Hauptmanns Umkreis ‚keinen Generalen, keinen Politikern, keinen hohen Parteiführern' " (33). Dieser Umstand dürfte sich wohl vor allem auf eine bewußte Zurückhaltung der Gegenseite zurückführen lassen, nicht auf die wenigen privat bezeugten ‚oppositionellen' Äußerungen Hauptmanns (34). Am 9.6.1942 nahm Hauptmann an den „Berliner Kunstwochen" mit einer Lyrik-Vorlesung in der Philharmonie teil. – Tags darauf folgte er einer Einladung des allmächtigen Goebbels. Er kannte die offiziell negative Einstellung des Propagandaministers ihm gegenüber und hatte sich gelegentlich seinerseits kritisch über den Minister geäußert: „Propaganda. Goebbels, der Jesuitenschüler" (Nachlaß-Nr. 152, S. 63). Ob er dennoch bei dieser persönlichen Begegnung dem über Geist und Charme verfügenden Goebbels die besagte „All-Sympathie" entgegenbrachte, läßt sich nicht mehr festellen. Eine diesbezügliche Tagebuch-Notiz vermerkt lediglich:

(10.6.1942)
Berlin. Außerordentliche Ehrung im Rathaus. Oberb(ürgermeister) Steeg und abends beim Minister Dr. Goebbels. *Nachlaß-Nr. 180, S. 28 v*

Auch aus dem Tagebuch Joseph Goebbels', der über jeden Tag in einem zumeist ausführlichen Diktat Rechenschaft abzulegen pflegte, ist nichts Näheres über diese Zusammenkunft zu erfahren: Für den Zeitraum von Juni bis Anfang Dezember 1942 besteht eine Lücke in der Überlieferung (35).

Schon ein halbes Jahr zuvor, als Hauptmann sich zur Uraufführung von „Iphigenie in Delphi " anläßlich seines 79. Geburtstages in Berlin aufhielt, hatte er „Autogramme in wahre Bücherstöße" schreiben müssen, „ die das Propagandaministerium in einer nicht ganz begreiflichen Anwandlung von Interesse herübergeschickt hatte" (G. Grundmann). (36) Sein eigentlicher Gegner war nach wie vor nicht Goebbels, sondern Alfred Rosenberg. Zwischen den beiden kam es erneut zu einer Kontroverse um Hauptmann, über dessen bevorstehendes Geburtstagsjubiläum sich Goebbels ins Tagebuch notiert hatte (37):

(10.3.1942)
Ich gebe Richtlinien für die Feier des 80. Geburtstages Gerhart Hauptmanns, der

demnächst steigen soll. Es soll nach Möglichkeit von offiziellen Feiern abgesehen, die Feiern sollen vielmehr in die Theater verlegt werden. Auch verbiete ich eine Aufführung der „Weber"; sie sind ihres sozialrevolutionären Charakters wegen heute ein außerordentlich prekäres Thema, und einem politisch nicht ganz sattelfesten Regisseur wäre hier die Möglichkeit gegeben, Unheil anzurichten.

Alfred Rosenberg, der von seinem Amt Schrifttumspflege aus eifersüchtig über die Kulturpolitik von Goebbels wachte, forderte offenbar in einem Brief vom 13.6. — also kurz nach dem Empfang Hauptmanns bei Goebbels — den Propagandaminister zu einem totalen Boykott des Hauptmann-Jubiläums auf (38). Goebbels entgegnete am 24.6., daß man den 80. Geburtstag Hauptmanns „im Hinblick auf sein europäisches Ansehen nicht stillschweigend übergehen" könne. Um jedoch den Anschein einer offiziellen Ehrung Hauptmanns durch den Staat oder. die Partei zu vermeiden, dürften die Bühnen nur jeweils eine Neuinszenierung herausbringen. Die Verleihung des Wiener Grillparzer-Preises an Hauptmann habe er abgelehnt und einzig für Breslau einen Festaufführungszyklus genehmigt (39). Dem linientreuen Rosenberg genügte auch das noch nicht. Am 2.7. antwortete er, es sei zwar nichts gegen „rein persönliche Ehrungen" einer „an sich starken Dichterpersönlichkeit" einzuwenden (40):

Immerhin scheint mit die Tatsache, daß Sie jedem deutschen Theater ein Stück von Hauptmann zur Aufführung übergeben, praktisch doch eine kulturpolitische Propaganda f ü r Gerhart Hauptmanns Werk zu bedeuten. (. . .) Ich bitte Sie deshalb, Ihren Beschluß in der Zahl der Aufführungen und Auswahl der Werke doch noch einmal zu überprüfen und rechtzeitig die Presse darauf aufmerksam zu machen, nicht etwa Gerhart Hauptmann als einen Dichter unserer Form zu feiern. Eine merkbare Temperiertheit der Presseaufsätze und eine Anzahl gut gearbeiteter kritischer Artikel erscheinen mir durchaus angebracht, um regulierend zu wirken (. . .).

So zog trotz des Empfangs bei Goebbels das Reichspropagandaamt Berlin weiterhin einen Trennungsstrich zwischen Hauptmann und dem NS. In der „kulturpolitischen Information Nr. 29" vom 10.7.1942 heißt es (41):

Bei geplanten Aufsätzen zum 80. Geburtstag Gerhart Hauptmanns ist darauf zu achten, daß der Dichter nicht als Exponent der nationalsozialistischen Weltanschauung bezeichnet wird. Darüber hinaus ist es überhaupt unangebracht sich mit Themen wie ‚Gerhart Hauptmanns Weltanschauung' usw. zu befassen.

Bezeichnend für die Uneinheitlichkeit der von Kompromissen, Rivalitäten und Instanzengewirr bestimmten NS-Kunstbürokratie ist es, daß Hauptmann zum gleichen Standpunkt – am 7.7.1942 – vom Generalgouvernement Polen gebeten wurde, an den Kulturtagen in Warschau vom 27.9. - 3.10.1942 teilzunehmen (42). Daß Hauptmann mit dem Hinweis auf die Belastungen der bevorstehenden Geburtstagsfeiern absagte, konnte er sich nach 1945 zugutehalten:,,Ich habe mich stets geweigert", äußerte er im Oktober 1945 zu Johannes R. Becher,,,in die von den deutschen Armeen unterworfenen Gebiete zu reisen, obwohl ich mehrfach zu Premieren meiner Stücke nach Paris und Krakau eingeladen wurde" (23).

Einer Teilnahme an dem „Weimarer Dichtertreffen" entzog sich Hauptmann ebenso wie in den Vorjahren. Das Tagungsmotto lautete: „Dichter und Krieger" (44). Entsprechend war der Stil der Einladung: die Dichter wurden nicht um ihr Erscheinen gebeten, sondern dazu sozusagen abkommandiert. Diesen Eindruck erweckt zumindest ein Schreiben des Propagandaministeriums, das bereits Detailfragen der Quartierbeschaffung regelte, obwohl Hauptmann seine Teilnahme noch gar nicht zugesagt hatte (45). Er begründete seine Absage wieder mit dem Hinweis: „Künftige Anstrengungen legen meinen achtzig Jahren Schonung nahe" (46).

Sein Pflichtsoll zum Thema „Dichter und Krieger" hatte Hauptmann zudem schon auf Aufforderung hin absolviert: mit einem „Gruß an die Front", gesprochen im Reichssender Breslau am 17.6.1942 (47). In einer kurzen Improvisation über sein Dichtertum versicherte er den „lieben Freunden und Lebenskameraden im Felde", „daß wir alle Kämpfer sind" und schloß mit dem Ausruf:,,Es lebe unser unsterbliches Deutschland". Eine weitere Ansprache an die Frontsoldaten, „Weihnachten 1942", blieb in der Schublade (48).

Mit den Feiern zum 80. Geburtstag hatte Gauleiter Hanke eine günstige Möglichkeit, seine ehrgeizigen kulturellen Pläne zu verwirklichen. In dieser Absicht traf er sich mit dem ebenfalls frisch ernannten Gauleiter von Wien, dem Reichsjugendführer Baldur von Schirach. Beide, freundschaftlich miteinander verbunden, waren ausgesprochen verfeindet mit Goebbels (49). Schirach, der sich als Sohn eines Herzoglich-Sachsen-Meiningischen Hoftheaterintendanten in einer „Göringschen Mäzenatenattitüde" (H.Heiber) gefiel, ließ ebenfalls entgegen einem ausdrücklichen Verbot aus Berlin eine Hauptmann-Festwoche in Wien veranstalten (50). In seinen Memoiren berichtet er (51):

Als der 80. Geburtstag von Gerhart Hauptmann nahte, erkundigte ich mich in Berlin, welche Ehrung man für den größten lebenden Dramatiker Deutschlands vorhabe. Antwort: Keine zentrale Feier, bescheidener Rahmen für örtliche Veranstaltungen, d.h., dieses oder jenes Theater sollte ein Hauptmann–Stück aufführen, die Presse sich zurückhalten. Diese Auskunft empörte mich. Ich setzte mich mit Familie Hauptmann in Agnetendorf in Verbindung und lud sie ein, als offizielle Gäste des Reiches im Palais „Pallavicini" in Wien zu wohnen, während wir in allen Sprechtheatern eine Woche lang Stücke von Gerhart Hauptmann aufführten. Hauptmann nahm an, wir bereiteten eine Serie von herrlichen Aufführungen vor, und ich fuhr am Vorabend seines Geburtstages nach Breslau, um ihn und seine Frau abzuholen. Zusammen mit Richard Strauss feierten wir in unserem Wiener Haus Gerhart Hauptmanns Geburtstag. Diese „Gerhart-Hauptmann"-Festwoche hatte nicht nur in Wien, sondern im ganzen Reich eine ungeheure Resonanz. Auch Goebbels und Hitler werteten sie als Demonstration. Sie sollte es auch sein.

Über die kulturpolitischen Hintergründe unterrichtet ausführlicher der damalige kommissarische Direktor der Wiener Staatsoper und persönliche Kulturreferent Schirachs, Walter Thomas, in seinen Erinnerungen. (52)

Ihm zufolge ist der Gedanke einer besonderen Ehrung Gerhart Hauptmanns zum 80. Geburtstag in Wien von Richard Strauss ausgegangen. Als die Vorbereitungen schon angelaufen waren, trat wiederum Alfred Rosenberg auf den Plan. Wie man in Wien aufgrund einer vertraulichen Mitteilung aus Berlin erfuhr, hatte sich Rosenberg wegen des Wiener Projekts an Hitler gewandt und dargelegt, es bedeute ein „Verbrechen am nationalsozialistischen Geiste", wolle man den „Erzpazifisten" Hauptmann in solcher Weise ehren (53). Hitler schloß sich der Meinung Rosenbergs an und ließ den Protest mit entsprechendem Vermerk an Goebbels weiterreichen. Die deutschen Bühnen wurden daraufhin umgehend angewiesen, jede Geburtstagsehrung Hauptmanns zu unterlassen. Auch nach Wien ging ein Schreiben des Propagandaministeriums, das eine Festwoche für Hauptmann als „aus allgemeinen kulturpolitischen Erwägungen" für unerwünscht erklärte und diese Information als „streng vertraulich" bezeichnete. Sie dürfe nicht als Grund für die Absage einer bereits bekanntgegebenen Ehrung genannt werden. Dies war offensichtlich ein taktischer Kompromiß von Goebbels; denn die Hauptmann-Festwoche in Wien fand statt − „trotz heftigster Proteste aus Berlin, trotz des Verbots, über die Aufführungen in der Reichspresse zu berichten (54)".

Hauptmanns Bereitschaft zur Teilnahme an der Wiener Festwoche beruhte nicht zuletzt auf seiner Sympathie für Baldur v. Schirach. Ähnlich wie bei Hanke schätzte er an Schirach ein Maß kultureller Aufgeschlossenheit, das von der bei NS-Funktionären sonst üblichen Norm erheblich abwich:

(5.2.1942)
Heut Audienz bei Baldur v. Schirach. Nachher Opernpremiere. Über beides viel zu sagen. B.v.Sch. sympathisch und innerlich zu Gutem in der Kunst entschlossen – und mehr. Richard Strauss und meine Wenigkeit saßen über ihm in der „Kaiserloge" von ehedem. *Nachlaß-Nr. 3, S. 86 v*

Auf diesem „Boden, der auch ohne Juden Wien bleibt", empfand Hauptmann noch einmal die „Festivitas", die ihm „in Berlin heut und erst recht in Dresden" fehlte (ibd., S. 85, 91 v). „Die Geburtstagsfeiern, in die sich Hauptmann 1942 eingespannt sah (. . .), hatten etwas Monströses, barock Überladenes" (H. v. Hülsen). (55) Was den Jubilar bei den Festveranstaltungen in Gegenwart von Repräsentanten des Staates und der Partei innerlich bewegt haben mag, läßt sich den Diarien nicht entnehmen. Hülsen zweifelt nicht, „daß ihm gar nicht wohl war in der Rolle, in die er sich selbst hineinmanövriert, als er wähnte, der Erhaltung seines Werkes zuliebe, lavieren zu können. Kaum einer seiner wahren Freunde (...) wird, wenn er ihn neben dem jungen Gauleiter Hanke – oder in der Kaiserloge des Burgtheaters neben dem noch jüngeren Dichter des Liedes von der voranflatternden Fahne der Hitler-Jugend sah, sich des Gefühls haben erwehren können: Es tut mir weh, daß ich dich in der Gesellschaft seh'!" (56).
Hülsen hielt zur Eröffnung der Wiener Festwoche im Akademie-Theater einen Vortrag, in dem er die Zeitgemäßheit des Hauptmannschen Werkes herauszustellen trachtete. Wie Hauptmann später gegenüber C.F.W. Behl äußerte, hat ihn „der apologetische Ton gestört": „Ganz naiv und sicherlich in bester Absicht habe der Redner das Werk Hauptmanns zu ‚retten' versucht, indem er es heroisierte" (57). Hülsen hatte unter anderem aus der Hauptmann-Rede von 1921 „Deutsche Einheit" eine begrifflich beziehungsreiche Partie zitiert, in der es heißt: auch die Trübseligen und Hoffnungslosen unter den Deutschen müßten „zum Glauben, zur Liebe, zum sozial-nationalen Leben" (CA VI, 720) erweckt werden. Daher – so Hülsen 1942 – dürfe sich Hauptmann „heute mit Genugtuung sagen, daß er sich mit dieser seiner Forderung im geheimen Einklang befand mit dem machtvollen Rufer deutscher Zukunft, der damals im Süden des Vaterlandes, der weiten Öffentlichkeit noch unbekannt oder von ihr verlacht, sein die alte Welt aus den Angeln

hebendes Programm sozial-nationalen Lebens immer wieder durchdachte und verkündete" (58).

Der von Hülsen derart apostrophierte „Führer" verstand sich immerhin zu einem Minimum an Reverenz gegenüber dem Jubilar und schickte ein Grußtelegramm nebst Geschenk. Auf einem Staatsakt im Breslauer Oberpräsidium dankte Hauptmann in einer kurzen Ansprache beiläufig dem „Sternenschicksalsträger des Deutschtums" für diese Geste (CA XI, 1196). Im übrigen wurde jedoch von der NS-Presse das gleichzeitige Jubiläum von Adolf Bartels herausgestellt, und Gauleiter Sauckel in Thüringen, der bereits verboten hatte, Shakespeare zu spielen, untersagte nunmehr auch jegliche Aufführung von Werken Hauptmanns – ein Beispiel, dem alsbald manche Städte und Gaue folgten (59).

In welchem Ausmaß jedoch trotz dieser partiellen Einschränkungen dem Werk Hauptmanns 1942 öffentliche Wirksamkeit zuteil wurde, geht aus dem sprunghaften Ansteigen des Jahreseinkommens hervor, das Hauptmann der Reichskulturkammer mitzuteilen hatte. Diese Erklärungen waren von Goebbels über den Reichsdramaturgen Schlösser angefordert worden (60):

```
1940:  72.097,–
1941:  43.765,–
1942: 203.040,–
```

Freilich ist dabei wohl auch der Erlös aus der im November 1942 erschienenen „Ausgabe letzter Hand" zu berücksichtigen.

XXII DIE ‚JUDENFRAGE'

Hauptmann hatte Grund genug, wenn nicht eine philosemitische, so doch zumindest vorurteilslose Einstellung gegenüber deutschen Juden zu hegen. Deutsche Juden hatten maßgeblichen Anteil an der Dichterlaufbahn Hauptmanns, soweit sie von außen zu fördern war: allen voran die beiden Theaterregisseure Otto Brahm und Max Reinhardt, der Kritiker Alfred Kerr und der Verleger Samuel Fischer. Hauptmann, der „germanische Liebling der jüdischen Kritik" (Thomas Mann), war mit ihrer maßgeblichen Hilfe auf das nationale Piedestal gestellt worden (1).

Dennoch empfand Hauptmann, der sich tief im deutschen Volkstum verwurzelt fühlte, stets eine gewisse Fremdheit und Spannung zwischen Judentum und Deutschtum. Von einem weltanschaulichen Antisemitismus war er weit entfernt und begrüßte den Zionismus als eine „positive, vom Haß abstrahierende Idee, welche keimendes Leben in sich trüge" – wie es 1898 im Tagebuch heißt (2). 1913 distanzierte er sich ausdrücklich vom politischen Antisemitismus:

(5.2.1913)
Ich für mein Teil würde trotz aller ausgesprochen jüdischen Erfahrungen, auch der üblen, keinen hinzureichenden Grund für Antisemitismus finden.
Die Antisemiten machen allzuviele Denkfehler.
Gewiß spüre ich Gegensätze: aber ich spüre sie ja sogar zwischen mir und meinem Bruder (. . .).
Alles bewußt feindlich Jüdische muß ebenso auf bewußt Feindliches stoßen: Talente aber müssen nur respektiert und gesucht werden. *Nachlaß-Nr. 11 b, S. 508 f.*

Wohl aber neigte er dazu, Antipathien gegen einzelne Juden in antisemitische Klischees zu kleiden. Dieser gefühlsmäßige, stets latente Antisemitismus trat bei ihm um so stärker hervor, je mehr für sein Empfinden der jüdische Gegner seine Eigenart hervorkehrte. Insbesondere wenn Hauptmann sich zu Unrecht attackiert fühlte, kehrte er seine Aggressionsgefühle gegen das Judentum des Gegners. So in der Auseinandersetzung mit Alfred Döblin:

Die einfache Frage: Fühlen Sie sich als Semit? – Im gleichen Augenblick fühle ich mich als Germane! – Ich sehe ganz ab von dem großen freien Semitismus – Afrikas! *Nachlaß-Nr. 7, S. 120*

Oder in einem Nachtrag zum Bruch zwischen ihm und Alfred Kerr:

(1.3.1937)
Was sich mit einem unsauberen Geist auch nur in einen Kampf einläßt, und sei's ein Kampf der Abwehr, wird unweigerlich besudelt.
Es gibt einzelne Juden und einzelne Eigenschaften bei Juden, die mich zum wildesten Antisemiten ihnen gegenüber machen. *Nachlaß-Nr. 131, S. 40*

Seiner schwankenden Einstellung zu den Juden lag ein ambivalentes Verhältnis zur jüdischen Intellektualität zugrunde. Er fühlte sich einerseits von ihr fasziniert und angezogen, wie im Falle Walther Rathenaus, Theodor Wolffs oder Alfred Kerrs. Andererseits mochte er zuweilen den Mangel des eigenen intellektuellen Vermögens spüren und neigte – zur Wahrung seines Selbstbewußtseins – dazu, das Talent des anderen vor sich herabzusetzen. Daraus entsprangen seine Polemiken gegen den jüdischen Intellektualismus. War er nicht durch eine Abwehrhaltung emotionalisiert, dann suchte er den Mentalitätsunterschied zwischen Deutschtum und Judentum zu ergründen.

(nach dem 25.10.1937)
Ich bin das absolute Gegenteil von einem Juden: Ich habe das immer – *durchaus nicht feindlich! (im Original unterstrichen)* – gefühlt, ja gewußt: Meine Männer sind Goethe, W. v. Humboldt, Wieland, Luther, Erasmus etc. und wie sie alle heißen mögen; aber so freundlich ich *(Albert)* Einstein empfand, er war nicht mein Mann. Bei Kerr habe ich Wesenszüge geschätzt, aber vieles war mir peinlich an ihm, widerlich bis ekelhaft, und es wäre auch eine Parallele im Deutschen nicht möglich. (...) Aber *(Joseph)* Joachim*, (... ?) hier ist es anders. – Die Frage bleibt kompliziert. Und vor allem auch Fräulein Jungmann**. *Nachlaß-Nr. 52, S. 252*

Hier wog Hauptmann kaum Vergleichbares gegeneinander ab: die gute Zusammenarbeit mit seiner Sekretärin Elisabeth Jungmann und die innige Zwiesprache mit deutschen Geistesheroen. Mit solcher Kasuistik suggerierte er sich geradezu die Existenz einer ‚Judenfrage'. Über die Bedeutung der jüdischen Intelligenz für das öffentliche Leben in Deutschland vermochte er sich kein eindeutiges Urteil zu bilden. Zuzeiten erkannte er ihre Unentbehrlichkeit für Kultur und Gesellschaft an:

---

* Joseph Joachim, berühmter Geigenvirtuose, bei dem Hauptmanns zweite Frau, Margarete Marschalk, Unterricht genommen hatte.

** Elisabeth Jungmann war nach NS-Kategorien „Mischling".

(nach dem 10.9.1927)
Bei dem Judentum ist es so, wie *(bei)* einem Diener, den man immerfort
ausschimpft, aber der, wenn er vermißt wird, das Hauswesen unmöglich macht.
Nachlaß E. Jungmann, B. 1, S. 9

(26.4.1933)
Liebe zur Kunst, Feinheit des Eingehens zeichnet die Juden aus. *Nachlaß-Nr. 141,
S. 108*

Andererseits behauptete er gelegentlich das genaue Gegenteil und
sprach dem jüdischen Intellekt die Fähigkeit ab, sich völlig in den
deutschen Geist versenken zu können:

(20.7.1935)
Das jüdische Moment: alte Teilnahmen an rein deutschen Angelegenheiten fehlen:
journalistische Dinge, Modendinge sind das Gebiet: aber wenn etwas tiefer geht . . .
so ist es Vergangenheit. Und da ist kein Sinn für die unendlichen Ausgaben
(Verausgabungen?) von Goethe und Schiller. *Nachlaß-Nr. 52, S. 161*

(1940)
Juden sind die ausgesprochensten „geistigen" Spießer, die überhaupt möglich sind:
sie gehen bis an ihre Grenze, können aber das spezifisch Jüdische nicht
überschreiten. *Nachlaß-Nr. 133, S. 52*

Hauptmann machte unterschwellig eine Unterscheidung zwischen
‚guten' und ‚schlechten' Juden, zwischen deutschen und nichtdeutschen:
je mehr der Jude sich assimilierte, desto besser war er. So hatten auch
schon die Wortführer des Berliner Antisemitismusstreits von 1879, Stöcker
und Treitschke, argumentiert, denn „offensichtlich nur das konnte dem
nicht-totalitären Bürgertum den Antisemitismus annehmbar machen" (W.
Boehlich) (3). Hauptmann reservierte Toleranz und Gleichberechtigung gewissermaßen nur für eine kleine jüdische Elite. Dies erhellt auch aus einer
Bemerkung über die Vermittlerrolle des (Ost-)Judentums, wobei Hauptmann an den von ihm verehrten Schalom Asch gedacht haben mag*:

(23.3.1940)
Judenfrage? Das Judentum (nicht das des „Stürmers" und Konsorten) ist die geistig
lebendigste Verbindung in unsrem eurasischen Kontinent nach dem Osten: die

---

* C.F.W. Behl berichtet unter dem 19.3.1944: „Eine große Verehrung bezeugte
Hauptmann für den ostjüdischen Dichter Schalom Asch". (4)

orthodoxen Juden kommen dabei nicht in Betracht, aber die *(, welche)* in europäische Mischrasse und in durchaus und ganz europäische Sprachkultur (und das ist das Höchste) eingegangen sind. – Diese Brücke zu Asien sollten wir nie abbrechen. *Nachlaß-Nr. 235, S. 65*

Diese unterschiedliche Einstellung zu assimiliertem und nichtassimiliertem Judentum findet sich ebenfalls in der Wiedergabe eines Gesprächs, das Erich Ebermayer mit Hauptmann Anfang 1934 in Italien über die Verhältnisse in Deutschland führte:,,Ich wage nur, das Judenproblem und die Kulturbarbarei in die Debatte zu werden. Aber das sieht Hauptmann gar nicht. Er will es nicht sehen. ,,Die paar Ostjuden – mein Gott, nicht so wichtig" (5).

Hauptmanns schwankende Einstellung zur ,Judenfrage' war darüber hinaus bestimmt von Strömungen des Zeitgeschehens. Wie sehr er sich beispielsweise schon vor 1933 durch das Anwachsen der antisemitischen Propaganda verunsichert fühlte, zeigt sich darin, daß er den Abdruck eines Kapitels über die Juden in der von J. Chapiro 1932 herausgegebenen Sammlung ,,Gespräche mit Gerhart Hauptmann" verhinderte. Dieses Gesprächskapitel trägt den Titel: ,,Juden – ein romantischer Begriff" (6). Hauptmann telegraphierte an Chapiro seine plötzliche Ablehnung mit der folgenden Begründung: ,,Ihr Gespräch auferlegt mir allzu große Verantwortung. Ich fürchte bei dem mehr als gefährlichen Thema schwere öffentliche Mißverständnisse. Lieber Wahrheit beizeiten als zu spät" (7). Bevor Chapiro auf dieses nach seiner Auffassung ,,merkwürdige" Telegramm reagieren konnte, äußerte sich Hauptmann zusätzlich in einem Brief, weshalb er das Gespräch nicht autorisieren könne:,,Zwei Weltthemen werden darin von uns beiden ziemlich oberflächlich abgehandelt: das Judentum und die Bibel. Und dazu noch Jehovah, Christen und Juden gleichermaßen identisch mit Gott". Er befürchte, daß er mit seinen Ausführungen über Jehovah auf die ,,heiligsten Gefühle derer, die ihn anbeten", kaum Rücksicht nehme (8). Chapiro suchte die Einwände dieses ,,angsterfüllten" Briefes mit dem Hinweis zu zerstreuen, das in dem Gespräch bezeugte ,,positive und freundliche Verhalten zu den Juden" könne auch den orthodoxesten unter ihnen unmöglich verletzen (9). Den Bedenklichkeiten Hauptmanns lag daher vermutlich nicht das Motiv religiöser Toleranz zugrunde, sondern die Furcht vor Anfeindung von seiten einer durch den politischen Antisemitismus verhetzten Öffentlichkeit – bei Bekanntwerden seiner positiven Äußerungen über die Philantropie und die kulturellen Mittlerdienste der Juden, über den Zionismus und anderes mehr. Welcher Grad von Aufrichtigkeit ist dem Gespräch über das Judentum zuzumessen, wenn Hauptmann dazu nicht stehen konnte oder wollte? Seine Äußerungen waren einem Gesprächspartner gegenüber erfolgt, der selbst Jude war. Allein dieser Umstand gebot eine zumindest diplomatische Behandlung des Themas. Hauptmann hat bezeichnenderweise Chapiro am Ende des Gesprächs gefragt, ob er „mit seinen Ausführungen und Ansichten zufrieden und sogar einverstanden" sei. Offenbar hatte Hauptmann wenigstens zum Teil einen Gefälligkeitsstandpunkt vertreten. Chapiro war zudem ein eifriger und hartnäckiger Gesprächspartner, der ehrgeizig an seiner ‚Eckermann-Rolle' hing. Daß er damit zuweilen Hauptmann beschwerlich fiel — wie auch die Verhandlungen über das ‚Juden-Kapitel' zeigen —, scheint sich in dem Bekanntenkreis Hauptmanns herumgesprochen zu haben (10).

Im letzten Teil des Gesprächs war Hauptmann, der nach eigenem Bekenntnis zu einem okkasionellen Antisemitismus neigte, geradezu genötigt, sich zu verstellen. Denn Chapiro erwähnte einen Brief Leo Tolstois, „in dem dieser bekennt, wie sehr er sich gegen seine von Kindheit an in ihm verankerten antisemitischen Gefühle wehren müsse; daß seine erste Regung einem Juden gegenüber meistens negativ sei, er dann aber seine Abneigung mit dem Verstande überwinde und sich schäme, so empfunden zu haben". Hauptmann habe darauf „mit einer ungewöhnlich heftigen Stimme" bemerkt: „Ich kann das von mir nicht behaupten, obwohl ich Tolstoi angesichts seiner Kindheitsatmosphäre durchaus verstehe (. . .)." Diese psychologisch aufschlußreiche Erregung Hauptmanns ist auch in anderen Fällen zu beobachten, wo er einer Erwartung des Gesprächspartners Genüge zu tun suchte, insgeheim jedoch einer konträren, eigentlich ‚unerlaubten' Meinung war.* Wie das Gespräch

---

* So berichtet der ungarische Schriftsteller Ferenc Körmendy, wie Hauptmann im Jahre 1938 bei einer Begegnung in Rapallo in einer Mischung von Anklage und Selbstanklage seine ‚wahre' Meinung über das Dritte Reich und sein eigenes Verhalten offenbart habe: „Hitler richtet die Welt zugrunde", schrie er in den Wind. „Dieser elende österreichische Anstreichergehilfe hat Deutschland ruiniert (. . .)" (12). Dem Bericht Körmendys zufolge zeigte Hauptmann alle äußeren Zeichen der Erregung: er „schrie", „brüllte", „tobte", „ranzte" mit „gellender Stimme", ging mit „wuchtigen" Schritten. Wie Hauptmanns private Aufzeichnungen bezeugen, dachte er 1938 anders über Hitler, aber er machte das Gegenteil in diesem zwanghaften, auf Über-Kompensation beruhenden ‚Bekenntnis' geltend. — Ähnliches berichtet Peter Suhrkamp von seiner letzten Begegnung mit Hauptmann 1943. In einer Gesprächsrunde, in der man sich offenbar keinen Illusionen über die Zeitläufte hingab, habe Hauptmann sich „auffällig erregt" aufgeführt, ja etwas „Irres" an sich gehabt. (13)

„Juden — ein romantischer Begriff" zeigt, differierten Hauptmanns offfizielle Äußerungen und die der Intimität des Diariums vorbehaltenen Ansichten mitunter erheblich. Darin manifestiert sich eine psychologische Funktion der Aufzeichnungen. Bei ihrer Niederschrift war Hauptmann entlastet von dem Anspruch der Bedeutsamkeit und dem Zwang, der ihm zugewiesenen Repräsentantenrolle stets in adäquatem Ausdruck entsprechen zu müssen. Die vielen Polemiken und Tiraden in den Aufzeichnungen waren häufig ein Vehikel der Aggressionsabfuhr — so zum Beispiel auch die antisemitisch gefärbten Ausfälle gegen Döblin und Kerr. Diese Funktion weist extremen Äußerungen Hauptmanns auch ihren Stellenwert zu.

Über seine Einstellung zur ‚Judenfrage' läßt sich ebenso Apologetisches wie Kritisches vorbringen. Als die NSDAP im Wahlkampf 1930 eine maßlose antisemitische Hetze betrieb, veröffentlichte die „Liga für Menschenrechte" einen „Aufruf gegen die Kulturschande des Antisemitismus", den Hauptmann auf Ersuchen der Liga mitunterzeichnete (11). Als 1933 die Judenverfolgung praktisch einsetzte, blieb sein Protest auch im stillen schwächlich. Er zeigte sich berührt, soweit persönliche Freunde und Bekannte betroffen waren. Zu einer allgemeinen Verurteilung des Geschehens konnte er sich nicht durchringen. Ratlosigkeit über das Nichtzuändernde, aber auch ein Gefühl der Bestätigung in geheimen Vorbehalten durch die staatlichen Sanktionen spricht aus den folgenden Versen:

(Sommer 1933)
Ihr lieben Juden, was soll nun werden?
Ihr seid länger als i c h auf Erden.
(. . .)
Ihr waret kalt, waret überlegen,
ablehnend, grausam meinetwegen!
Ich habe alles an euch gespürt —
und war nur von eurem Guten berührt. —
Und dennoch, dennoch, unterm Hemd,
was war es an euch, was blieb mir fremd? (. . .)
Nachlaß-Nr. 15, S. 153 v

In Verdrängung der politischen Realität faßte er das Schicksal des deutschen Judentums im Dritten Reich vor allem als eine Fortsetzung der jahrtausendealten Leidensgeschichte des jüdischen Volkes auf. Die ethnische Resistenz, welche das Judentum seinen Verfolgungen zum Trotz bewies, faszinierte Hauptmann. Er bewunderte den „großen Not– und Kampfgeist", den sich die Juden, nach dem Fall Jerusalems „aus unterirdischen Kanalrohren mühsam gerettet", bewahrt hätten – wie er sich 1932 gelegentlich der Lektüre von Josephus Flavius' „Geschichte des jüdischen Krieges" notierte (14). Er verglich das „leidende Deutschtum in Österreich und sein tiefes Gefühl" mit dem „leidenden Judentum" im Reich, „welches deutsch fühlt und dem man sein deutsches Fühlen nicht zugestehen will" (Nachlaß-Nr. 230, S. 11 v). Judentum und Deutschtum glaubte er in einer höheren Schicksalsgemeinschaft verbunden und über den Ablauf säkularer Geschichtsprozesse erhaben:

(nach dem 2.5.1935)
Das Judentum hat keine Geschichte, sondern nur eine immerwährende, sich gleichbleibende Gegenwart. – Der Zeitbegriff? Vielleicht entfremdet auch unsre Geschichte uns zu sehr von uns selbst. *Nachlaß-Nr. 132, S. 61*

Solcher mythischen Wesensschau konnten zeitgeschichtliche Ereignisse nur als ephemer gelten. Die seiner Vorstellungswelt gemäße Antwort auf die Judenverfolgungen im Dritten Reich gab Hauptmann mit den 1937 verfaßten „Finsternissen", einem Requiem für den 1934 gestorbenen jüdischen Freund Max Pinkus, an dessen Begräbnis Hauptmann als einziger ‚Arier' teilgenommen hatte. Mit den „Finsternissen", der dramatischen Gestaltung eines „Zwischenreich–Mythologems" (H. Kleinholz), hat Hauptmann seiner Erschütterung über das jüdische Schicksal einen Ausdruck gegeben, der von der „Leidensmetaphysik seiner Dichtung" (H.-E. Hass) geprägt war (15).

Doch ganz im Gegensatz dazu ließ er sich – „Psychopathologie des Alltagslebens" (S. Freud) (16) – von antisemitischen Propagandaparolen anstecken, wenn er sich als Opfer jüdischer Anmaßung fühlte. Dann schreckte er auch nicht vor dem landläufigen Klischee des geldgierigen Juden zurück. So heißt es in der Abrechnung mit Kerr 1933:„ Geldseele. Es gibt das. Irgendwie hängt sie mit Metall zusammen, das klingt und klirrt, mit Gold und Silber noch immer. Geldseele ist ein Fanatismus: mit ihm muß gerechnet werden" (17). Mit dem Stereotyp des geschäftstüchtigen Juden machte Hauptmann auch vor anderen Freunden nicht Halt:

(März 1937)
Ich bin den Juden viel schuldig geworden, ich leugne das nicht, aber was sie mir

(Textlücke). Brahm ist für mich eingetreten, hat dann wesentlich auf meine Stücke ein Theater gegründet und sich ein Vermögen gemacht.

Fischer hat mit meinen Werken einen Verlag gegründet und ein Vermögen aus ihnen gezogen. *Nachlaß-Nr. 131, S. 40*

An der Entschlossenheit des nationalsozialistischen Judenprogramms hatte er seine Zweifel. So äußerte er im Oktober 1934: „Viele Dinge heut erscheinen mir schattenhaft, so grundstürzend sie sich gebärden, und ich glaube nicht an ihren letzten Ernst" (Nachlaß-Nr. 155, S. 119 v). Und ehe die „Nürnberger Gesetze" 1935 mit der Rassendiskriminierung Ernst machten, dekretierte er − offenbar in Auseinandersetzung mit der NS-Propaganda, die die Begriffe deutsch und jüdisch als einander ausschließend hinstellte:

(nach dem 7.9.1934)
Ihr „Juden" seid Sprachdeutsche! Erklärt doch: Wir sind Sprachdeutsche. Dann seid ihr Deutsche, denn die Sprache ist die Nation. − Nehmt einen Schweden, der kein Wort Deutsch kann. − Was ist dagegen der Jude Martin Buber, der uns (. . .) das Alte Testament verdeutscht hat? − Ein Deutscher. Seeleneinheit bedingt unmittelbar Sprache. *Nachlaß-Nr. 155, S. 122 f.*

Als jedoch 1936 deutsche Emigranten in Amerika genau das taten, wozu Hauptmann sie aufforderte: sich als Repräsentanten der deutschen Sprache und des deutschen Geistes zu verstehen, rügte er bei ihnen die Anmaßung eines geistigen ‚Alleinvertretungsanspruchs':

(nach Oktober 1936)
Akademie in New York. (Deutsche A.(*kademie*) geheißen)*
Ihr Herren Emigranten solltet euch nicht so albern betragen: denn das geht nicht, daß man eine Auslese von nur Juden zu einer Deutschen Akademie stempeln kann, das würde heißen, der deutsche Geist sei nur jüdisch. (. . .) Nennt ihr alles, was im Lande geblieben ist, Ungeist, so ist dawider zu halten, daß Schweigen des deutschen Geistes nichts beweist gegen sein Vorhandensein. (. . .) Der heutige deutsche Geist? Was ist heutig? Nur der Journalismus − und dem gehören die Leute von der deutschen Akademie in New York (an). *Nachlaß-Nr. 182, S. 97 v ff.*

---

* Eine „Deutsche Akademie" im Exil bestand zu diesem Zeitpunkt noch nicht. Es gab jedoch Ende 1936 Bestrebungen, eine solche Institution ins Leben zu rufen. Auf der Veranstaltung eines „Deutschen Tages" in New York (Dezember 1936), an dem u.a. Hubertus Prinz zu Löwenstein, Ernst Toller und Klaus Mann teilnahmen, war eines der Themen die Gründung einer „Deutschen Akademie" (18).

Hier zeichnet sich bereits eine Kontur der späteren Kontroversen über die ‚innere' und ‚äußere' Emigration in Deutschland ab, denn auch die im Lande Gebliebenen verstanden sich ja als Wahrer der literarischen Tradition. Dessen ungeachtet waren die Emigranten für Hauptmann nach wie vor unbequeme Mahner. Als Thomas Mann Ende 1938 mit seiner Essay—Sammlung „Achtung Europa" seinen propagandistischen Kampf gegen das Dritte Reich begann, äußerte Hauptmann geringschätzig:„Thomas Mann, ein kleiner, in seine Feder verliebter Skribent auf politischem Gebiet — ohne alle Größe" (Nachlaß-Nr. 13, S. 75). Um die Emigranten in ihrer Rolle als Ankläger herabzusetzen, unterschied Hauptmann zwischen einer freiwilligen — mehr zu respektierenden — und einer unfreiwilligen Emigration:

(nach dem 18.12. 1937)
Emigrant und Emigrant sind sehr verschiedene Wesen und Dinge. (. . . .) Der jüdische Emigrant ist der Jude als Emigrant. Die nichtjüdischen Emigranten — Victor Hugo — Carl Schurz waren wirkliche. Diese Juden sind nur herausgeworfen und entbehren jeder Basis. Daher ihre Reaktion. — Die ersteren waren gleichwertige Gegner — die Juden werden dafür nicht geachtet. Das ist ihre tiefste Tragik. *Nachlaß-Nr. 262 A, S. 27*

Mit dieser Ansicht über die „herausgeworfenen" jüdischen Emigranten hatte sich Hauptmann die fatale Unterscheidung zwischen „rassischen" und politischen Emigranten durch den NS zu eigen gemacht. Wohl waren über 90 % der Emigranten „rassisch" Betroffene, doch gab es auch Überschneidungen von „rassischer" und politisch-weltanschaulicher Motivation (19). Bei aller Befremdlichkeit entsprach Hauptmanns Einstellung freilich der Geringschätzung, die auch von politischen Emigranten den lediglich rassisch Verfolgten entgegengebracht wurde, weil diese in den ersten Jahren der NS—Zeit vielfach geglaubt hatten, sich mit dem neuen Regime arrangieren zu können (20).

Hauptmann wollte jedoch der ‚Judenfrage' nicht zu sehr auf den Grund gehen, da sie ihn belastete und den Blick auf das Positive verstellte, den er zur Beflügelung seiner Schaffenskraft brauchte:

(vor dem 26.3.1938)
Ich muß endlich diese sentimentale „Judenfrage" für mich ganz und gar abtun: es stehen wichtigere, höhere deutsche Dinge auf dem Spiel — und man spürt Größe und Kraft der Organisation. *Nachlaß-Nr. 262 A, S. 75*

(31.10.1938)

(. . .) bei undramatischem stillen und schönen Sein, dichterisches Wachstum. Dabei keine Abwendung von dem Großen, das in Deutschland geschehen ist *(Anschluß der Sudetendeutschen)*: einwirken soll es sich irgendwie. *Nachlaß-Nr. 13, .S. 10*

Freilich sorgten die Ereignisse in Deutschland dafür, daß ihm diese Frage stets von neuem ins Bewußtsein gerückt wurde. Wenige Tage vor den am 9.11.1938 von Goebbels organisierten Ausschreitungen der SA und aufgehetzter Jugendlicher gegen die Juden im Reich äußerte Hauptmann im fernen Italien ahnungslos:

Wer in die Flamme des deutschen Geistes fliegt – mancher hat sich die Flügel verbrannt. – So auch das Judentum. Aber Geistesflamme (. . .) ist „Flamme" nur metaphorisch, sie frißt ihre Motten nicht. Und so auch nicht die Juden, die deutsche Sprache und deutscher Geist zu deutschen Geistern gemacht hat. *Nachlaß-Nr. 13, S. 12*

In der „Reichskristallnacht" gingen Synagogen in den ‚Flammen des deutschen Ungeistes' auf, wurden jüdische Geschäfte und Wohnungen zerstört und eine unbekannte Zahl von Juden ermordet. Als Hauptmann die Nachricht von den Ausschreitungen erfuhr, soll er im Gespräch „Sorge und Abscheu" geäußert haben (21). Eine Tagebuchaufzeichnung zeigt dagegen, daß er die Ereignisse nicht völlig verurteilte, sondern den politisch organisierten Terror für einen Ausdruck spontanen Volksempfindens hielt – ein Zeichen für das propagandistische Geschick Goebbels'.

(November 1938)

(. . .) niemand liebt zur Schau getragene und in Geld ausgedrückte (darauf kommt es an) Überlegenheit. Niemand will sich dem Volksvermögen Entnommenes gern als Almosen zurückgeben lassen. Das äußerlich Furchtbare, was in Deutschland den Juden geschieht – was bewirkt es: Verstärkung ihres Zusammenschlusses, ihres Familiengefühls. – Für ein kommendes halbes Jahrtausend. *Nachlaß-Nr. 13, S. 41 f.*

Für ihn war die Leidenserfahrung der politischen Gegenwart nur Chiffre des ewigen Kampfes, dem die menschliche Existenz ausgesetzt sei. Geradezu vulgärdarwinistisch drückte Hauptmann diese seine mythische Weltsicht aus: „Kampf aller gegen alle wird fortdauern, und wenn auch kein Jude mehr in der Welt sein wird, auch nicht einmal die Erinnerung an diesen Volkszusammenhalt mehr dasein wird, ebensowenig als die an die Deutschen und Deutschland" (ibd., S. 42).

Wenn er zu keiner Klarheit über die ‚Judenfrage' gelangen konnte, so führte er dies auch auf eine mangelnde geistige Hilfestellung „moralisierender" Schriften nichtjüdischer Autoren über die Juden zurück. Diese Literatur sei „nur so gelegentlich": „Es ist da etwas Instinktives als Abneigung anzuerkennen; das Lausejudentum in Asien, überhaupt im Orient (. . .), doch verglichen mit dem Phänomen der Jahrtausende zu gering" (Nachlaß-Nr. 13, S. 32).

> (Juni 1940)
> Ich habe das Judenproblem nie durchdacht. Die Juden selbst müssen es tun Ich war befreundet und bin zu Dank verbunden vielen Juden: ihr Schicksal schmieden sie selbst. *Nachlaß-Nr. 235, S. 74 v*

Wer für ihr Schicksal verantwortlich war, konnte Hauptmann der von ihm eingehend studierten Rede des ‚Führers' vom 8.11.1941 entnehmen. Hier griff Hitler die ‚Judenfrage' in bedrohlicher Weise auf. In der ersten Phase des Krieges, als die deutschen Truppen von Sieg zu Sieg eilten, hatte Hitler diese Thematik kaum berührt. Erst nach dem Scheitern seines Friedensangebots vom Herbst 1940 und der mißglückten Luftschlacht um England stieß er die erste massive Drohung gegen die Juden aus. Das gesamte Judentum werde in Europa seine Rolle ausgespielt haben, wenn es die Welt in einen allgemeinen Krieg stürze (22). Als auch der russische Feldzug nicht in der gewünschten Weise verlief, begann Hitler, die Juden als „Weltbrandstifter" zu bezeichnen. Rußland sei der „größte Diener des Judentums", heißt es in der Rede vom 8.11.1941. Ein „Regime von Kommissaren, zu 90 % jüdischer Herkunft", herrsche über „Millionen verängstigter, unterdrückter, verkommener Menschen" (23). Weiter führte Hitler aus:

> Wir haben wohl zum erstenmal in diesem Reich wissenschaftlich planmäßig dieses Problem *(sc. die Rolle des internationalen Juden)* für alle Zeiten geklärt und so recht die Worte eines großen Juden begriffen, der sagte, die Rassenfrage sei der Schlüssel zur Weltgeschichte. Wir wußten daher auch ganz genau (. . .),daß hinter diesem Geschehen der Jude die treibende Kraft war, und daß es (. . .) Strohköpfe sind, die bereit waren, für ihn einzutreten: teils charakterlose, bezahlte Subjekte (. . .). Ich habe diese Juden als die Weltbrandstifter kennengelernt.

Dieser Rede, in der Hitler unter anderem auch gegen den „wahnsinnigen Säufer" Churchill polemisierte, bescheinigte Hauptmann „letzte Gründlichkeit": Hitler sei „ in grader Linie Nachfolger Luthers und Bismarcks", ja „durchaus Platonist, also Ideen‹mensch›, eigentlich human, national und europäisch universell", da er die Idee Europas gegen England verfechte (24). Von entwaffnender Ahnungslosigkeit hinsichtlich des Hitlerschen Antisemitismus, den Hauptmann doch aus „Mein Kampf" kannte, zeugt der folgende Kommentar zu der Hitler-Rede:

(11.11.1941)
„... und so recht die Worte eines großen Juden begriffen, der sagte, die Rassenfrage sei der Schlüssel zur Weltgeschichte". Hitlerrede. (War es Rathenau?) Und doch: was bedeutet Schlüssel? andrerseits dachte der „große Jude" vielleicht an Mischungen, auf die ja alles ankommt.
Nie habe ich so grundgründliche, also deutsche politische Reden gehört (...).
Nachlaß-Nr. 3, S. 71

In der Tat hat Rathenau in seinen Betrachtungen „Zur Kritik der Zeit", die Hauptmann gewidmet waren, den Begriff der Rasse, der ethnischen Doppelschichtung (hohe Herrenrasse und niedere Sklavenrasse) in den Mittelpunkt seiner Geschichtsbetrachtung gestellt und den Anbruch der Neuzeit unter dem Aspekt des „großen Rassenkrieges" gesehen (25). Doch das Diktum über die „Rassenfrage" als „Schlüssel der Weltgeschichte" stammt nicht von Rathenau, sondern dem englischen Premierminister Benjamin Disraeli. Hitler dürfte das Disraeli-Wort freilich vom „Frankenführer", dem ehemaligen Volksschullehrer Julius Streicher, übernommen haben, der damit zu agitieren pflegte (26).

Hatte Hauptmann bisher nur mehr oder weniger Anlaß zu Vermutungen über das Schicksal der Juden im Dritten Reich, so erreichte ihn 1942 ein Schreiben, das ihm die furchtbare Wahrheit über das Ausmaß der systematischen Judenverfolgung eröffnen mußte. Es handelt sich um einen Gratulationsbrief zum 80. Geburtstag (27). Der Verfasser zog es vor, angesichts des Inhalts die Anonymität zu wahren. Nach einer kurzen Hommage an den Jubilar ging der Briefschreiber sogleich zu seinem Anliegen über. Er sei bis vor kurzem noch nicht über das Schicksal der Juden in Deutschland orientiert gewesen, habe inzwischen aber Nachrichten, die ihm zunächst als unglaubwürdig erschienen, durch Nachprüfung als so wahr und grauenhaft befunden, daß sein Gewissen ihm keine Ruhe mehr lasse. Die zweieinhalb engbeschriebene Typoskriptseiten umfassende Schilderung des Programms der Judenverfolgung legt den Schluß nahe, daß der Briefschreiber kraft seiner beruflichen oder politischen Stellung unmittelbaren Einblick in die nationalsozialistische Vernichtungsbürokratie erhalten haben muß. Er beschrieb nicht nur minuziös den Judenboykott vom Ausgehverbot bis zur Lebensmittelsperre, sondern auch das Ausmaß der Deportationen in die Vernichtungslager und Ghettos: „Zur Beaufsichtigung der Ghettos werden hauptsächlich Wachmannschaften der SS verwendet, gefürchtete Menschen, die viele Menschen, sogar Kinder, fast täglich ins Jenseits befördern":

> Man kann wohl, ohne Prophet zu sein, voraussagen, daß die Voraussage des Führers sich in kurzer Zeit bewahrheiten wird, nämlich daß die Juden vernichtet werden. Ich würde, wenn man das Wort überhaupt in diesem Zusammenhang anwenden darf, es humaner finden, wenn man die Juden sofort erschießen ließe, als sie dem langsamer wirkenden Hungertod auszuliefern. Zu der „Prophezeihung" des Führers bezüglich der Vernichtung der Juden gehört gar keine besondere Gabe, denn die Vernichtung liegt ja nur in seiner Hand.

Der Briefschreiber bat Hauptmann, „die Stimme des gottbegnadeten Dichters im Namen der Menschlichkeit an der geeigneten Stelle zu erheben und dafür einzutreten (:)

> 1. zunächst die Evakuierung der nur noch geringen Anzahl von ca. 50 000 Juden (gegen früher über 500 000) s o f o r t einzustellen,
> 2. die armen evakuierten, noch lebenden Juden in den Ghettos sofort menschenwürdig zu behandeln und zu verpflegen (. . .),
> 3. eine Verbesserung der beklagenswerten Lebensbedingungen der Juden in Deutschland mit sofortiger Wirkung herbeizuführen." *Briefnachlaß I, MF II*

Dem Brief ist nicht anzusehen, ob Hauptmann ihn zur Kenntnis genommen hat. „Frau Margarete pflegte zusammen mit ihrem alten Diener Albert Birke (. . .) die eingehende Post einer ‚Vorzensur' zu unterwerfen", schreibt der Inselpastor von Hiddensee, A. Gustavs, in seinen Erinnerungen an Hauptmann (28). Vielleicht hat auch in diesem Fall eine solche ‚Vorzensur' gewaltet und Hauptmann das erschütternde Dokument vorenthalten. Es bietet sich freilich auch eine andere Erklärung an: Der Brief ist im Nachlaß unter der Rubrik „Kuriositäten, Psychopathen" abgelegt worden. Dieser Überlieferungsort wäre, wenn er nicht zufallsbedingt ist, ein Indiz für eine entsprechende Einschätzung seines ungeheuerlichen Inhalts.

Im allgemeinen pflegte Hauptmann die Erörterung ihm mißliebiger politischer Themen in seinem Hause zu unterbinden. Ausländische Sender durften auf dem „Wiesenstein" nur heimlich abgehört werden (29).

Behl berichtet allerdings von einem sehr brisanten Gespräch, das sich 1944 auf dem „Wiesenstein" zugetragen hat. Als der Oberbürgermeister von Erfurt, Kießling, bei einem Besuch auf dem „Wiesenstein" sich als bornierter Nationalsozialist entpuppte und die „ganze Phraseologie des Antisemitismus in rhetorischer Aufmachung spielen ließ", habe Hauptmann in leidenschaftlicher Schärfe widersprochen, den Schatten Walther Rathenaus heraufbeschworen, einen hohen Lobgesang auf die menschlichen Eigenschaften und kulturellen Leistungen des Judentums angestimmt und die Judenverfolgungen drastisch verurteilt (30). Die Reaktion Hauptmanns, die dem Erfurter Stadtoberhaupt die Sprache verschlug, hatte ein Nachspiel. F.A. Voigt berichtet, eine Woche später habe Frau Hauptmann ihm lächelnd einen Brief des Oberbürgermeisters gezeigt, „in dem er seinem Dank für die empfangene Gastfreundschaft die Bemerkung anfügte, auch andere ‚hohe Parteifunktionäre' teilten seine Ansicht, daß Gerhart Hauptmann wohl schon zu alt sei, um noch umlernen zu können. Man müsse ihn also wohl auf seiner ‚Insel der Seligen' weiter leben lassen" (31). Hauptmann verwahrte sich gegen den Vorwurf, daß er wohl nicht mehr zu dem ‚richtigen' Standpunkt finden könne:

(nach dem 24.7.1944)
Hochzuverehrender Herr Bürgermeister.
Ich verweise auf meine Visitenkarte aus 17 Bänden. Mein „Standpunkt" ist daraus zu entnehmen.
Persönlichkeiten nebensächlicher Art, die eine Wichtigkeit im Deutschtum betonen, indem sie alte, verdiente „Kämpfer" zu erniedrigen versuchen. *Nachlaß-Nr. 96, S. 7*

XXIII DER NIEDERGANG DES DRITTEN REICHES

Am 22. Juni 1941 begann der deutsche Angriff auf die Sowjetunion. Hitler nahm das Risiko eines Zweifrontenkrieges auf sich, weil er glaubte, England am ehesten dadurch niederringen zu können, wenn er ihm die Hoffnung auf Rußland als potentiellen Bündnispartner raubte. Die erste Reaktion der Bevölkerung auf den neuen Feldzug war von Überraschung und Bestürzung gekennzeichnet — vor allem durch die damit verbundene erschreckende Aussicht auf eine weitere Verlängerung des Krieges (1). Hauptmann äußerte keine besonderen Empfindungen bei der Nachricht vom Angriff auf Rußland:

> Sonntag. Heute erstes Meerbad. Heute Mitteilung des Rußlandkrieges. Der individuelle Teil meines Lebens wird wahrhaft erquickt durch die tägliche Teilnahme an dem Gemeinschaftsleben Goethes und Schillers.* (. . .)
> Ich habe keine wesentlichen Gedanken, trotzdem der deutsch—russische Krieg begonnen hat. Der einzelne, der sich ins Allgemeine durchaus gegeben hat, darf sich auch als einzelner nicht verlieren. Die Zeitalter sehen einander ähnlicher, als ein kurzes Leben zu sehen erlaubt. *Nachlaß-Nr. 3, S. 33 v f.*

Die Euphorie über den „allergrößten Augenblick der neuen Weltgeschichte" war freilich einer unverkennbaren Ernüchterung gewichen. Hauptmann wurde in den ersten Kriegsjahren nicht unmittelbar mit den Schrecken des Krieges konfrontiert, aber er fühlte doch seine Schatten. Ergreifend mutet folgende melancholische Impression von Dresden an, dessen Zerstörung Hauptmann 1945 miterleben sollte:

> (26.8.1941)
> Gestern abend angekommen. Eine große Trauer liegt über Dresden. Schönheit. Alles das Alte, aber grau und still und wartend. (. . .) Stadt doppelt verlassen heut, wo die ganze Mannheit Deutschlands im fernen Rußland kämpft. Vielleicht gestaltet sich's. *Nachlaß-Nr. 3, S. 56*

Wieder schienen die deutschen Truppen den Gegner in einem Blitzfeldzug niederzuringen. Ende 1941 war Rußland westlich der Linie Leningrad — Krim in deutscher Hand. Hauptmann, der in den letzten Jahren seines Lebens häufiger dazu überging, anstelle eigener Kommentare zum Zeitgeschehen Ausschnitte aus Tageszeitungen in ein Tagebuch zu kleben,

---

*Wie C.F.W. Behl berichtet, las Hauptmann zu dieser Zeit den Briefwechsel Schiller—Goethe (2).

machte sich Weihnachten 1941 die Sehweise Sven Hedins zu eigen. In einem Propaganda–Artikel für Großdeutschland, „Die Insel gegen Europa", zog Sven Hedin ein Fazit des dritten Kriegsjahres. Da wird im Stil nationalsozialistischer Propaganda erklärt (3): „Im Frühjahr 1941 sammelten sich an der Ostgrenze des zivilisierten Europa in unübersehbaren Scharen die bolschewistischen Horden, um bei geeigneter Gelegenheit (. . .) sich über Europa zu stürzen". Dies wäre geschehen, „wenn nicht der Führer Deutschlands am 22. Juni 1941 diesen ‚schwersten Entschluß seines Lebens' gefaßt hätte, dem heimtückischen Feinde die Angriffswaffe blitzschnell aus der Hand zu schlagen". Nun würden die „roten Horden von der Erdoberfläche vertilgt werden". Welche Chance rechne sich eigentlich England aus, wenn Deutschland im Osten ein „unübersehbares Hinterland" und dessen Rohstoffquellen zur Verfügung habe? „Mit deren Hilfe wird Deutschlands Stärke wirtschaftlich und militärisch einen Zuwachs erhalten, der seinen Sieg sichern wird". – Hauptmann schrieb quer über den ganzen Artikel mit Rotstift:„Ganz meine Überzeugung, die des großartig klar entschlossen sehenden Mannes" (4). Bereitwillig schloß sich Hauptmann der Polemik gegen England an, und den Antibolschewismus der NS-Propaganda hatte er ja längst übernommen. Auch an dem Vokabular aus dem ‚Wörterbuch des Unmenschen' – „Vertilgung" der „roten Horden" – nahm er ebensowenig Anstoß wie seit je an der Rhetorik Hitlers.

Das „Alphabet" wurde von den „Kultur- und Literaturjägern" schneller und auf eine andere Weise durchexerziert, als Hauptmann sich 1941 beim Notieren dieses Apercus vorgestellt hatte: Rußlandfeldzug, Stalingrad, Terror der Bombenangriffe, Zusammenbruch. Hauptmann kannte die Schrecken der alliierten Luftangriffe zunächst nur vom Hörensagen. Die Wahrnehmung einer entfernten Detonation auf der Insel Hiddensee wurde als besonderes Ereignis festgehalten:

(4.9.1943)
Heut nacht gewaltige Erschütterung durch Bombenwurf irgendwo in der Umgegend. Wir wurden überflogen und hörten während einer längeren Zeit das Geräusch der Feinde über uns. Die Lage steigerte sich ins Unangenehme, da man kein Licht machen konnte. *Nachlaß-Nr. 5, S. 13*

Schlesien blieb vom Bombenkrieg verschont. So konnte Hauptmann sich in Agnetendorf von den kruden Zeitereignissen wiederum „abkapseln". Auch für den Durchhalte–Optimismus auf dem „Wiesenstein" dürften wohl die „peripheren ethnologischen Erklärungen" gelten, auf die

Gottfried Benn 1944 sarkastisch die in der Bevölkerung weitverbreitete irrationale Zuversicht der letzten Kriegsjahre zurückführte: die mittelgroßen Städte und das Land selbst merkten heute wenig vom Kriege, „sie haben zu essen, organisieren das Weitere hinzu, Bombenangriffe haben sie nicht erlebt, stimmungsmäßig liefert Goebbels alles für Stall und Haus, und das Wetter spielte auf dem Land immer eine größere Rolle als Gedankengänge" (5).

Die von draußen eintreffenden, kaum glaublichen Schreckensmeldungen über das Ausmaß der Zerstörungen nahm Hauptmann fatalistisch hin:

(7.12.1943)
Köln liegt in Asche, Stuttgart und Mannheim, Mainz, Leipzig, Frankfurt am Main, Hamburg, Bremen und Berlin etc. Was dreißig Jahre Frieden in Deutschland erbauten, ist heute ein Trümmerfeld. Was für ein unsinniger Erfolg und zu welchem Ende herbeigeführt! Unter Menschen und mit der ihnen gegebenen Vernunft ist ein verständiger Grund nicht auszufinden. Bleibt das Irrationale, das Schicksal von Menschen und Welt als unbegreifliche Ursache übrig. *Nachlaß-Nr. 452, Fasz. a4*

Hauptmann wollte es nicht wahrhaben, daß nun die „Drachenzähne" aufgingen, die diesmal Deutschland selbst gesät hatte. Wieder regte sich in seiner Vorstellungswelt der Opfermythos: die Vergeltungsschläge der Gegner trafen eine „unschuldige Welt". Von der furchtbaren Zerstörungskraft der feindlichen Flugzeuge ging für ihn eine Aura göttlich—dämonischer Majestät aus:

O ihr Flieger, wann wirkt ihr nach oben statt nach unten? Wann grüßt ihr die Götter, statt Sodom und Gomorrha* über unschuldige Welt zu regnen? *Nachlaß-Nr. 204, S. 160*

Und schließlich der alles verdrängende Zweckoptimismus:

(vor dem 15.5.1944)
Zerbombte Städte: grauenvoll. Aber der unsterbliche Mensch ist denn doch wohl das Hoffnungsvoll—Wesentliche. (ibd., S. 225)

Verstärkt stellten sich bei ihm mittlerweile auch Zweifel an den Erfolgsaussichten und der Berechtigung der deutschen Unternehmungen

---

* Die schweren Angriffe der Royal Air Force auf Hamburg vom Juli 1943 trugen den Decknamen „Gomorrha".

ein. Die führende Rolle Europas, betonte er nun, sei „nichts ohne den Inbegriff des Geistes – nicht brutaler Macht" (Nachlaß-Nr. 230, S. 126 v). Einen Schock versetzte ihm im Juli 1943 der Sturz Mussolinis, dessen Politik für ihn bislang eine ideelle Legitimation besessen hatte. „Von 1925 bis heut, welche gewaltige Epoche", kommentierte er die Nachricht von diesem „ungeheuren grausig schmerzlichen Schicksal", dieser „Tragödie ohnegleichen" (Nachlaß-Nr. 5, S. 9; 173, S. 125 v). Über den Bruch der von ihm beschworenen deutsch–italienischen „Urfreundschaft" durch die Badoglio–Regierung, die nun von Deutschland politisch abfiel, verlor er kein Wort.

Als Hitler später seinen Kampfgefährten Mussolini aus der Internierung befreien ließ, schnitt Hauptmann sich ein Zeitungsbild aus, das den Duce und seine Befreier beim Verlassen der Festung Gran Sasso zeigte, und schrieb enthusiastisch darunter: „Auch dies Unwahrscheinliche zu erleben ist mir beschieden". „Wir erleben das großartigste Drama, das einen Toten erwecken konnte und erweckt hat!" (Nachlaß-Nr. 235, S. 137 v und 155, S. 23 v). Bei seiner Verehrung für Mussolini erregte die Meldung der an den abgefallenen Faschistenführern vollzogenen Strafen bei ihm offenbar keinen Widerspruch. Die Hinrichtung von Mussolinis Schwiegersohn, dem früheren Außenminister Graf Ciano, vermerkte er ohne Kommentar (Nachlaß-Nr. 5, S. 23). Doch Mussolini wurde ihm angesichts seines sinkenden Sterns nun zu einer entlarvten Scheingröße:

(26.3.1944)
Du Löwe von gebranntem Ton,
Italiens totgeborener Sohn,
o Mussolini, Wichtelheld
und Schaumschläger unterm Himmelszelt.
Ein jeder sah es außer dir,
du warst nur Schein auf dem Papier,
und doch, du warst von reinem Sinn,
Italiens höchster Anbeginn
zu später Stunde, schwacher Zeit
ganz Gegenwart der Vergangenheit.
O welche Riesenillusion!
Caesar Augusti Ururenkelsohn. (CA XI, 724)

Der Vorwurf der „Riesenillusion" schlug auf den zurück, der ihr so lange verfallen war (6). Das Schicksal Mussolinis machte ihn nun nachdenklich. Er empfand es als Menetekel auch für Deutschland:

(nach dem 3.2.1944)
Ich halte die Imperialtendenz Deutschlands für einen Irrtum: es hat einen
europäischen Beruf. (...) Über die Kolonialtendenzen macht man zuviel, allzuviel
Wesens! Das verläuft und verschwimmt sich – „Mussolini und Nordafrika" etc.
Unsinn! Bleiben wir klein, um groß zu sein!
Soll man auf *(als?)* das Vorbild die Schweiz nehmen?
Nachlaß-Nr. 235, S. 90

Der Ring um Deutschland schloß sich jetzt fester. Die Rote Armee war
Anfang 1944 bis zur ehemaligen polnischen Ostgrenze vorgedrungen und
stieß nach Rumänien hinein. Die in Italien gelandeten Alliierten bauten
eine dritte Front auf. Am 6. Juni 1944 erfolgte die Invasion in
Nordfrankreich. Die sich abzeichnende Niederlage an allen Fronten führte
zur Widerstandsaktion des 20. Juli. Nach dem Scheitern des Attentats auf
Hitler wurde die deutsche Öffentlichkeit über die Beweggründe des
Widerstandes durch die NS–Propaganda getäuscht. Diese Offiziersver-
schwörung besaß ohnehin keinen Rückhalt in der Bevölkerung, die von
einem „dumpfen, fatalistisch getönten Gefühl gegenseitiger Verkettung"
(J.C. Fest) mit dem Regime niedergedrückt war (7).
Was Hauptmann über den 20. Juli dachte, ist aus einem ins Tagebuch
eingeklebten Zeitungsausschnitt zu erschließen: Generalfeldmarschall v.
Brauchitsch gab im „Völkischen Beobachter" eine Loyalitätserklärung der
Wehrmacht ab. Er sprach vom „dunkelsten Tag in der Geschichte des
deutschen Heeres" (8):

Männer, die den Ehrenrock des Soldaten getragen haben, sind zu Verbrechern und
Meuchelmördern geworden. Sie haben einen Dolchstoß zu führen gesucht, dessen
Gelingen den Untergang Deutschlands bedeutet hätte (...).
Über Sinn und Ziel dieses Krieges besteht kein Zweifel. Bei den Feinden steht die
zahlenmäßige Überlegenheit an Menschen und Material. Sie sind sich aber nur in der
Verneinung einig. Immer noch haben im Enderfolg Glaube, Geist und Gemein-
schaftskraft über Geld, Haß und Masse triumphiert.

Solche Gedanken entsprachen der schon früher geäußerten Überzeugung
Hauptmanns, daß nicht die „Riesengeldsäcke", sondern die „nackte Kraft
einer Idee" das Rennen machen würden.
Nach dem Attentatsversuch wurden die Schriftsteller noch einmal, wie
schon 1939, dazu angehalten, ein „rückhaltloses Bekenntnis zum Führer"
abzulegen. Wie C.F.W. Behl mitteilt, erhielt Hauptmann im Herbst 1944
ein „groß aufgemachtes" Schreiben des Präsidenten der Reichsschrifttums-

kammer, das ein „aus dem Herzen kommenden Bekenntnis zum Führer"
bestellte (9). Hauptmann zauderte, sich an dieser Loyalitätsbekundung zu
beteiligen, nicht jedoch aufgrund eines politisch motivierten Widerstandes,
sondern seiner alten Abneigung, sich an kollektiven Kundgebungen zu
beteiligen:

(vor dem 27.9.1944)
Der Führer kennt meine Achtung vor seiner gewaltigen, schicksalhaften Persönlich-
keit, die ganze Welt kennt sie; was soll die eine überflüssige kleine Kundgebung.
Nachlaß-Nr. 82, S. 206

So hatte er es auch schon vier Jahre zuvor gehalten:

(23.4.1940)
Im „Beobachter aus dem Riesengebirge" sind Dichterstimmen zum 51. Geburtstag
des Führers. Am nächsten kommt meiner Gesinnung das Wort des Sudetendeutschen Friedrich Bodenreuth: „Schweig und sei bereit". *Nachlaß-Nr. 235, S. 69 v*

Ob Hauptmann sich dennoch zur Abgabe einer Ergebenheitsadresse
entschloß, ist nicht überliefert. Eine Notiz deutet an, daß die Bereitschaft
dazu nicht prinzipiell fehlte, weil der ‚Führer' für ihn immer noch der dem
gewöhnlichen Leben entrückte Schicksalsträger war:

Brief an die Kulturkammer
Ich beeile mich, Ihrem Wunsche zu entsprechen. Ein armer Mann: Jenseits von gut
und böse! – Ja, Nietzsche, Zarathustra. Seien Sie überzeugt … *Nachlaß-Nr. 82, S.
206*

Für die letzten beiden Kriegsjahre gilt dasselbe, was Hauptmanns Haltung
während des 1. Weltkrieges bestimmt hatte: einerseits das hartnäckig–
starre Festhalten an einem durch die offizielle Propaganda geschürten
Optimismus, andererseits die gefühlsmäßige Verurteilung des Geschehens
– durch Zeitklagen, die, je näher das Ende rückte, desto schärfer im Ton
der Anklage gehalten waren:

(1944)
Der organisierte Wahnsinn. *Nachlaß-Nr. 96, S. 31*

Eine Macht ohnegleichen und ohne Sinn. *S. 33*

Die scheußliche Absurdität der blutigen Nachrichten. *S.38*

Noch immer versuch' ich dies und das:
dem Wahnsinn der Welt zu steuern.
Aber die Welt ist vom Blute naß:
Jahrhunderte müssen es scheuern!
(CA XI, 724)

Verheeren (. . .); das vor allem ist das Signum des heutigen Krieges.
Nachlaß-Nr. 204, S. 272

Solche Äußerungen können sicherlich als Hinweise auf eine Grundstimmung Hauptmanns gedeutet werden, wie sie sich in der düsteren Welt der Atridentetralogie spiegelt, den „Greisendramen", die „völlig beherrscht sind von dieser Leidenskraft, da sie doch alle vier wohl ein Flüchten sind aus dem gewürgten Verstummen der Hitler—Zeit in die Masken der Blutwelt der Atriden" (Thomas Mann) (10). Gleichwohl ist Vorsicht gegenüber Versuchen geboten, die allzu direkt Hauptmanns Spätwerk als unmittelbare ‚Widerstandsdichtung' gegen das Dritte Reich interpretieren (11). So schreibt Hans Mayer über die 1941/42 entstandene „Iphigenie in Aulis": „Es unterliegt keinem Zweifel, daß hier mitten im zweiten Weltkrieg eine Widerstandsdichtung gegen die Eroberungspolitik und Barbarei des deutschen Faschismus entstand und entstehen sollte" (12). Wie Hauptmann zu dieser Zeit über den nationalsozialistischen Imperialismus dachte, ist dokumentiert worden. Die „Blutwelt" der Atriden war gleichnishafte Gestaltung des Leitmotivs seiner tragischen Dramen: des ewigen Vernichtungskampfes — nach seiner Weltanschauung das Gesetz allen irdischen Lebens. Die politische Welt war ihm nur eine der Erscheinungsformen irdischen Kampfes und Leidens; sein künstlerischer Widerspruch dagegen war nicht der konkrete Protest. Für die Zeit nach 1933 ist dennoch grundsätzlich zu fragen, wie unübersehbare, dichterisch gestaltete Zeitklagen mit der andernorts dokumentierten zeitgeschichtlichen Bewußtseinslage Hauptmanns in Einklang zu bringen sind. Es ließe sich die These einer ‚Arbeitsteilung' der Gegenwartsbewältigung aufstellen: Verdrängung auf Verstandesebene, ‚Trauerarbeit' vermittels des aus tieferen Gefühlsschichten inspirierten Dichtens. Daß sich dieser latent schizoide Bewußtseinszustand Hauptmanns in der Reaktion auf eine sich verschärfende Krise der Außenwelt zu einem fast pathologischen Grad entwickelte, bezeugt etwa die Beobachtung Peter Suhrkamps, Hauptmanns Verhalten während eines politischen Gesprächs 1943 habe „für den Moment etwas Irres" an sich gehabt (13).

Seine Depressionen während der beiden letzten Kriegsjahre steigerten sich, als die Theater in Deutschland geschlossen wurden: „Sehr, sehr gefährlich, das Auslöschen des Geistes: Konzert, Theater, Kirche" (Nachlaß-Nr. 125, S. 8). Jetzt befiel ihn erstmals auch eine Ahnung davon, welcher Mißbrauch mit der offiziellen Propaganda im Dritten Reich getrieben worden war. Als eifriger Radiohörer richtete er nun aus einem Gefühl des Betrogenseins seinen ganzen Unmut gegen dieses Medium, in dem die Nationalsozialisten ein ideales Instrument für ihre Massenagitation und −suggestion gefunden hatten:

(nach dem 16.9.1944)
Das Radio arbeitet konsequent an der vollständigen Verblödung der Menschheit, d(as) w(ill) a(uch) heißen, ihrer Uniformierung. *Nachlaß-Nr. 125, S. 15.*

Es ist nicht viel, was ich weiß! Die seltsamen Übertragungen im sogenannten Radio beweisen doch die Erbärmlichkeiten des zusammengefaßten „Geistesbesitzes" der „Presse", die heut noch durch den verruchten Begriff „Propaganda" weiter degradiert ist.
Nachlaß-Nr. 235, S. 87 v

Gleichwohl ließ die „köstliche Schönheit der Marschmusik", deren sich der Großdeutsche Rundfunk in der Kriegszeit zur ‚heroischen' Einstimmung reichlich bediente, Hauptmann in Erinnerungen an die wilhelminische Zeit versinken: „Soeben erlebte ich in der Vorstellung den Kaiser Wilhelm II. an der Spitze der Wache Unter den Linden: gewissermaßen ‚herrliches Preußen' " (Nachlaß-Nr. 84, S. 14). So erstand ihm nun, wo mit dem Dritten Reich auch Preußens Gloria endgültig versank, die verklärte Gestalt des preußischen Monarchen:

(Januar 1945)

W(ilhelm) II
Wie schön kommst du geritten
auf Mahoms weißer Stute
in frohen Volkes Mitten,
der Schönheit Glück im Blute,
vom Brandenburger Tore
hinein in liebe „Linden" (. . .).
(CA XI, 745)

Diese von Alterssehnsucht geprägte Rückschau der Vergangenheit hatte schon in den dreißiger Jahren von ihm Besitz ergriffen – die Autobiographie „Das Zweite Vierteljahrhundert" (1937) ist von ihr unverkennbar gefärbt (14) – und ihn desto mehr überwältigt, je tiefer er unter der Stickluft des Dritten Reiches litt. Freilich – es waren Erinnerungen an ein Leben auf der Sonnenseite der Privilegierten:

(28.3.1940)
Die Epoche Bismarcks und W(ilhelms) II hatten die Menschen Zeit, Lust, Glück und heiteres Selbstbewußtsein, heitere staatliche Freiheit, das ist geistige Freiheit. (...) Welche Größe der Freiheit im damaligen Deutschland und welche tödliche Mechanisierung heut. *Nachlaß-Nr. 235, S. 64*

Je näher das Ende heranrückte, desto mehr verstummte Hauptmann in seinen Aufzeichnungen. Es scheint, als habe er kaum noch etwas von der Außenwelt zu sich hereingelassen. „Ich nehme heut nicht mehr an, daß ich eine wesentliche Resonanz von irgend etwas bilden könnte – außer von der Verbundenheit mit Krieg, Niederlage und gemeinster, stumpfsinnigster Vergewaltigung von einem idiotischen, wesentlich besiegten Feind", hatte er zwei Jahre vor dem Ausbruch des 2. Weltkrieges im Rückblick auf 1918 geäußert (15). Als sich nun auf ähnliche Weise Niederlage und Zusammenbruch abzeichneten, stellte sich bei ihm nackte Verzweiflung und Lebensmüdigkeit ein:

(31.1.1945)
Ich bin schlechthin möglich, als Leben*(der)*, nur durch Alkohol und Kaffee. Wie anders? sonst Verzweiflung, physische Qual, durchaus Neigung, und mehr als das, zu Schlaf und Tod. *Nachlaß-Nr. 230, S. 155*

Im Januar 1945 war das Schicksal des deutschen Ostens bereits besiegelt. Die deutsche Ostfront zerriß unter den Schlägen der Roten Armee. Anfang Februar standen die sowjetischen Truppen vor Breslau, das nun zur Festung erklärt wurde. Gauleiter Hanke, der, je ungünstiger sich die Kriegslage entwickelte, aus einem Kulturförderer zum Kulturzerstörer wurde und „mit allen Vorzeichen eines bei ihm ausbrechenden Größenwahns" (G. Grundmann) bis zum ‚Endsieg' durchhalten wollte, errichtete in Breslau ein Schreckensregiment und ließ den Ersten Bürgermeister wegen ‚Defaitismus' erschießen (16). Dieser fanatische Nationalsozialist, der seinem ‚Führer' ein „Zeugnis des Willens zum heroischen Untergang" ablegen wollte, hielt die Stadt tatsächlich monatelang gegen die Rote Armee und wurde von Hitler in seinem am 30. April 1945 aufgesetzten politischen Testament zum Reichsführer—SS als Nachfolger des abgesetzten Himmler designiert (17). Hauptmann wurde von dem Landeskonservator Grundmann telefonisch über die Vorgänge in Breslau unterrichtet:

(31.1.1945)
Was habe ich für einen Trost? Ich kämpfe gegen mein Leben oder für mein Leben, soweit es lebensmöglich bleibt. — Gestern die Furchtbarkeiten in Breslau. Schlimm: die Entartung Deutschlands durch seine große Artung. Aber so ist es überall, ist es in allen „Kultur"—Ländern. *Nachlaß-Nr. 230, S. 155*

Noch mochte Hauptmann sich nicht die volle Wahrheit über das NS—Regime eingestehen. Er verschwendete sein Mitgefühl an die Falschen — wie vorher an Mussolini und Hitler, so jetzt an den Gauleiter Hanke:

Ich sehe Entwicklung einzelner: Sohn eines Lokomotivführers, heiter, schön, grundlebendig, grundgut — und der apokalyptische Dämon der Zeit, deren Ganzes mir zu durchleben bestimmt war: armer H(anke) — Es ist nicht mein H(anke)! (ibd.)

Angesichts der militärischen Lage erteilte Hauptmann am 2. Februar C.F.W. Behl Vollmacht, das Dichter—Archiv „nötigenfalls durch Fortschaffung von Agnetendorf" vor den von Osten heranrollenden Kriegshandlungen sicherzustellen (18). Das Schlimmste sollte dem bereits kränkelnden Greis wenig später bevorstehen. Er bestand eigenwillig darauf, noch einmal Dresden, die Stätte seiner Jugendliebe und ersten Künstlerzeit wiederzusehen. So erlebte er den dreifachen Bombenangriff auf Dresden am 13. und 14. Februar 1945. Seiner Erschütterung über den Untergang der geliebten Stadt gab er in der Klage „Dresden" Ausdruck. Trotz des nahenden Zusammenbruchs des Dritten Reiches lieh er damit dem Regime noch einmal seine Stimme. Wie sonst bei öffentlichen Erklärungen war Hauptmann auch diesmal dazu aufgefordert worden. Dem Bericht G. Pohls zufolge erschienen am 29.3.1945 zwei Vertreter der Gauleitung auf dem „Wiesenstein", um den Dichter zu einem „Protest gegen das Verbrechen", zu einem „Aufruf an die zivilisierte Welt" zu bewegen (19). Hauptmann kam dieser Bitte nach: denn in den Aufzeichnungen Margarete Hauptmanns ist unter diesem Datum vermerkt: „Vormittags diktiert G.*(erhart)* ,Dresden' für die Tagespresse" (20). Wie G. Pohl berichtet, gaben die Vertreter der Gauleitung ihr Vorhaben zu erkennen, Hauptmanns Trauerklage über das zerstörte Dresden „durch die noch erreichbare deutsche Presse und über alle vom Feind noch nicht eroberten Sender" verbreiten zu lassen (21). Hauptmann soll sein „Vermächtnis über Dresden" den NS-Funktionären mit der Bedingung überreicht haben, daß kein Wort „geändert, hinzugefügt oder gestrichen" werden dürfe. Offenbar ist Hauptmann jedoch selbst zuvor einem diesbezüglichen Wunsch der Funktionäre nachgekommen, denn die ersten Fassungen von „Dresden" (a) weichen in der folgenden, nachträglich redigierten Partie von der Endfassung (b) ab*:

a: Und ich habe den Untergang Dresdens unter den Sodom- und Gomorrha-Höllen der *feindlichen* Flugzeuge persönlich erlebt. *Nachlaß-Nr. 512, Fasz. 7*

b: ... unter den Sodom- und Gomorrha-Höllen der *englischen* und *amerikanischen* Flugzeuge persönlich erlebt. *Nachlaß-Nr. 594 III, Fasz. zd 2 (kursiv gesetzt vom Verf.)*

So wurde der Text über den Reichssender Breslau in die nationalsozialistische Kriegspropaganda gegen die Alliierten eingespannt. Entgegen der Abmachung hatte man dabei die folgende Passage gestrichen:

Ich weiß, daß in England und Amerika gute Geister genug vorhanden sind, denen das göttliche Licht der Sixtinischen Madonna nicht fremd war und die von dem Erlöschen dieses Sternes allertiefst schmerzlich getroffen weinen. (CA XI, 1025)

Diese Gedanken paßten nicht in das propagandistische Feindbild. So wurde Hauptmanns „Klage" verstümmelt gesendet und in der Presse veröffentlicht (22). Im editorischen Nachwort zur Centenarausgabe hat M. Machatzke dargelegt, wie sich Hauptmann mit diesem Text der nationalsozialistischen Sprachregelung entzogen habe, die von den ‚Kulturschaffenden' ein „Bekenntnis zum Kampf bis zum äußersten" verlangte (23). Machatzke sieht in „Dresden" — gemessen an dem markigen Durchhalteappell Heinrich Georges oder den Haßtiraden des „Völkischen Beobachters" — eine „echte Alternative", „aktiven Widerspruch" zur vorgegebenen Propagandaforderung und damit einen Beweis der „aufrechten politischen Haltung" Hauptmanns. Doch was sich in der philologischen Rekonstruktion des zeit— und pressegeschichtlichen Wirkungszusammenhangs so

*vgl. die editorische Vorbemerkung in CA XI, 1205

darstellt, entspricht nicht unbedingt der zeitgenössischen Sicht. Der Emigrant Julius Bab urteilte 1945: „Aber wenn nun der 80jährige auf den Trümmern von Dresden steht, (. . .) dann mag man doch noch immer die politische Blindheit bedauern, die diese Klage gegen England und Amerika richtet, statt gegen die deutschen Verbrecher, die ihr Volk sinnlos zugrunde richten und die Aktion der Alliierten unvermeidlich machen mußten" (24). Nun war es gewiß völlig sinnlos, sich noch in letzter Minute mit einer derartigen Anklage zum Märtyrer zu machen. Auch ist die Zerstörung der Elbmetropole, wie nicht zuletzt David Irving in seiner Studie „Der Untergang Dresdens" nachgewiesen hat, alles andere als „unvermeidlich" gewesen (25). Hauptmann jedoch blieb seit 1933 auf eine fatale Weise konsequent darin, mit seinen Erklärungen — wie auch immer subjektiv aufrichtig gemeint — einen Schein von Konformismus zu erzeugen, der dem propagandistischen Mißbrauch Vorschub leistete. Gerhart Pohl, der Augenzeuge des Besuchs der NS—Funktionäre, erinnert sich an seine derzeitige Besorgnis über Hauptmanns Verhalten: „Was sollte werden, wenn die sowjetischen Abschnittsführer, deren Truppen Agnetendorf eines ferneren oder näheren Tages besetzten, die Sendung ‚in den falschen Hals' bekommen hatten und mit ihren Schema—Phrasen, die genauso verheerend wie die der Nationalsozialisten waren, den gebrechlichen alten Mann zum ‚Faschisten' erklärten? " (26)
Hauptmann schien immer noch nicht mit dem Äußersten zu rechnen, obwohl er schon im Herbst 1944 ahnungsvoll notiert hatte:

(nach dem 12.9.1944)
„Den Teufel merkt das Völkchen nie, selbst wenn er es am Kragen hätte". Heut der Bolschewismus. *Nachlaß-Nr. 204, S. 277*

Das war vermutlich gemünzt auf die NS—Propaganda und ihre ständige Beschwörung der aus dem Osten drohenden bolschewistischen Gefahr: eine Durchhalte—Propaganda, die Hauptmann listig zu durchschauen vorgab. Jetzt erfüllte sich, was er 1930 für ein innenpolitisch uneiniges Deutschland prophezeit hatte: „Es gibt nur eine Gefahr, und das ist der Krieg, und die Rote Armee der Russen in Deutschland (. . .)" (Nachlaß-Nr. 7, S. 315).
Am 9.5.1945 besetzten Abteilungen der Roten Armee Agnetendorf. Der neuen Schutzmacht, die dem „Wiesenstein" angesichts der unsicheren Zeitläufte einen Schutzbrief ausstellte, empfahl sich der Dichter nun mit einer literarischen Reverenz:

Meine literarischen Wurzeln gehen zurück auf Tolstoi: ich würde das nie leugnen. Mein Drama: „Vor Sonnenaufgang" ist befruchtet von „Macht der Finsternis". (. . .) Die Keime, die bei uns aufgingen, stammen zum größten Teil aus russischem Boden. Indem ich dies schreibe, denke ich an den ersten ehrenvollen Besuch, der mir in meiner Einsamkeit von dem neuen Rußland geworden ist, und ich erwidere diesen Gruß begreiflicherweise herzlich. (CA XI, 1207)

Diese Zeilen übergab Hauptmann Anfang Oktober 1945 Johannes R. Becher, der ihn an der Spitze einer kleinen Delegation der sowjetischen Zeitung für die SBZ, „Tägliche Rundschau", im abgelegenen Agnetendorf aufsuchte. Becher, Präsident des „Kulturbundes zur demokratischen Erneuerung Deutschlands", wollte den Dichter für die Mitarbeit am kulturellen Wiederaufbau gewinnen und womöglich seine Übersiedlung in die SBZ erreichen. Wie Hauptmann von der sowjetischen Besatzungsmacht bedeutet wurde, konnte sein Verbleiben im nunmehr der polnischen Verwaltung unterstellten Schlesien nur befristet sein. Hauptmann nahm den ihm angetragenen Ehrenvorsitz des „Kulturbundes" an und versicherte, sich der „demokratischen Erneuerung" Deutschlands zur Verfügung zu stellen (27).

Nach seiner Rückkehr nach Berlin bilanzierte Becher in der „Täglichen Rundschau" seine Mission bei Hauptmann in Agnetendorf. Ehe er den Dichter als Repräsentanten des kulturellen Neubeginns herausstellen konnte, mußte er einige klärende Worte zu Hauptmanns Haltung während des Dritten Reiches sagen: die „geistige Großmacht", die Gerhart Hauptmann darstelle, habe sich nur allzu oft als unpolitisch und neutral erklärt und dadurch sich selbst entmachtet; die „Glocke seines Geistes" habe zu Zeiten geschwiegen, da sie hätte wieder „Sturm läuten" müssen. Doch aus den Gesprächen mit dem Dichter in Agnetendorf hatte Becher den Eindruck gewonnen, Hauptmann auch inneren Widerstand gegen das NS–Regime bescheinigen zu können. Die Gattin des Dichters und der Krankenpfleger wurden als Zeugen dieser ‚Entnazifizierung' aufgerufen (28):

Schon zu Beginn des Krieges witterte er, daß der Weg Hitlers konsequent in die ungeheuerlichste Katastrophe aller Zeiten mündete. Nie ist sein Urteil klarer, als wenn er auf das Niederzerrende und Verächtliche der dunklen Mächte der Agressoren zu sprechen kommt (. . .). Wenige Tage nach dem Zusammenbruch, am 16. Mai, sagte er zu seinem Pfleger in Gegenwart seiner Gattin mit Bezug auf Hitler:„Der blutigste Phraseur der Weltgeschichte ist ausgelöscht wie ein Talglicht". Bei einem Tischgespräch äußerte er sich mir gegenüber: „Gott bewahre uns vor einem zweiten Hitler! (. . .) Ich zweifle nicht, in fünfzig Jahren wird sich das deutsche Volk wiedergefunden haben, aber es muß ein ganz anderes Volk sein, als das, das blind in die Katastrophe ging."

Anschließend an Bechers Bericht in der „Täglichen Rundschau" brachte ein Beitrag Gustav Leuteritz', der Becher begleitet hatte, ebenfalls Entlastendes für Hauptmann vor und zitierte das Fazit des Dichters: „Ich kann wohl sagen, ich habe nichts zurückzunehmen" (ibd.).
Nicht nur die Mission Johannes R. Bechers zeigte an, daß Hauptmanns Name noch den alten Klang und Prestigewert besaß. Nach Agnetendorf ging ein Schreiben der sich wiederbelebenden Preußischen Akademie der Künste in Berlin. Man bat Hauptmann um Unterzeichnung einer „Kundgebung", die die Akademie „in Übergangszeiten wie der gegenwärtigen" gegen „vereinzelte gegnerische Stimmen" decken sollte (29):

(12.11.1945)
Hochverehrter Herr Dr. Hauptmann.
Gestatten Sie uns eine große Bitte im Interesse der Akademie der Künste, zu deren Abteilung für Dichtung wir Sie zu unserer Freude und Ehre zählen dürfen:
Bei den bisherigen Verhandlungen über den Wiederaufbau unserer Akademie und ihrer Einfügung in die neue Zeit haben wir durchaus Entgegenkommen und wohlwollendes Verständnis bei dem Magistrat der Stadt Berlin gefunden.
(. . .)
Zu besonderem Dank wären wir Ihnen, hochverehrter Herr Dr. Hauptmann, verpflichtet, wenn Sie der Kundgebung noch einige persönliche Worte über die Notwendigkeit der Erhaltung und weiteren Förderung der Akademie hinzufügen würden. (. . .)

Einem Vermerk zufolge traf der Brief erst ein halbes Jahr später, am 11.6.1946, in Agnetendorf ein. Den Adressaten hat er nicht mehr erreicht: fünf Tage zuvor war Gerhart Hauptmann gestorben, mitten im Aufbruch zur Evakuierung. Bis zum Schluß war unklar geblieben, wohin die Übersiedlung gehen sollte. Noch am 1. April 1946 hatte Johannes R. Becher deshalb Anfrage bei Hauptmann gehalten: „Auch ist es mir nicht klar, ob Sie den Wunsch haben, von Agnetendorf nach Dresden oder nach Berlin überzusiedeln. Auch hierüber gehen die widersprechendsten Gerüchte um" (Briefnachlaß I). Diese Entschlußlosigkeit Hauptmanns war wohl ein Symbol dafür, daß er nicht mehr wußte, wohin er in der für ihn sinnlos gewordenen Welt gehörte. So ist ihm das Problem einer Ost—West—Option erspart geblieben, und damit vermutlich auch das Dilemma, erneut als kultureller Repräsentant einer staatlichen Entwicklung in Deutschland zu figurieren, der er innerlich nicht voll hätte zustimmen können.

Als nationalpolitisches ‚Vermächtnis' inmitten des Zusammenbruchs und Wiederaufbaus hinterließ Hauptmann eine ebenfalls in der „Täglichen Rundschau" erschienene Grußadresse an das „Deutsche Volk":

> Es gibt keinen Augenblick, in dem ich nicht Deutschlands gedenke, obgleich mein Teil leider nicht mehr die Kraft besitzt, so zu wirken, wie ich möchte. Jeder kleine Fortschritt bedeutet mir, Tag und Nacht, im Traum und im Wachen, Deutschland. Ich kenne keinen anderen Gedanken, und alles ist nur der.
> Wenn etwas hinzukommt, so ist es der feste Glaube an Deutschlands Neugeburt, und davon lasse ich nicht einen Augenblick (. . .). Ich weiß, daß alle guten Kräfte, ich möchte sagen, der Welt, von gleichem Willen bewegt sind, und so hoffe ich fest, noch an der allgemeinen Wiedergeburt voll teilnehmen zu können. (CA XI, 1206)

Dieser gedankenarm, aber bekenntnisstark geäußerte Glauben nahm den Begriff der bereits 1921 beschworenen „Deutschen Wiedergeburt" (CA VI, 726−735) wieder auf. Hier erfüllte sich noch einmal sein patriotisches Empfinden, das er im ersten Entwurf zur Gedächtnisrede auf Rathenau so charakterisiert hat:

> Ich habe ein öffentliches Amt niemals bekleidet, aber seit fünfzig Jahren mit offenen Augen und Ohren in Deutschland gelebt. (. . .) Ich gehörte zu denen, die, in die sichtbaren Fäden des Staatsbewußtseins verstrickt, jede Berührung, jede Gefährdung und jede Verletzung dieses Netzes zu spüren bekam(en). So liegen die wesentlichen Krisen unseres vaterländischen Lebens in meinem Innern lebendig da, und ich darf sagen, ich habe sie, nicht weniger als irgendein Staatsmann, bewußt erlitten. (CA XI, 1058)

So begriffen, hat sich Hauptmanns „soziales Tiefengefühl" der Frühzeit wesentlich zum Nationalgefühl verschoben. Seine mediale Persönlichkeitsstruktur ist häufig betont worden. Man hat in seinem Persönlichkeitsbild „konzentrierte Rückspiegelungen" (K.S. Guthke) der Zeitsignatur sehen wollen und seine viele Zeittendenzen aufnehmende „schöpferische Wandelbarkeit" zum „Sinnbild des deutschen Schicksals" (G. Pohl) überhöht (30). Eine derartige Wertung übersieht die frühen sozialpsychologischen und ideologischen Fixierungen Hauptmanns, die Bindungen an das 19. Jahrhundert und sein obsoletes Individualismus-Postulat, die seine Distanz zur Gegenwart verbreiterten. Doch zweifellos läßt sich an seiner Bewußtseinslage der historische Erfahrungs- und Erlebnishorizont des national, aber im Grunde unpolitisch eingestellten deutschen Bürgertums exemplarisch verfolgen. Die zeitgenössische Dimension seiner Aufzeichnungen liefert Aufschluß über eine „kulturspezifische deutsche Charakterformung" (Mitscherlich), die an den Umbrüchen der deutschen Geschichte beteiligt war (31).

Seine Reaktion auf das Zeitgeschehen war nicht von der Konstanz eines Bewußtseins geprägt, das die Identität mit sich auf dem Weg kritischer Reflexion durchhält. Hauptmann stand überwiegend im Bann kollektiver Gefühle, denen er mehr oder minder sprachmächtig Ausdruck zu geben wußte. Geschichte erlebte er mit dem spontanen Temperament eines Künstlers: „Er sah Naturgewalten in der deutschen Nation am Werk, er spürte Wachstum, Veränderung, Formung in jenem ‚Reichtum der deutschen Volksseele', auf den er in allen Lebenskrisen der Nation (. . .) als ultima ratio, als letztes Auskunftsmittel verwies" (P. de Mendelssohn). (32) Der Dramatiker in ihm erfaßte die historischen Vorgänge, den Aufstieg und Fall der geschichtlichen Größen jenseits der politischen Moral. Sein „plastischer Genius", so sah es Thomas Mann 1932, habe ihn „streng, gütig und weise" davor bewahrt, der politischen Welt des Irrtums und Mißverständnisses, der Meinungszwietracht und Parteilichkeit, zu verfallen und ihm die „Gunst seines Volkes" erworben (33).

Hauptmann suchte seiner Mitwelt stets das Profil des ‚Unpolitischen' zuzukehren. Dennoch verstrickte ihn seine Repräsentationsstellung mehr in die politischen Wechselfälle und stellte damit verbundene höhere Anforderungen an ihn, als es seinem Selbstverständnis, Wollen und wohl auch Vermögen entsprach. So folgte er — ein Beispiel für die politische „Verführbarkeit des bürgerlichen Geistes" (H. Plessner) (34) — den geschichtlichen Wegen und Irrwegen der ihn tragenden Gesellschafts- und Bildungsschicht.

ANMERKUNGEN

Einleitung

1) In: Arnold Gustavs, Gerhart Hauptmann und Hiddensee. Kleine Erinnerungen. Hrsg. von Gustav Erdmann. Schwerin 1962, S. 168.
2) Eberhard Hilscher, Gerhart Hauptmann, Berlin 1969. – Hans Daiber, Gerhart Hauptmann oder Der letzte Klassiker. Wien–München-Zürich 1971.
3) Die zwischen August und Oktober 1970 entstandene Rundfunksendung des Verfassers wurde am 25.10. und 1.11. 1970 vom Südwestfunk unter dem redaktionellen Titel ,,Verwirrung eines Geistes. Aus unbekannten Tagebüchern Gerhart Hauptmanns 1914–1945" ausgestrahlt. Aus dieser Sendung hat der WDR–Redakteur Hans Daiber erwiesenermaßen Zitatmaterial und Kommentar in seine Hauptmann–Biographie übernommen, ohne die Quelle anzugeben.* Dagegen hat der Verfasser 1971 Klage auf Schadensersatz erhoben. Der Klage wurde in dem Urteil des Landgerichtes Berlin vom 5.6.1972 stattgegeben. Sie wurde jedoch in der Berufungsverhandlung des Kammergerichts vom 9.2.1973 abgewiesen.

Kapitel I

1) Wilhelm Herzog, Menschen, denen ich begegnete. Bern 1959, S. 187.
2) Otto Flake, Es wird Abend. Gütersloh 1960, S. 145.
3) Hans Schwerte, Deutsche Literatur im Wilhelminischen Zeitalter. In: Das Wilhelminische Zeitalter. Hrsg. von H.J. Schoeps. Stuttgart 1967, S. 121–145.
4) C.F.W. Behl, Zwiesprache mit Gerhart Hauptmann. München 1948, S. 227.
5) vgl. die Nachlese zum erzählerischen Werk, CA XI, 75–221.
6) E. Hilscher, Gerhart Hauptmann, S. 17.
7) Jean Amery, Gerhart Hauptmann. Der ewige Deutsche. Mühlacker 1963, S. 9.
8) CA XI, 93
9) Nachlaß-Nr. 385, Fasz. p.
10) CA XI, 78.
11) In den autobiographischen Roman–Ansätzen der Nachlaß-Nr. 385, Fasz.p, findet sich ein Kurzporträt der Mutter als einer etwas geschwätzigen, zum Selbstmitleid neigenden Frau. – Vgl. auch die Schilderung ihrer naiven Besserwisserei in dem autobiographischen Roman–Fragment ,,Das Landhaus zur Michelsmühle" (CA XI, 175 ff.).
12) Erik Erikson, Kindheit und Gesellschaft. Zürich 1957, S. 319.
13) Jean Jofen, Das letzte Geheimnis. Eine psychologische Studie über die Brüder Gerhart und Carl Hauptmann. Bern 1972, S. 37.
14) C.F.W. Behl, Zwiesprache, S. 74.
15) Hans Mayer, Einführung in das dramatische Werk Gerhart Hauptmanns, in: G. Hauptmann, Ausgewählte Dramen, Berlin 1956, Bd. I, S. 17. – ders., Von Lessing bis Thomas Mann. Pfullingen 1959, S. 343.
16) Erich Fromm, Autorität und Familie. Sozialpsychologischer Teil. In: Studien über Autorität und Familie. Forschungsberichte aus dem Institut für Sozialforschung. Paris 1936, S. 116.

* Auf dem Klappentext werden diese Übernahmen als Ergebnisse eigener Archivarbeit hingestellt.

17) Talcott Parsons, Das Vatersymbol. Eine Bewertung im Lichte der psychoanalytischen und soziologischen Theorie. In: ders., Sozialstruktur und Persönlichkeit, Frankfurt 1968, S. 53.
18) CA XI, 97.
19) ibd., 99.
20) ibd.
21) Karl S. Guthke, Gerhart Hauptmann. Weltbild im Werk. Göttingen 1961, S. 8.
22) Vgl. Alexander und Margarete Mitscherlich, Die Unfähigkeit zu trauern. Grundlagen kollektiven Verhaltens. München 1968, S. 243.
23) ibd., S. 245: „Das Bild der idealisierten Eltern und die Identifikation mit diesem Bild können zu früh verlorengehen, zu einer Zeit, in der das Ich in seiner Entwicklung nicht genügend gefestigt ist, um diese Enttäuschung ohne traumatisierende narzißtische Einbuße ertragen zu können. Dies kann neben manchen anderen Faktoren die Ausbildung eines gesunden und ausgeglichenen Narzißmus erheblich stören und eine lebenslange Labilität des Selbstwertgefühls verursachen."
24) Im autobiographischen Roman–Fragment „Das Landhaus zur Michelsmühle" heißt es: „Was Peter (= Gerhart) betraf, so war er noch vor sechs oder sieben Jahren (= 1883/84) das aussichtslose Sorgenkind der Familie John (= Hauptmann) gewesen" (CA XI, 199).
25) ibd.
26) Joachim Seyppel, Gerhart Hauptmann. Berlin 1962, S. 16.
27) Fritz Stern, Die politischen Folgen des unpolitischen Deutschen. In: Das kaiserliche Deutschland. Politik und Gesellschaft 1870–1918. Hrsg. von Michael Stürmer, Düsseldorf 1970, S. 171.
28) G. Hauptmann, Das zweite Vierteljahrhundert (CA XI, 491).
29) C.F.W. Behl, Zwiesprache, S. 19.
30) Vgl. J. Jofen, Das letzte Geheimnis, S. 11, über den „Komplex der neurotischen Wiederholung, die für Hauptmann so wichtig ist". Dazu auch: Christian Büttrich, Mythologie und mythische Bildlichkeit in Gerhart ·Hauptmanns „Till Eulenspiegel". Diss. Berlin 1972, S. 15: „Hauptmanns Charakterisierung seines Schaffens rückt damit in die Nähe der (. . .) Künstlerpsychologie Freuds, der die persönliche Erlebnissphäre des Dichters als primäres Konstituens der Dichtung wertet und in dieser den Versuch des Dichters sieht, eigene Erlebnisse, besonders die traumatischer Art, in künstlerischer Gestaltung zu verarbeiten und sich so von der das Bewußtsein bedrängenden Nachwirkung derselben zu befreien."
31) E. Hilscher, Gerhart Hauptmann, S. 386.
32) J. Amery, Gerhart Hauptmann, S. 52.
33) So skizzierte Hauptmann im März 1932 angesichts ihn quälender Steuersorgen ein Schreiben ans Finanzamt, in dem er auf die hohen Ausgaben für Repräsentationszwecke hinwies und in diesem Zusammenhang ein ungewöhnlich pragmatisch–technisch betontes Bild seiner Dichterwerkstatt entwarf: „So mögen Sie sich nicht wundern, wenn mein jetziger Erfolg (sc. die Amerika-Reise) Lücken und Löcher vorschnell verstopft. Was gibt der Staat aus für Wissenschaftszwecke, Kunst. Will er nichts für meine Wirksamkeit reservieren. Ich habe wissenschaftliche Kunst und soziologische Interessen. Meine Reisen, Arbeitsräume, Laboratorien, wie sie mir notwendig sind, bestreite ich selbst. Ich werde in dieser Beziehung ruiniert, wenn mir die Steuer meine Hilfsmittel nimmt.
Wenn Sie mir mein Betriebskapital nehmen, so bin ich lahmgelegt oder ich muß flüchten. Und wenn Sie mich mit Geldsorgen überhäufen, so daß ich Tag für Tag

unruhig grübeln muß, wie ich die Steuer befriedige. Das raubt mir Arbeitszeit und –kraft und reibt schließlich auf (. . .).
Ich muß Bewegungsfreiheit haben, Freizügigkeit – sonst kann ich nicht wirken: das ist eine für mich notwendige Lebensform auch als kulturell–staatlicher Funktionär: sie geben für viele staatlich angestellte, weniger wichtige Funktionäre Geld aus. (. . .). ich habe nie verschwendet *(!)*, ich habe sogar immer, relativ zu meinen Leistungen und öffentlichen Verpflichtungen einfach gelebt. Das meiste habe ich für den Staat ausgegeben."
Nachlaß-Nr. 14. S. 61 v. 62 v. 71 v f.

34) Nachlaß-Nr. 262 A, S. 58: „(Februar 1938) Ich sei nicht mehr volksverbunden, haben die „Münchener Neuesten Nachrichten" geschrieben, weil ich im „Excelsior" wohne. (. . .) Ich bin 75 Jahre und nicht volksverbunden, ich, der ich das Volk selber bin! Narren und Kehricht-Journalisten".

35) Vgl. Helmut Scheuer, Zwischen Sozialismus und Individualismus – Zwischen Marx und Nietzsche. In: Naturalismus. Bürgerliche Dichtung und soziales Engagement. Hrsg. von Helmut Scheuer. Stuttgart 1974, S. 151.

Kapitel II

1) Adalbert von Hanstein, Das jüngste Deutschland. Zwei Jahrzehnte miterlebter Literaturgeschichte. Leipzig 1901, S. 162.
2) ders., Gerhart Hauptmann. Leipzig 1898, S. 9.
3) Bruno Wille, Erinnerungen an Gerhart Hauptmann und seine Dichtergeneration. In: Mit Gerhart Hauptmann. Erinnerungen und Bekenntnisse aus seinem Freundeskreis. Hrsg. von Walter Heynen, Berlin 1922, S. 101.
4) Helmut Scheuer, Arno Holz im literarischen Leben des ausgehenden 19. Jahrhunderts (1883–1896). Eine biographische Studie. München 1971, S. 191.
5) Walter Ackermann, Die zeitgenössische Kritik an den deutschen naturalistischen Dramen (Hauptmann, Holz, Schlaf). – Phil. Diss. München 1965, S. 146.
6) CA VII, 1078.
7) Hans Schwab–Felisch, „Die Weber" – ein Spiegel des 19. Jahrhunderts. In: G. Hauptmann, Die Weber – Dichtung und Wirklichkeit. Frankfurt–Berlin 1959, S. 96.
8) Manfred Brauneck Literatur und Öffentlichkeit im ausgehenden 19. Jahrhundert. Stuttgart 1974, S. 150.
9) Hans Schumacher, Mythisierende Tendenzen in der Literatur 1918–1933. In: Die deutsche Literatur in der Weimarer Republik. Stuttgart 1974, S. 282.

Wilhelm Emrich, Dichterischer und politischer Mythos – Ihr wechselseitigen Verblendungen. In: Geist und Widergeist. Wahrheit und Lüge der Literatur. Studien. Frankfurt 1965, S. 86 f.

10) Konrad Haenisch, Gerhart Hauptmann und das deutsche Volk, Berlin 1922, S. 115.
11) Richard Hamann/Jost Hermand, Naturalismus. Berlin 1959, S. 275.
12) Vgl. Peter Christian Wegner, Gerhart Hauptmanns Griechendramen. Ein Beitrag zu dem Verhältnis von Psyche und Mythos. Phil. Diss. Kiel 1968, S. 36.
13) Hans Kaufmann, Gerhart Hauptmann. In: ders., Krisen und Wandlungen der deutschen Literatur von Wedekind bis Feuchtwanger. Berlin 1969, S. 55.
14) Franz Mehring, Ein Traumstück. In: ders., Gesammelte Schriften, Berlin 1961, Bd. 11, S. 301.

15) H. Scheuer, Arno Holz, S. 139
16) ibd., S. 122.
17) ibd., S. 159.
18) Wilhelm Lange—Eichbaum, Genie, Irrsinn und Ruhm. Eine Pathographie des Genies. München—Basel 1956, S. 55.
19) H. Schwerte, Deutsche Literatur im Wilhelminischen Zeitalter, S. 132.
20) Nachlaß-Nr. 21, S. 86.
21) Vgl. M. Brauneck, Literatur und Öffentlichkeit, S. 91.
22) Friedrich Nietzsche, Die Geburt der Tragödie oder: Griechentum und Pessimismus. Neue Ausgabe mit dem Versuch einer Selbstkritik. Leipzig 1886, S. 25.
23) Vgl. K.S. Guthke, Gerhart Hauptmann. Weltbild im Werk, S. 20 ff.
24) CA XI, 762.
25) Heinrich ˙Hart, Literarische Erinnerungen. In: ders., Gesammelte Werke. Hrsg. von Julius Hart. Berlin 1907, Bd. 3, S. 85.
26) Vgl. die editorische Vorbemerkung CA XI, 776.
27) Vgl. Georg Fülberth, Proletarische Partei und bürgerliche Literatur. Berlin—Neuwied 1972, S. 127 ff.
28) H. Kaufmann, Krisen und Wandlungen, S. 21.
29) Hauptmanns Satire enthält Zitate aus Stefan Georges „Blätter für die Kunst", 7. Folge 1904, S. 1—6.

Kapitel III

1) Helmut Plessner, Das Problem der Öffentlichkeit und die Idee der Entfremdung. Göttinger Universitätsreden 28. Göttingen 1960, S. 8.
2) Hans Joachim Schoeps, Das Wilhelminische Zeitalter in geistesgeschichtlicher Sicht. In: Das Wilhelminische Zeitalter. Hrsg. von H.J. Schoeps, Stuttgart 1967, S. 13.
3) H. Plessner, Das Problem der Öffentlichkeit, S. 6.
4) Golo Mann, Deutsche Geschichte 1919—1945. Frankfurt a.M., 1958, S. 68.
5) Jürgen Habermas, Strukturwandel der Öffentlichkeit. Neuwied 1962, S. 138—144.
6) Nachlaß-Nr. 11 b, S. 520.
7) Thomas Mann, Betrachtungen eines Unpolitischen. In: ders., Gesammelte Werke. Frankfurt/M. 1960, Bd. XII, S. 107.
8) Klaus Müller—Salget, Dramaturgie der Parteilosigkeit. Zum Naturalismus Gerhart Hauptmanns. In: Naturalismus. Hrsg. von H. Scheuer, S.
9) Wilhelm von Humboldt, Ideen zu einem Versuch, die Grenzen der Wirksamkeit des Staats zu bestimmen. In: ders., Werke. Hrsg. von A. Flitner und K. Giel. Stuttgart 1960, Bd. I, S. 64.
10) ibd., S. 76.
11) Jost Hermand, Expressionismus als Revolution. In: ders., Von Mainz nach Weimar (1793—1919). Studien zur deutschen Literatur. Stuttgart 1969, S. 345.
12) F. Stern, Die politischen Folgen des unpolitischen Deutschen, S. 173.
13) ibd.
14) Karl Kupisch, Bürgerliche Frömmigkeit im Wilhelminischen Zeitalter. In: Das Wilhelminische Zeitalter. Hrsg. von H.J. Schoeps. Stuttgart 1967, S. 51.
15) F. Stern, Die politischen Folgen des unpolitischen Deutschen, S. 176.
16) Jost Hermand, Der Schein des schönen Lebens. Studien zur Jahrhundertwende. Frankfurt 1972.

17) ibd., Der Aufbruch in die falsche Moderne, S. 20.
18) Nachlaß-Nr. 325, Fasz. 5a 3 („Feier der Gewerkschaften").
19) Nachlaß-Nr. 11 b, S. 358.
20) Im „Buch der Leidenschaft" schildert Hauptmann, wie er sich während seines Amerika–Aufenthaltes mit dem Gedanken trug, dort zu bleiben (CA VII, 196 und 205).
21) K.G. Just, Von der Gründerzeit bis zur Gegenwart, Geschichte der deutschen Literatur seit 1871. Bern 1973, S. 125.
22) Brief Friedrich Engels' an Miß Harkness. In: Karl Marx/Friedrich Engels, Über Kunst und Literatur. Hrsg. von Michail Lifschitz. Berlin 1948, S. 105 f.
23) Hans Mayer, Gerhart Hauptmann. Velber 1967, S. 18.
24) Hauptmann notierte in sein Handexemplar des „Florian Geyer": „Das deutsche Nationalgefühl gleicht einer zersprungenen Glocke: Ich schlug mit dem Hammer daran, aber es tönte nicht"; zit. nach C.F.W. Behl/Felix A. Voigt, Chronik von Gerhart Hauptmanns Leben und Schaffen, München 1957, S. 42.
25) Fritz Stern, Kulturpessimismus als politische Gefahr. Eine Analyse nationaler Ideologie in Deutschland. Bern 1963, S. 181.
26) ibd., S. 179 f.
27) Wie Hauptmann in dem autobiographischen Schlüsselroman–Fragment „Das Landhaus zur Michelsmühle" mitteilt, war ihm zu jener Zeit Hansson (= der schwedische Literat Richardsohn) in Verehrung zugetan. (CA XI, 204).
28) Ola Hansson, Zwei Erzieher. Garin und der Rembrandt-Deutsche. In: Die Zukunft, Jg. 5, Berlin 1897, 19. Bd., S. 306.
29) Nachlaß-Nr. 234, S. 63–66.
30) Briefentwurf Hauptmanns in Briefnachlaß I, s.v. Chamberlain, H.St.: „(. . .) um Ihnen für vieles Unverlierbare zu danken und für die unerschöpflichen Ausstrahlungen besonders Ihres wundervollen Goethebuchs. Wenn ich auch in manchen Punkten, z.B. in der Beurteilung des Judentums, Ihre Ansichten nicht teile".
31) H. Schwerte, Deutsche Literatur im Wilhelminischen Zeitalter, S. 266.
32) Literarische Manifeste des Naturalismus 1880–1892. Hrsg. von Erich Ruprecht. Stuttgart 1962, S. 15 f.
33) ibd., S. 22 und 36.
34) ibd., S. 39.
35) ibd., S. 56.
36) ibd., S. 258.
37) ibd., S. 56.
38) M. Brauneck, Literatur und Öffentlichkeit, S. 90.
39) CA VI, 787.
40) K.G. Just, Von der Gründerzeit bis zur Gegenwart, S. 25.
    H. Plessner, Die verspätete Nation. Stuttgart 1959.
41) „Buch der Leidenschaft" (CA VII, 215)
42) R. Hamannn/J. Hermand, Naturalismus, S. 327.
43) Klaus Ziegler, Die Berliner Gesellschaft und die Literatur. In: Berlin in Vergangenheit und Gegenwart. Tübinger Vorträge, hrsg. von Hans Rothfels. Tübingen 1961, S.48
44) Hans Herzfeld, Berlin und die Provinz Brandenburg. Allgemeine Entwicklung und politische Geschichte. In: Berlin und die Provinz Brandenburg im 19. und 20. Jahrhundert. Veröffentlichungen der Historischen Kommission zu Berlin. Bd. 25. Berlin 1968, S. 82 ff.

45) K. Ziegler, Die Berliner Gesellschaft und die Literatur, S. 41. – Golo Mann, Deutsche Geschichte des 19. und 20. Jahrhunderts. Frankfurt 1958, S. 717.
46) K. Ziegler, Die Berliner Gesellschaft und die Literatur, S. 40.
47) Nach fünf Aufführungen wurde „Rose Bernd" Ende Februar 1904 auf Veranlassung der Erzherzogin Marie Valerie abgesetzt; s. Behl/Voigt, Chronik, S. 56.
48) Georg Lukacs, Gottfried Keller. In: ders., Deutsche Realisten des 19. Jahrhun-. derts. Berlin 1952, S. 149.
49) ibd.
50) K.G. Just, Von der Gründerzeit bis zur Gegenwart, S. 127.
51) Nachlaß-Nr. 2, S. 47.
52) CA VII, 1047.
53) Es handelt sich nach Mitteilung des Herausgebers der Centenarausgabe, M. Machatzke, um eine briefliche Äußerung Hauptmanns, die sich im Briefnachlaß I befinden soll, jedoch nicht ermittelt werden konnte.
54) Urs Müller-Plantenberg, Der Freisinn nach Bismarcks Sturz. Diss. Berlin 1971, S. 103 f.

55) Friedrich C. Sell, Die Tragödie des deutschen Liberalismus. Stuttgart 1953.
56) ibd., 13. Kapitel: Der geistige Liberalismus, S. 323.
57) W. Rathenau. Tagebuch 1907–1922. Düsseldorf 1967, S. 157.
58) Hans–Egon Hass, Weltspiel und Todesmysterium. Strukturen eines dichterischen Widerspruchs gegen die politische Welt. In: G. Hauptmann, Festspiel in deutschen Reimen. – Die Finsternisse. Requiem. Frankfurt–Berlin 1963, S. 90.
59) „Tribüne Erfurt" vom 15.12.1912.
60) „Vorwärts" vom 20.12.1912.
61) H.–E. Hass, Weltspiel und Todesmysterium, S. 91.
62) ibd., S. 91 f.
63) CA II, 982.
64) ibd., 1006.
65) „Vossische Zeitung" vom 18.6.1913.
66) H.–E. Hass, Weltspiel und Todesmysterium, S. 112.
67) ibd.
68) Der Brief des Majors ist offenbar im Nachlaß nicht überliefert. Sein Inhalt läßt sich aus Zitaten in den Entwürfen Hauptmanns zu einem Antwortbrief erschließen.
69) Friedrich Jodel, Gerhart Hauptmanns „Festspiel". Ein Gespräch. In: Der Greif, Jg. 1, Oktober 1913–März 1914. Stuttgart–Berlin, S. 424.

Kapitel IV

1) Fritz von Unruh, Wie ein großer Mann aus meinem Leben, meiner Freundschaft, meiner Liebe ging. In: „Der Tagesspiegel" vom 19.5.1953.
2) Stefan Zweig, Die Welt von gestern. Stockholm 1944, S. 213.
3) CA XI, 660.
4) CA X, 347.
5) Thronrede bei der Eröffnung der außerordentlichen Sitzung des Reichstags im Berliner Schloß am 4.8.1914; zit. nach Max Domarus, Hitler–Reden und Proklamationen. Würzburg 1962, Bd. I, S. 283.
6) Peter de Mendelssohn, S. Fischer und sein Verlag. Frankfurt 1970, S. 670.

356

7) Ludwig Dehio, Gedanken über die deutsche Sendung 1900–1918. In: ders., Deutschland und die Weltpolitik. München 1955, S. 85.
8) ibd., S. 94.
9) Romain Rolland, Zwischen den Völkern. Stuttgart 1954, Bd. I, S. 21.
10) Vgl. Kap. III, Anm. 68).
11) Nachlaß-Nr. 269, Fasz. 5 b, S. 6 v.
12) Romain Rolland schreibt zweimal nach Deutschland 1914/1933 und G. Hauptmann, K. Wolfskehl, F. Gundolf, R.G. Binding, W.v. Scholz, G. Kolbenheyer antworten, kommentiert von Hans-Albert Walter, Friedenauer Presse Berlin, o.J. S. 8.
13) R. Rolland, Zwischen den Völkern, Bd. I, S. 32.
14) ibd., S. 77.
15) Stefan Zweig, Die Welt von gestern, S. 224.
16) Walther Rathenau, Tagebuch, S. 189.
17) R. Rolland, Zwischen den Völkern. Bd. I, S. 352.
18) Deutschland und Shakespeare, CA VI, 930.
19) Gabriele d'Annunzio hielt sich bei Kriegsausbruch zunächst in Paris auf und appellierte an die italienische Jugend, nach Frankreich zu kommen, um gegen Deutschland zu kämpfen; vgl. „Berliner Tageblatt" vom 20.10.1914.
20) CA XI, 869.
21) Nachlaß-Nr. 594, III, Fasz. i.
22) Stefan Zweig, Die Welt von gestern, S. 223.
23) ibd., S. 222.
24) Ernst Nolte, Die faschistischen Bewegungen. Die Krise des liberalen Systems und die Entwicklung der Faschismen. München 1966, S. 7 ff.
25) Nach seiner Rückkehr nach Italien am 6.5.1915 hielt d'Annunzio mehrmals öffentliche Reden, in denen er den Kriegseintritt Italiens forderte. Die von Hauptmann zitierte Rede konnte nicht ermittelt werden.
26) P. de Mendelssohn, S. Fischer und sein Verlag, S. 660.
27) R. Rolland, Zwischen den Völkern, Bd. I, S. 72.
28) Nachlaß-Nr. 4, S. 68 v.
29) Harry Graf Kessler, Walther Rathenau. Sein Leben und Werk. Berlin 1928, S. 250.
30) Brief Margarete Hauptmanns an Hans v. Hülsen vom 21.6.1941, im Briefnachlaß I, s.v. Hülsen, Hans v.
31) G. Mann, Deutsche Geschichte, S. 520.
32) In seiner Monographie über Hauptmann (Leipzig 1927) teilt Hans v. Hülsen Tagebucheintragungen Hauptmanns mit: „Voraussetzung der Kultur ist, daß dem Menschenleben höchste Wichtigkeit beigemessen wird. Krieg, dem das Menschenleben nichts gilt, verleugnet, ja verrät deshalb die Kultur." „Jeder Schwertstreich entehrt und verwundet irgendwie die ganze Menschheit. Jeder Spatenstich bereichert sie." „Nur die Idee des Friedens, nicht die des Krieges, ist steigerungsfähig." „Ich komme über die Tatsache nimmermehr hinweg, daß der Krieg das fünfte Gebot: Du sollst nicht töten, durch ein anderes ersetzt: Töte von deinen Mitmenschen, soviel du nur kannst" (S. 162 f.).
33) Herbert Ihering, Gerhart Hauptmann und die Wende der Zeit. In: Aufbau, Berlin 1945, Heft 3, S. 261.
34) CA XI, 878–884.
35) In dem Entwurf zu einer Rede über „Deutsches Heldentum" 1914 zitiert Hauptmann Clausewitz; Nachlaß-Nr. 594 III, Fasz. c 2.

36) Vgl. H. Graf Kessler, Walther Rathenau, S. 226 f.
37) O. Flake, Es wird Abend, S. 250.
38) Ernst Toller, Eine Jugend in Deutschland. In: ders., Prosa, Dramen, Briefe. Reinbek 1961, S. 78.
39) R. Rolland, Zwischen den Völkern. Bd. I, S. 601.

Kapitel V

1) Harry Wilde, Walther Rathenau in Selbstzeugnissen und Bilddokumenten. Reinbek 1971, S. 109.
2) Nachlaß-Nr. 11 b, S. 22. Abgedruckt in : H.v. Hülsen, Gerhart Hauptmann, Leipzig 1927, S. 165.
3) Joseph Chapiro, Gespräche mit Gerhart Hauptmann. Berlin 1932, S. 133.
4) L. Dehio, Deutschland und die Epoche der Weltkriege. In: ders., Deutschland und die Weltpolitik, S. 23.
5) CA XI, 898 f.
6) Im Briefnachlaß I ist der von Meier–Graefe beigefügte Entwurf eines Aufrufs nicht überliefert. Ein redaktioneller Vermerk im „Berliner Tageblatt" vom 16.11.1918, das den Aufruf nachdruckte, spricht Hauptmann die Verfasserschaft zu.
7) Nachlaß-Nr. 15, S. 67 v: „Alles politische Tohuwabohu interessiert (. . .), jedoch (wie mein Vater sagte) die ‚Figuranten' wechseln".
8) Helmut Plessner, Die verspätete Nation, S. 22.̄
9) Vgl. Walter Bußmann, Politische Ideologien zwischen Monarchie und Weimarer Republik. In: Historische Zeitschrift, Bd. 190, München 1960, S. 57.
10) H. Graf Kessler, Walther Rathenau, S. 270.
11) Ein Exemplar dieser Flugschrift ist in Nachlaß-Nr. 594 III, Fasz. n 2 überliefert.
12) CA XI, 912–924.
13) Vgl. M. Brauneck, Literatur und Öffentlichkeit, S. 25 f.
14) Peter Gay, Die Republik der Außenseiter. Geist und Kultur der Weimarer Zeit: 1918–1933. Frankfurt 1970, S. 37.
15) ibd., S. 32.
16) G. Mann, Deutsche Geschichte, S. 840.
17) Nachlaß-Nr. 7, S. 301 v, 306.
18) Vgl. CA XI, 962 ff; 1147.
19) Hellmut Diwald, Literatur und Zeitgeist in der Weimarer Republik. In: Zeitgeist der Weimarer Republik. Hrsg. von H.J. Schoeps. Stuttgart 1968, S. 248.
20) P. de Mendelssohn, S. Fischer und sein Verlag, S. 791.
21) ibd., S. 904.
22) Peter de Mendelssohn, Von deutscher Repräsentanz, S. 70.
23) Thomas Mann, Betrachtungen eines Unpolitischen, S. 70.
24) J. Amery, Gerhart Hauptmann, S. 93.
25) CA VI, 701 f. und 740 f.
26) Harry Graf Kessler, Tagebücher 1918–1937. Politik, Kunst und Gesellschaft der zwanziger Jahre. Frankfurt 1961, S. 347.

Kapitel VI

1) Nachlaß-Nr. 11 b, S. 353 v: „Mit Walther Rathenau habe ich Brüderschaft geschlossen."

2) CA X, 335 ff., 369.
3) O. Flake, Es wird Abend, S. 227.
4) Nachlaß-Nr. 6, S. 17.
5) H. Graf Kessler, Walther Rathenau, S. 31.
6) Johannes Guthmann, Goldene Frucht. Begegnungen mit Menschen, Gärten und Häusern. Tübingen 1955, S. 236.
7) Franz Blei, Männer und Masken. Berlin 1930, S. 263.
8) Zit. nach P. de Mendelssohn, S. Fischer und sein Verlag. S. 594.
9) CA XI, 889.
10) „Der mechanisierte, in seinem Seelenleben verkümmerte Mensch wird in seinem Inneren nichts beherbergen, dessen naheliegender Zweck im Sinne maschineller Nützlichkeit nicht ersichtlich ist" (CA VI, 748).
11) Hauptmann-Nachlaß der Literaturarchive der Akademie der Künste der DDR, Berlin—Ost, Archiv-Nr. 18, Walther Rathenau—Gedächtnisrede; vgl. CA XI, 1058—1065.
12) H. Graf Kessler, Walther Rathenau, S. 268.
13) Vgl. Heinrich Brüning, Memoiren, 1918—1934. Stuttgart 1970, S. 48.
14) W. Rathenau, Der Kaiser. Eine Betrachtung. Berlin 1923, S. 7.
15) Nachlaß-Nr. 4, S. 139.
16) CA XI, 900—912.
17) W. Rathenau, Der Kaiser, S. 58.
18) Nachlaß-Nr. 6, S. 23 v, 24.
19) H. Graf Kessler, Walther Rathenau, S. 71.
20) Zit. nach P. de Mendelssohn, S. Fischer, S. 870.
21) Vgl. H. Graf Kessler, ibd., S. 308 f.
22) Hans v. Hülsen, Zwillingsseele, Bd. I, S. 166.
23) Katalog der Gedächtnisausstellung 1962, S. 212.
24) Alfred Kerr, Walther Rathenau. Amsterdam 1935, S. 76 f.
25) Hauptmann teilte der Mutter Rathenaus in einem Brief vom 14.8.1924 den Grund seiner Verhinderung mit (Briefnachlaß I, s.v. Rathenau, Walther).
26) Zuerst in: „Das Tagebuch". Hrsg. von St. Großmann und L. Schwarzschild, Jg. 4 (1923), Heft 24, S. 840.
27) Brief vom 6.7. 1927 in Briefnachlaß I, s.v. Redslob, Edwin.
28) Brief vom 7.9.1927, ibd.
29) Arnold Brecht, Aus nächster Nähe. Lebenserinnerungen 1884—1927, Stuttgart 1966, S. 441.
30) Vgl. Anm. 11)
31) CA IV, 1166.
32) Gedenken an Walther Rathenau. Gerhart Hauptmann, Wilhelm Marx, Arnold Brecht, Edwin Redslob. Dresden 1928 (Schriften der Walther—Rathenau- —Stiftung Nr. 2).

Kapitel VII

1) Martin Broszat, Die völkische Ideologie und der Nationalsozialismus. In: Deutsche Rundschau, Jg. 84 (1958), S. 59.
2) ibd.
3) H. Plessner, Die verspätete Nation, S. 46.
4) H. Graf Kessler, Walther Rathenau, S. 111.

5) Gerhard Kaiser, Pietismus und Patriotismus im literarischen Deutschland. Wiesbaden 1961, S. 46.
6) Novalis Schriften. Kritische Neuausgabe aufgrund des handschriftlichen Nachlasses von Ernst Heilborn. Berlin 1901. Zweiter Teil, 1. Hälfte, S. 38 f.
7) G. Kaiser, Pietismus und Patriotismus, S. 107.
8) Nachlaß-Nr. 234, S. 59.
9) Hajo Holborn, Der deutsche Idealismus in sozialgeschichtlicher Beleuchtung. In: Moderne deutsche Sozialgeschichte. Hrsg. von H.–U. Wehler. Köln 1966, S. 96.

Kapitel VIII

1) Hermann Pünder, Der Reichspräsident in der Weimarer Republik. Frankfurt––Köln–Bonn 1961, S. 21.
2) Rolf Goetze, Von „Sonnenaufgang" bis „Sonnenuntergang". Gerhart Hauptmanns Berliner Beziehungen. Berlin 1971, S. 66.
3) Hans von Hülsen, Freundschaft mit einem Genius. München 1947, S. 23; C.F.W. Behl, Zwiesprache, S. 106.
4) Christoph Bernoulli, Erinnerungen an Hauptmann. In: Gerhart Hauptmann, Leben und Werk. Gedächtnisausstellung des Deutschen Literaturarchivs zum 100. Geburtstag des Dichters. Hrsg. von Bernhard Zeller. Marbach/N. Schiller-Nationalmuseum, 1962, S. 352 f.
5) In den Briefnachlässen I und II ist er nicht überliefert.
6) Nachlaß-Nr. 269, Fasz. 6. Die Anrede lautet lediglich: „Hochzuverehrende Frau".
7) Die christlich–national eingestellte „Tägliche Rundschau" veröffentlichte am 28.7.1921 eine Leserzuschrift, die gegen Hauptmann polemisierte, weil er auf einen Hilferuf Maxim Gorkis eingegangen war und einen Appell an die Öffentlichkeit gerichtet hatte, dem von einer Hungerkatastrophe bedrohten Rußland materiell zu helfen („An Maxim Gorki", „Für die russische Hungerhilfe"; CA XI, 962 ff.) In der Leserzuschrift heißt es abschließend: „Wenn Gerhart Hauptmann im Namen des deutschen Volkes den Verbrechern in Moskau antwortet (. . .), muß dem Dichter Gerhart Hauptmann, der zum politischen Dilettanten wird, gesagt werden, daß er sich besser auf das Werk seiner Feder beschränke".
8) E. Fromm, Autorität und Familie, S. 121.
9) Walter von Molo, So wunderbar ist das Leben. Stuttgart 1957, S. 252.
10) „Gerhart Hauptmanns 60. Geburtstag – ein Nationalfest". In: „Berliner Tageblatt" vom 11.9.1921.
13) J. Amery, Gerhart Hauptmann, S. 100.
14) G. Lukacs, Gerhart Hauptmann, S. 5 f.
15) Max Krell, Offener Brief an Gerhart Hauptmann. In: Der Zwiebelfisch, Jg. 14, November 1922, Heft 6/9, S. 5 f.
16) K.S. Guthke, Gerhart Hauptmann, S. 6.
17) Thomas Mann, Von deutscher Republik, Werke, Bd. XI, S. 813.
18) G. Lukacs, Gerhart Hauptmann, S. 5.
19) C. Büttrich, Mythologie und mythische Bildlichkeit, S. 257.
20) ibd., S. 45.
21) G. Lukacs, Gerhart Hauptmann, S. 5.
22) J. Amery, Gerhart Hauptmann, S. 77.

11) P. de Mendelssohn, S. Fischer und sein Verlag, S. 894.
12) Martin Walser, Hölderlin zu entsprechen. In: „Die Zeit", Jg. 25, 1970, Nr. 13.

Kapitel IX

1) Karl Dietrich Bracher, Einleitung zu: Peter Gay, Die Republik der Außenseiter, S. 10.
2) ibd.
3) ibd., S. 14.
4) Zum Erscheinen des Buches von Edwin Redslob „Die Welt vor hundert Jahren" notierte Hauptmann am 28.12. 1943: „(. . .) und so leben wir auch in der Epoche und von der Epoche zumeist noch, die vom Jahre 1840 bis 1940 reicht, und zehren kulturell noch meist von den ersten Zweidritteln." (Nachlaß-Nr. 452, Fasz. c).
5) Vgl. K.G. Just, Von der Gründerzeit bis zur Gegenwart, S. 357.
6) CA XI, 1031 f.
7) Diese Anmerkungen Hauptmanns zum „Zauberberg" werfen auch Licht auf die vielerörterte „Peeperkorn"-Affäre zwischen ihm und Thomas Mann. Hauptmann ist bei der Lektüre des „Zauberbergs" offensichtlich nicht von selbst darauf gekommen, daß Thomas Mann ihn zum Vorbild seiner Romanfigur genommen hatte: „Hofrat Behrens, Settembrini, Castorp, Joachim Ziemßen — echte Gestalten: weiter sehe ich keine. Der Holländer überzeugt nicht, ebensowenig Naphta (. . .)" (Nachlaß-Nr. 6, S. 167); vgl. dazu P. de Mendelssohn, S. Fischer und sein Verlag, S. 972 f; H. v. Brescius, Neues von Mynheer Peeperkorn. In: Neue Deutsche Hefte, 141 (21. Jg.), Heft 1 (1974), S. 34–51.
8) H.v.Hülsen, Tage mit Gerhart Hauptmann, Dresden o.J., S. 38.
9) Erich Ebermayer, „Denn heute gehört uns Deutschland . . . ", Hamburg–Wien 1959, S. 429.
10) H.v.Hülsen, Freundschaft mit einem Genius, S. 109.
11) Eine ausführliche Dokumentation von Hauptmanns Lektüre historischer Quellen und Darstellungen ist in der Dissertation Klaus Hildebrandts zu finden: Gerhart Hauptmanns Verhältnis zur Geschichte. Diss. Erlangen 1965.
12) Die deutsche Originalfassung dieses Beitrags ist nur unvollständig überliefert in Nachlaß-Nr. 596 a, Fasz. 24; vgl. CA XI, 1002–1016.
13) ibd.
14) CA VI, 699.
15) Nachlaß-Nr. 21, S. 86.
16) Nachlaß-Nr. 6, S. 138.
17) Zit. nach Kurt Sontheimer, Antidemokratisches Denken in der Weimarer Republik. München 1962, S. 51.
18) Vgl. Inge Jens, Dichter zwischen rechts und links. Die Geschichte der Sektion für Dichtkunst der Preußischen Akademie der Künste, dargestellt nach den Dokumenten. München 1971, S. 98.
19) Vgl. P.de Mendelssohn, S. Fischer und sein Verlag, S. 1064.
20) Willy Haas, Die literarische Welt. Erinnerungen. München 1957, S. 129.
21) Heinrich Braulich, Max Reinhardt. Theater zwischen Traum und Wirklichkeit. Berlin 1969, S. 221. Vgl. Hauptmanns Äußerung über den „Reinhardtismus", in: Die Kunst des Dramas, S. 165.

22) P. de Mendelssohn, S. Fischer und sein Verlag, S. 1066 f.
23) Gusti Adler, Max Reinhardt, sein Leben. Salzburg 1964, S. 163.
24) Hans Magnus Enzensberger, Einzelheiten I — Bewußtseinsindustrie. Frankfurt 1962.
25) Vgl. Emil Dovifat, Das publizistische Leben. In: Berlin und die Provinz Brandenburg im 19. und 20. Jahrhundert, S. 773.
26) Frank Thieß, Freiheit bis Mitternacht. Wien—Hamburg 1965, S. 65.
27) P. de Mendelssohn, S. Fischer und sein Verlag, S. 1074.
28) CA XI, 231—329.
29) C.F.W. Behl, Zwiesprache, S. 75.
30) C. Büttrich, Mythologie und mythische Bildlichkeit, S. 23,25.
31) C.F.W. Behl, Zwiesprache, S. 136.
32) Ernst Keller, Nationalismus und Literatur. Langemarck—Weimar—Stalingrad. Bern 1970, S. 90.
33) H. Graf Kessler, Tagebücher, S. 353

Kapitel X

1) „Berliner Tageblatt" vom 1.6.1926.
2) Jahrbuch der Sektion für Dichtkunst (1) 1929. Preußische Akademie der Künste, Berlin 1929, S. 31.
3) CA XI, 1038 f.
4) P. de Mendelssohn, S. Fischer, S. 1041.
5) ders., Von deutscher Repräsentanz, S. 221.
6) I. Jens, Dichter zwischen rechts und links, S. 47.
7) Brief Stefan Großmanns vom 28.5.1926: „Schon als ich Ihren erfrischenden Absagebrief an den Minister Dr. Becker las, wollte ich Ihnen für diesen Beweis innerer Jugend danken. Es wäre zu schade um Ihre Zeit, sich als Wandverzierung eines hohen Ministeriums verwenden zu lassen." (Briefnachlaß I).
8) Arno Holz seinerseits äußerte sich auf Anfrage sehr zurückhaltend über die Absage Hauptmanns: „(...) Gegen die von Herrn Gerhart Hauptmann erhobenen Einwände läßt sich mit den Worten von Herrn Professor Dr. Wilhelm Wantzold. dem Sachberater des Herrn Ministers, erwidern: „Akademien sind, was die Akademiker aus ihnen machen'. Und das bleibt im vorliegenden Falle abzuwarten." („Vorwärts" vom 28.5.1926).
9) Der Brief befindet sich im Briefnachlaß II, B 657/4.
10) CA XI, 971.
11) I. Jens, Dichter zwischen rechts und links, S. 50.
12) ibd., S. 66.
13) ibd., S. 242—244.
14) Auf einer im Literaturarchiv der Westberliner Akademie der Künste befindlichen Karteikarte G. Hauptmann ist eingetragen: „(...) Seine (Zu-)Wahl erfolgte in der Gesamtsitzung der Sektion am 10. Januar 1928".
15) Katalog der Gedächtnisausstellung 1962, S. 235.
16) I. Jens, Dichter zwischen rechts und links, S. 51.
17) Jahrbuch der Sektion für Dichtkunst, S. 31.
18) Vgl. Stenographische Berichte des Hauptausschusses des Preußischen Landtags 1925—28, Bd. 4, 277. Sitzung am 22.2.1928. Boelitz äußerte u.a.: „In der Presse sei man auf die Meinung gestoßen, daß das starke Empfinden herrsche, daß hier

362

gewissermaßen Dichter staatlicher Prägung (. . .) über die Dichter zweiter Ordnung herausgehoben werden sollten; und es sei ja auch schon von gewissen Verlagsanstalten ein Versuch gemacht worden, das Privileg der in die Akademie aufgenommenen Dichter geschäftlich auszubeuten".

19) I. Jens, Dichter zwischen rechts und links.
20) P. de Mendelssohn, S. Fischer und sein Verlag, S. 807.
21) Alfred Döblin, Briefe, Olten 1970, S. 120.
22) ibd., S. 133 f.
23) Alfred Döblin, Aufsätze zur Literatur. Olten 1963, S. 139 und 142.
24) Oskar Loerke, Tagebücher 1903–1939. Veröffentlichungen der Akademie für deutsche Sprache und Dichtung Darmstadt. Heidelberg 1955, S. 197.
25) „Berliner Tageblatt" vom 26.11.1928: „Die Beerdigung Hermann Sudermanns". Unter den 10 aufgeführten Redners ist Döblin nicht erwähnt.
26) Laut Sitzungsprotokoll äußerte Oskar Loerke zu der Diskussion, ob die Sektion an der großen Hermann–Sudermannfeier, die u.a. vom „Reichsverband des deutschen Schrifttums" geplant war, teilnehmen solle: „(. . .) es sei vorerst genügend, daß wir den Angehörigen unsere Teilnahme ausgesprochen, einen Kranz niedergelegt und den Vorsitzenden der Sektion als Redner beim Begräbnis entsandt hätten". (Archiv der Akademie der Künste Berlin (West), P 21, S. 297 f.).
27) Schreiben an den Präsidenten Berzewiczy in Nachlaß-Nr. 711, S. 136 f.
28) R. Goetze, Von „Sonnenaufgang" bis „Sonnenuntergang", S. 94.
29) O. Loerke, Tagebücher, S. 261.
30) Thomas Mann, Werke, Bd. XI, S. 278.
31) ders., Briefe 1889–1936, Frankfurt 1961, S. 294 f.
32) E. Hilscher, Gerhart Hauptmann, S. 386.
33) ibd.
34) Brief an Oskar Loerke vom 26.11.1930. In: I. Jens, Dichter zwischen rechts und links, S. 129.
35) ibd., S. 145, Anm. 1.
36) In einem Schreiben an Oskar Loerke vom 25.2.1928 bat Hauptmann, Johannes Schlaf und Theodor Däubler für eine Jahresrente vorzuschlagen. (Nachlaß-Nr. 714, S. 21).
37) Hildegard Brenner, Die Kunstpolitik des Nationalsozialismus. Reinbek 1963, S. 59.
38) Briefnachlaß I, B III, Karton Preußische Akademie der Künste.
39) W.v. Molo, So wunderbar ist das Leben, S. 307, 315.
40) I. Jens, Dichter zwischen rechts und links, S. 145.
41) ibd., S. 144
42) P. de Mendelssohn, S. Fischer, S. 872 ff.
43) Vgl. Kap. IX, Anm. 22).
44) O. Loerke, Tagebücher, S. 175.
45) Briefnachlaß I, B. III, Karton Preußische Akademie der Künste.
46) I. Jens, Dichter zwischen rechts und links, S. 41.

Kapitel XI

1) Arthur Moeller van den Bruck, Das Dritte Reich. Berlin 1923.

2) Arthur Rosenberg, Entstehung und Geschichte der Weimarer Republik. Hrsg. von K. Kersten. Frankfurt 1955, S. 452.
3) Vgl. Nachlese zur theoretischen Prosa in CA XI: Der Friedensvertrag von Versailles (Juni 1919); Satire auf die deutsche Kriegsschuld (Ende 1919); Zur Besetzung des Ruhrgebiets (Januar 1923); Appell an den amerikanischen Präsidenten Harding (März 1923); An das Gewissen der Welt (März 1923); Einigkeit (März 1923); Zur Schmach Europas (März 1923).
4) Gottfried Bermann Fischer, Bedroht—bewahrt. Weg eines Verlegers. Frankfurt 1967, S. 45.
5) Gustav Stresemann, Vermächtnis. Der Nachlaß in drei Bänden. Berlin 1933, Bd. III, S. 496 f.
6) Briefnachlaß I, s.v. Wirth, Joseph.
7) Thomas Mann, (Bekenntnis zum Sozialismus), Werke, Bd. XII, S. 679; auch schon in „Kultur und Sozialismus" (1928), ibd., S. 639 ff.
8) ibd., S. 647.
9) Ernst Nolte, Der Faschismus in seiner Epoche. München 1963, S. 288.
10) ibd., S. 280.
11) Karl—Heinz Ritschel, Diplomatie um Südtirol. Stuttgart 1966, S. 109.
12) ibd., S. 114.
13) G. Stresemann, Reden und Schriften. Politik—Geschichte—Literatur 1897—1926. Dresden 1926, Bd. 2, S. 233—250.
14) Nachlaß-Nr. 708, S. 128—133; Nachlaß-Nr. 269, Fasz. 8: Typoskript mit Originalunterschriften G. Hauptmanns. Der Brief wurde also offenbar nicht abgeschickt.
15) G. Stresemann, Reden und Schriften, Bd. 2, S. 246.
16) Brief Manfredi Gravinas an Hauptmann vom 5./6.4.1923: die Südtirolfrage sei von Frankreich „eingebrockt" worden (Briefnachlaß I, s.v. Gravina, Blandine).
17) E. Nolte, Der Faschismus in seiner Epoche, S. 282.
18) Nachlaß-Nr. 12, S. 406.
19) „Tägliche Rundschau" vom 9.3.1926.
20) ibd.
21) Rachele Mussolini, Mussolini ohne Maske. Erinnerungen. Hrsg. von Albert Zarca. Stuttgart 1974, S. 109 f.
22) ibd., S. 91.
23) Nachlaß-Nr. 7, S. 131.
24) Nachlaß-Nr. 234, S. 133.
25) Nachlaß-Nr. 51, S. 188 v: „(1928) Nein! Deutschland hat das Rennen im Sinne eines Weltimperialismus bismarck—mussolinischer Art nicht gemacht: und übrigens würde der ‚Jesus' im Vatikan immer entgegenstehen"!
26) Zit. nach W. Bußmann, Politische Ideologien zwischen Monarchie und Weimarer Republik, S. 69.
27) Vgl. E. Nolte, Der Faschismus in seiner Epoche, S. 219—232.
28) ibd., S. 33.
29) ibd., S. 285.
30) ibd.
31) „Berliner Tageblatt" vom 5.5.1929.
32) K. Tucholsky, Gesammelte Werke. Reinbek 1961. Bd. III 1929—1932, S. 68.

Kapitel XII

1) H. Diwald, Literatur und Zeitgeist in der Weimarer Republik, S. 248.
2) Karl Dietrich Bracher, Autoritarismus und Nationalismus in der deutschen Geschichte. In: Autoritarismus und Nationalismus – ein deutsches Problem. Frankfurt 1963, S. 15 f.
3) K. Sontheimer, Weimar – ein deutsches Kaleidoskop. In: Die deutsche Literatur in der Weimarer Republik. Stuttgart 1974, S. 9.
4) Vgl. Anselm Faust, Der Nationalsozialistische Deutsche Studentenbund. Düsseldorf 1973. Bd. 1, S. 10.
5) Nachlaß-Nr. 494, Fasz. e. Der Text ist datiert auf den 20.8.1930. – In der Ansprache heißt es u.a.: „Parteien nehmen ein Bad (. . .): zweifellos ist das ein Jungbrunnen". Damit nahm Hauptmann wohl Bezug auf die Tatsache, daß der Umwandlung der Deutschen Demokratischen Partei in die Deutsche Staatspartei der Zusammenschluß mit dem „Jungdeutschen Orden" und der von ihm 1929 gegründeten „volksnationalen Reichsvereinigung" zugrunde lag.
6) Vgl. Kap. XI, Anm. 5).
7) Werner Conze, Die Krise des Parteienstaates in Deutschland 1929–1930. In: Historische Zeitschrift Bd. 178, München 1954, S. 61.
8) ibd., S. 60–63.
9) Reinhard Kühnl, Deutschland zwischen Demokratie und Faschismus. . Zur Problematik der bürgerlichen Gesellschaft seit 1918. München 1969. – Unter dem formalen Aspekt des politischen Verhaltens – bewahren oder verändern – gesehen, hatten sich in der Weimarer Republik „die Fronten scheinbar verkehrt: Die auf der Rechten sitzenden Nationalsozialisten, Völkischen und Deutschnationalen waren entschlossen, die bestehende politische Ordnung zu vernichten, während die links sitzenden Sozialdemokraten sich um ihre Verteidigung bemühten" (S. 11).
10) H.–A. Walter, Deutsche Exilliteratur 1933–1950. Bd. I. Bedrohung und Verfolgung bis 1933, S. 96.
11) Nachlaß-Nr. 24, S. 123: „B(ei) Th(eodor) W(olff) fehlt alles Positive, da ist nur die raffinierteste Kritik (. . .)".
12) Vgl. K. Sontheimer, Antidemokratisches Denken, S. 208–210.
13) K.D. Bracher, Autoritarismus und Nationalismus, S. 17.
14) H. Bahr, In Erwartung Hauptmanns. In: Gerhart Hauptmann. Erinnerungen und Bekenntnisse aus seinem Freundeskreis. Hrsg. von W. Heynen. Berlin 1922, S. 58 f.
15) CA XI, 1025.
16) K. Sontheimer, Antidemokratisches Denken, S. 40.
17) Thomas Mann, Werke, Bd. XI, S. 277.
18) Thomas Mann, Deutsche Ansprache. Werke Bd. XI, 889.
19) H. Plessner, Die verspätete Nation, S. 46.
20) H.–A. Walter, Bedrohung und Verfolgung bis 1933, S. 118.

Kapitel XIII

1) Heinrich Brüning, Memoiren 1918–1934. Stuttgart 1970. S. 248.
2) ibd., S. 133 f. (Konkordat als politisches Ziel seiner Kandidatur für den Preußischen Landtag).

3) Karl Buchheim, Geschichte der christlichen Parteien in Deutschland. München 1953, S. 212.
4) Vgl. Kurt Töpner, Der deutsche Katholizismus zwischen 1918 und 1933. In: Zeitgeist der Weimarer Republik. Hrsg. von H.J. Schoeps. Stuttgart 1968, S. 190.
5) K. Buchheim, Geschichte der christlichen Parteien, S. 318.
6) CA II, 965.
7) Franz Mehring, Der Fall Hauptmann. In: Ges. Schriften, Bd. 11, S. 353.
8) Gebhardt, Handbuch der deutschen Geschichte, Bd. III, S. 213.
9) Jean Neurohr, Der Mythos vom Dritten Reich. Zur Geistesgeschichte des Nationalsozialismus. Stuttgart 1957, S. 163.
10) Nachlaß-Nr. 234, S. 59: „(13.3.1922) Das Reichenberger und Gablonzer Ereignis setzt das Prager fort. Dieses Deutschtum, das mit begeisterter Liebe um mich brandete (. . .) diese Welle der Dankbarkeit (. . .) wie sie nur wenigen Menschen im Laufe der Jahrhunderte entgegengetragen worden ist".
11) Wolfgang Stribrny, Evangelische Kirche und Staat in der Weimarer Republik. In: Zeitgeist der Weimarer Republik. Hrsg. von H.J. Schoeps. Stuttgart 1968, S. 169.
12) ibd., S. 167.
13) K. Buchheim, Geschichte der christlichen Parteien, S. 330.
14) Brief an Wilhelm Bölsche vom 24.2.1929. In: Weimarer Beiträge 4 (1965), S. 600.
15) J. Chapiro, Gespräche, S. 112—114.
16) K. Buchheim, Geschichte der christlichen Parteien, S. 332.
17) J. Neurohr, Der Mythos vom Dritten Reich, S. 165.
18) K. Kupisch, Bürgerliche Frömmigkeit, S. 43.
19) ibd., S. 44.
20) J. Neurohr, Der Mythos vom Dritten Reich, S. 184.
21) Samuel Sänger, Abschied von Weimar. In: Die Neue Rundschau, Jg. 43 (1932), Bd. II, S. 417.

Kapitel XIV

1) Joseph Wulf, Literatur und Dichtung im Dritten Reich. Eine Dokumentation. Gütersloh 1963, S. 137; Michael Sennewald, Hanns Heinz Ewers. Phantastik und Jungendstil. Meisenheim am Glan 1973, S. 202 ff.
2) J.C. Fest, Hitler. Eine Biographie. Frankfurt a.M. — Berlin—Wien 1973, S. 407.
3) Vgl. „Völkischer Beobachter" vom 31.7.1932, Zweites Beiblatt: „Das national-sozialistische Aufbauprogramm".
4) H. Graf Keyserling, Deutschland in der Kulturkrise. Junge und alte Generation im Gegensatz. — Das Wollen der Jugend und die Aufgabe der Ältern. In: „Kölnische Zeitung" vom 17.7.1932.
5) Katalog der Gedächtnisausstellung 1962, S. 288.
6) Thomas Mann, Briefe 1889—1936, Frankfurt 1961, S. 320 f.
7) Nachlaß-Nr. 15, S. 64.
8) „Völkischer Beobachter" vom 2.9.1932.
9) „Welt am Abend" vom 14.11.1932.
10) In: „Die Neue Rundschau", Jg. 43 (1932), Bd. II, S. 598 f.
11) Alfred Kerr, An Gerhart Hauptmann, ibd., S. 578.
12) Zit. nach H.-A. Walter, Bedrohung und Verfolgung bis 1933, S. 120 f.
13) Vgl. Anselm Faust, Der Nationalsozialistische Studentenbund, Bd. 2, S. 65—68.
14) Brief vom 15.11.1932 im Briefnachlaß I.

15) „12-Uhr-Blatt" vom 19.11.1932; vgl. auch „Berliner Tageblatt" vom 19.11.1932.
16) H. Graf Kessler, Tagebücher, S. 698.
17) Visitenkarte von Adolf Grimme im Briefnachlaß I.
18) H. Graf Kessler, ibd., S. 699.
19) Nachlaß-Nr. 235, S. 20: „(nach dem 20.9.1931) Braun sagte: Es fehle Brüning die Parteisekretärerziehung, wie sie Mussolini gehabt habe. Gespräch: Ich hatte M*(ussolini)* gegen B*(rüning)* ausgespielt".
20) K. Sontheimer, Antidemokratisches Denken, S. 381.
21) O. Loerke, Tagebücher, S. 255.

Kapitel XV

1) Ludwig Marcuse, Mein 20. Jahrhundert. München 1960, S. 124–126, S. 154 f.
2) Karl Lange, Hitlers unbeachtete Maximen. „Mein Kampf" in der Öffentlichkeit. Stuttgart 1968, S. 58–66.
3) H.–A. Walter, Bedrohung und Verfolgung bis 1933.
4) H.v. Hülsen, Zwillingsseele, München 1947, S. 213.
5) I. Jens, Dichter zwischen rechts und links, S. 182, 190.
6) R. Schickele, Werke. Hrsg. von H. Kesten. Köln–Berlin 1959, Bd. 3, S. 1044.
7) I. Jens, Dichter zwischen rechts und links, S. 191.
8) Rudolf Binding, Die Briefe, Hamburg 1957, S. 175–179.
9) Revers–Kopie mit Unterschrift Hauptmanns im Briefnachlaß I, B III, Karton Preußische Akademie der Künste.
10) C.F.W. Behl, Zwiesprache, S. 19.
11) H. Daiber, Gerhart Hauptmann, S. 236.
12) Die Aufzeichnungen Margarete Hauptmanns befinden sich im Privatbesitz der Nachlaß–Erbin Barbara Hauptmann. Es handelt sich um tagebuchartig geführte Kalendernotizen (vgl. Katalog der Gedächtnisausstellung 1962, S. 302).

Leopold Schwarzschild an Thomas Mann am 25.1.1936: „Sie wissen so gut wie ich, wer, neben der ehrenwerten Gemahlin, an dem schändlichen Fall Gerhart Hauptmann vor allem die Schuld trägt". Zit. nach: H.L. Arnold (Hrsg.), Deutsche Literatur im Exil 1933–1945. Frankfurt 1974, S. 100.
13) Brief A. Eloessers vom 20.12.1933 (Briefnachlaß II, B 1609/1).
14) G. Bermann Fischer, Bedroht – bewahrt, S. 89.
15) G. Mann, Deutsche Geschichte, S. 743.
16) A. Rosenberg, Entstehung und Geschichte der Weimarer Republik, S. 462.
17) Transskription im Nachlaß Prof. H.-E. Haß, ohne Angabe der Nachlaß-Nr.
18) G. Mann, Deutsche Geschichte, S. 842.
19) O. Loerke, Tagebücher, S. 278.
20) Karl Lange, Hitlers unbeachtete Maximen, S. 32.
21) ibd., S. 33.
22) Helga Grebing, Geschichte der deutschen Arbeiterbewegung. München 1966, S. 113.
23) Vgl. Nachlaß-Nr. 12, S. 400, und Nachlaß-Nr. 7, S. 60.
24) M. Machatzke, Editorisches Nachwort, CA XI, 1320.
25) H. Graf Kessler, Tagebücher, S. 729.

26) Harold Nicolson, Tagebücher und Briefe 1930–1941. Frankfurt a.M. 1969, Bd. I S. 149.
27) A. Gustavs, Gerhart Hauptmann und Hiddensee, S. 37.
28) Hauptmann–Nachlaß: Erwerbung J. Chapiro.
29) „Berliner Lokalanzeiger" vom 13.10.1933.
30) Briefnachlaß I, s.v. Falckenberg, Otto.
31) Brief vom 17.8. an Hauptmann, Beilage, ibd.
32) ibd.
33) ibd.
34) Wolfgang Petzet. Theater. Die Münchner Kammerspiele 1911–1927. München 1973, S. 279.
35) ibd., S. 278.
36) ibd., S. 279.
37) „Berliner Tageblatt" vom 15.11.1933.
38) Die Erklärung erschien zuerst in den „Leipziger Neuesten Nachrichten" vom 9.11.1933.
39) M. Domarus, Hitler–Reden, Bd. I, S. 313.
40) Erich Ebermayer, Hauptmann. Eine Bildbiographie, München 1962, S. 114.
41) Vgl. Erich Ebermayer „Denn heute gehört uns Deutschland...". Hamburg–Wien 1959, S. 393. 419 ff., 434.
42) C.F.W. Behl, in: Deutsche Rundschau, Jg. 84 (1958), S. 894.
43) Die Erklärung erschien am 10.11.1933 im „Stuttgarter Neuen Tageblatt" und am folgenden Tage im „Berliner Tageblatt".
44) Joseph Chapiro, Gerhart Hauptmann als Mensch. Freund der Juden und der Menschheit. Einleitung zur erweiterten Neuauflage der „Gespräche mit Gerhart Hauptmann" (Kopie des Typoskripts im Nachlaß Prof. Hans–Egon Haß), S. 27.
   – Die Mitteilung Konrad Hauptmanns ist in dem Brief erwähnt, den Chapiro angeblich am 1.1.1934 an G. Hauptmann geschrieben hat. Die von Chapiro mitgeteilte Fassung des Briefes ist jedoch eine weitgehend übereinstimmende Variante des Briefes vom 20.12.1933 an G. Hauptmann (Briefnachlaß I, s.v. Chapiro, Joseph).
   Chapiro verwechselt in seiner Dokumentation zwei verschiedene Zeitungsartikel, auf die sich Hauptmann bezieht. In dem Brief vom 24.11.1933 an Chapiro (s. Erwerbung Chapiro) spricht Hauptmann von einem „erschienenen Schmutzartikel, der eine einzige Lüge ist". Das bezieht sich mit höchster Wahrscheinlichkeit auf den Artikel im „Völkischen Beobachter" vom 16.11.1933 („Berliner Boheme im Fegefeuer"), nicht jedoch, wie Chapiro bei der Wiedergabe des Briefes in Klammern ergänzt, auf „Ich sage ‚Ja' " im Berliner Tageblatt. Daher folgert Chapiro unzulässigerweise, Hauptmann habe ihm versichert, daß „Ich sage ‚Ja' " nicht von ihm verfaßt sei (S. 22 f.).
45) „Völkischer Beobachter" vom 16.11.1933.
46) Thomas Mann, Die Entstehung des Doktor Faustus, Werke Bd. XI, S. 278.
47) E. Hilscher, Gerhart Hauptmann, S. 424.
48) „Völkischer Beobachter" vom 16.11.1933.

Kapitel XVI

1) Thomas Mann, Briefe 1889–1936, S. 333.
2) zt. Katalog der Gedächtnisausstellung 1962, S. 292.
3) In: Die Welt im Licht. Hrsg. von Friedrich Luft. Köln–Berlin 1961, S. 286–290.

4) Richard Wagner, Censuren 5. Aufklärungen über das Judentum in der Musik. In: ders., Gesammelte Schriften und Dichtungen. Leipzig 1907. Bd. 8, S. 238–260.
5) Vgl. Kap. XVIII.
6) Theodor Lessing, Der jüdische Selbsthaß. Berlin 1930, S. 30.
7) Karl S. Guthke, Alfred Kerr und Gerhart Hauptmann. In: ders., Wege zur Literatur. Bern–München 1967, S. 160.
8) Vgl. Anm. 3).
9) R. Schickele, Tagebücher, S. 1079.
10) K.G. Just, Von der Gründerzeit bis zur Gegenwart, S. 493.
11) R.G. Binding, Die Briefe, S. 233.
12) Brief vom 24.11.1933 (Hauptmann–Nachlaß Erwerbung J. Chapiro).
13) Nachlaß-Nr. 15, S. 202 v.
14) Brief vom 20.12.1933 (Briefnachlaß I, s.v. Chapiro, J.); vgl. dazu Kap. XV Anm. 44).
15) Hauptmann–Nachlaß: Erwerbung J. Chapiro.
16) C.F.W. Behl, Zwiesprache, S. 34.
17) Deutsche Literatur im Exil 1933–1945. Hrsg. von Heinz Ludwig Arnold. Frankfurt 1974, S. 54.

Kapitel XVII

1) I. Jens, Dichter zwischen rechts und links, S. 96.
2) Katalog der Gedächtnisausstellung 1962, S. 250.
3) ibd., S. 288.
4) Rolf Geißler, Dekadenz und Heroismus, Zeitroman und völkisch-nationalsozialistische Literaturkritik. Stuttgart 1964, S. 32 f.
5) „Völkischer Beobachter" vom 16.11.1933.
6) R. Geißler, Dekadenz und Heroismus, S. 24–27.
7) H. Brenner, Die Kunstpolitik des Nationalsozialismus, S. 80.
8) ibd.
9) E. Ebermayer, „Denn heute gehört uns Deutschland . . . ", S. 434.
10) Vorgesehen wurde nun die Partie: „Deutschland als Idee, das ist Deutschlands Kraft . . . Die Aufgabe ist und wird immer sein, wenn ein Volkstum wachsen und verharren soll, für seine Beseelung Sorge zu tragen". (CA VI, 752).
11) CA II, 999.
12) Brief Rudolf Wylachs vom 21.8.1934 (Briefnachlaß I, C VIII, K. 2).
13) J. Seyppel, Gerhart Hauptmann, S. 68 f.
14) Günther Grundmann, Erlebter Jahre Widerschein. München 1972, S. 139.
15) ders., Begegnung eines Schlesiers mit Gerhart Hauptmann. Hamburg 1953, S. 48.
16) Brief A. Mayerhofers an Erhart Kästner vom 28.1.1937 mit dem Vermerk: abgelehnt 6.2.1937 (Briefnachlaß I, C VIII, K 7).
17) Erste Anfrage der Reichskulturkammer vom 27.5.1937. Hauptmanns Zusage an die RSK vom 10.6.1937, dem „ihn ehrenden Antrag Folge zu leisten" (Briefnachlaß I, C VII, K 2).
18) Nachlaß-Nr. 596 b.
19) Anfrage Scherlers vom 26.11.1936; Hauptmanns Absage vom 30.11.1936 (ibd.).
20) Nachlaß-Nr. 632, Fasz. I b.

21) Karteikarte in der Akte über Gerhart Hauptmann im Berlin Document Center: „Deutsche Akademie. Gremium: Senat Tätigkeit: Senator" – ohne Datumsangaben.

22) Hildegard Brenner, Ende einer bürgerlichen Kunst–Institution. Die politische Formierung der Preußischen Akademie der Künste ab 1933. Stuttgart 1972, S. 23.

23) E.v. Mutius bat Hauptmann im Sommer 1933 um Hilfe für den wegen „staatsfeindlicher Gesinnung" entlassenen J. Avenarius. Hauptmann äußerte in einer Antwort vom 13.7.1933 seine „Einflußlosigkeit" (Briefnachlaß II, B 1687/2). Am 17.10.1935 schrieb er an den ebenfalls bedrängten R.K. Goldschmit: „Ich bin durchaus ohne Einfluß im heutigen Deutschland" (Briefnachlaß I, s.v. Goldschmit, R.K.). Julius Bab schickte Hauptmann eine Kopie des Schreibens der Reichsschrifttumskammer vom 7.3.1935, in der Babs Ausschluß aus der RSK gemäß Paragraph 10 der Statuten mitgeteilt wurde. Hauptmann antwortete am 25.3.1935: „In der mir mitgeteilten Angelegenheit weiß ich im Augenblick weder für Sie noch für mich einen Trost" (Briefnachlaß I, s.v. Bab, Julius).

Kapitel XVIII

1) H. Brenner, Die Kunstpolitik des Nationalsozialismus, S. 47.
2) ibd., S. 40.
3) ibd., S. 42.
4) ibd., S. 54.
5) Ein Schreiben G. Bermann Fischers ist offenbar nicht überliefert. Eine Anfrage von seiten des Verlegers geht aus dem Antwort–Entwurf Hauptmanns hervor.
6) Vgl. P. de Mendelssohn, S. Fischer und sein Verlag, S. 1275.
7) ibd.
8) Briefnachlaß II, B 1657/9: Keyserling hatte Hauptmann um Beitritt in die „Gesellschaft für freie Philosophie" gebeten.
9) Für Ernst Hardt verwendete sich Hauptmann bei dem Präsidenten der Reichsschrifttumskammer, H.F. Blunck, im April 1934. Dies war offenbar ein vereinzelter Versuch Hauptmanns, ungeachtet seiner „Einflußlosigkeit" zu helfen (Briefnachlaß I, s.v. Blunck, H.F.).
10) H. Brenner, Die Kunstpolitik des Nationalsozialismus, S. 109.
11) ibd., S. 109 f.
12) ibd., S. 82.
13) ibd., S. 108.
14) „Deutsche Allgemeine Zeitung" vom 19.9.1935.
15) J.C. Fest, Das Gesicht des Dritten Reiches. München 1964, S. 404.
    Peter Hüttenberger. Die Gauleiter. Stuttgart 1969.
16) G. Grundmann, Begegnungen, S. 60.
17) K.G. Just, Von der Gründerzeit bis zur Gegenwart, S. 502.
18) Brief Hauptmanns an Hans Kyser vom 29.11.1939 (Briefnachlaß I, s.v. Kyser, Hans).
19) Nachlaß-Nr. 235, S. 90.
20) J.C. Fest, Das Gesicht des Dritten Reiches, S. 342 f.

21) Gebhardt, Handbuch der deutschen Geschichte, Bd. IV, S. 217;
    Theodor Eschenburg, Aus dem Universitätsleben vor 1933. In: Deutsches
    Geistesleben und Naitonalsozialismus. Eine Vortragsreihe der Universität
    Tübingen. Tübingen 1965, S. 46.
22) ibd., S. 34.
23) ibd.
24) Nachlaß-Nr. 52, S. 209.
25) Adolf Bartels, Gerhart Hauptmann, Weimar 1897, S. 70, 88.
26) Nachlaß-Nr. 1, S. 210.
27) Nachlaß-Nr. 11 a, S. 97 und 23, S. 32 v.
28) Vgl. Georg Melchers, Biologie und Nationalsozialismus. In: Deutsches Geistes-
    leben und Nationalsozialismus, S. 59—72.

Kapitel XIX

1) Nachlaß-Nr. 234, S. 249.
2) Vgl. J.C. Fest, Hitler, S. 501.
3) Neue Deutsche Blätter, 1. Jahr, Nr. 11 (August 1934), S. 712.
3a) Klaus Manns Brief an Gottfried Benn vom 9.5.1933, abgedruckt in: Gottfried
    Benn, Doppelleben. Wiesbaden 1950, S. 84: „(...) daß Sie — eigentlich als
    e i n z i g e r deutscher Autor, mit dem unsereins gerechnet hatte — Ihren Aus-
    tritt aus der Akademie n i c h t erklärt haben. (...) was ich von ..., der seine
    Rolle als der Hindenburg der deutschen Literatur mit einer bemerkenswerten
    Konsequenz zu Ende spielt, nicht anders erwartet hatte, entsetzt mich in Ihrem
    Falle".
4) Rudolf Smend, Politisches Erlebnis und Staatsdenken seit dem 18. Jahrhundert.
    In: Nachrichten von der Akademie der Wissenschaften in Göttingen,
    Phil.-Historische Klasse, Jg. 1943, Nr. 13, Göttingen 1943, S. 532.
    Wolf Lepenies, Melancholie und Gesellschaft. Frankfurt 1969, S. 93.
5) Erich Fromm, Die Furcht vor der Freiheit. Zürich 1945, S. 216.
6) Helga Grebing, Der Nationalsozialismus. München—Wien 1964, S. 59.
7) J.C. Fest, Hitler, S. 629.
8) Archiv der Akademie der Künste Berlin, M 1 b, Bd. 3. Eine Kopie des Aufrufs
    befindet sich im Briefnachlaß I, B III, Karton Preußische Akademie der Künste.
9) P. Gay, Die Republik der Außenseiter, S. 129.
10) M. Domarus, Hitler—Reden, Bd. I, S. 736.
11) Nachlaß-Nr. 632, Fasz. I b 71.
12) G. Bermann Fischer, Bedroht — bewahrt, S. 147.
13) John S. Conway, Die nationalsozialistische Kirchenpolitik 1933—1945. München
    1969, S. 160.
14) M. Domarus, Hitler—Reden, Bd. I, S. 954, 959.
15) H. Graf Kessler, Tagebücher, S. 726.
16) Hugo Dyserinck, Graf Hermann Keyserling und Frankreich, Bonn 1970, S. 63,
    105 f.

Kapitel XX

1) Gebhardt, Handbuch der deutschen Geschichte, Bd. IV, S. 242.
2) Marlis Steinert. Hitlers Krieg und die Deutschen. Düsseldorf—Wien 1970, S. 108.

3) Die nationalsozialistische Propaganda knüpfte in ihrer Agitation gegen England an die alten deutschen, in der wilhelminischen Zeit entwickelten Stereotypen über das „perfide Albion" an. Vgl. Ernest K. Bramstedt: Goebbels und die nationalsozialistische Propaganda 1925—1945. Frankfurt 1971, S. 529 ff.

4) Gebhardt, Handbuch der deutschen Geschichte, Bd. IV, S. 315.

5) K. Sontheimer, Antidemokratisches Denken, S. 281.

6) C.F.W. Behl, Zwiesprache, S. 100 f.

7) The Public Papers and Addresses of Franklin D. Roosevelt 1941. Volume The call to battle stations. Hrsg. von S.I. Rosenman. New York 1950, S. 181—194: „We choose human Freedom". — A radio address announcing the proclamation of an unlimited national emergency. May 27, 1941.

8) Vgl. Roosevelt spricht. Die Kriegsreden des Präsidenten. Stockholm 1945.

9) Titel einer Schrift von Werner Sombart: Händler und Helden. Patriotische Besinnungen. Leipzig 1915.

Kapitel XXI

1) E. Ebermayer, Hauptmann. Eine Bildbiographie, S. 116.

2) Hans Knudsen, Handbuch der Theatergeschichte. Stuttgart 1970, S. 371.

3) E. Ebermayer, Hauptmann. Eine Bildbiographie, S. 116.

4) Brief Hauptmanns vom 11.11.1934 an R.K. Goldschmit (Briefnachlaß I, s.v. Goldschmit, Rudolf K.).

5) Brief Prof. Waldemar Oehlkes vom Juni 1940 an Gerhart Hauptmann: „Herr Jenssen (Teubner) erklärt, Sie hätten sich von den Einflüssen des Erfolges, der Gesellschaft, der Zeitströmungen treiben lassen, betont die Volksfremdheit (gesperrt) Ihrer späteren Dramen und Romane. ‚Behandlung rein privater Konflikte ohne jede Bedeutung für unser Erleben der deutschen Erneuerung'" (Briefnachlaß I).

6) G. Grundmann, Erlebter Jahre Widerschein, S. 144.

7) C.F.W. Behl, Zwiesprache, S. 154 f.

8) Brief E. Bebermayers an Hauptmann vom 29.1.1940, Briefnachlaß I.

9) In dem Brief vom 29.1.1940, ibd.

10) ibd.

11) E. Ebermayer, Hauptmann. Eine Bildbiographie, S. 120.

12) s. Anm. 8)

13) Brief E. Ebermayers vom 7.2.1940. Briefnachlaß I.

14) Akte der Reichsschrifttumskammer über Gerhart Hauptmann im Berlin Document Center.

15) Helmut Heiber, Joseph Goebbels. Berlin 1962, S. 276 f.

16) G. Grundmann, Begegnungen eines Schlesiers, S. 60.

17) ibd., S. 62.

18) C.F.W. Behl, Zwiesprache, S. 220 f.; W.Th. Andermann (=Walter Thomas), Bis der Vorhang fiel. Dortmund 1947, S. 293—297.

19) C. Kleßmann, Der Generalgouverneur Hans Frank. In: Vierteljahreshefte für Zeitgeschichte, 19. Jg. (1971), S. 255.

20) Brief vom 5.11.1941. Bundesarchiv Koblenz. Kanzlei des Generalgouverneurs. R. 52.

21) ibd.

22) ibd.

23) Nachlaß-Nr. 180. S. 6 v.
24) ·C. Kleßmann, Der Generalgouverneur Hans Frank, S. 256.
25) Vol. XXXIV, 1. 1944 I, S. 7 (aufbewahrt im Archiv des polnischen Justizministeriums in Warschau).
26) ibd.
27) Brief vom 14.5. 1944, vgl. Anm. 20).
28) Typoskriptabzug im Hauptmann–Nachlaß der Staatbibliothek Preußischer Kulturbesitz.
29) J. Amery, Gerhart Hauptmann, S. 113.
30) Brief an G. Bermann Fischer vom 18.9.1932. In: Thomas Mann. Briefwechsel mit seinem Verleger Gottfried Bermann Fischer 1932–1955. Frankfurt 1973, S. 6.
31) s. Anm. 18).
32) s. Anm. 29).
33) E. Hilscher, Gerhart Hauptmann, S. 427.
34) Vgl. Kap. XXII.
35) Joseph Goebbels, Tagebücher. Aus den Jahren 1942–43. Mit anderen Dokumenten herausgegeben von Louis P. Lochner. Zürich 1948.
36) s. Anm. 6). S. 156.
37) J. Goebbels, Tagebücher, S. 117.
38) Zu entnehmen aus der Antwort Goebbels', s. Anm. 39).
39) Geschichte der deutschen Literatur. Von den Anfängen bis zur Gegenwart. Bd. 10. 1917–1945. Berlin 1973, S. 616.
40) Abgedruckt in: C.F.W. Behl, Gerhart Hauptmann und der Nazismus. In: Berliner Hefte, Jg. 2, 1947, S. 495.
41) J. Wulf, Literatur und Dichtung im Dritten Reich, S. 132.
42) Briefnachlaß I, C VIII, K 2.
43) „Tägliche Rundschau" vom 11.10.1945.
44) Dietrich Strothmann, Die Regie des Autoreneinsatzes. In: Wege der Literatursoziologie. Hrsg. von H.N. Fügen. Neuwied–Berlin 1968, S. 327.
45) Schreiben des Ministerialdirigenten Haegert (ProMin) an Hauptmann vom 27.7.1942 (Briefnachlaß I, C VIII, K 2).
46) ibd.
47) CA XI, 1187.
48) CA XI, 1197 f.
49) E. Ebermayer, Hauptmann. Eine Bildbiographie, S. 119.
50) H. Heiber, Joseph Goebbels, S. 188.
51) Baldur v. Schirach, Ich glaubte an Hitler. Hamburg 1967, S. 287 f.
52) W. Th. Andermann, Bis der Vorhang fiel, S. 285–287.
53) ibd., S. 286.
54) ibd., S. 287.
55) Hans v. Hülsen, Zwillingsseele II, S. 216.
56) ibd., S. 217.
57) Behl, Zwiesprache, S. 126.
58) Hans v. Hülsen, Gerhart Hauptmann. Umriß seiner Gestalt. Wien–Leipzig (1942), S. 14.
59) s. Anm. 54).
60) Nachlaß-Nr. 172, S. 61: „(9.4.1940) Goebbels über Schlösser Steuerangabe (‚Erklärung'). Külz".

Kapitel XXII

1) Thomas Mann, Werke, Bd. XI, S. 278.
2) Nachlaß-Nr. 2, S. 248.
3) Walter Boehlich, Der Berliner Antisemitismusstreit (Nachwort). Frankfurt 1965, S. 238.
4) C.F.W. Behl, Zwiesprache, S. 207.
5) E. Ebermayer, „Denn heute gehört uns Deutschland . . . ", S. 264.
6) Ein Exemplar (Typoskript) befindet sich im Hauptmann—Nachlaß: Erwerbung J. Chapiro.
7) ibd.
8) ibd.
9) In: J. Chapiro, Gerhart Hauptmann als Mensch, S. 13 (ohne Datumsangabe; im Briefnachlaß I nicht überliefert). — Chapiro berichtet über das weitere Schicksal des „Juden—Kampitels': „Bald darauf erhielt ich eine Antwort von Hauptmann, in der er mir mitteilte, daß er mein Manuskript ,seinem Wunsche gemäß, bereits druckfertig gemachte habe und es mir bald zukommen lassen werde. Plötzlich erhielt ich ein Telegramm von ihm: ,Manuskript leider verlegt. Genehmige Veröffentlichung. Grüße. Hauptmann.' — Trotz dieser Genehmigung beschloß ich, das Gespräch noch nicht zu veröffentlichen, solange Hauptmann das von ihm gekürzte Manuskript nicht wiedergefunden und wir uns darüber nicht ausführlich mündlich unterhalten hatten. Dazu kam es erst einige Wochen später. (. . .) Er kam zu mir, brachte mir das gefundene Manuskript und erklärte mir den Grund und den Sinn mancher Kürzungen und Streichungen: Er bat mich außerdem, es neu abschreiben zu lassen und das wiedergefundene, ebenso wie die bei mir noch aufbewahrte vollständige Kopie des ursprünglichen Manuskriptes zu vernichten, damit keiner jemals durch irgendeinen Zufall die von ihm gestrichenen Äußerungen gelegentlich lesen könne. Entgegen seinem letzten Telegramm empfahl er mir wieder, mit der Veröffentlichung dieses Kapitels bis nach dem Erscheinen der Erstausgabe der „Gespräche" zu warten, damit die Neuauflage (. . .) durch etwas Neues (. . .) bereichert werde" (S. 14).
10) Brief J. Chapiros an Margarete Hauptmann vom 27.11.1932 (Briefnachlaß I). Chapiro fügte dem Brief einen Auszug aus der Zeitschrift „Tagebuch" vom 26.11.1932 bei: eine Besprechung der „Gespräche mit Gerhart Hauptmann" durch Stefan Großmann, der Chapiros ,Eckermann'-Rolle ironisch glossierte und behauptete, Freunde hätten Hauptmann von einer Veröffentlichung dieser Gespräche abgeraten, u. a. auch sein Verleger S. Fischer. — Vgl. dazu auch den Brief Chapiros an G. Hauptmann vom 20.12.1932 (Briefnachlaß I).
11) Nachlaß-Nr. E IX.
12) Ferenc Körmendy, „Warum ich Deutschland nicht verlasse? " — Hauptmann und Hitler — Anklage und Selbstanklage — Eine Begegnung 1938. In: „Die Welt" vom 10.11.1962.
13) Peter Suhrkamp, Der Leser. Reden und Aufsätze. Berlin-Frankfurt 1960, S. 130.
14) Nachlaß-Nr. 14, S. 151.
15) Hartwig Kleinholz, Gerhart Hauptmanns szenisches Requiem ,Die Finsternisse'. Interpretation. Diss. Köln 1962, S. 80—86; H.-E. Hass, Weltspiel und Todesmysterium, S. 111.
16) Sigmund Freud, Zur Psychopathologie des Alltagslebens.
17) Nachlaß-Nr. 15, S. 189.

18) Mitteilung des Instituts für Zeitgeschichte München: Archivmaterialauszug AA Inland II A/B Emigr. IV – 2. USA (b) 83–75 sdh. IV 1936 Dez. 14 (Dt.-Amerikan. Kulturverb. N.Y., 1936–40).

19) Joachim Radkau, Die deutsche Emigration in den USA. Ihr Einfluß auf die amerikanische Europapolitik 1933–1945. Düsseldorf 1971, S. 18.

20) ibd., S. 17.

21) C.F.W. Behl, Zwiesprache, S. 43.

22) M. Domarus, Hitler-Reden, Bd. II, S. 1663.

23) ibd., S. 1779; das längere Zitat S. 1772.

24) Nachlaß-Nr. 3, S. 70 v.

25) Walther Rathenau, Zur Kritik der Zeit. Berlin 1919, S. 25–45.

26) Baldur v. Schirach, Ich glaubte an Hitler, S. 38.

27) Nachlaß-Nr. M F II.

28) A. Gustavs, G. Hauptmann und Hiddensee, S. 56.

29) E. Ebermayer, Hauptmann. Eine Bildbiographie, S. 123.

30) C.F.W. Behl, Zwiesprache, S. 220 f.

31) F.A. Voigt, Gerhart Hauptmann unter der Herrschaft des Nazismus. In: Monatshefte für deutschen Unterricht, 38 (1946), S. 300.

Kapitel XXIII

1) Marlis Steinert, Hitlers Krieg, S. 206.

2) C.F.W. Behl, Zwiesprache, S. 52.

3) Nachlaß-Nr. 230, S. 115.

4) ibd.

5) G. Benn, Doppelleben, S. 141.

6) Vgl. Kap. VIII, Anm. 8.

7) J.C. Fest, Hitler, S. 976.

8) Nachdruck in „Deutsche Allgemeine Zeitung" vom 21.8.1944.

9) C.F.W. Behl, Gerhart Hauptmann und der Nazismus. In: Berliner Hefte 2 (1947), S. 497. Vgl. dazu D. Strothmann, Die Regie des Autoreneinsatzes, S. 329, Anm. 40.

10) Thomas Mann, Gerhart Hauptmann. In: Werke, Bd. IX, S. 810.

11) E. Hilscher (Gerhart Hauptmann, S. 450 ff.) ist dem Problem von Zeitanspielungen im „Großen Traum" nachgegangen. Er verweist u. a. auf den 13. Gesang, der fälschlich auf das Dritte Reich bezogen worden ist, da er – um 1920 entstanden – eine Anspielung auf die Revanchepolitik Clemenceaus enthält:

> Du siehst dein großes Mutterland verschlicken
> zum pestilenzialisch faulen Sumpf
> und alles wahrhaft Edle drin ersticken.
> (. . .)
> Dem sogenannten Tiger ist's bequem,
> die Höllenaugen drüber hin zu rollen:
> Der Dampf der Äser ist ihm angenehm.
> (CA IV, 1038)

Der 1. Gesang des „Anderen Teils" des „Großen Traums" – entstanden 1936 – spiegelt dagegen zweifellos Reaktionen Hauptmanns auf die Zeitläufe nach 1933. Er klagt über „der neuen Erde Götterbilder": „Mit Blut bemalt sind diese Scheußlichkeiten" (CA IV, 1189). – Die Anprangerung des politischen Terrorismus („Moloch Robespierre") läßt sich dagegen nicht nur auf den Faschismus beziehen. Mit dem Vers „Das, großer Platon, ist aus dir geworden (...)" spielt Hauptmann auch auf die sowjetische Staatsvergötzung an, die nach seiner Auffassung aus dem Geiste der totalitären Staatsutopie Platons geboren war. „Sprossen aus dem Grabe Platons seid ihr (die neuen Herren Deutschlands). (...) Noch Moskau ist Plato", heißt es in einer Satire 1934 (CA XI, 1136). Ob mit der Verszeile: „Es kräht ein Höllenhahn mit heiserer Kehle" (CA VI, 1190) „sichtlich" Hitler gemeint ist (Hilscher, S. 452), bleibt fraglich.

12) Hans Mayer, Einführung in das dramatische Werk Gerhart Hauptmanns, S. 80.
13) P. Suhrkamp, Der Leser, S. 130.
14) So schildert Hauptmann die frühen 90er Jahre: „Ob auch die politische Luft meinethalben mit Illusionen, Verkennungen, theatralischen Entgleisungen mitunter überbürdet war (...), so lag doch alles in einer gewissermaßen glänzenden Helligkeit, die von der nun einmal wärmer, gütiger und heiterer blickenden Sonne jener Zeit stammte. (...)
Eine echte Festivitas beherrschte trotz aller parlamentarischen Kämpfe und sonstiger Tribulationen die Öffentlichkeit" (CA XI, 518).
15) Nachlaß-Nr. 240, S. 39.
16) G. Grundmann, Begegnungen eines Schlesiers, S. 107.
17) P. Hüttenberger, Die Gauleiter. Stuttgart 1969, S. 194.
18) „Der Spiegel" vom 25.4.1962 (Nr. 17).
19) Gerhart Pohl, Bin ich noch in meinem Haus? Die letzten Tage Gerhart Hauptmanns. Berlin 1953, S. 31.
20) Mündliche Mitteilung von M. Machatzke.
21) Gerhart Pohl, Bin ich noch in meinem Haus?, S. 32.
22) Vgl. die editorische Vorbemerkung in CA XI, 1205.
23) ibd., S. 1324 ff.
24) Julius Bab, Hat sich Gerhart Hauptmann mit den Nazis eingelassen? In: Aufbau Jg. 2 (1946), Heft 4, S. 434 f. (= Nachdruck aus „Sonntagsblatt Staatszeitung und Herold" vom 2.9.1945).
25) David Irving, Der Untergang Dresdens. Gütersloh 1964.
26) Gerhart Pohl, Bin ich noch in meinem Haus?, S. 32.
27) „Tägliche Rundschau" vom 11.10.1945.
28) ibd.
29) Briefnachlaß I, B III, Karton Preußische Akademie der Künste.
30) K.S. Guthke, Gerhart Hauptmann, S. 10 – Gerhart Pohl, Gerhart Hauptmann. Sinnbild des deutschen Schicksals. In: Katalog der Gedächtnisausstellung 1962, S. 9 f.
31) Alexander u. Margarete Mitscherlich, Die Unfähigkeit zu trauern, S. 131.
32) P. de Mendelssohn, S. Fischer und sein Verlag, S. 896.
33) Thomas Mann, (An Gerhart Hauptmann), In: Werke Bd. X, S. 334 f.
34) H. Plessner, Die verspätete Nation. Über die Verführbarkeit bürgerlichen Geistes. Stuttgart 1959.

LITERATURVERZEICHNIS

I. Unveröffentlichte Quellen in:

Gerhart Hauptmann-Nachlaß der Staatsbibliothek Preußischer Kulturbesitz, Nachlaß E. Jungmann, ibd.,
Erwerbung Joseph Chapiro, ibd.,
Gerhart-Hauptmann-Nachlaß der Literaturarchive der Akademie der Künste der DDR (Berlin-Ost),
Archiv der Akademie der Künste (Berlin-West),
Berlin Document Center,
Nachlaß Prof. Hans-Egon Hass (Typoskript von: J. Chapiro, Gerhart Hauptmann als Mensch. Freund der Juden und der Menschheit. Vorwort zur vorgesehenen erweiterten Neuauflage von „Gespräche mit Gerhart Hauptmann"),
Archiv des polnischen Justizministeriums in Warschau. (Tagebuch des Generalgouverneurs Hans Frank).

II. Werkausgaben, Textsammlungen

Gerhart Hauptmann: Sämtliche Werke. Centenarausgabe zum hundertsten Geburtstag des Dichters. Hrsg. von Hans-Egon Hass. Fortgeführt von M. Machatzke und W. Bungies. Berlin 1962–1974 (= CA).
ders.: Die Kunst des Dramas. Über Schauspiel und Theater. Zusammengestellt von Martin Machatzke. Berlin 1963.
ders.: Gerhart Hauptmann. Leben und Werk. Eine Gedächtnisausstellung des Deutschen Literaturarchivs zum 100. Geburtstag des Dichters im Schiller-Nationalmuseum Marbach a. N. Hrsg. von Bernhard Zeller. Stuttgart 1962. Zitiert als: Katalog der Gedächtnisausstellung 1962.
Döblin, Alfred: Aufsätze zur Literatur. Hrsg. von Walter Muschg. Olten-Freiburg 1963.
Humboldt, Wilhelm v.: Werke. Hrsg. von Andreas Flitner und Klaus Giel. Stuttgart 1960.
Kerr, Alfred: Die Welt im Licht. Hrsg. von Friedrich Luft. Köln-Berlin 1961.
Literarische Manifeste des Naturalismus: Hrsg. von Erich Ruprecht. Stuttgart 1962.
Mann, Thomas: Gesammelte Werke. Frankfurt 1960.
Nietzsche, Friedrich: Die Geburt der Tragödie. Oder: Griechentum und Pessimismus. Neue Ausgabe mit dem Versuch einer Selbstkritik. Leipzig 1866.
Novalis: Schriften. Kritische Neuausgabe auf Grund des handschriftlichen Nachlasses von Ernst Heilborn. Berlin 1901.
Tucholsky, Kurt: Gesammelte Werke. Reinbek 1961.
Wagner, Richard: Gesammelte Schriften und Dichtungen. Leipzig 1907.

III. Veröffentlichte Quellen (Autobiographien, Memoiren, Tagebücher, Briefsammlungen, Reden)

Arnold, Heinz-Ludwig (Hrsg.): Deutsche Literatur im Exil 1933–1945. Dokumente und Materialien Bd. I. (Geschichte der deutschen Literatur aus Methoden. Bd. 6). Frankfurt 1974.
Andermann, W.Th. (= Thomas, Walter): Bis der Vorhang fiel. Berichtet nach Aufzeichnungen aus den Jahren 1940 bis 1945. Dortmund 1947, S. 266–300.

Bahr, Hermann: Selbstbildnis. Berlin 1923.
Behl, C.F.W.: Zwiesprache mit Gerhart Hauptmann. München 1948.
Benn, Gottfried: Doppelleben. Wiesbaden 1950.
Bermann Fischer, Gottfried: Bedroht – bewahrt. Weg eines Verlegers. Frankfurt 1967.
Binding, Rudolf G.: Die Briefe. Hamburg 1957.
Brecht, Arnold: Aus nächster Nähe. Lebenserinnerungen 1884–1927. Stuttgart 1966.
Brüning, Heinrich: Memoiren 1918–1934. Stuttgart 1970.
Chapiro, Joseph: Gespräche mit Gerhart Hauptmann. Berlin 1932.
Döblin, Alfred: Briefe. Olten 1970.
Domarus, Max: Hitler – Reden und Proklamationen. 1932–1945. Würzburg 1962.
Ebermayer, Erich: „Denn heute gehört uns Deutschland...“, Hamburg-Wien 1959.
ders.: „... und morgen die ganze Welt“. Bayreuth 1966.
Flake, Otto: Es wird Abend. Gütersloh 1960.
Frenssen, Gustav: Lebensbericht. Berlin 1940.
Goebbels, Joseph: Tagebücher. Aus den Jahren 1942–43. Mit anderen Dokumenten hrsg. von Louis P. Lochner. Zürich 1948.
Grundmann, Günther: Begegnungen eines Schlesiers mit Gerhart Hauptmann. Hamburg 1953.
ders.: Erlebter Jahre Widerschein. Von schönen Häusern, guten Freunden und alten Familien in Schlesien. München 1972.
Gustavs, Arnold: Gerhart Hauptmann und Hiddensee. Schwerin 1962.
Guthmann, Johannes: Goldene Frucht. Begegnungen mit Menschen, Gärten und Häusern. Tübingen 1955.
Haas, Willy: Die literarische Welt. München 1957.
Hart, Heinrich: Literarische Erinnerungen. In: ders., Gesammelte Werke. Hrsg. von Julius Hart. Berlin 1907, Bd. 3.
Herzog, Werner: Menschen, denen ich begegnete. Bern 1959.
Heynen, Walter (Hrsg.): Mit Gerhart Hauptmann. Erinnerungen und Bekenntnisse aus seinem Freundeskreis. Berlin 1922.
Hitler, Adolf: Mein Kampf. München 1933.
Hülsen, Hans von: Freundschaft mit einem Genius. Erinnerungen an Gerhart Hauptmann. München 1947.
ders.: Tage mit Gerhart Hauptmann. Dresden o. J.
ders.: Zwillingsseele. München 1947.
Italiaander, Rolf: Mit Gerhart Hauptmann in Dresden. Aus meinen Tagebüchern von 1943. In: ders., Besiegeltes Leben. Goslar 1949, S. 91–119.
Kessler, Harry Graf: Tagebücher 1918–1937. Frankfurt 1961.
Loerke, Oskar: Tagebücher 1903–1939. Veröffentlichungen der Akademie für deutsche Sprache und Dichtung Darmstadt. Heidelberg 1955.
Mann, Thomas: Briefe. Hrsg. von Erika Mann. Bd. I 1889–1936. Frankfurt 1961.
ders.: Briefwechsel mit seinem Verleger Gottfried Bermann Fischer 1932–1955. Hrsg. von Peter de Mendelssohn. Frankfurt 1973.
Marcuse, Ludwig: Mein 20. Jahrhundert. Auf dem Weg zu einer Autobiographie. München 1960.
Molo, Walter von: So wunderbar ist das Leben. Stuttgart 1957.
Mussolini, Rachele: Mussolini ohne Maske. Erinnerungen. Hrsg. von Albert Zarca. Stuttgart 1974.
Nicolson, Harold: Tagebücher und Briefe 1930–1941. Frankfurt 1969.
Pohl, Gerhart: Bin ich noch in meinem Haus? Die letzten Tage Gerhart Hauptmanns. Berlin 1953.

Rathenau, Walther: Tagebuch 1907–1922. Düsseldorf 1967.

Rolland, Romain: Zwischen den Völkern. Aufzeichnungen und Dokumente aus den Jahren 1914–1919. Stuttgart 1954.

Roosevelt, Franklin D.: Roosevelt spricht. Die Kriegsreden des Präsidenten. Stockholm 1945.

Schickele, Rene: Tagebücher. In: ders., Werke. Hrsg. von H. Kesten. Köln-Berlin 1959, Bd. 3.

Schirach, Baldur von: Ich glaubte an Hitler. Hamburg 1967.

Stresemann, Gustav: Reden und Schriften. Politik-Geschichte-Literatur 1897–1926. Dresden 1926.

ders.: Vermächtnis. Der Nachlaß in drei Bänden. Berlin 1933.

Thieß, Frank: Freiheit bis Mitternacht. Wien-Hamburg 1965.

Toller, Ernst: Eine Jugend in Deutschland. In: ders., Prosa, Dramen, Briefe. Reinbek 1961.

Zweig, Stefan: Die Welt von gestern. Stockholm 1944.

IV. Sekundärliteratur zu Gerhart Hauptmann

Abusch, Alexander: Größe und Grenzen Gerhart Hauptmanns. In: Sinn und Form, Jg. 15 (1965), S. 48–61.

Amery, Jean: Gerhart Hauptmann. Der ewige Deutsche. Mühlacker 1963.

Bab, Julius: Hat sich Gerhart Hauptmann mit den Nazis eingelassen? In: Aufbau 1946, Heft 4, S. 434 f.

Bartels, Adolf: Gerhart Hauptmann. Weimar 1897.

Behl, C.F.W.: Gerhart Hauptmann und der Nazismus. In: Berliner Hefte 2 (1947), S. 489–497.

Büttrich, Christian: Mythologie und mythische Bildlichkeit in Gerhart Hauptmanns „Till Eulenspiegel". Phil. Diss. Berlin 1972.

Daiber, Hans: Gerhart Hauptmann oder Der letzte Klassiker. Wien-Müchen-Zürich 1971.

Ebermayer, Erich: Hauptmann. Eine Bildbiographie. München 1962.

Emrich, Wilhelm: Dichterischer und politischer Mythos – ihre wechselseitigen Verblendungen. In: Geist und Widergeist. Wahrheit und Lüge der Literatur. Studien. Frankfurt 1965.

ders.: Der Tragödientypus Gerhart Hauptmanns. Protest und Verheißung. Studien zur klassischen und modernen Dichtung. Frankfurt-Bonn 1960, S. 193–205.

Erckmann, Rudolf: Gerhart Hauptmann. In: „Völkischer Beobachter" vom 16.11.1932.

Erdmann, Gustav: Zum Herder-Erlebnis Gerhart Hauptmanns. In: Worte und Werte. Bruno Markwardt zum 60. Geburtstag. Hrsg. von G. Erdmann u. A. Eichstaedt. Berlin 1961, S. 87–91.

ders.: Altes Testament und Judentum bei Gerhart Hauptmann. In: Glaube und Gewissen. Jg. 17 (1971), Heft 6, S. 114–118.

Goetze, Rolf: Von „Sonnenaufgang" bis „Sonnenuntergang". Gerhart Hauptmanns Berliner Beziehungen. Berlin 1971.

Guthke, Karl S.: Gerhart Hauptmann. Weltbild im Werk. Göttingen 1961.

ders.: Alfred Kerr und Gerhart Hauptmann. In: ders., Wege zur Literatur. Bern-München 1967, S. 147–166.

Haenisch, Konrad: Gerhart Hauptmann und das deutsche Volk. Berlin 1922.

Hanstein, Adalbert von: Gerhart Hauptmann. Leipzig 1898.

Hass, Hans-Egon: Weltspiel und Todesmysterium. Strukturen eines dichterischen Widerspruchs gegen die politische Welt. In: Gerhart Hauptmann, Festspiel in deutschen Reimen. Die Finsternisse. Frankfurt-Berlin-Wien 1963, S. 87–136.

Heuser, Frederick W.J.: Gerhart Hauptmann. Zu seinem Leben und Schaffen. Tübingen 1961.

Hildebrandt, Klaus: Gerhart Hauptmanns Verhältnis zur Geschichte. Phil. Diss. Erlangen 1965.

Hilscher, Eberhard: Gerhart Hauptmann. Berlin 1969.

Hülsen, Hans v.: Gerhart Hauptmann. Leipzig 1927.

ders.: Gerhart Hauptmann. Umriß seiner Gestalt. Wien-Leipzig 1942.

Ihering, Herbert: Gerhart Hauptmann und die Wende der Zeit. In: Aufbau, November 1945, S. 254–265.

Jofen, Jean: Das letzte Geheimnis. Eine psychologische Studie über die Brüder Gerhart und Carl Hauptmann. Bern 1972.

Kaufmann, Hans: Zwei Dramatiker: Gerhart Hauptmann und Frank Wedekind. In: ders., Krisen und Wandlungen der deutschen Literatur von Wedekind bis Feuchtwanger. Berlin-Weimar 1969, S. 47–84.

Kleinholz, Hartwig: Gerhart Hauptmanns szenisches Requiem „Die Finsternisse". Interpretation. Phil. Diss. Köln 1962.

Lukacs, Georg: Gerhart Hauptmann. In: Die Linkskurve, Jg. 4 (1932), Heft 10, S. 5–11.

Mayer, Hans: Einführung in das dramatische Werk Gerhart Hauptmanns. In: Gerhart Hauptmann, Ausgewählte Dramen in vier Bänden. Berlin 1956, Bd. I, S. 7–82.

ders.: Gerhart Hauptmann. Velber 1967. (= Friedrichs Dramatiker des Welttheaters 23).

ders.: Gerhart Hauptmann und die Mitte. In: ders., Von Lessing bis Thomas Mann. Pfullingen 1959, S. 338–355.

Mehring, Franz: Ein Traumstück („Hanneles Himmelfahrt"). In: ders., Gesammelte Schriften. Berlin 1961, Bd. 11, S. 301–304.

ders.: Der Fall Hauptmann, ibd., S. 353 f.

Mendelssohn, Peter de: Gerhart Hauptmann und Thomas Mann. In: ders., Von deutscher Repräsentanz. Ansbach 1972, S. 170–238.

Müller-Salget, Klaus: Dramaturgie der Parteilosigkeit. In: Naturalismus. Bürgerliche Dichtung und soziales Engagement. Hrsg. von H. Scheuer. Stuttgart 1974.

Pohl, Gerhart: Gerhart Hauptmann. Sinnbild des deutschen Schicksals. In: Gerhart Hauptmann. Leben und Werk. Eine Gedächtnisausstellung des Deutschen Literaturarchivs zum 100. Geburtstag des Dichters. Hrsg. von Bernhard Zeller. Marbach a. N., Schiller-Nationalmuseum 1962, S. 9–16.

Rilla, Paul: Zum Werke Gerhart Hauptmann. In: ders., Essays. Kritische Beiträge zur Literatur. Berlin 1955, S. 210–225.

Sauer, Klaus/Werth, German: Lorbeer und Palme. Patriotismus in deutschen Festspielen. München 1971, S. 122–136.

Schlenther, Paul: Gerhart Hauptmann. Berlin 1912.

Schwab-Felisch, Hans: „Die Weber" – ein Spiegel des 19. Jahrhunderts. In: Gerhart Hauptmann, Die Weber – Dichtung und Wirklichkeit. Frankfurt-Berlin 1959, S. 73–113.

Seyppel, Joachim: Gerhart Hauptmann. Berlin 1962 (= Köpfe des XX. Jahrhunderts 27).

Voigt, Felix A.: Gerhart Hauptmann unter der Herrschaft des Nazismus. In: Monatshefte für deutschen Unterricht. 38 (1946) Heft 4, S. 298–303.

Wegner, Peter-Christian: Gerhart Hauptmanns Griechendramen. Ein Beitrag zum Verhältnis von Psyche und Mythos. Diss. Kiel 1968.

V. Allgemeine Sekundärliteratur

Ackermann, Walter: Die zeitgenössische Kritik an den deutschen naturalistischen Dramen (Hauptmann, Holz, Schlaf). Diss. München 1965.
Adler, Gusti: Max Reinhardt, sein Leben. Salzburg 1964.
Blei, Franz: Männer und Masken. Berlin 1930.
Boehlich, Walter: Der Berliner Antisemitismusstreit von 1879. Nachwort. Frankfurt 1965.
Bracher, Karl Dietrich: Autoritarismus und Nationalismus in der deutschen Geschichte. In: Autoritarismus und Nationalismus — ein deutsches Problem? Frankfurt 1965 (= Politische Psychologie Bd. 2), S. 13—20.
Braulich, Heinrich: Max Reinhardt. Theater zwischen Traum und Wirklichkeit. Berlin 1969.
Brauneck, Manfred: Literatur und Öffentlichkeit im ausgehenden 19. Jahrhundert. Studien zur Rezeption des naturalistischen Theaters. Stuttgart 1974.
Brenner, Hildegard: Die Kunstpolitik des Nationalsozialismus. Reinbek b. Hamburg 1963.
dies.: Ende einer bürgerlichen Kunst-Institution. Die politische Formierung der Preußischen Akademie der Künste ab 1933. Eine Dokumentation. Stuttgart 1972 (= Schriftenreihe der Vierteljahreshefte für Zeitgeschichte 24).
Broszat, Martin: Die völkische Ideologie und der Nationalsozialismus. In: Deutsche Rundschau, Jg. 84 (1958), S. 53—68.
Buchheim, Karl: Geschichte der christlichen Parteien in Deutschland. München 1963.
Bußmann, Walter: Politische Ideologien zwischen Monarchie und Weimarer Republik. Ein Beitrag zur Ideengeschichte der Weimarer Republik. In: Historische Zeitschrift, Bd. 190, München 1960, S. 55—77.
Dehio, Ludwig: Deutschland und die Weltpolitik im 20. Jahrhundert. München 1955.
Diwald, Hellmut: Literatur und Zeitgeist in der Weimarer Republik. In: Zeitgeist der Weimarer Republik. Hrsg. von H.J. Schoeps. Stuttgart 1968 (= Zeitgeist im Wandel 2), S. 203—260.
Dyserinck, Hugo: Graf Hermann Keyserling und Frankreich. Bonn 1970.
Erdmann, Karl Dietrich: Die Zeit der Weltkriege. In: Bruno Gebhardt, Handbuch der deutschen Geschichte. Stuttgart 1959, Bd. 4.
Erikson, Erik: Kindheit und Gesellschaft. Zürich 1957.
Eschenburg, Theodor: Aus dem Universitätsleben vor 1933. In: Deutsches Geistesleben und Nationalsozialismus. Eine Vortragsreihe der Universität Tübingen. Hrsg. von A. Flitner. Tübingen 1965, S. 23—46.
Faust, Anselm: Der Nationalsozialistische Deutsche Studentenbund. Düsseldorf 1973.
Fest, Joachim C.: Das Gesicht des Dritten Reiches. Profile einer totalitären Herrschaft. München 1964.
ders.: Hitler. Eine Biographie. Frankfurt-Berlin-Wien 1973.
Freyhold, Michaela von: Autoritarismus und politische Apathie. Analyse einer Skala zur Ermittlung autoritätsgebundener Verhaltensweisen. Frankfurt 1971 (= Frankfurter Beiträge zur Soziologie 22).
Fromm, Erich: Autorität und Familie. Sozialpsychologischer Teil. In: Studien über Autorität und Familie. Forschungsberichte aus dem Institut für Sozialforschung.

Paris 1936 (= Schriften des Instituts für Sozialforschung 5), S. 77–135.

ders.: Die Furcht vor der Freiheit. Zürich 1945.

Fülberth, Georg: Proletarische Partei und bürgerliche Literatur. Berlin-Neuwied 1972 (= Collection alternative Bd. 4).

Gay, Peter: Die Republik der Außenseiter. Geist und Kultur der Weimarer Zeit: 1918–1933. Frankfurt 1970.

Geißler, Rolf: Dekadenz und Heroismus. Zeitroman und völkisch-nationalsozialistische Literaturkritik. Stuttgart 1964 (= Schriftenreihe der Vierteljahreshefte für Zeitgeschichte, Nr. 9).

Grebing, Helga: Der Nationalsozialismus. Ursprung und Wesen. München-Wien 1964.

dies.: Geschichte der deutschen Arbeiterbewegung. Ein Überblick. München 1966.

Habermas, Jürgen: Strukturwandel der Öffentlichkeit. Neuwied 1962.

Hamann, Richard/Hermand, Jost: Naturalismus. Berlin 1959 (= Deutsche Kunst und Kultur von der Gründerzeit bis zum Expressionismus 2.).

Hanstein, Adalbert von: Das jüngste Deutschland. Zwei Jahrzehnte miterlebter Literaturgeschichte. Leipzig 1901.

Heiber, Helmut: Joseph Goebbels. Berlin 1962.

Hellige, Hans: Rathenau. Masch. Manuskript.

Hermand, Jost: Der Schein des schönen Lebens. Studien zur Jahrhundertwende. Frankfurt 1972.

ders.: Von Mainz nach Weimar. Studien zur deutschen Literatur. Stuttgart 1969.

Herzfeld, Hans: Berlin und die Provinz Brandenburg. Allgemeine Entwicklung und politische Geschichte. In: Berlin und die Provinz Brandenburg im 19. und 20. Jahrhundert. Veröffentlichungen der Historischen Kommission zu Berlin. Bd. 25. Berlin 1968, S. 3–180.

Holborn, Hajo: Der deutsche Idealismus in sozialgeschichtlicher Beleuchtung. In: Moderne deutsche Sozialgeschichte. Hrsg. von H.-U. Wehler. Köln 1966, S. 85–108.

Hüttenberger, Peter: Die Gauleiter. Studie zum Wandel des Machtgefüges in der NSDAP. Stuttgart 1969.

Jens, Inge: Dichter zwischen rechts und links. Die Geschichte der Sektion für Dichtkunst der Preußischen Akademie der Künste, dargestellt nach den Dokumenten. München 1971.

Just, Klaus Günther: Von der Gründerzeit bis zur Gegenwart. Geschichte der deutschen Literatur seit 1871. Bern 1973.

ders.: Das Tagebuch als literarische Form. In: ders., Übergänge, Probleme und Gestalten der Literatur. Bern 1966.

Kaiser, Gerhard: Pietismus und Patriotismus im literarischen Deutschland. Ein Beitrag zum Problem der Säkularisation. Wiesbaden 1961.

Keller, Ernst: Nationalismus und Literatur. Langemarck-Weimar-Stalingrad. Bern 1970.

Kerr, Alfred: Walther Rathenau. Amsterdam 1935.

Kessler, Harry Graf: Walther Rathenau. Sein Leben und sein Werk. Berlin 1928.

Kleßmann, Christoph: Der Generalgouverneur Hans Frank. In: Vierteljahreshefte für Zeitgeschichte. 19 Jg. (1971).

Knudsen, Hans: Handbuch der deutschen Theatergeschichte. Stuttgart 1970.

Kupisch, Karl: Christlich-kirchliches Leben in den letzten hundert Jahren. In: Berlin und die Provinz Brandenburg im 19. und 20. Jahrhundert. Hrsg. von Hans Herzfeld. Berlin 1968 (= Veröffentlichungen der Historischen Kommission zu Berlin, Bd. 25), S. 479–514.

382

ders.: Bürgerliche Frömmigkeit im Wilhelminischen Zeitalter. In: Das Wilhelminische Zeitalter. Hrsg. von H.J. Schoeps. Stuttgart 1967 (= Zeitgeist im Wandel 1.), S. 40–49.

Lange, Karl: Hitlers unbeachtete Maximen. „Mein Kampf" in der Öffentlichkeit. Stuttgart 1968.

Lange-Eichbaum, Wilhelm: Genie, Irrsinn und Ruhm. Eine Pathographie des Genies. München-Basel 1956.

Lepenies, Wolf: Melancholie und Gesellschaft. Frankfurt 1969.

Lessing, Theodor: Der jüdische Selbsthaß. Berlin 1930.

Lukacs, Georg: Deutsche Realisten des 19. Jahrhunderts. Berlin 1952.

Mann, Golo: Deutsche Geschichte des 19. und 20. Jahrhunderts. Frankfurt 1958.

Maser, Werner: Hitlers „Mein Kampf". Müchen 1966.

Melchers, Georg: Biologie und Nationalsozialismus. In: Deutsches Geistesleben und Nationalsozialismus. Eine Vortragsreihe der Universität Tübingen. Hrsg. von A. Flitner. Tübingen 1965, S. 59–72.

Mendelssohn, Peter de: S. Fischer und sein Verlag. Frankfurt 1970.

ders.: Der Geist in der Despotie. Versuche über die moralischen Möglichkeiten des Intellektuellen in der totalitären Gesellschaft. Berlin 1953.

ders.: Zeitungsstadt Berlin. Menschen und Mächte in der Geschichte der deutschen Presse. Berlin 1959.

Minder, Robert: Dichter in der Gesellschaft. Erfahrungen mit deutscher und französischer Literatur. Frankfurt 1966.

Mitscherlich, Alexander u. Margarete: Die Unfähigkeit zu trauern. Grundlagen kollektiven Verhaltens. München 1968.

Müller-Dyes, Klaus: Das literarische Leben 1850–1933. In: Berlin und die Provinz Brandenburg im 19. und 20. Jahrhundert. Hrsg. von Hans Herzfeld. Berlin 1968 (= Veröffentlichungen der Historischen Kommission zu Berlin, Bd. 25), S. 701–750.

Müller-Plantenberg, Urs: Der Freisinn nach Bismarcks Sturz. Phil. Diss., Berlin 1971.

Neumann, Bernd: Identität und Rollenzwang. Zur Theorie der Autobiographie. Frankfurt 1970.

Neurohr, Jean: Der Mythos vom Dritten Reich. Zur Geistesgeschichte des Nationalsozialismus. Stuttgart 1957.

Nolte, Ernst: Der Faschismus in seiner Epoche. Die Action francaise. Der italienische Faschismus. Der Nationalsozialismus. München 1963.

ders.: Die faschistischen Bewegungen. Die Krise des liberalen Systems und die Entwicklung der Faschismen. München 1966 (= dtv-Weltgeschichte des 20. Jahrhunderts. Bd. 4).

Paetel, Karl O.: Deutsche innere Emigration. New York 1946.

Parsons, Talcott: Sozialstruktur und Persönlichkeit. Frankfurt 1968.

Peters, Max: Friedrich Ebert. Berlin 1954.

Petzet, Wolfgang: Theater. Die Münchner Kammerspiele 1911–1972. München 1973.

Plessner, Helmuth: Das Problem der Öffentlichkeit und die Idee der Entfremdung. Göttingen 1960 (= Göttinger Universitätsreden 28).

ders.: Die verspätete Nation. Über die Verführbarkeit bürgerlichen Geistes. Stuttgart 1959.

Pünder, Hermann: Der Reichspräsident in der Weimarer Republik. Frankfurt-Köln-Bonn 1961 (= Demokratische Existenz heute. Schriften des Forschungsinstituts für politische Wissenschaft der Universität zu Köln, Heft 2).

Radkau, Joachim: Die deutsche Emigration in den USA. Ihr Einfluß auf die amerikanische Europa-Politik 1933–1945. Düsseldorf 1971.

Ritschel, Karl-Heinz: Diplomatie um Südtirol. Stuttgart 1966.
Rosenberg, Arthur: Entstehung und Geschichte der Weimarer Republik. Hrsg. von K. Kersten. Frankfurt 1955.
Sell, Friedrich C.: Die Tragödie des deutschen Liberalismus. Stuttgart 1953.
Scheuer, Helmut: Arno Holz im literarischen Leben des ausgehenden 19. Jahrhunderts (1883–1896). Eine biographische Studie. München 1971.
ders.: Zwischen Sozialismus und Individualismus. Zwischen Marx und Nietzsche. In: Naturalismus. Bürgerliche Dichtung und soziales Engagement. Stuttgart 1974.
Schnetz, Wolf Peter: Oskar Loerke. Biographie. München 1967.
Schoeps, Hans Joachim: Das Wilhelminische Zeitalter in geistesgeschichtlicher Sicht. In: Das Wilhelminische Zeitalter. Hrsg. von H.J. Schoeps. Stuttgart 1967 (= Zeitgeist im Wandel 1.), S. 11–39.
Schwerte Hans: Deutsche Literatur im Wilhelminischen Zeitalter, ibd., S. 121–145.
Sennewald, Michael: Hanns Heinz Ewers. Phantastik und Jugendstil. Meisenheim am Glan 1973.
Smend, Rudolf: Politisches Erlebnis und Staatsdenken seit dem 18. Jahrhundert. In: Nachrichten von der Akademie der Wissenschaften in Göttingen. Phil.-Historische Klasse, Jg. 1943, Nr. 13. Göttingen 1943, S. 517–534.
Sontheimer, Kurt: Antidemokratisches Denken in der Weimarer Republik. München 1962.
ders.: Weimar – ein deutsches Kaleidoskop. In: Die deutsche Literatur in der Weimarer Republik. Stuttgart 1974.
Steinert, Marlis G.: Hitlers Krieg und die Deutschen. Stimmung und Haltung der deutschen Bevölkerung im Zweiten Weltkrieg. Düsseldorf-Wien 1970.
Stern, Fritz: Kulturpessimismus als politische Gefahr. Eine Analyse nationaler Ideologie in Deutschland. Bern 1963.
ders.: Die politischen Folgen des unpolitischen Deutschen. In: Das kaiserliche Deutschland. Politik und Gesellschaft 1870–1918. Hrsg. von Michael Stürmer. Düsseldorf 1970, S. 168–186.
Stribrny, Wolfgang: Evangelische Kirche und Staat in der Weimarer Republik. In: Zeitgeist der Weimarer Republik. Hrsg. von H.J. Schoeps. Stuttgart 1968 (= Zeitgeist im Wandel 2.), S. 160–175.
Strothmann, Dietrich: Die Regie des Autoreneinsatzes. In: Wege der Literatursoziologie. Hrsg. u. eingel. von Hans Norbert Fügen. Neuwied-Berlin 1968, S. 315–331.
ders.: Nationalsozialistische Literaturpolitik. Bonn 1960.
Töpner, Kurt: Der deutsche Katholizismus zwischen 1918 und 1933. In: Zeitgeist der Weimarer Republik. Hrsg. von H.J. Schoeps. Stuttgart 1968 (= Zeitgeist im Wandel 2.), S. 176–202.
Walter, Hans Albert: Deutsche Exilliteratur 1933–1950. Bd. I, Bedrohung und Verfolgung bis 1933.
Wangh, M.: Psychoanalytische Betrachtungen zur Dynamik und Genese des Vorurteils, des Antisemitismus und des Nazismus. In: Psyche, Jg. 16 (1962–1963). Stuttgart 1966, S. 273–284.
Wende, Erich: C.H. Becker. Mensch und Politiker. Stuttgart 1959.
Wilde, Harry: Walther Rathenau in Selbstzeugnissen und Bilddokumenten. Reinbek 1971.
Wile, Fred. W.: Rings um den Kaiser. Berlin 1913.
Ziegler, Klaus: Die Berliner Gesellschaft und die Literatur. In: Berlin in Vergangenheit und Gegenwart. Tübinger Vorträge. Hrsg. von Hans Rothfels. Tübingen 1961 (= Tübinger Studien zur Geschichte und Politik 14.), S. 35–48.

PERSONENREGISTER